핀란드 2학년 수학 교과서

________ 초등학교 ____ 학년 ____ 반

이름 ________________

QR코드를 스캔하면 놀이 수학
동영상을 보실 수 있습니다.

핀란드 2학년 수학 교과서 2-1 1권

초판 7쇄 발행 2024년 5월 20일

지은이 마아리트 포슈박, 안네 칼리올라, 아르토 티카넨, 미이아-리이사 바네우스
그린이 마이사 라야마키-쿠코넨 **옮긴이** 이경희
펴낸이 정혜숙 **펴낸곳** 마음이음

책임편집 이금정 **디자인** 디자인서가
등록 2016년 4월 5일(제2018-000037호)
주소 03925 서울시 마포구 월드컵북로 402 9층 917A호(상암동 KGIT센터)
전화 070-7570-8869 **팩스** 0505-333-8869
전자우편 ieum2016@hanmail.net
블로그 https://blog.naver.com/ieum2018

ISBN 979-11-89010-41-6 64410
979-11-89010-40-9 (세트)

핀란드 2학년 수학 교과서 2-1

1권

글 마아리트 포슈박, 안네 칼리올라,
아르토 티카넨, 미이아-리이사 바네우스

그림 마이사 라야마키-쿠코넨

옮김 이경희(전 수학 교과서 집필진)

마음이음

핀란드 학생들이 수학도 잘하고 수학 흥미도가 높은 비결은?

우리나라 학생들이 수학 학업 성취도가 세계적으로 높은 것은 자랑거리이지만 수학을 공부하는 시간이 다른 나라에 비해 많은 데다, 사교육에 의존하고, 흥미도가 낮은 건 숨기고 싶은 불편한 진실입니다. 이러한 측면에서 사교육 없이 공교육만으로 국제학업성취도평가(PISA)에서 상위권을 놓치지 않는 핀란드의 교육 비결이 궁금하지 않을 수가 없습니다. 더군다나 핀란드에서는 숙제도, 순위를 매기는 시험도 없어 학교에서 배우는 수학 교과서 하나만으로 수학을 온전히 이해해야 하지요. 과연 어떤 점이 수학 교과서 하나만으로 수학 성적과 흥미도 두 마리 토끼를 잡게 한 걸까요?

– 핀란드 수학 교과서는 수학과 생활이 동떨어진 것이 아닌 친밀한 것으로 인식하게 합니다. 그래서 시간, 측정, 돈 등 학생들은 다양한 방식으로 수학을 사용하고 응용하면서 소비, 교통, 환경 등 자신의 생활과 관련지으며 수학을 어려워하지 않습니다.

– 교과서 국제 비교 연구에서도 교과서의 삽화가 학생들의 흥미도를 결정하는 데 중요한 역할을 한다고 했습니다. 핀란드 수학 교과서의 삽화는 수학적 개념과 문제를 직관적으로 쉽게 이해하도록 구성하여 학생들의 흥미를 자극하는 데 큰 역할을 하고 있습니다.

– 핀란드 수학 교과서는 또래 학습을 통해 서로 가르쳐 주고 배울 수 있도록 합니다. 교구를 활용한 놀이 수학, 조사하고 토론하는 탐구 과제는 수학적 의사소통 능력을 향상시키고 자기 주도적인 학습 능력을 길러 줍니다.

– 핀란드 수학 교과서는 창의성을 자극하는 문제를 풀게 합니다. 답이 여러 가지 형태로 나올 수 있는 문제, 스스로 문제 만들고 풀기를 통해 짧은 시간에 많은 문제를 푸는 것이 아닌 시간이 걸리더라도 사고하며 수학을 하도록 합니다.

– 핀란드 수학 교과서는 코딩 교육을 수학과 연계하여 컴퓨팅 사고와 문제 해결을 돕는 다양한 활동을 담고 있습니다. 코딩의 기초는 수학에서 가장 중요한 논리와 일맥상통하기 때문입니다.

핀란드는 국정 교과서가 아닌 자율 발행제로 학교마다 교과서를 자유롭게 선정합니다. 마음이음에서 출판한 『핀란드 수학 교과서』는 핀란드 초등학교 2190개 중 1320곳에서 채택하여 수학 교과서로 사용하고 있습니다. 또한 이웃한 나라 스웨덴에서도 출판되어 교과서 시장을 선도하고 있지요.

코로나로 인하여 온라인 수업과 재택 수업으로 학습 격차가 커지고 있습니다. 다행히 『핀란드 수학 교과서』는 우리나라 수학 교육 과정을 다 담고 있으며 부모님 가이드도 있어 가정 학습용으로 좋습니다. 자기 주도적인 학습이 가능한 『핀란드 수학 교과서』는 학업 성취와 흥미를 잡는 해결책이 될 수 있을 것으로 기대합니다.

이경희(전 수학 교과서 집필진)

추천의 글

수학은 흥미를 끄는 다양한 경험과 스스로 공부하려는 학습 동기가 있어야 좋은 결과를 얻을 수 있습니다. 국내에 많은 문제집이 있지만 대부분 유형을 익히고 숙달하는 데 초점을 두고 있으며, 세분화된 단계로 복잡하고 심화된 문제들을 다룹니다. 이는 학생들이 수학에 흥미나 성취감을 갖는 데 도움이 되지 않습니다.

공부에 대한 스트레스 없이도 국제학업성취도평가에서 높은 성과를 내는 핀란드의 교육 제도는 국제 사회에서 큰 주목을 받아 왔습니다. 이번에 국내에 소개되는 『핀란드 수학 교과서』는 스스로 공부하는 학생을 위한 최적의 학습서입니다. 다양한 실생활 소재와 풍부한 삽화, 배운 내용을 반복하여 충분히 익힐 수 있도록 구성되어 학생이 흥미를 갖고 스스로 탐구하며 수학에 대한 재미를 느낄 수 있을 것으로 기대합니다.

전국수학교사모임

수학 학습을 접하는 시기는 점점 어려지고, 학습의 양과 속도는 점점 많아지고 빨라지는 추세지만 학생들을 지도하는 현장에서 경험하는 아이들의 수학 문제 해결력은 점점 하향화되는 추세입니다. 이는 학생들이 흥미와 호기심을 유지하며 수학 개념을 주도적으로 익히고 사고하는 경험과 습관을 형성하여 수학적 문제 해결력과 사고력을 신장하여야 할 중요한 시기에, 빠른 진도와 학습량을 늘리기 위해 수동적으로 설명을 듣고 유형 중심의 반복적 문제 해결에만 집중한 결과라고 생각합니다.

『핀란드 수학 교과서』를 통해 흥미와 호기심을 유지하며 수학 개념을 스스로 즐겁게 내재화하고, 이를 창의적으로 적용하고 활용하는 수학 학습 태도와 습관이 형성된다면 학생들이 수학에 쏟는 노력과 시간이 높은 수준의 창의적 문제 해결력이라는 성취로 이어질 것입니다.

손재호(KAGE영재교육학술원 동탄본원장)

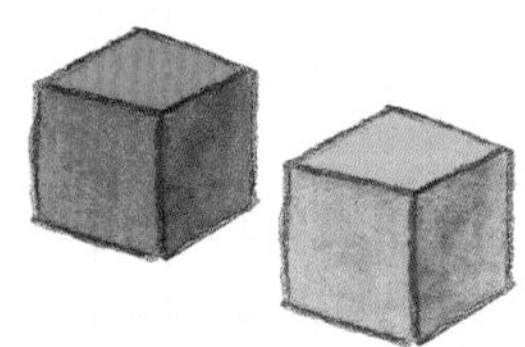

한국의 학생들에게

「핀란드 수학 교과서(Star Maths)」 시리즈를 펴낸 오타바(Otava) 출판사는 교재 전문 출판사로 120년이 넘는 역사를 지닌 명실상부한 핀란드의 대표 출판사입니다. 특히 「Star Maths」 시리즈는 핀란드 학교 현장의 수학 전문가들이 최신 핀란드 국립교육과정을 반영하여 함께 개발한 핀란드의 대표 수학 교과서입니다.

수 개념과 십진법을 이해하기 위한 탄탄한 기반을 제공하여 연산 능력을 키우고, 기본, 응용, 심화 문제 등 학생 개개인의 학습 차이를 다각도에서 고려하여 다양한 평가 문제를 실었습니다. 또한 친구 또는 부모님과 함께 놀이를 통해 문제 해결을 하며 수학적 즐거움을 발견하여 수학에 대한 긍정적인 태도를 갖도록 합니다.

한국의 학생들이 이 책과 함께 즐거운 수학 세계로 여행을 떠나길 바랍니다.

마아리트 포슈박, 안네 칼리올라, 아르토 티카넨,
미이아-리이사 바네우스(STAR MATHS 공동 저자)

이 책의 구성

핀란드 수학 교과서, 왜 특별할까?

수학과 연계하여 컴퓨팅 사고와 문제 해결력을 키워 줘요.

교구를 활용한 놀이 수학을 통해 수학 개념을 이해시켜요.

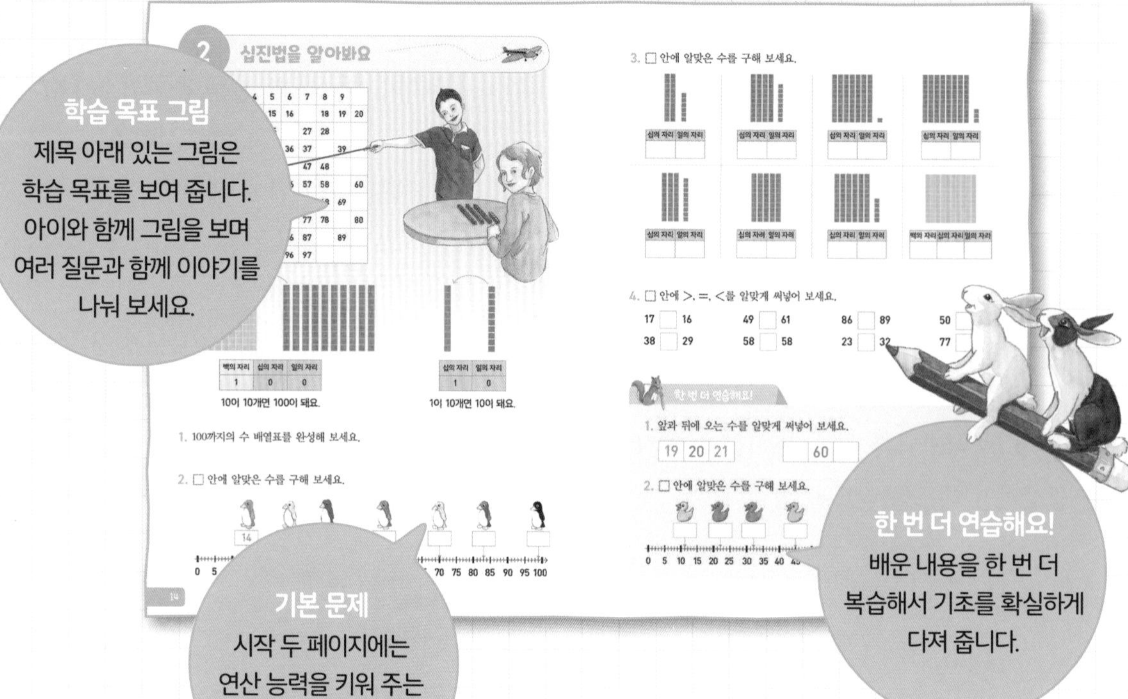

학습 목표 그림
제목 아래 있는 그림은 학습 목표를 보여 줍니다. 아이와 함께 그림을 보며 여러 질문과 함께 이야기를 나눠 보세요.

기본 문제
시작 두 페이지에는 연산 능력을 키워 주는 기본 문제들이 있습니다.

한 번 더 연습해요!
배운 내용을 한 번 더 복습해서 기초를 확실하게 다져 줍니다.

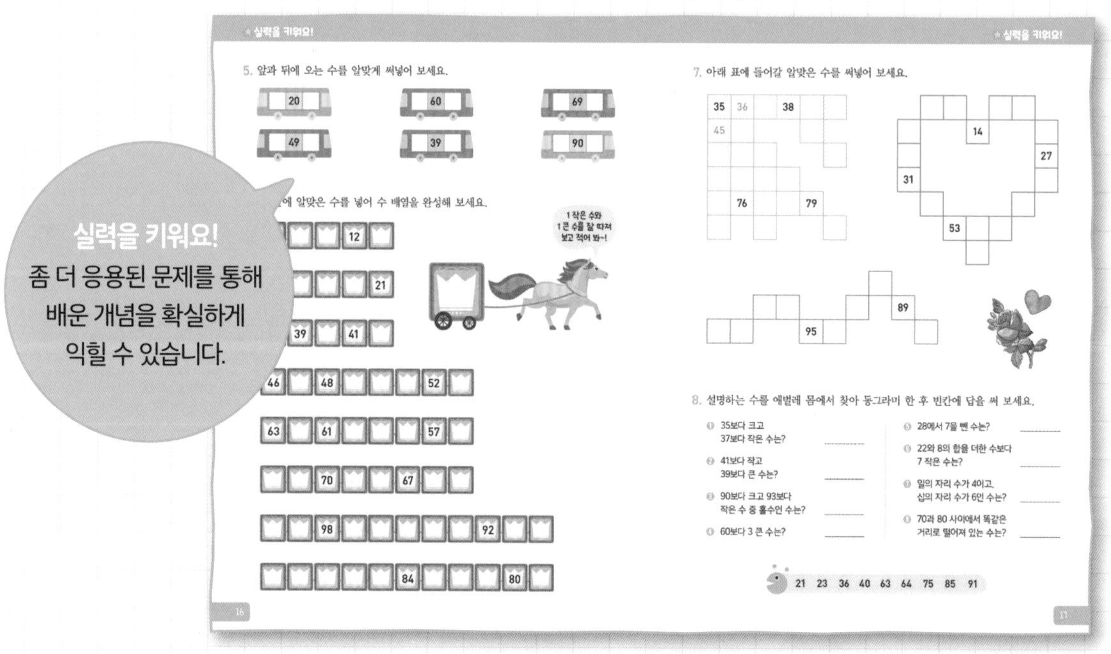

실력을 키워요!
좀 더 응용된 문제를 통해 배운 개념을 확실하게 익힐 수 있습니다.

수학적 이야기가 풍부한 그림으로 수학 학습에 영감을 불어넣어요.
수학적 구조를 발견하고 이해하게 하여 수학 공식을 암기할 필요 없어요.
연산, 서술형, 응용과 심화, 사고력 문제가 한 권에 모두 들어 있어요.

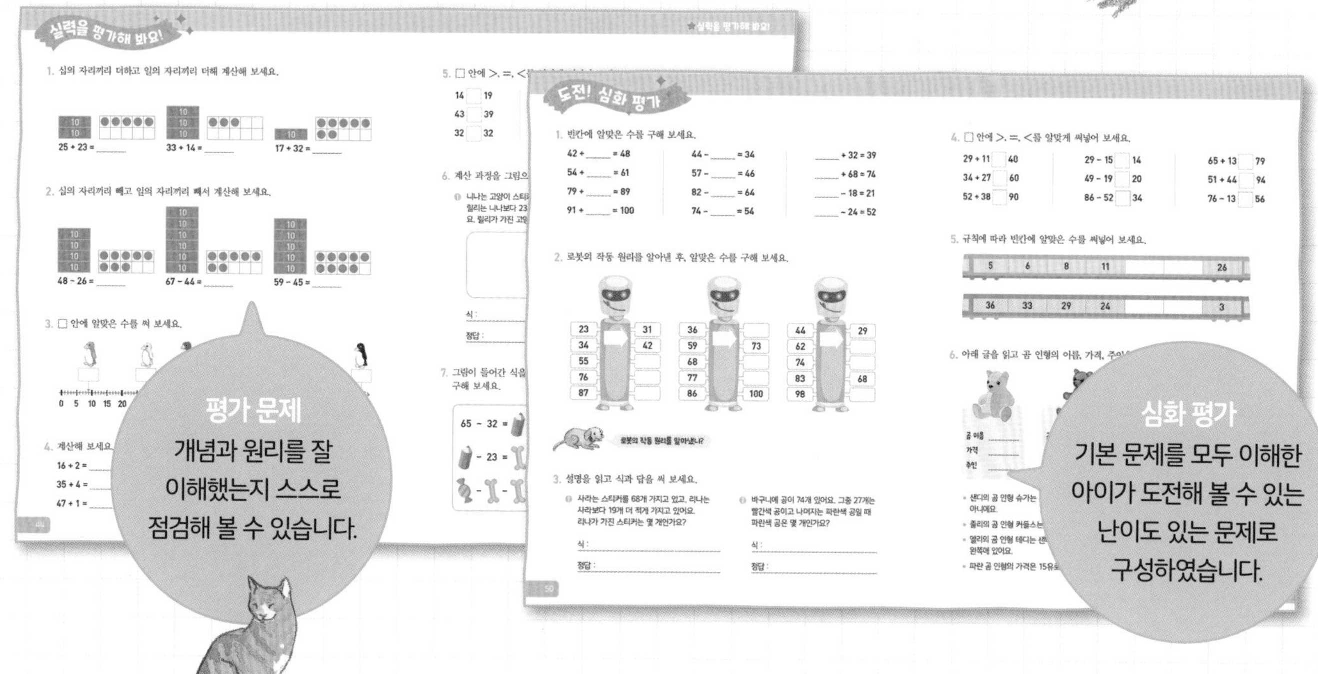

실력을 평가해 봐요!
도전! 심화 평가
평가 문제
개념과 원리를 잘 이해했는지 스스로 점검해 볼 수 있습니다.
심화 평가
기본 문제를 모두 이해한 아이가 도전해 볼 수 있는 난이도 있는 문제로 구성하였습니다.

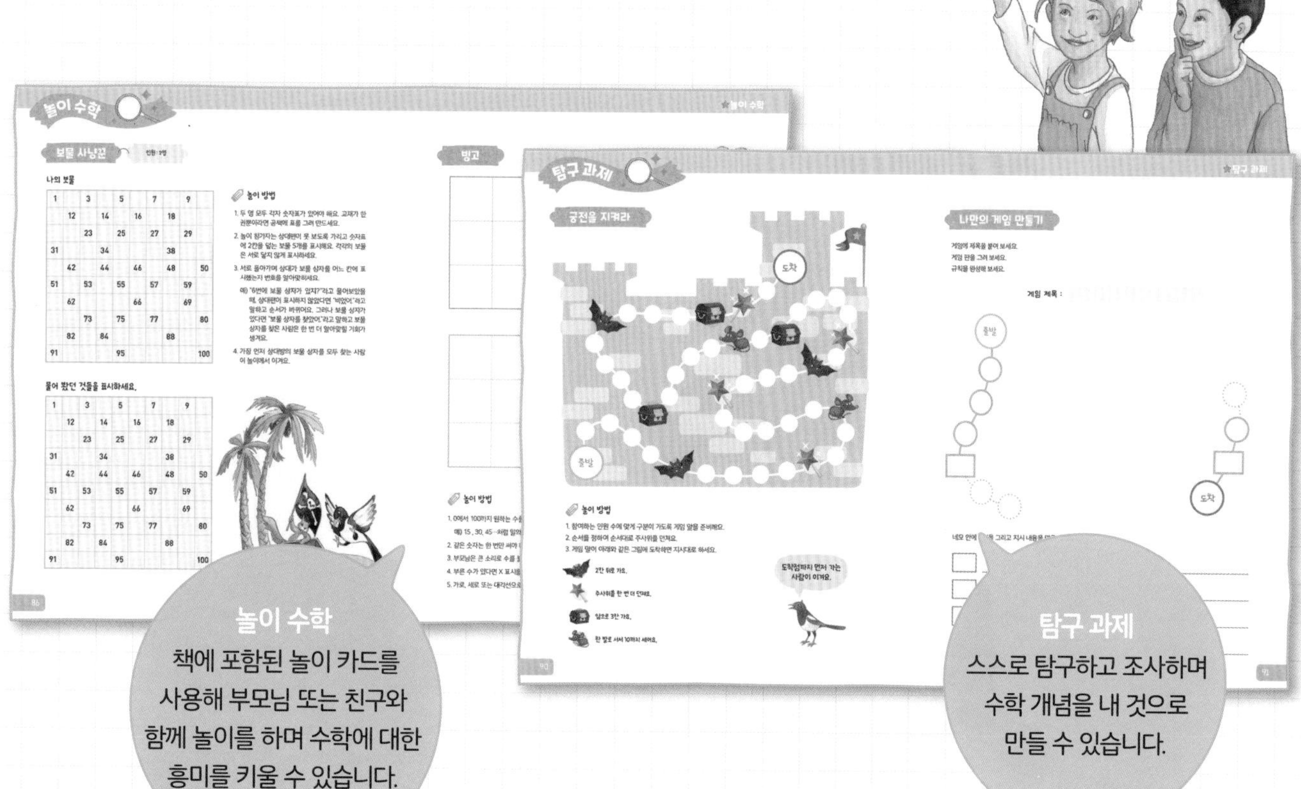

3 + 6 =
놀이 수학
보물 사냥꾼
탐구 과제
공전을 지켜라
나만의 게임 만들기
놀이 수학
책에 포함된 놀이 카드를 사용해 부모님 또는 친구와 함께 놀이를 하며 수학에 대한 흥미를 키울 수 있습니다.
탐구 과제
스스로 탐구하고 조사하며 수학 개념을 내 것으로 만들 수 있습니다.

차례

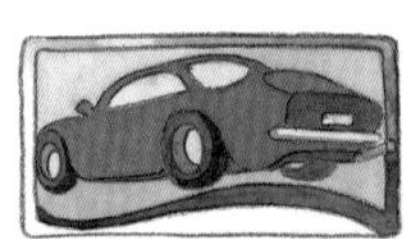

____월 ____일 ____요일

1 덧셈과 뺄셈

덧셈	뺄셈
8 + 5 = 13	12 − 3 = 9
더해지는 수, 더하는 수, 합	빼어지는 수, 빼는 수, 차

1. 10을 만들어 보세요.

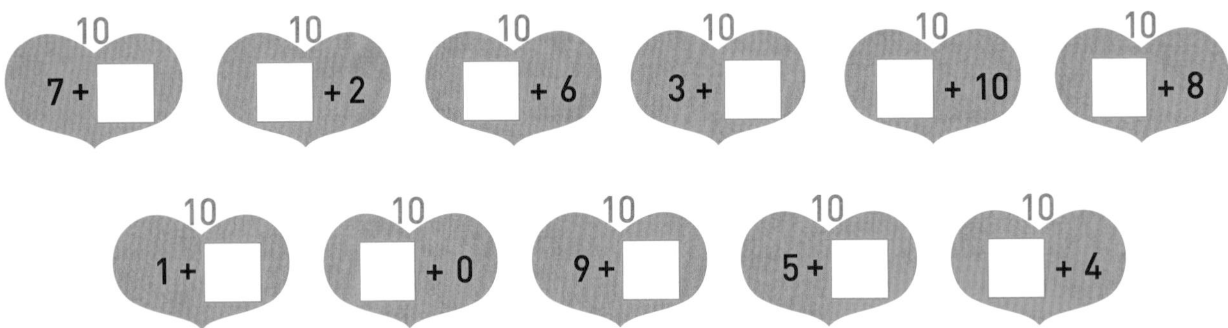

2. 계산해 보세요.

6 + 4 + 1 = ______	11 − 1 − 3 = ______	12 + 4 = ______
8 + 2 + 4 = ______	13 − 3 − 8 = ______	15 + 3 = ______
7 + 3 + 2 = ______	15 − 5 − 4 = ______	17 − 6 = ______
1 + 6 + 9 = ______	17 − 7 − 6 = ______	19 − 5 = ______

3. 계산해 보세요.

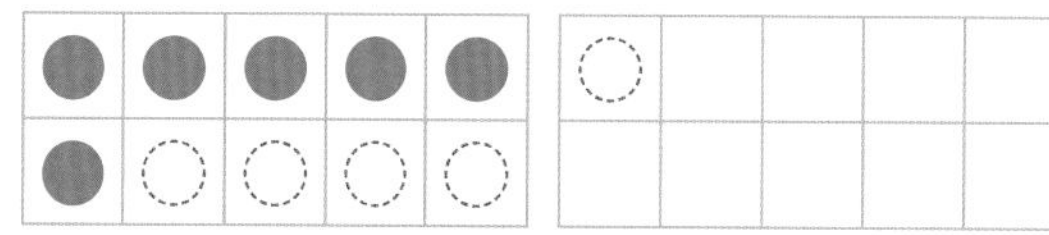

6 + 5 = ________

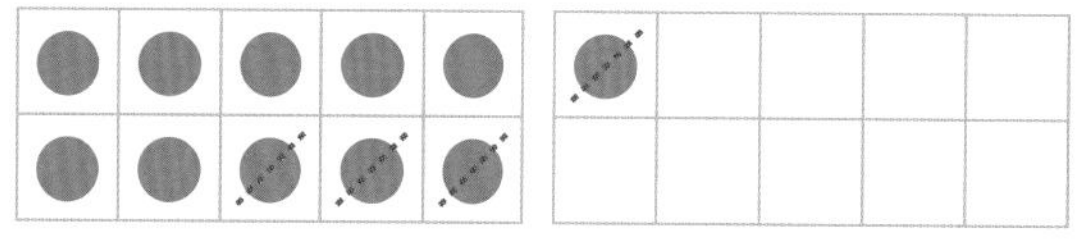

11 − 4 = ________

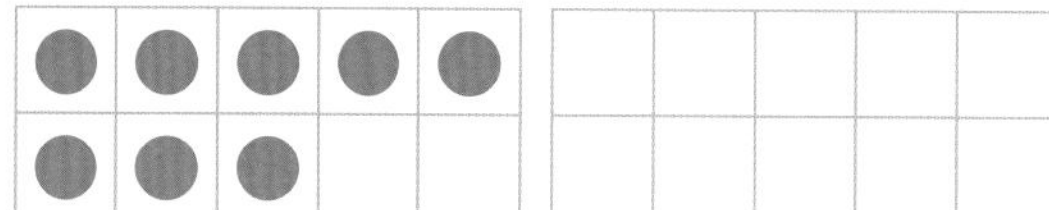

8 + 6 = ________

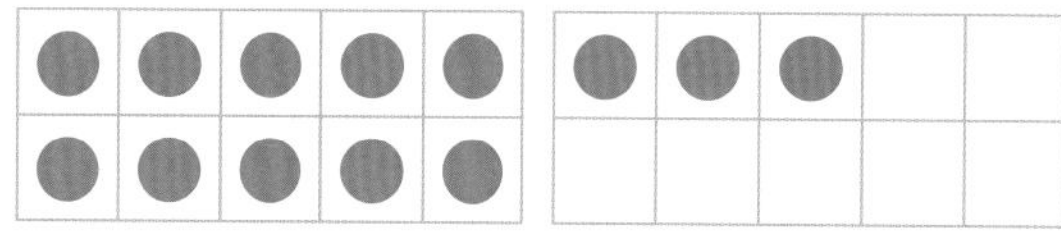

13 − 5 = ________

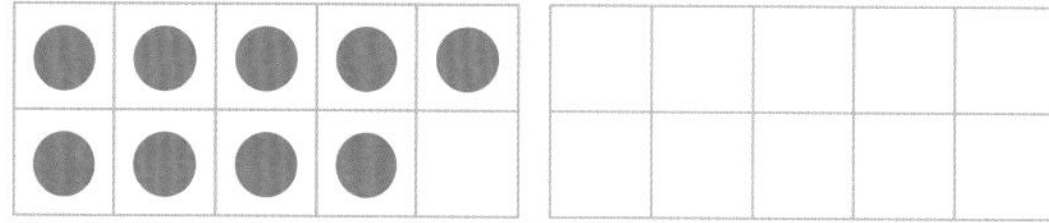

9 + 8 = ________

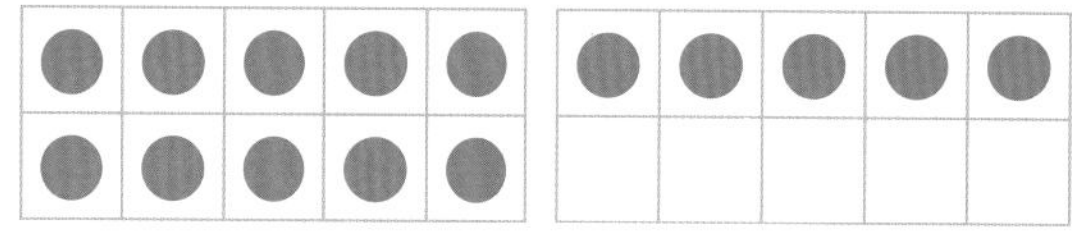

15 − 7 = ________

4. 계산해 보세요.

8 + 3 = ________

7 + 6 = ________

9 + 6 = ________

5 + 8 = ________

12 − 5 = ________

14 − 6 = ________

17 − 8 = ________

16 − 9 = ________

한 번 더 연습해요!

1. 계산해 보세요.

6 + 4 + 5 = ________

3 + 7 + 8 = ________

12 − 2 − 6 = ________

14 − 4 − 7 = ________

5 + 5 = ________

7 + 7 = ________

6 + 6 = ________

9 + 9 = ________

12 − 6 = ________

16 − 8 = ________

10 − 5 = ________

14 − 7 = ________

5. 빈칸에 알맞은 수를 구해 보세요.

6 + ____ = 11	13 − ____ = 10	11 + ____ = 13
8 + ____ = 12	16 − ____ = 12	15 + ____ = 20
7 + ____ = 13	17 − ____ = 13	12 − ____ = 2
9 + ____ = 14	19 − ____ = 16	14 − ____ = 3

6. 계산한 후 정답에 해당하는 색을 칠해 보세요.

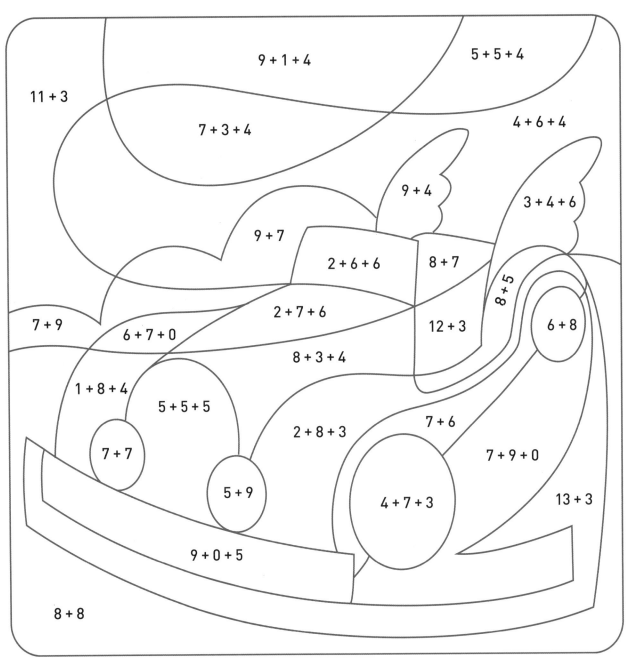

9 + 1 + 4
5 + 5 + 4
11 + 3
7 + 3 + 4
4 + 6 + 4
9 + 4
3 + 4 + 6
9 + 7
2 + 6 + 6
8 + 7
8 + 5
7 + 9
2 + 7 + 6
6 + 7 + 0
12 + 3
6 + 8
8 + 3 + 4
1 + 8 + 4
5 + 5 + 5
7 + 6
2 + 8 + 3
7 + 7
7 + 9 + 0
5 + 9
4 + 7 + 3
13 + 3
9 + 0 + 5
8 + 8

7. □ 안에 +, −를 알맞게 써넣어 보세요.

14 □ 5 = 15 □ 6	17 □ 2 < 16 □ 3
13 □ 3 = 18 □ 2	19 □ 5 < 14 □ 4
16 □ 5 = 17 □ 6	16 □ 4 > 20 □ 1
18 □ 1 = 13 □ 4	15 □ 4 > 20 □ 2

8. 로봇의 작동 원리를 알아낸 후, 알맞은 수를 구해 보세요.

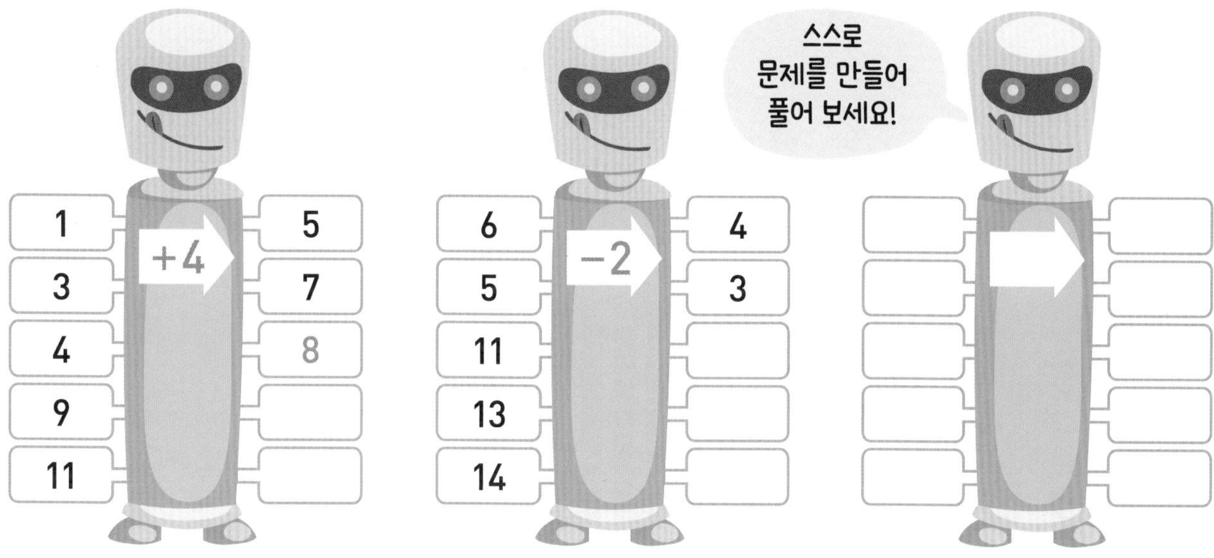

9. 그림이 들어간 식을 보고 그림의 값을 구해 보세요.

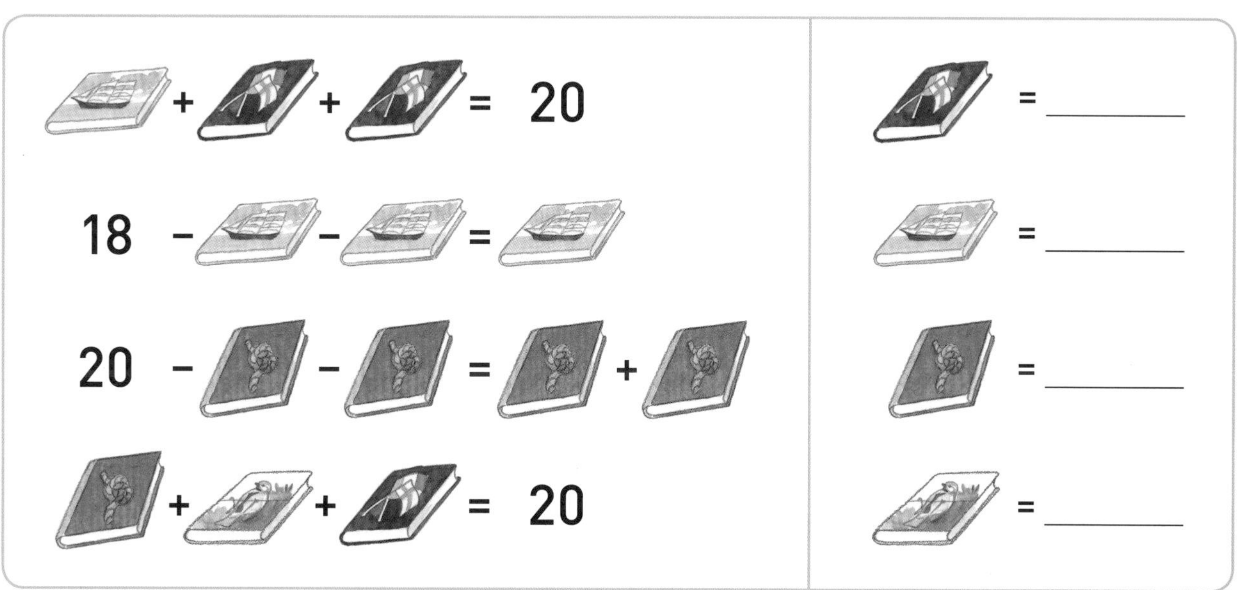

____월 ____일 ____요일

2 십진법을 알아봐요

*책 뒤에 있는 수 모형을 활용하세요.

1		3	4	5	6	7	8	9	
	12	13	14	15	16		18	19	20
21	22	23	24	25		27	28		
	32		34	35	36	37		39	
41	42		44	45		47	48		
	52	53		55	56	57	58		60
	62	63	64		66	67	68	69	
	72		74	75		77	78		80
81		83	84		86	87		89	
	92	93		95	96	97			

백의 자리	십의 자리	일의 자리
1	0	0

10이 10개면 100이 돼요.

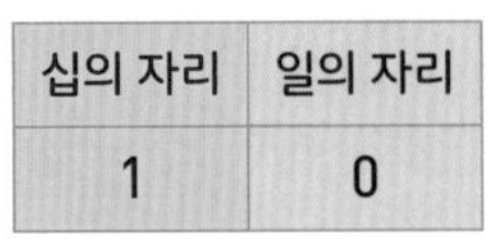

십의 자리	일의 자리
1	0

1이 10개면 10이 돼요.

1. 위의 수 배열표를 완성해 보세요.

2. □ 안에 알맞은 수를 써 보세요.

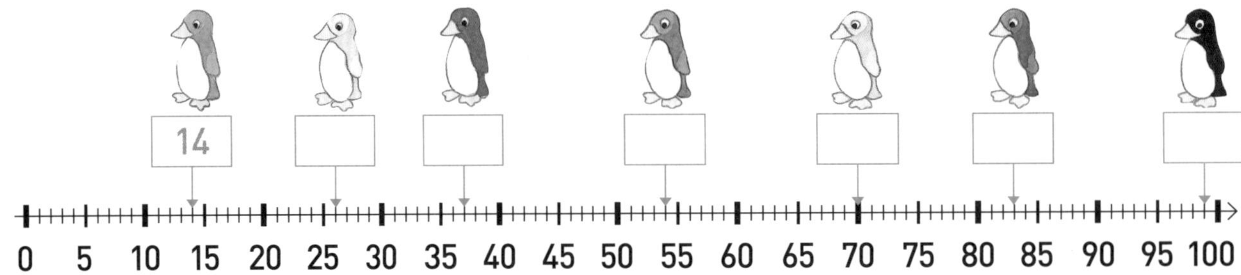

3. 수 막대를 보고 □ 안에 알맞은 수를 써 보세요.

십의 자리	일의 자리

십의 자리	일의 자리

십의 자리	일의 자리

십의 자리	일의 자리

십의 자리	일의 자리

십의 자리	일의 자리

십의 자리	일의 자리

백의 자리	십의 자리	일의 자리

4. □ 안에 >, =, <를 알맞게 써넣어 보세요.

17 □ 16　　49 □ 61　　86 □ 89　　50 □ 60

38 □ 29　　58 □ 58　　23 □ 32　　77 □ 58

한 번 더 연습해요!

1. 앞과 뒤에 오는 수를 알맞게 써넣어 보세요.

19	20	21

	60	

	79	

2. □ 안에 알맞은 수를 써 보세요.

0 5 10 15 20 25 30 35 40 45 50 55 60 65 70 75 80 85 90 95 100

5. 앞과 뒤에 오는 수를 알맞게 써넣어 보세요.

6. □ 안에 알맞은 수를 넣어 수 배열을 완성해 보세요.

1 작은 수와
1 큰 수를 잘 따져
보고 적으렴~!

9	□	□	12	□

17	□	□	□	21

□	39	□	41	□

46	□	48	□	□	□	52	□

63	□	61	□	□	□	57	□

□	□	70	□	□	67	□	□

□	□	98	□	□	□	□	□	92	□	□

□	□	□	□	□	84	□	□	□	80	□

7. 아래 표에 들어갈 알맞은 수를 써넣어 보세요.

35	36		38		
45					
	76			79	

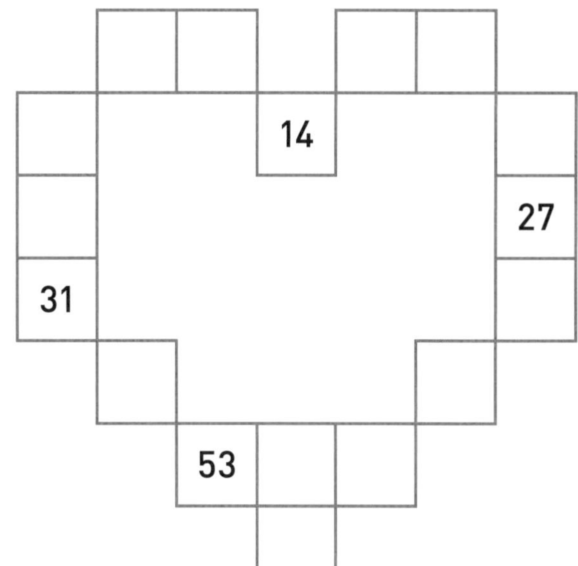

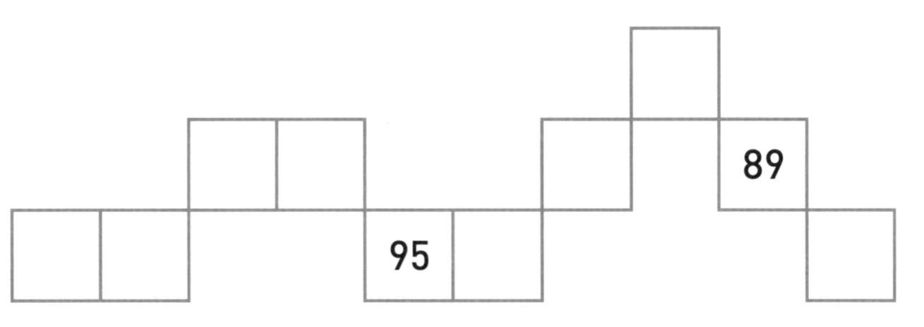

빈 곳에도 선을 그어
100칸 표를 완성한다고
생각하면 숨어 있는 수를
찾을 수 있어~.

8. 설명하는 수를 애벌레에서 찾아 표 한 후 빈칸에 답을 써 보세요.

❶ 35보다 크고 37보다 작은 수는? ________

❷ 41보다 작고 39보다 큰 수는? ________

❸ 90보다 크고 93보다 작은 수 중 홀수인 수는? ________

❹ 60보다 3 큰 수는? ________

❺ 28-7의 값은? ________

❻ 22+8의 값보다 7 작은 수는? ________

❼ 일의 자리 수가 4이고, 십의 자리 수가 6인 수는? ________

❽ 70과 80 사이의 수 중 가운데 있는 수는? ________

21 23 36 40 63 64 75 85 91

3 10000원은 1000원이 10개

500원

1000원

5000원

10000원

* 책 뒤에 있는 모형 돈을 활용하세요.

1. 지갑에 돈이 얼마나 들어 있나요?
돈을 모두 합쳐 10000원인 지갑을 찾아 지갑에 달린 곰에 색칠해 보세요.

____

____

____

____

____

____

2. 스티커를 사는 데 얼마를 썼나요? 식을 쓰고 답을 써 보세요.

❶ 엠마는 하트 스티커를 2개 샀어요.

정답 : __________

❷ 사라는 하트 스티커와 차 스티커를 각각 1개씩 샀어요.

정답 : __________

❸ 알렉은 축구 스티커를 2개 샀어요.

정답 : __________

❹ 미나는 차 스티커와 곰 스티커를 각각 1개씩 샀어요.

정답 : __________

한 번 더 연습해요!

1. 지갑에는 얼마나 들어 있나요?

2. 계산해 보세요.

20 + 70 = ______

50 + 40 = ______

10 + 90 = ______

50 − 20 = ______

40 − 30 = ______

70 − 50 = ______

100 − 50 = ______

80 − 20 = ______

90 − 40 = ______

3. 지갑에 들어 있는 돈의 합과 같은 값의 스티커를 찾아 선으로 이어 보세요.

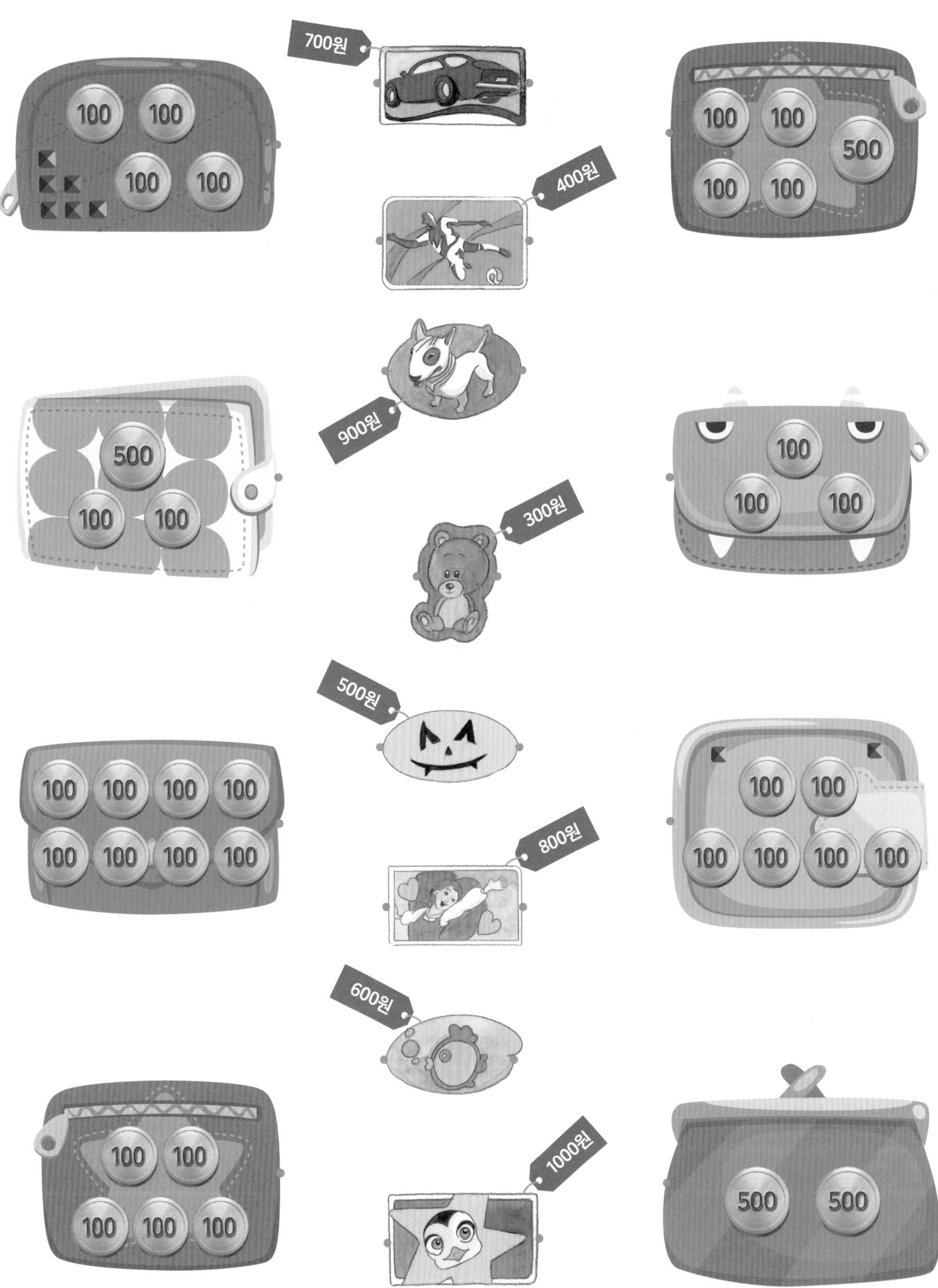

4. □ 안에 >, =, <를 알맞게 써넣어 보세요.

100원 + 900원	□	1000원	300원 + 200원	□	900원 - 200원
1000원 + 4000원	□	5000원	10000원 - 2000원	□	3000원 + 4000원
3000원 + 6000원	□	10000원	8000원 - 2000원	□	10000원 - 4000원

5. 돈의 합은 모두 얼마인지 계산해 보세요.

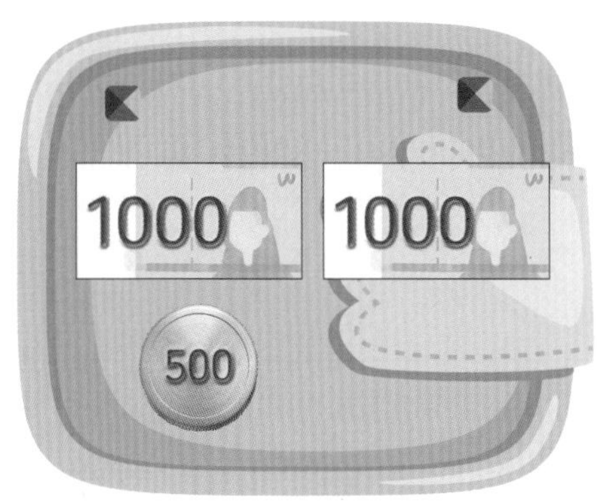

____

____

____

____

6. 계산해 보세요.

50 + 20 = ________

40 + 30 = ________

30 + 70 = ________

60 - 40 = ________

80 - 30 = ________

100 - 20 = ________

7. 돈은 모두 얼마인가요?

1000 1000 1000

____

1000 1000 1000 1000

5000 5000 5000 5000

____

8. 아래 글을 읽고 식과 답을 써 보세요.

❶ 가게에 주스가 50개 있어요. 그중 30개를 팔았어요. 남은 주스는 몇 개인가요?

식 : ________________

정답 : ________________

❷ 사과가 상자에는 60개, 냉장고에는 8개 있어요. 사과는 모두 몇 개인가요?

식 : ________________

정답 : ________________

❸ 접시에 파이가 40개 있어요. 그중 아이들이 30개를 먹었어요. 접시에 남은 파이는 몇 개인가요?

식 : ________________

정답 : ________________

❹ 병에는 건포도 70개와 호두 20개가 있어요. 건포도는 호두보다 몇 개 더 많이 있나요?

식 : ________________

정답 : ________________

9. 똑같이 그려 보세요.

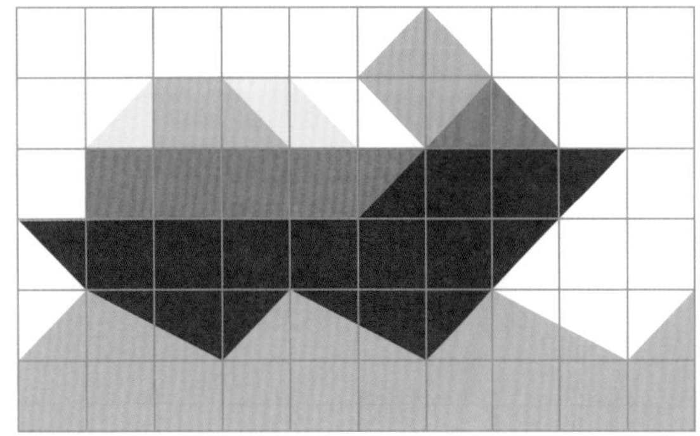

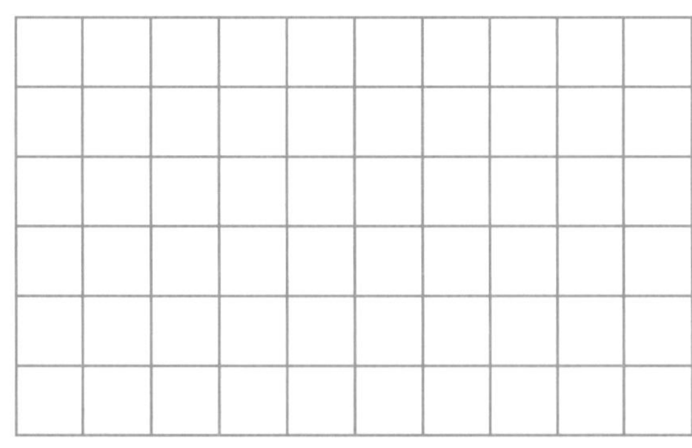

10. 친구들이 생각하는 수는 얼마일까요?

22보다 크고 25보다
작은 홀수야.

래리의 수보다
20 큰 수야.

래리의 수는 ________

사라의 수는 ________

사라의 수에서
래리의 수를 뺀 수야.

세 친구의 수의 합보다
10 큰 수야.

페트라의 수는 ________

올리의 수는 ________

11. 아래 표시를 보고 돈이 얼마인지 계산해 보세요.

개수 표시

||	=	2
𝍸	=	5
𝍸 ||	=	7
𝍸 𝍸	=	10

	5000원	1000원	500원	100원	총합
개수	-	||	|	||	2700원
개수	-	||	|||	|	원
개수	|	-	||	||||	원
개수	|	|	|	|||	원
개수	-	||	𝍸	||	원
개수	-	|||	|||	||	원
개수	|	|	-	𝍸||	원

4 일의 자리에서의 덧셈과 뺄셈

 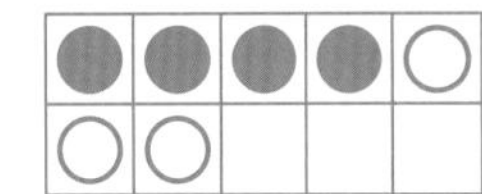

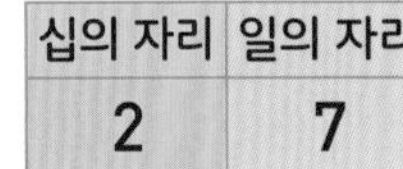

2 4	+	3	=	십의 자리 2	일의 자리 7

일의 자리끼리 더해요.

 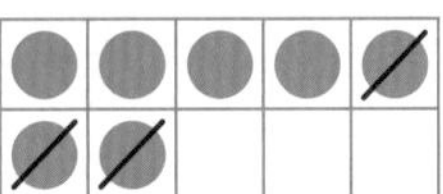

2 7	-	3	=	십의 자리 2	일의 자리 4

일의 자리끼리 빼요.

1. 일의 자리끼리 더해서 계산해 보세요.

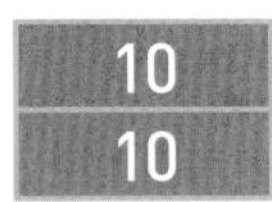 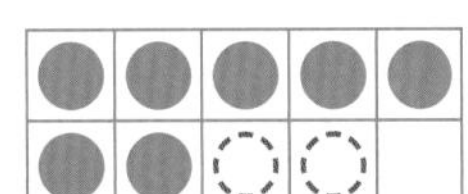

27 + 2 = ______

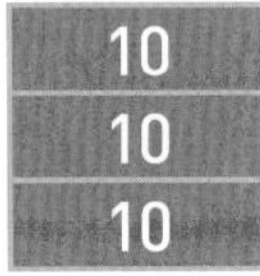 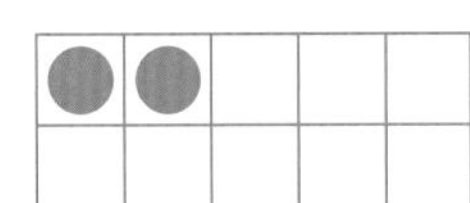

32 + 4 = ______

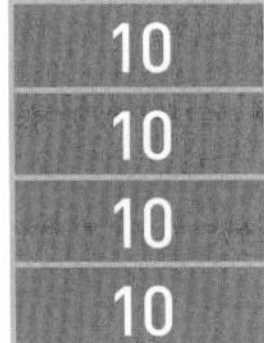 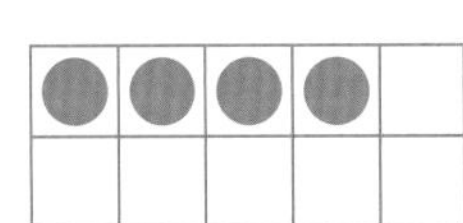

44 + 5 = ______

2. 일의 자리끼리 빼서 계산해 보세요.

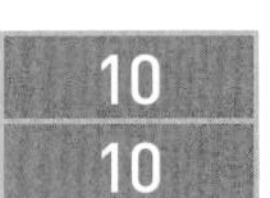 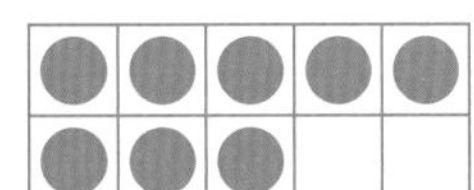

28 − 6 = ______

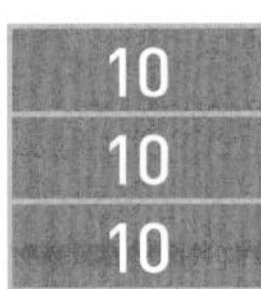 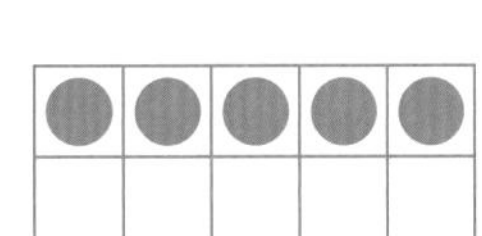

35 − 4 = ______

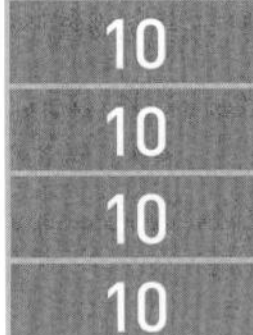 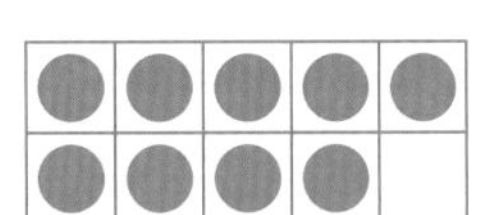

49 − 6 = ______

3. 계산해 보세요.

4 + 3 = ______	7 − 5 = ______	34 + 3 = ______	29 − 6 = ______
14 + 3 = ______	17 − 5 = ______	54 + 5 = ______	57 − 2 = ______
24 + 3 = ______	27 − 5 = ______	72 + 4 = ______	95 − 3 = ______

4. 아래 글을 읽고 식과 답을 써 보세요.

① 미카엘은 카드가 25장 있는데, 제이미가 4장을 주었어요. 미카엘이 가지고 있는 카드는 모두 몇 장인가요?

식 : ____________________

정답 : ____________________

② 시드니는 카드가 59장 있는데, 엘리아스에게 6장을 주었어요. 시드니에게 남은 카드는 몇 장인가요?

식 : ____________________

정답 : ____________________

한 번 더 연습해요!

1. 일의 자리끼리 더해서 계산해 보세요.

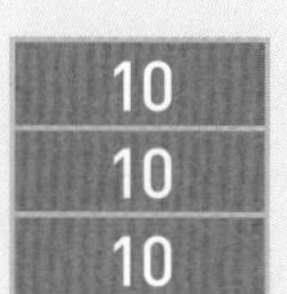

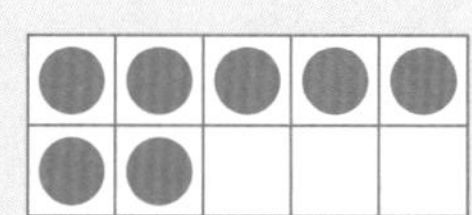

37 + 2 = ______

42 + 6 = ______

2. 일의 자리끼리 빼서 계산해 보세요.

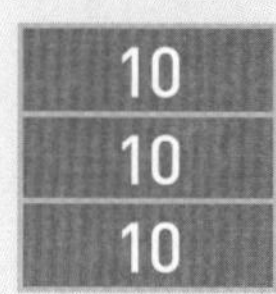

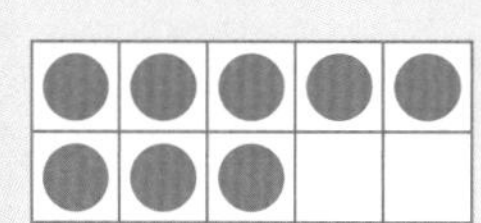

38 − 5 = ______

46 − 3 = ______

5. 계산한 후 정답에 해당하는 알파벳을 찾아 □ 안에 써넣어 보세요.
어떤 영어 문장이 완성되었나요?

35 + 0 = ______ □
32 + 5 = ______ □
43 + 3 = ______ □
40 + 6 = ______ □
24 + 4 = ______ □
33 + 2 = ______ □
53 + 1 = ______ □
71 + 4 = ______ □
64 + 5 = ______ □
34 + 5 = ______ □

68 + 7 = ______ □
42 + 2 = ______ □

73 + 6 = ______ □

52 + 7 = ______ □
34 + 4 = ______ □
62 + 7 = ______ □

32 + 4 = ______ □
34 + 3 = ______ □
53 + 5 = ______ □
57 + 1 = ______ □
23 + 6 = ______ □

28	29	35	36	37	38	39	44	46	54	58	59	69	75	79
E	Y	C	H	O	U	G	S	L	T	B	F	N	I	A

6. 로봇의 작동 원리를 알아낸 후, 알맞은 수를 구해 보세요.

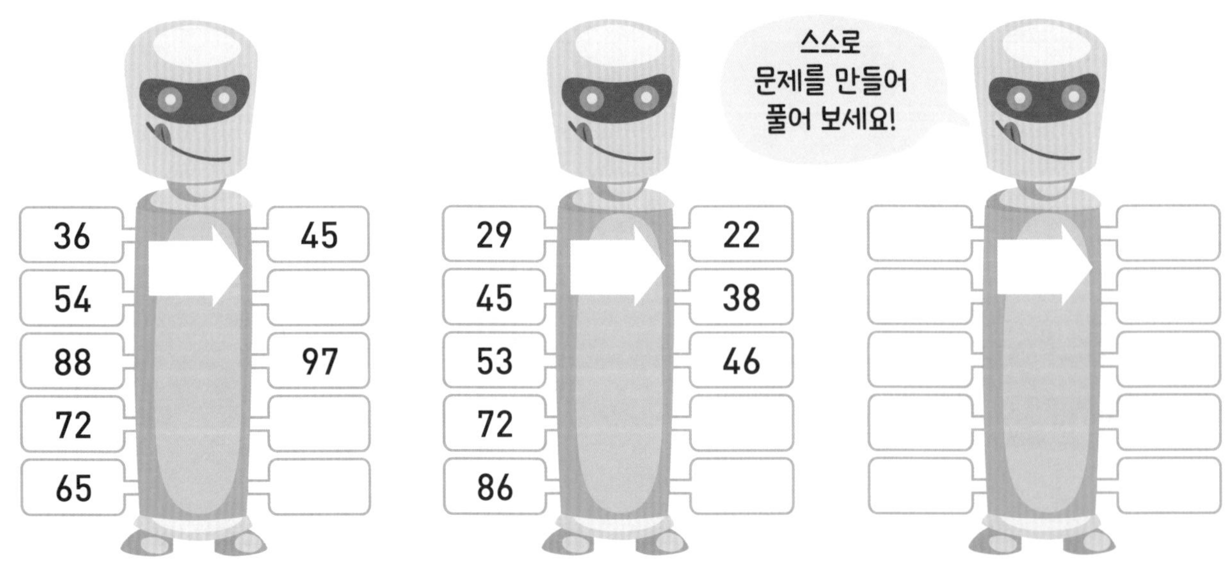

7. 식과 답을 써 보고, 애벌레에서 답을 찾아 ◯표 하세요.

❶ 미라는 구슬을 43개 가지고 있어요. 시드니는 미라보다 12개 더 많이 가지고 있어요. 시드니가 가진 구슬은 모두 몇 개인가요?

식 : ________________

정답 : ________________

❷ 스탠리는 구슬을 58개 가지고 있어요. 메이는 스탠리보다 13개 더 적게 가지고 있어요. 메이가 가진 구슬은 몇 개인가요?

식 : ________________

정답 : ________________

❸ 레니는 공을 24개 가지고 있었는데 7개를 더 얻었어요. 그리고 레오에게 공을 3개 주었어요. 레니에게 남은 공은 몇 개인가요?

식 : ________________

정답 : ________________

25 28 45 55

8. 일의 자리 수가 3, 4, 6인 수에 색칠해 보세요.

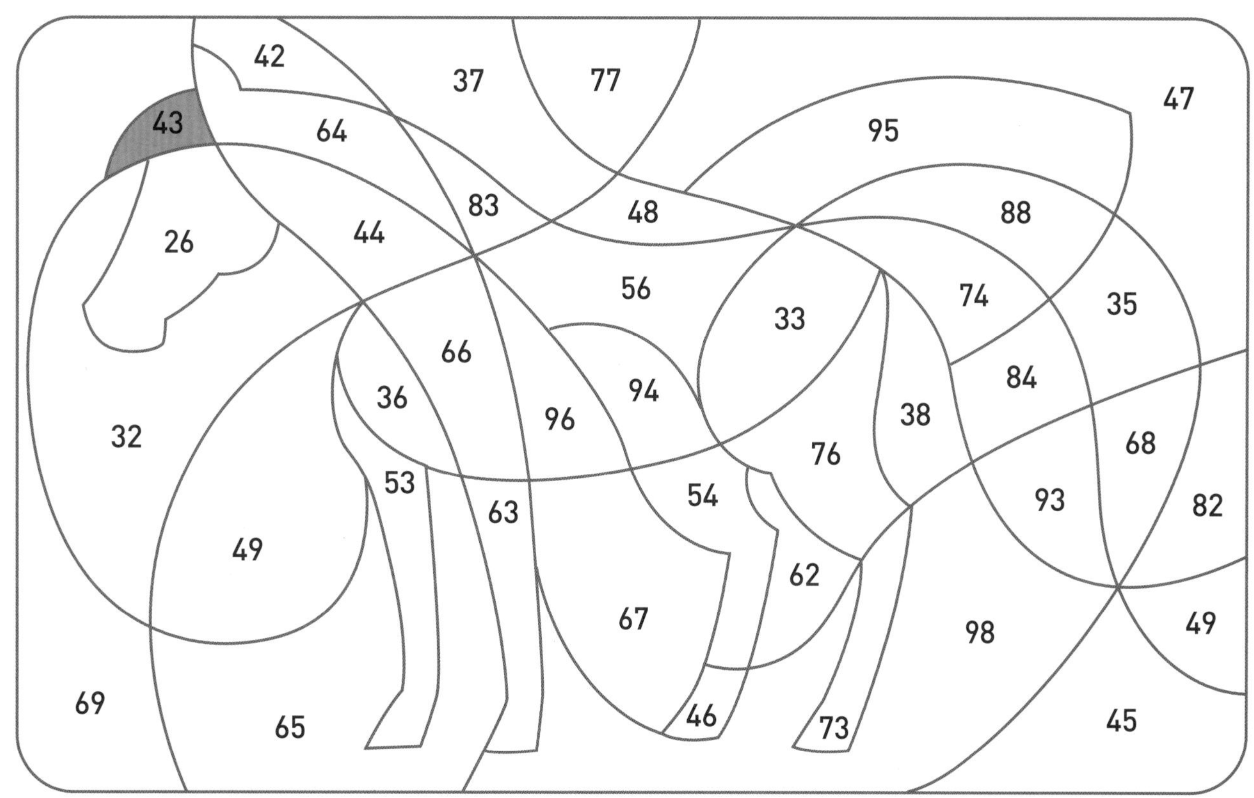

____ 월 ____ 일 ____ 요일

5 십의 자리에서의 덧셈과 뺄셈

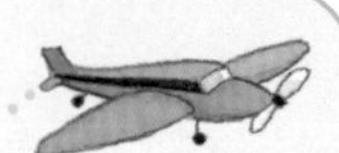

14 + 20 =

십의 자리	일의 자리
3	4

십의 자리끼리 더해요.

36 - 20 =

십의 자리	일의 자리
1	6

십의 자리끼리 빼요.

1. 십의 자리끼리 더해서 계산해 보세요.

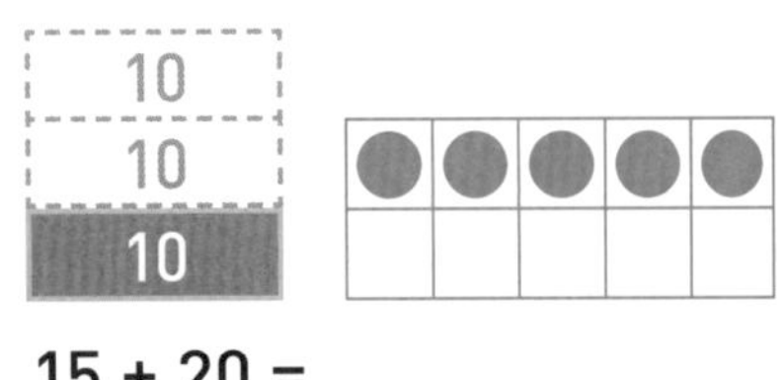

15 + 20 = ______

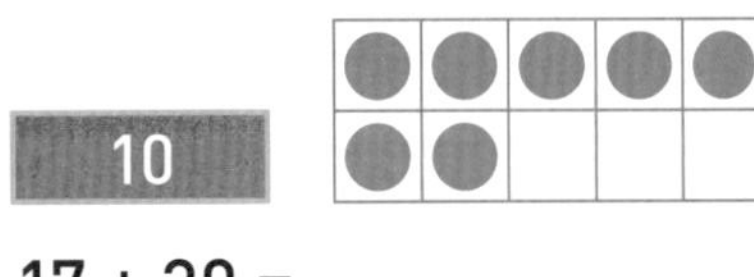

17 + 30 = ______

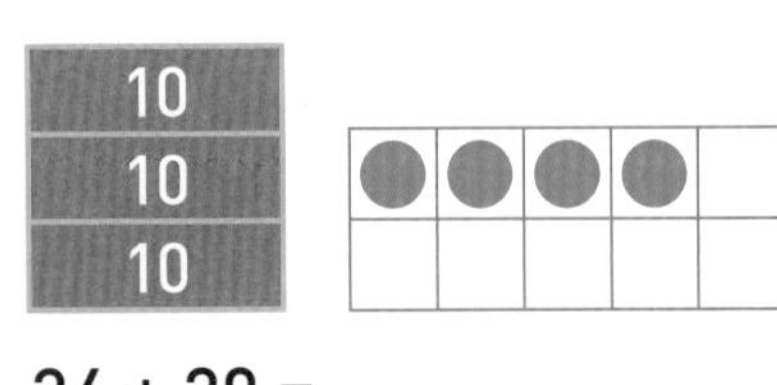

34 + 20 = ______

2. 십의 자리끼리 빼서 계산해 보세요.

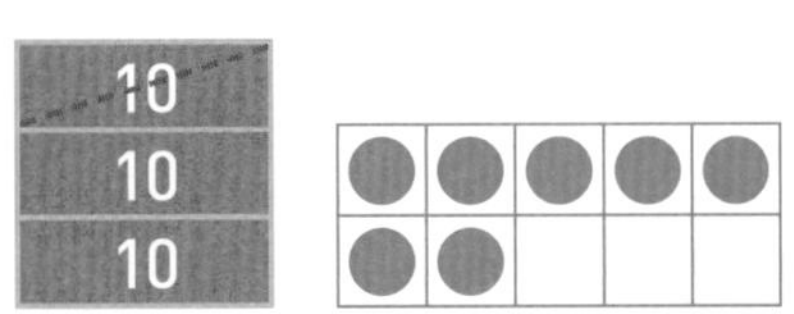

37 − 10 = ______

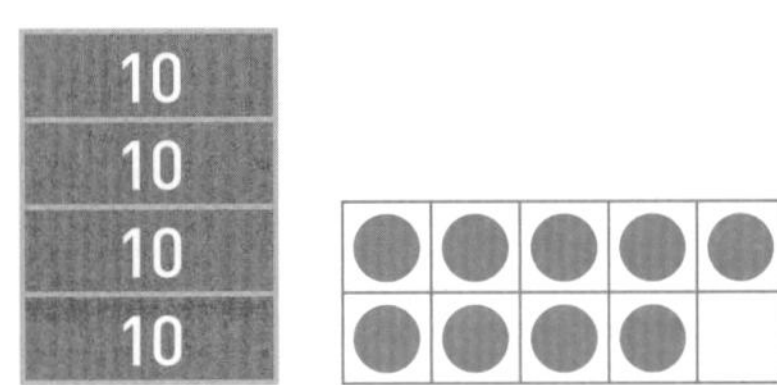

49 − 20 = ______

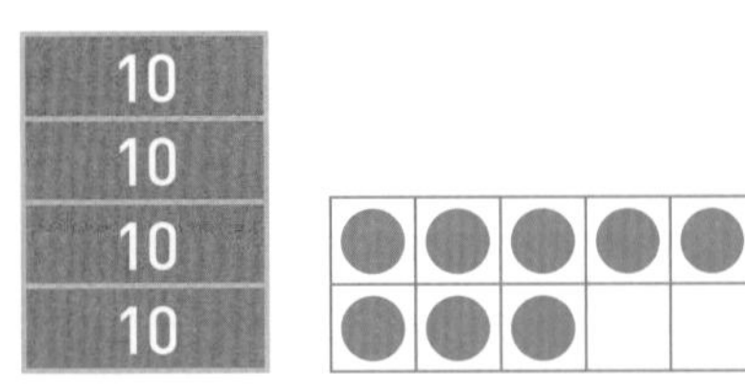

48 − 40 = ______

3. 계산해 보세요.

32 + 10 = ______

32 + 20 = ______

32 + 30 = ______

87 – 10 = ______

77 – 20 = ______

67 – 30 = ______

10 + 21 = ______

33 + 40 = ______

89 – 70 = ______

4. 아래 글을 읽고 식과 답을 써 보세요.

① 바구니에 공이 32개 있어요. 공 30개를 바구니에 더 넣었어요. 바구니에는 모두 몇 개의 공이 들어 있나요?

식 : ______

정답 : ______

② 바구니에 공이 55개 있어요. 공 20개를 바구니에서 꺼냈어요. 바구니에 남은 공은 몇 개인가요?

식 : ______

정답 : ______

한 번 더 연습해요!

1. 십의 자리끼리 더해서 계산해 보세요.

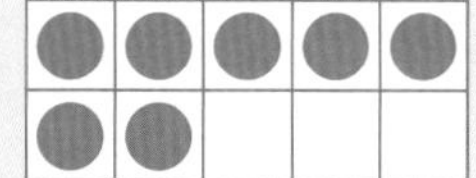

27 + 10 = ______

10
10

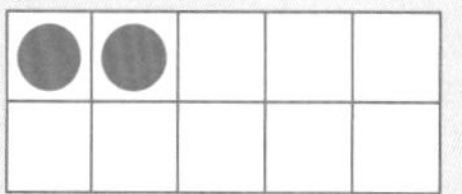

22 + 20 = ______

2. 십의 자리끼리 빼서 계산해 보세요.

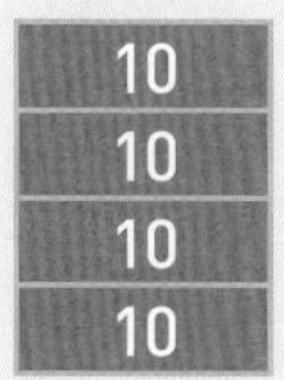

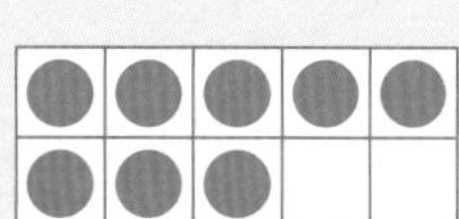

48 – 20 = ______

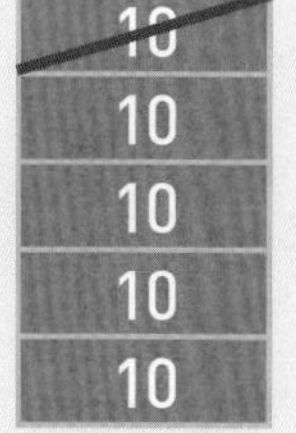

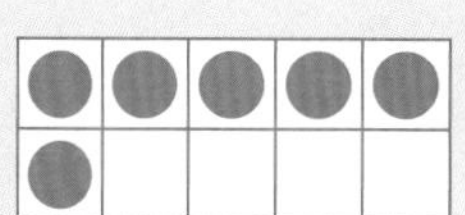

56 – 30 = ______

5. 규칙에 따라 빈칸에 알맞은 수를 써넣어 보세요.

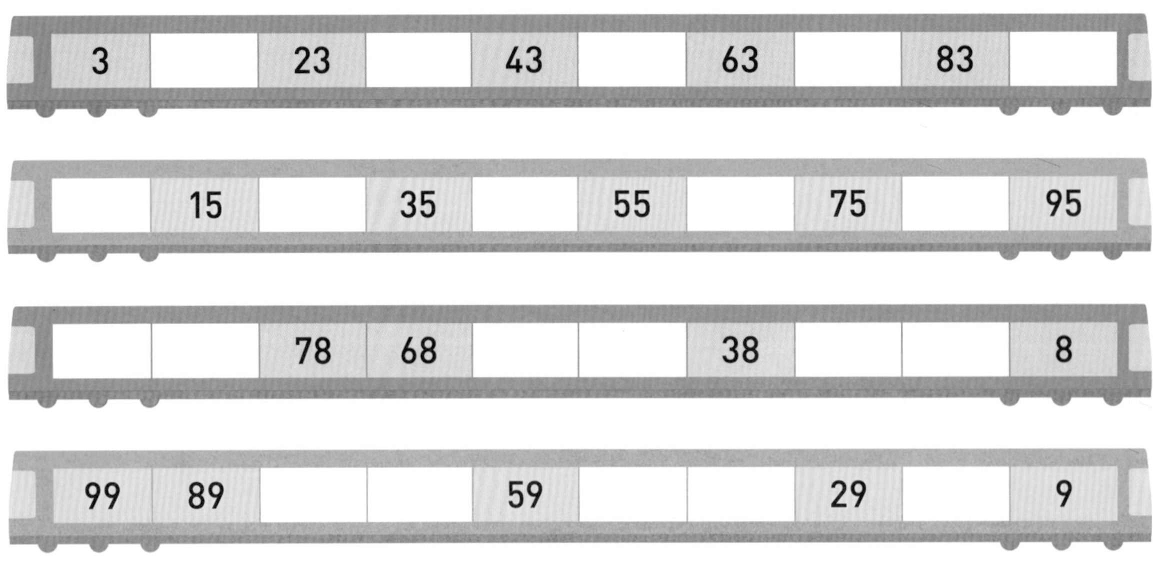

6. 색칠해 보세요.

십의 자리가 5인 수 십의 자리가 7인 수

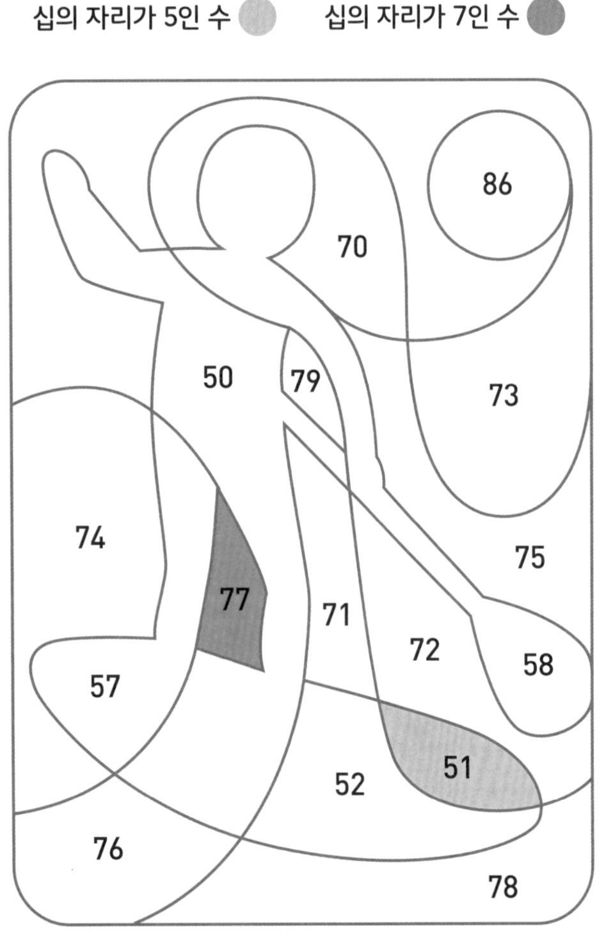

일의 자리가 4인 수 일의 자리가 9인 수

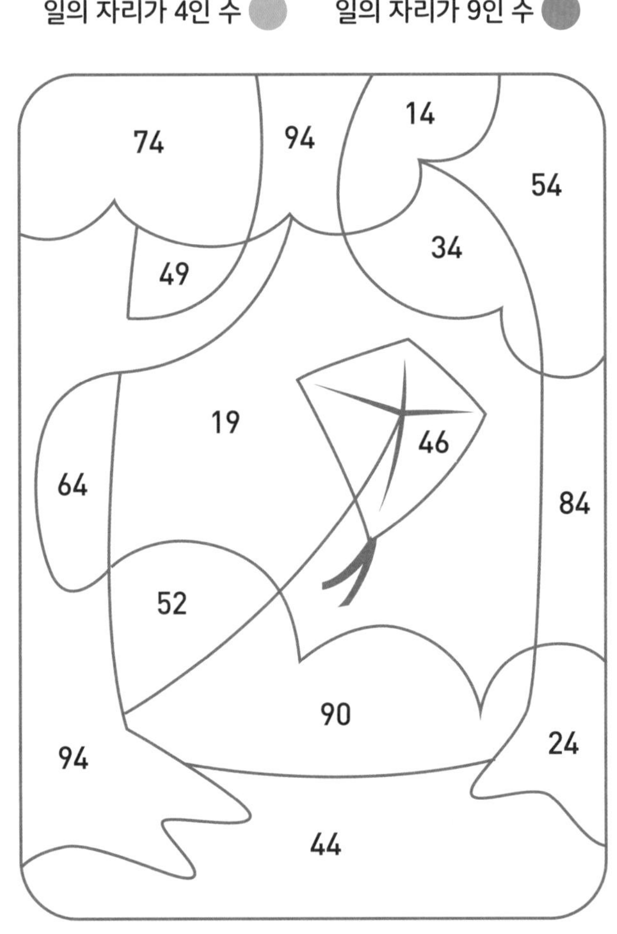

7. 식과 답을 써 보고, 애벌레에서 답을 찾아 ◯표 하세요.

① 여학생 26명과 남학생 34명이 스포츠 경기에 참가했어요. 경기에 참가한 학생은 모두 몇 명인가요?

식 : ______________________

정답 : ______________________

② 운동장에 학생 49명이 있어요. 29명은 농구를 하고 나머지 학생들은 축구를 해요. 축구를 하는 학생은 몇 명인가요?

식 : ______________________

정답 : ______________________

③ 체육의 날에 학생 84명이 참가했어요. 21명은 달리기를 했고, 23명은 축구를 했으며, 나머지는 농구를 했어요. 농구를 한 학생은 몇 명인가요?

식 : ______________________

정답 : ______________________

20　40　50　60

8. 그림이 들어간 식을 보고 그림의 값을 구해 보세요.

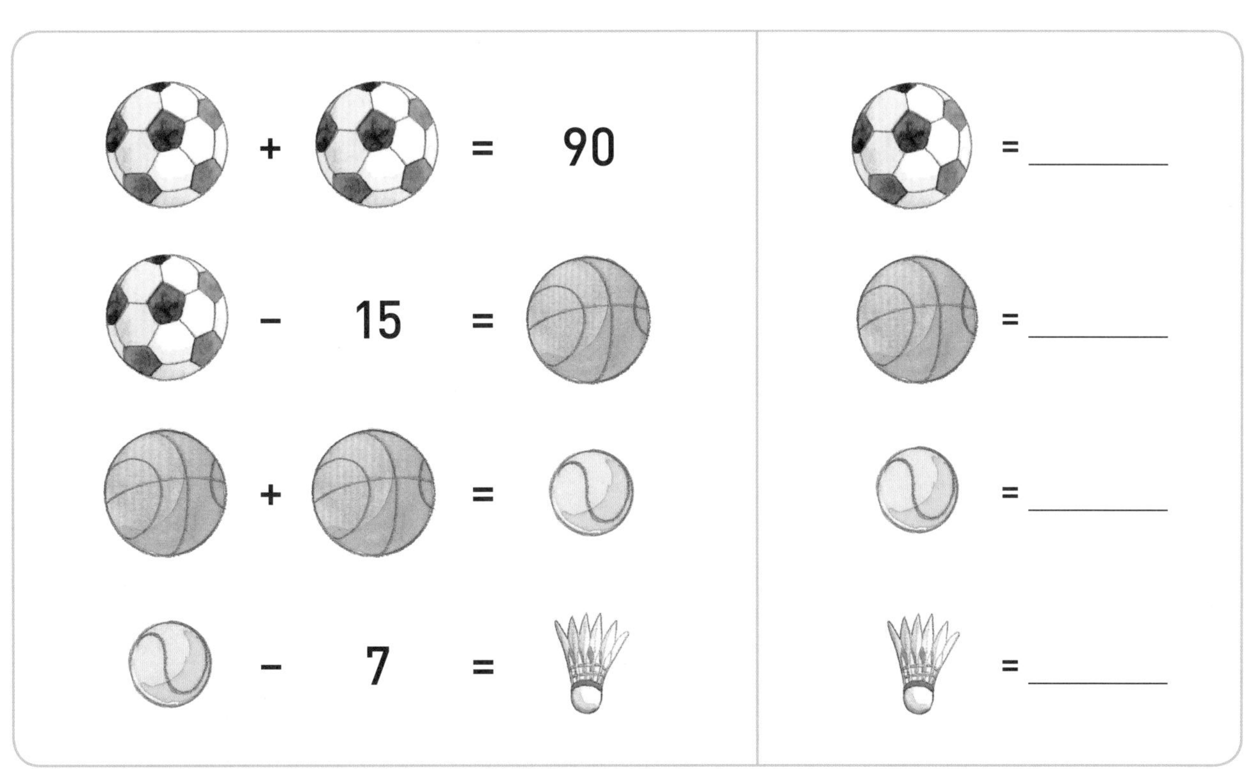

6 두 자리 수의 덧셈

3	2	+	2	4	=	십의 자리	일의 자리
						5	6

십의 자리끼리 더하고 일의 자리끼리 더해요.

1. 그림을 그려 가며 계산해 보세요.

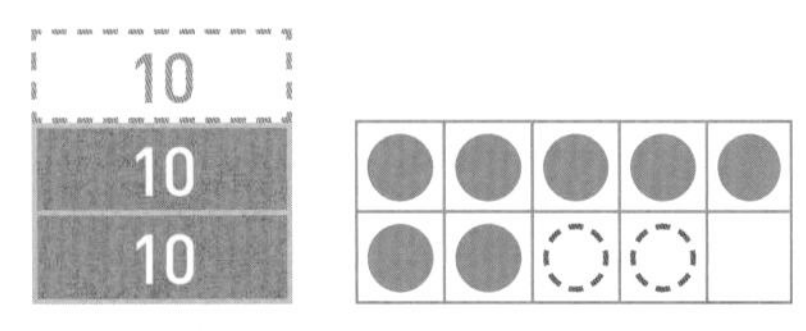

27 + 12 = ______

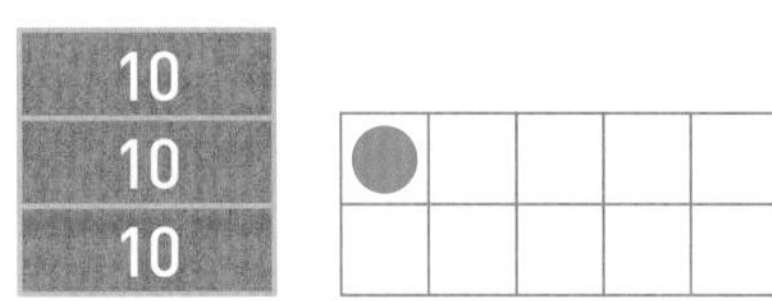

31 + 22 = ______

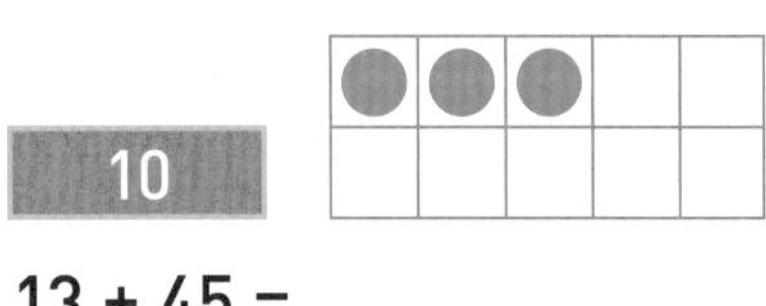

13 + 45 = ______

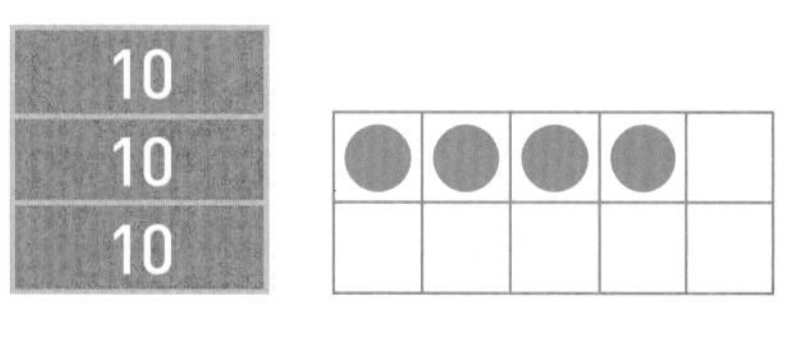

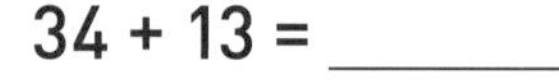

34 + 13 = ______

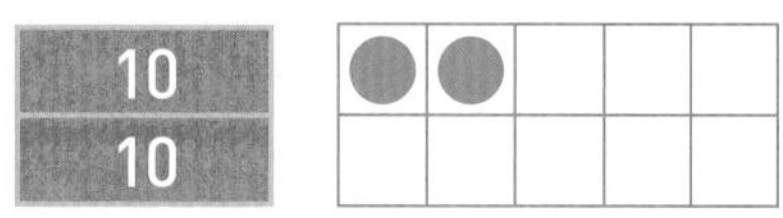

22 + 24 = ______

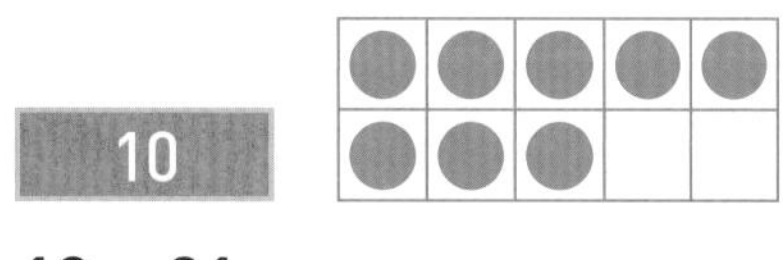

18 + 31 = ______

2. 두 가지 방법으로 계산해 보세요.

왼쪽 건 내가
계산한 방법이야.

24 + 13
35 + 21
52 + 36

오른쪽 건 내가
계산한 방법이야.

20 + 10 + 4 + 3 = ______

30 + 20 + 5 + 1 = ______

50 + 30 + 2 + 6 = ______

24 + 10 + 3 = ______

35 + 20 + 1 = ______

52 + 30 + 6 = ______

3. 계산해 보세요.

21 + 8 = ______

25 + 2 = ______

52 + 6 = ______

24 + 13 = ______

42 + 17 = ______

35 + 23 = ______

21 + 32 = ______

24 + 42 = ______

42 + 56 = ______

한 번 더 연습해요!

1. 십의 자리끼리 더하고, 일의 자리끼리 더해 계산해 보세요.

10
10

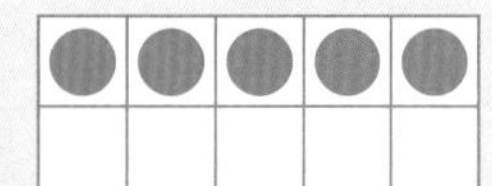

25 + 22 = ______

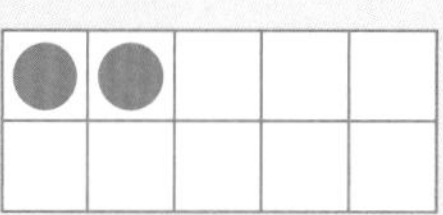
10

12 + 47 = ______

2. 계산해 보세요.

24 + 5 = ______

51 + 7 = ______

36 + 40 = ______

51 + 30 = ______

32 + 51 = ______

53 + 25 = ______

4. 계산한 후 정답에 해당하는 알파벳을 찾아 □ 안에 써넣어 보세요.

40 + 40 = ______ □
23 + 20 = ______ □
43 + 46 = ______ □

34 + 31 = ______ □
21 + 13 = ______ □
14 + 20 = ______ □
25 + 62 = ______ □
41 + 18 = ______ □

50 + 24 = ______ □
11 + 11 = ______ □
11 + 32 = ______ □
34 + 25 = ______ □

22	34	43	59	65	74	80	87	89
H	P	O	E	A	S	D	L	G

5. 계산한 후 알맞은 답을 찾아 선으로 이어 보세요.

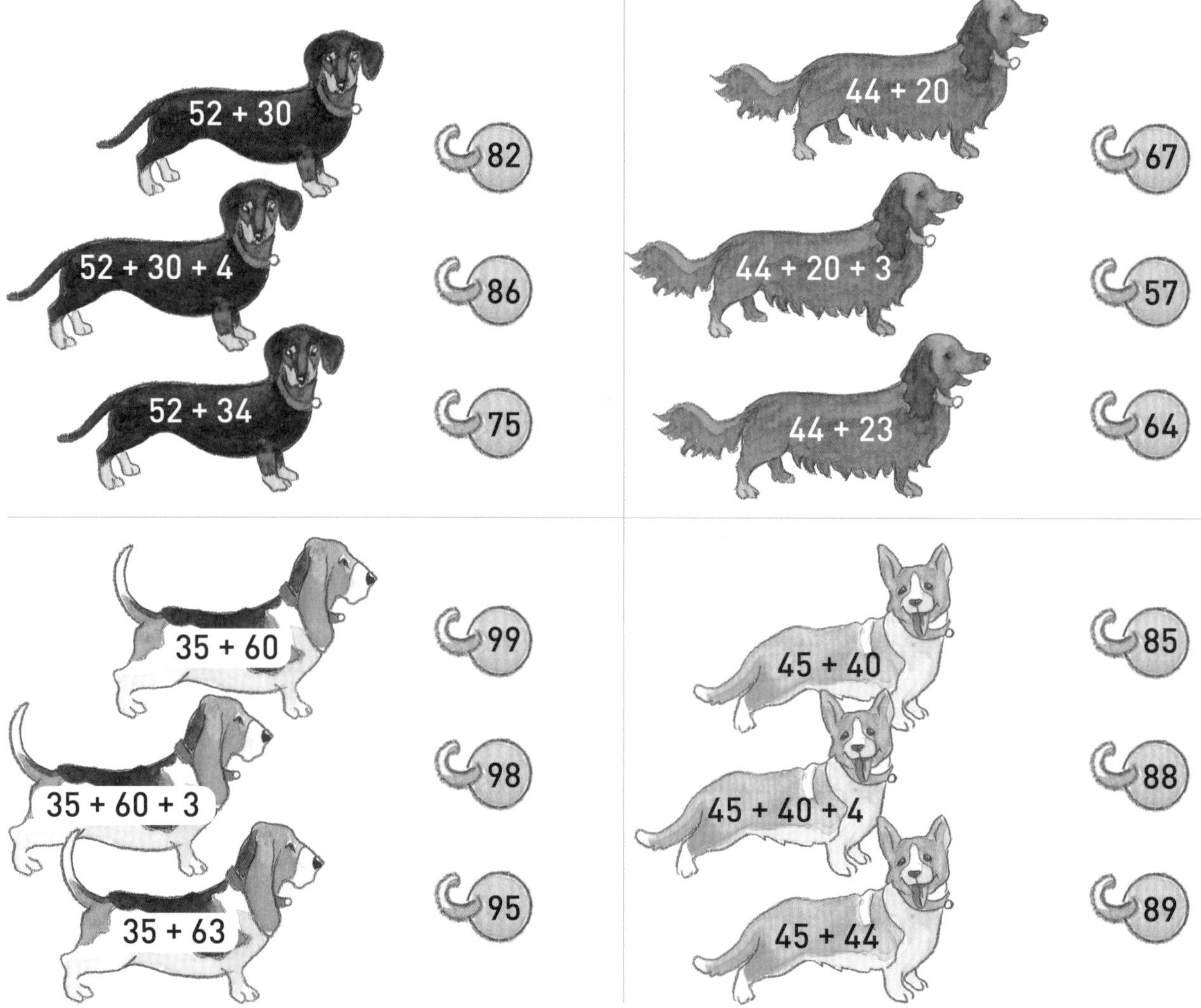

6. 식과 답을 써 보고, 애벌레에서 답을 찾아 ○표 하세요.

① 에밀리아는 카드를 65장 가지고 있고, 닐스는 카드를 26장 가지고 있어요. 에밀리아와 닐스의 카드를 합하면 모두 몇 장인가요?

식 :

정답 :

② 로이는 카드를 43장 가지고 있고, 시에나는 카드를 29장 가지고 있어요. 로이와 시에나의 카드를 합하면 모두 몇 장인가요?

식 :

정답 :

③ 토마스와 미니는 둘이 합하여 87개의 스티커를 가지고 있어요. 제나는 두 사람보다 스티커를 24개 적게 가지고 있어요. 제나가 가지고 있는 스티커는 몇 개인가요?

식 :

정답 :

63　72　76　91

7-④번은 스스로 문제를 만들어 풀어 보세요.

7. 규칙에 따라 빈칸을 채워 보세요.

① 모든 가로줄과 세로줄의 합은 24와 같아요.

9		7
	6	8

② 모든 가로줄과 세로줄의 합은 46과 같아요.

	6	20
12		14

③ 모든 가로줄과 세로줄의 합은 60과 같아요.

19		20
11		23

④ 모든 가로줄과 세로줄의 합은 (　　)과 같아요.

7 두 자리 수의 뺄셈

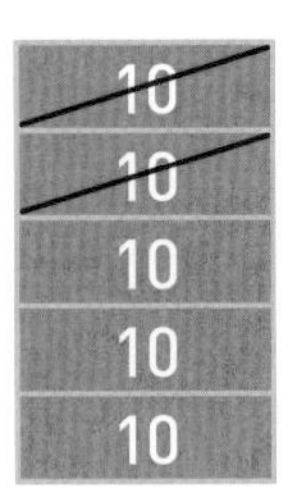

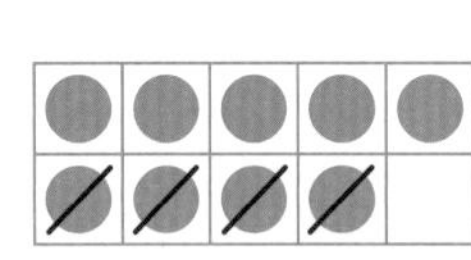

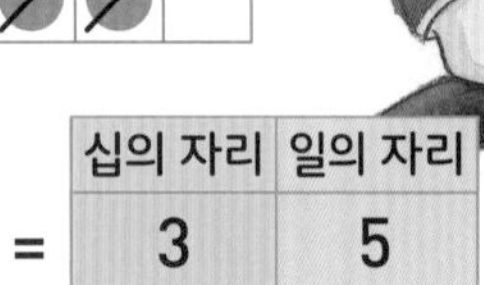

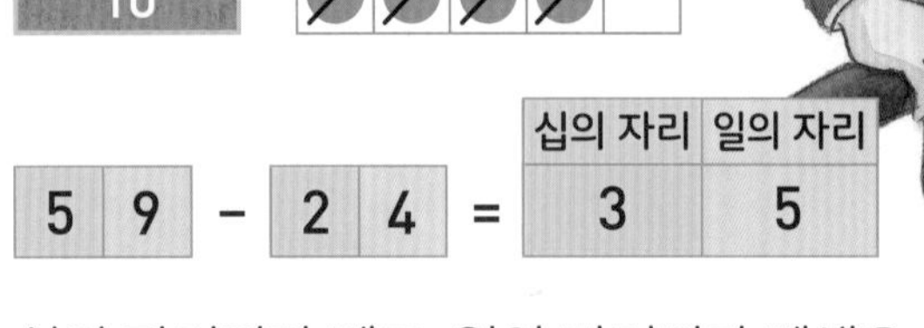

십의 자리끼리 빼고, 일의 자리끼리 빼세요.

1. 그림을 지워 가며 계산해 보세요.

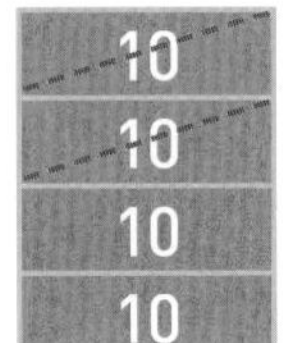

42 − 21 = ________

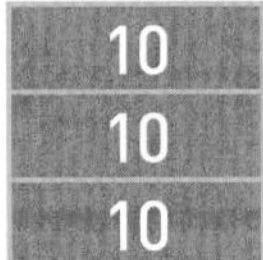

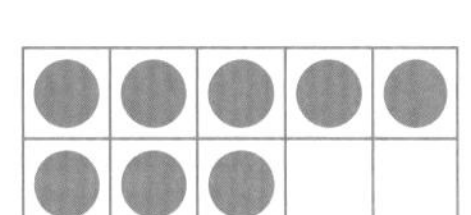

38 − 15 = ________

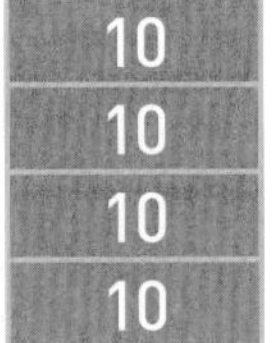

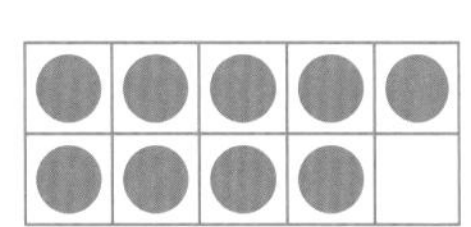

49 − 27 = ________

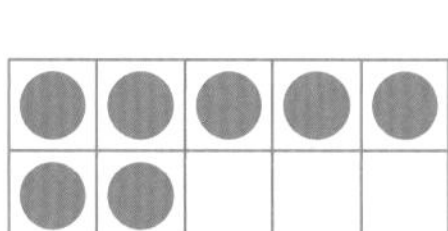

57 − 32 = ________

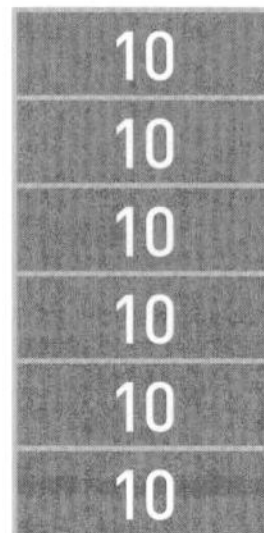

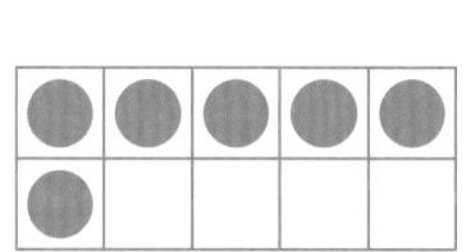

66 − 14 = ________

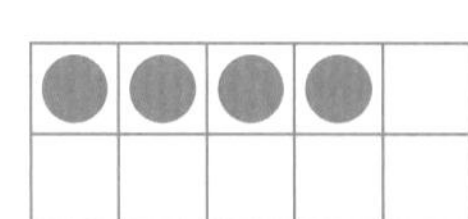

54 − 44 = ________

2. 계산해 보세요.

48 − 20 − 3 = ______	84 − 50 − 2 = ______	36 − 25 = ______
48 − 23 = ______	84 − 52 = ______	47 − 23 = ______
67 − 40 − 5 = ______	97 − 70 − 7 = ______	68 − 32 = ______
67 − 45 = ______	97 − 77 = ______	56 − 43 = ______

3. 규칙에 따라 빈칸에 알맞은 수를 써넣어 보세요.

54		52					47	

89	78	67				23	12	1

한 번 더 연습해요!

1. 십의 자리끼리 빼고, 일의 자리끼리 빼서 계산해 보세요.

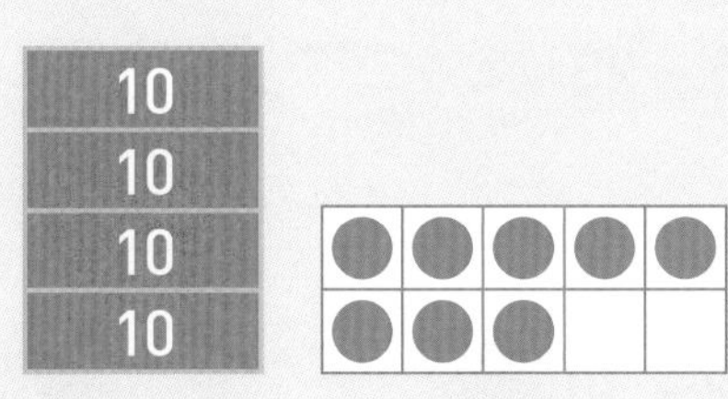

48 − 26 = ______

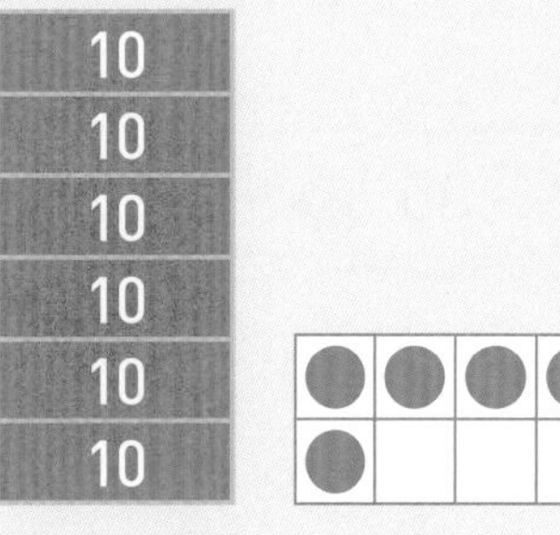

66 − 32 = ______

2. 계산해 보세요.

56 − 30 − 2 = ______	86 − 40 − 4 = ______	38 − 15 = ______
56 − 32 = ______	86 − 44 = ______	77 − 45 = ______

4. 계산값이 26이 나오는 길을 찾아 따라가 보세요.

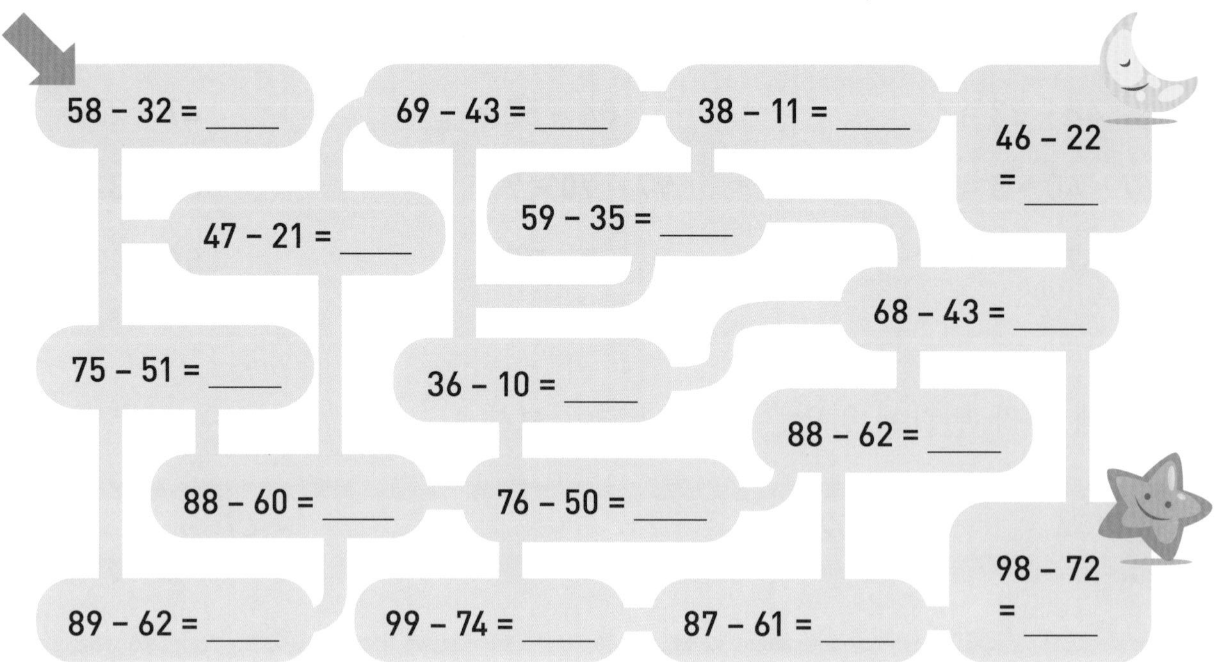

5. 계산한 후 알맞은 답을 찾아 선으로 이어 보세요.

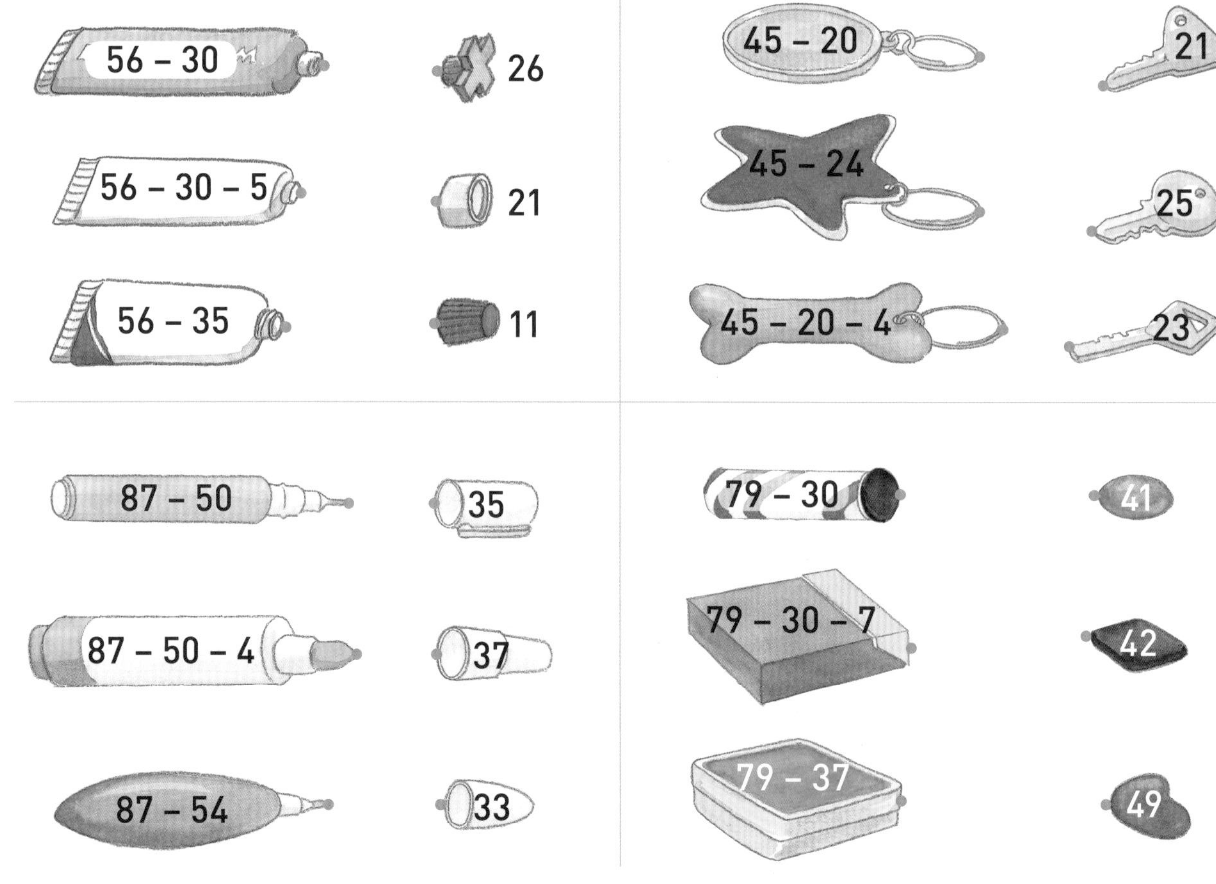

6. 빈칸에 알맞은 식을 찾아 쓰세요.

65 − 31	79 − 41
60 − 20	59 − 23

□□□□□ > 38

90 − 35	67 − 15
74 − 41	84 − 33

52 = □□□□□

56 − 33	56 − 34
56 − 35	56 − 36

56 − 35 > □□□□□

64 − 24	11 + 35
21 + 21	57 − 24

□□□□□ = 84 − 42

97 − 21 − 40	27 + 31 − 20
72 − 41 + 15	14 + 33 + 20

45 < □□□□□□□□ < 47

7. 그림이 들어간 식을 보고 그림의 값을 구해 보세요.

 − 34 = 

77 − 23 = 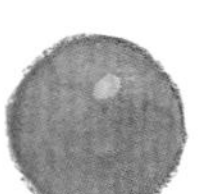

      + + = 92

     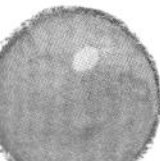 + − =

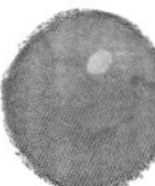 = ________ 

 = ________

 = ________

 = ________

8. 계산 과정을 그림으로 그린 후, 식과 답을 써 보고, 애벌레에서 답을 찾아 ○표 하세요.

① 미키는 카드를 24장 가지고 있고, 노아는 미키보다 12장을 더 많이 가지고 있어요. 노아가 가진 카드는 몇 장인가요?

식 :

정답 :

② 실비아는 조랑말 스티커를 45개 가지고 있고, 리아는 실비아보다 21개 더 적게 가지고 있어요. 리아가 가진 스티커는 몇 개인가요?

식 :

정답 :

③ 선반에 곰 인형이 27개 있었는데 22개를 더 올려 두었어요. 선반에 있는 곰 인형은 모두 몇 개인가요?

식 :

정답 :

④ 선반에 로봇이 44개 있었는데 그중 13개가 팔렸어요. 선반에 남은 로봇은 몇 개인가요?

식 :

정답 :

24 31 36 41 49

9. 계산해 보세요.

23 + 30 + 4 = ______	47 − 20 − 6 = ______	45 + 53 = ______
23 + 34 = ______	47 − 26 = ______	68 + 31 = ______
64 + 20 + 5 = ______	79 − 50 − 7 = ______	78 − 25 = ______
64 + 25 = ______	79 − 57 = ______	94 − 13 = ______

10. 계산한 후 정답에 해당하는 알파벳을 찾아 □ 안에 써넣어 보세요.

13 + 21 = ______ □

76 − 21 = ______ □

40 + 41 = ______ □

35 + 64 = ______ □

32 + 32 = ______ □

99 − 18 = ______ □

61 + 26 = ______ □

86 − 43 = ______ □

10 + 12 = ______ □

22	34	43	55	64	81	87	99
K	F	C	I	T	R	U	E

어떤 영어 단어가 만들어졌니?

한 번 더 연습해요!

1. 계산 과정을 그림으로 그린 후 식과 답을 써 보세요.

밀레는 카드를 35장 가지고 있어요. 리아는 밀레보다 카드를 24장 더 가지고 있어요. 리아가 가진 카드는 모두 몇 장인가요?

식 : ______________________

정답 : ______________________

11. 색칠해 보세요.

- 15와 38 사이의 수
- 39와 51 사이의 수
- 52와 70 사이의 수
- 71과 82 사이의 수

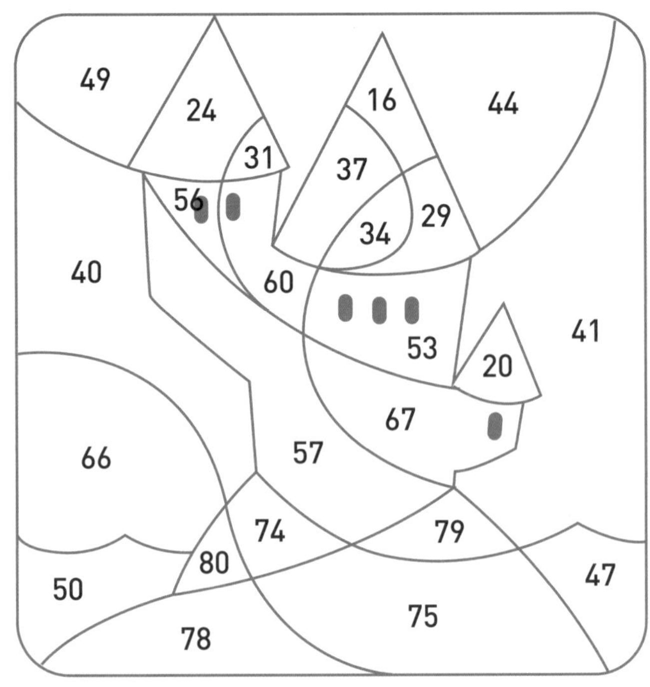

12. 계산한 후 알맞은 답을 찾아 선으로 이어 보세요.

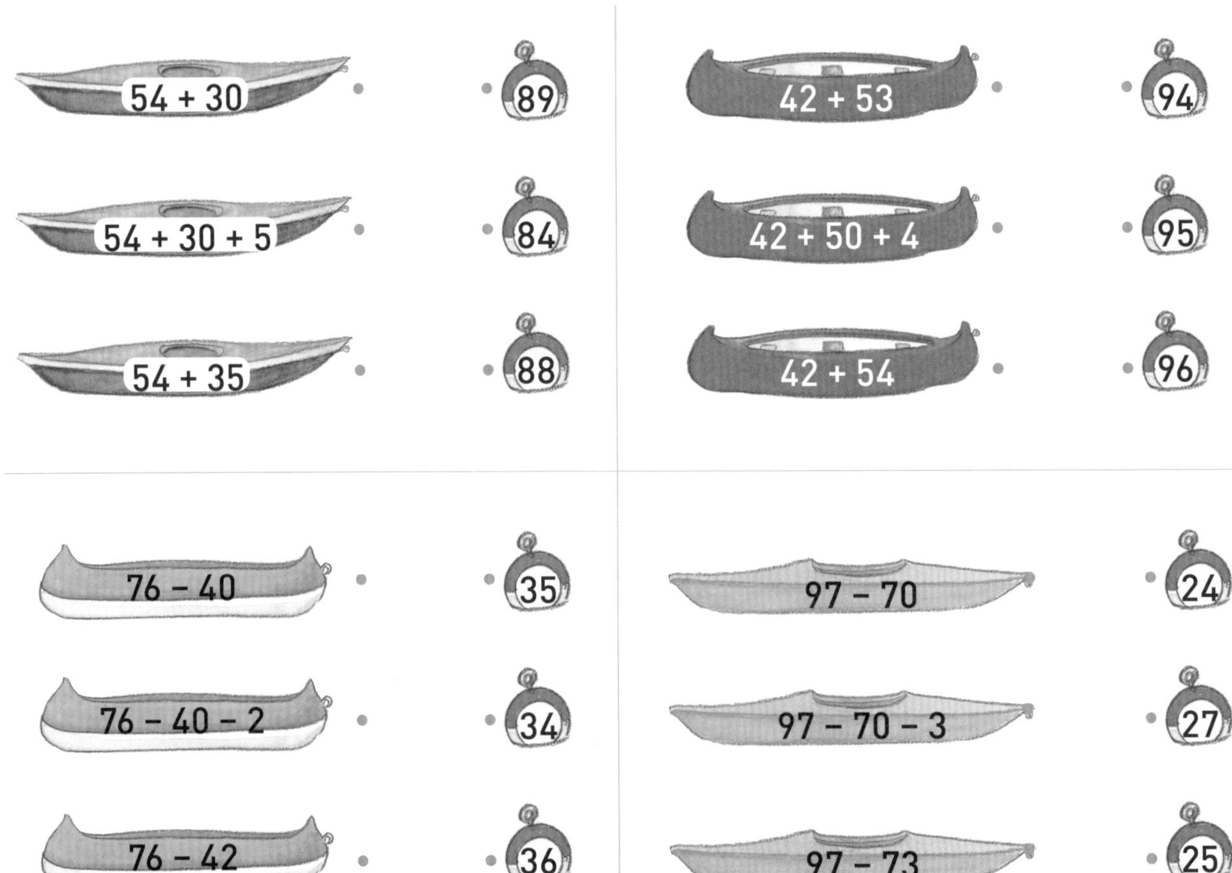

13. 빈칸을 알맞은 수로 채워 보세요.

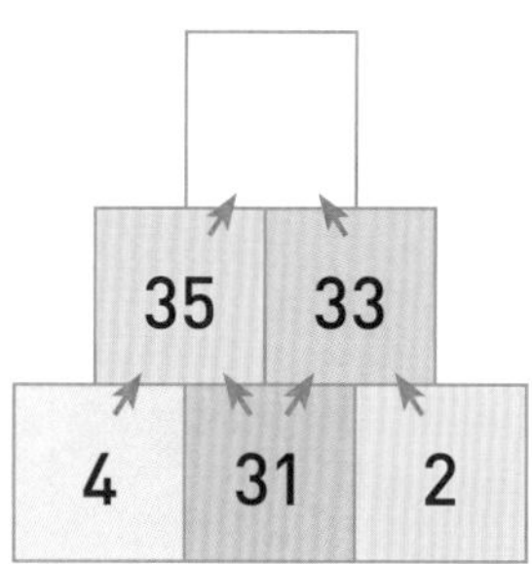

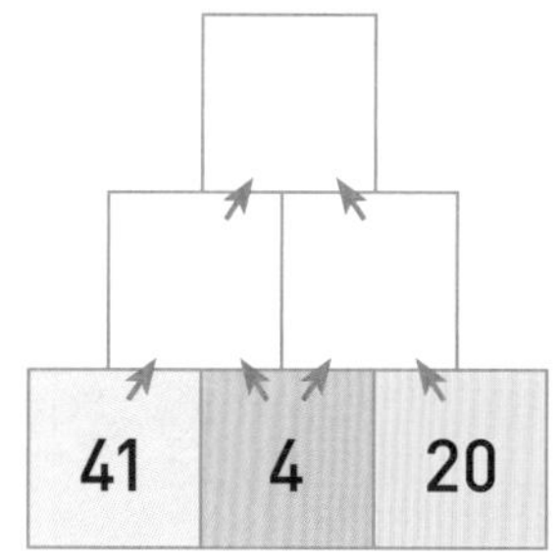

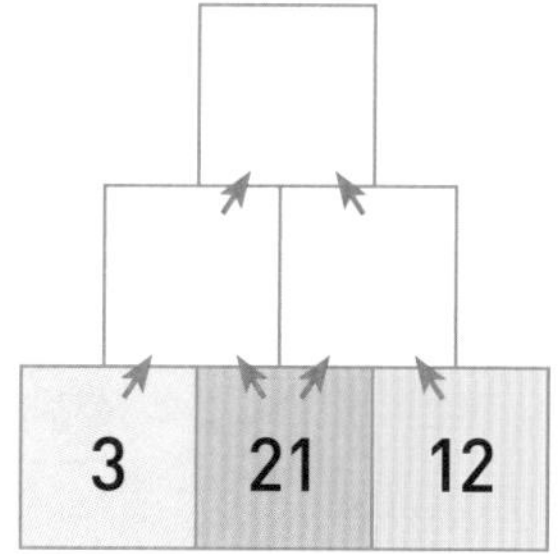

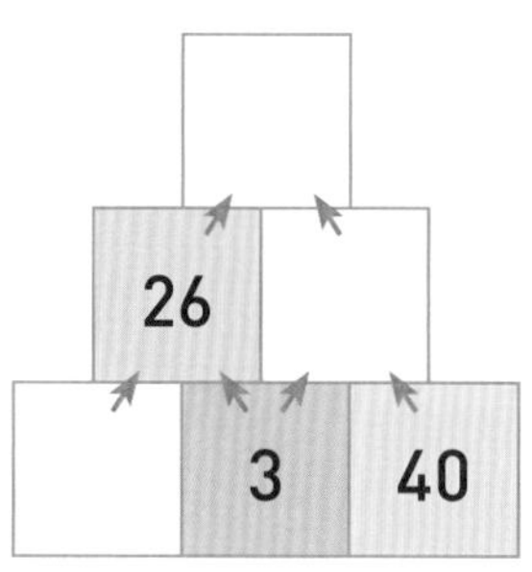

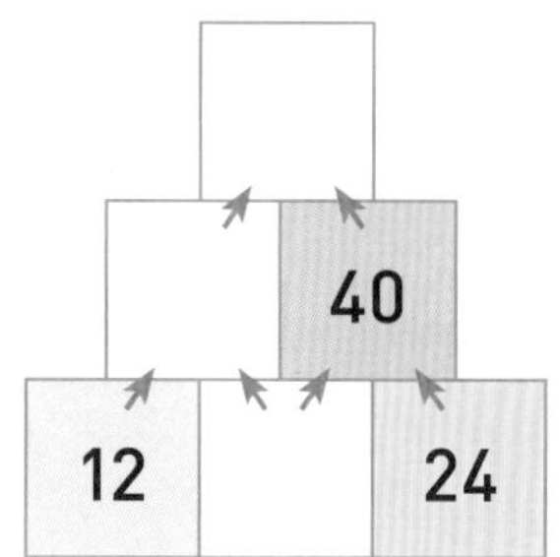

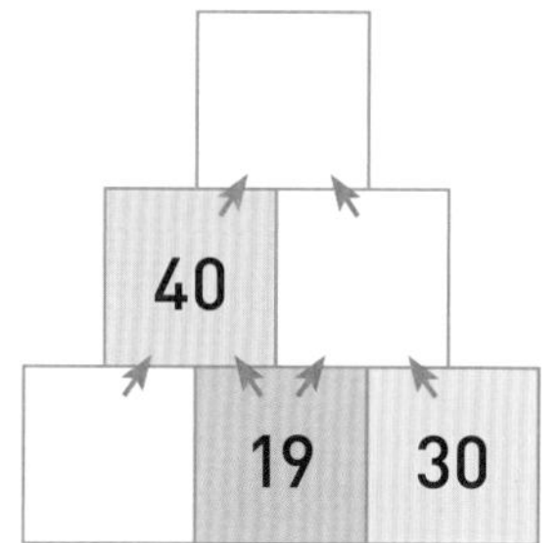

99 놀이

인원 : 2명 준비물 : 1~9까지의 수 카드, 일의 자리와 십의 자리 카드

놀이 방법

1. 수 카드를 섞어서 탁자 위에 뒤집어 놓으세요.
2. 번갈아 가며 카드를 한 장씩 뒤집은 후, 이때 나온 카드를 십의 자리나 일의 자리 아래 두세요. 첫 번째 뒤집은 카드를 일의 자리에 두었다면, 두 번째 뒤집은 카드는 십의 자리에 두어야 해요. 또는 반대로 두어도 좋아요.
3. 99에서 빼는 수가 더 적은 사람이 점수를 얻어요.
   예) 3을 뒤집어서 일의 자리에 두고, 5를 뒤집어서 십의 자리에 두었다면 99-53를 해요. 반대로 3을 십의 자리에 두고, 5를 일의 자리에 두었다면 99-35를 해요. 이럴 경우 35를 빼는 사람이 점수를 얻어요.
4. 5회까지 해서 더 많은 점수를 모으는 사람이 이겨요.

책 뒤에 있는 놀이 카드를 이용하세요.

실력을 평가해 봐요!

____월 ____일 ____요일

1. 십의 자리끼리 더하고 일의 자리끼리 더해 계산해 보세요.

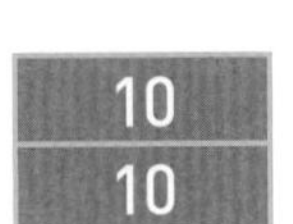

25 + 23 = ______

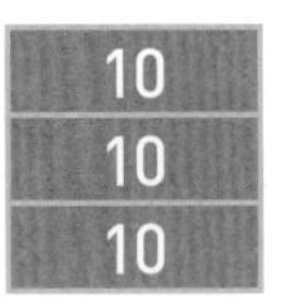

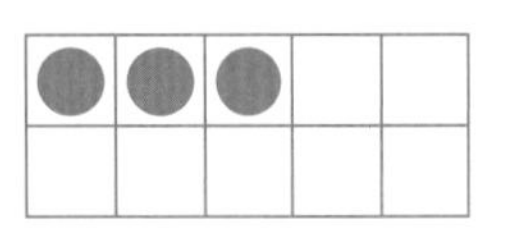

33 + 14 = ______

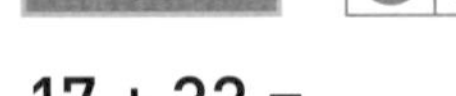

17 + 32 = ______

2. 십의 자리끼리 빼고 일의 자리끼리 빼서 계산해 보세요.

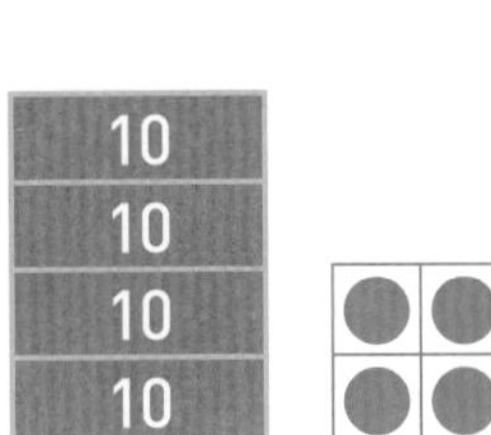

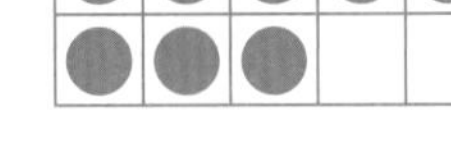

48 − 26 = ______

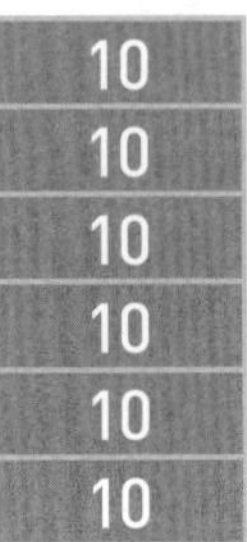

67 − 44 = ______

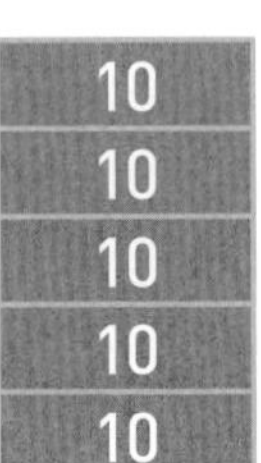

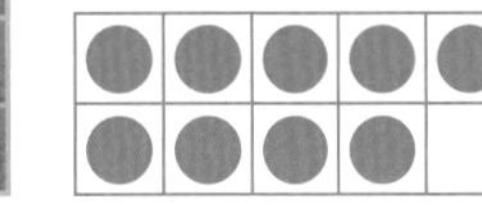

59 − 45 = ______

3. □ 안에 알맞은 수를 써 보세요.

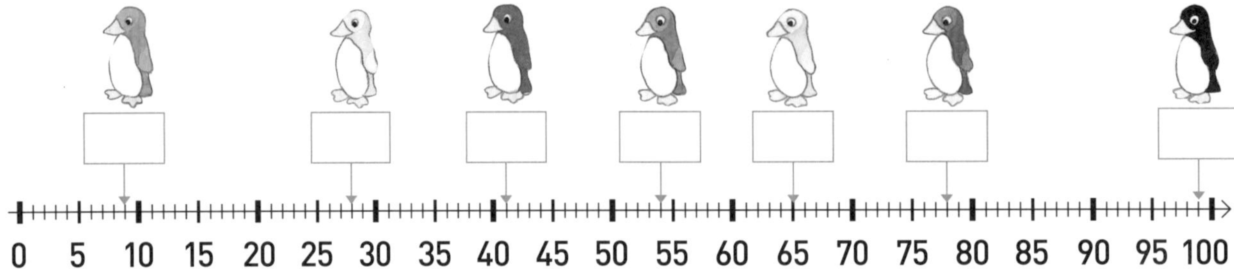

4. 계산해 보세요.

16 + 2 = ______

35 + 4 = ______

47 + 1 = ______

34 + 30 = ______

53 + 40 = ______

64 + 20 = ______

25 + 32 = ______

43 + 55 = ______

81 + 18 = ______

5. □ 안에 >, =, <를 알맞게 써넣어 보세요.

14 □ 19	32 □ 26	76 □ 76	98 □ 99
43 □ 39	28 □ 52	15 □ 51	80 □ 70
32 □ 32	96 □ 69	67 □ 64	42 □ 43

6. 계산 과정을 그림으로 그린 후 식과 답을 써 보세요.

❶ 니나는 고양이 스티커를 26개 가지고 있고, 릴리는 니나보다 23개가 더 많아요. 릴리가 가진 고양이 스티커는 몇 개인가요?

식 :

정답 :

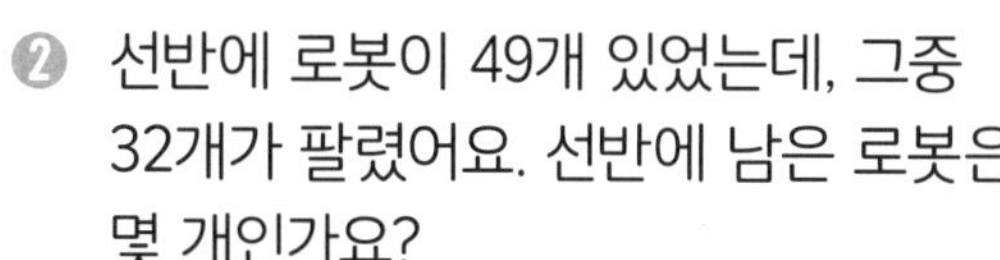

❷ 선반에 로봇이 49개 있었는데, 그중 32개가 팔렸어요. 선반에 남은 로봇은 몇 개인가요?

식 :

정답 :

7. 그림이 들어간 식을 보고 그림의 값을 구해 보세요.

65 - 32 =	= ____
- 23 =	= ____
+ + = 58	= ____

실력이 자란 만큼 별을 색칠하세요.

★★★ 정말 잘했어요.

★★☆ 꽤 잘했어요.

★☆☆ 계속 노력할게요.

단원 평가

1 십의 자리 수가 5보다 큰 수에 색칠해 보세요.

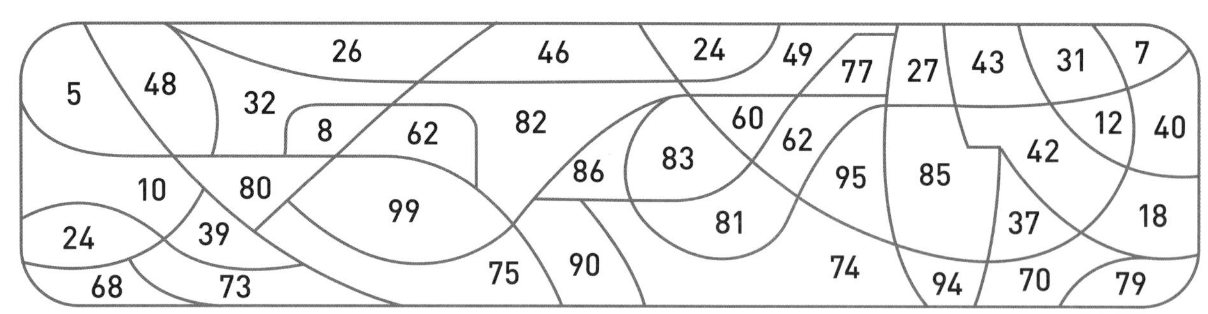

2 규칙에 따라 빈칸에 알맞은 수를 써넣어 보세요.

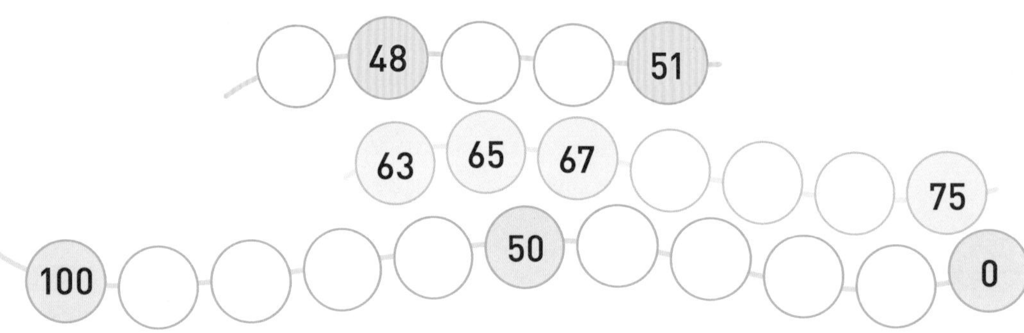

3 아래 표에 들어갈 알맞은 수를 써넣어 보세요.

4

빈칸을 알맞은 수로 채워 보세요. 단, 가로와 세로로 연속된 3칸의 합은 50이 되어야 해요.

10		10		6			15	10		14
5										
35	4			41		5			17	20

5 ★★★

똑같은 수로 양쪽으로 수 가르기를 해 보세요.

32 → ☐ + ☐

38 → ☐ + ☐

56 → ☐ + ☐

78 → ☐ + ☐

94 → ☐ + ☐

도전! 심화 평가

____ 월 ____ 일 ____ 요일

1. 빈칸에 알맞은 수를 구해 보세요.

42 + ____ = 48	44 − ____ = 34	____ + 32 = 39
54 + ____ = 61	57 − ____ = 46	____ + 68 = 74
79 + ____ = 89	82 − ____ = 64	____ − 18 = 21
91 + ____ = 100	74 − ____ = 54	____ − 24 = 52

2. 로봇의 작동 원리를 알아낸 후, 알맞은 수를 구해 보세요.

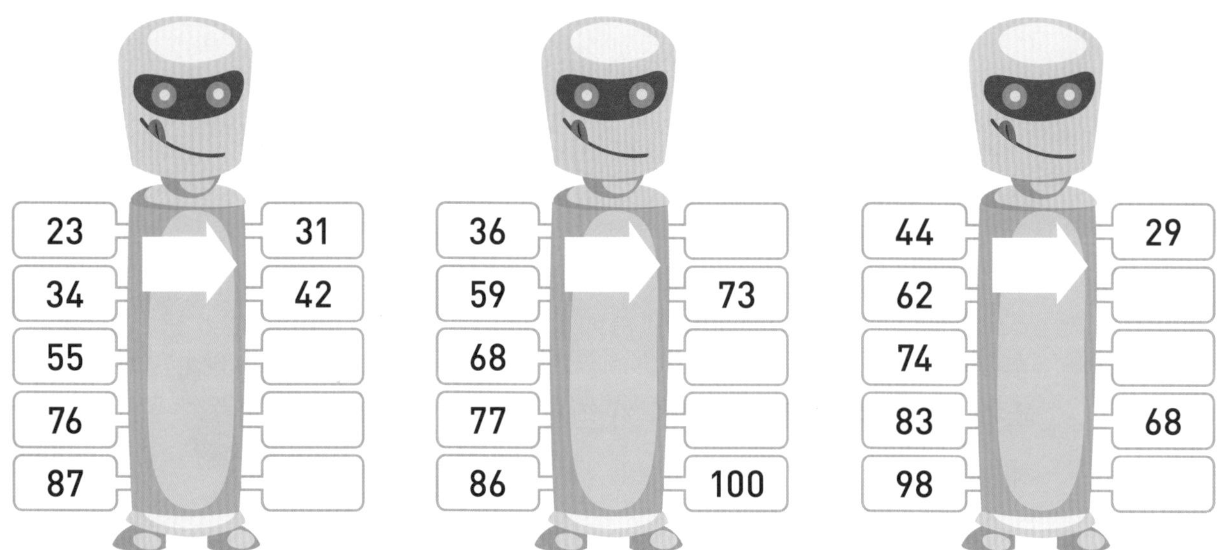

로봇의 작동 원리를 알아냈니?

3. 아래 글을 읽고 식과 답을 써 보세요.

❶ 사라는 스티커를 68개 가지고 있고, 리나는 사라보다 19개 더 적게 가지고 있어요. 리나가 가진 스티커는 몇 개인가요?

식 : ____________________

정답 : ____________________

❷ 바구니에 공이 74개 있어요. 그중 27개는 빨간색 공이고 나머지는 파란색 공일 때 파란색 공은 몇 개인가요?

식 : ____________________

정답 : ____________________

4. □ 안에 >, =, <를 알맞게 써넣어 보세요.

29 + 11 □ 40	29 − 15 □ 14	65 + 13 □ 79
34 + 27 □ 60	49 − 19 □ 20	51 + 44 □ 94
52 + 38 □ 90	86 − 52 □ 34	76 − 13 □ 56

5. 규칙에 따라 빈칸에 알맞은 수를 써넣어 보세요.

5	6	8	11			26

36	33	29	24			3

6. 아래 글을 읽고 곰 인형의 이름, 가격, 주인을 모두 알아보세요.

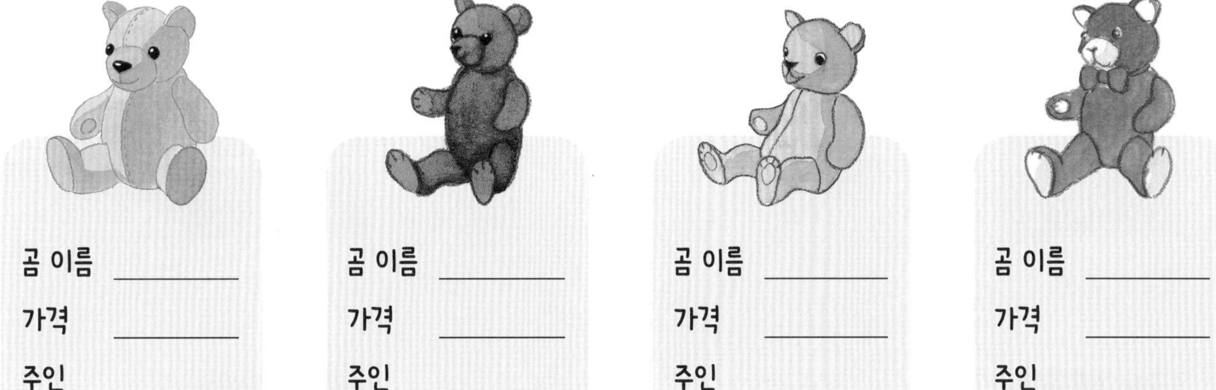

곰 이름
가격
주인
곰 이름
가격
주인
곰 이름
가격
주인
곰 이름
가격
주인

- 샌디의 곰 인형 슈가는 왼쪽에서 세 번째는 아니에요.
- 줄리의 곰 인형 커들스는 13유로(€)예요.
- 엘리의 곰 인형 테디는 샌디의 곰 인형 왼쪽에 있어요.
- 파란 곰 인형의 가격은 15유로예요.
- 테디는 오른쪽에서 네 번째에 있어요.
- 커들스는 오른쪽에서 두 번째에 있어요.
- 샌디의 곰 인형 가격은 14유로예요.
- 니엘의 곰 인형 그리즐리는 줄리의 곰 인형 오른쪽에 있어요.
- 테디는 줄리의 곰 인형보다 3유로 더 비싸요.

*€는 유럽 연합에서 사용하는 화폐 단위예요. 유로라고 읽어요.

____월 ____일 ____요일

8 몇 십 만들기

1. 식에 맞게 그림을 그려 계산해 보세요.

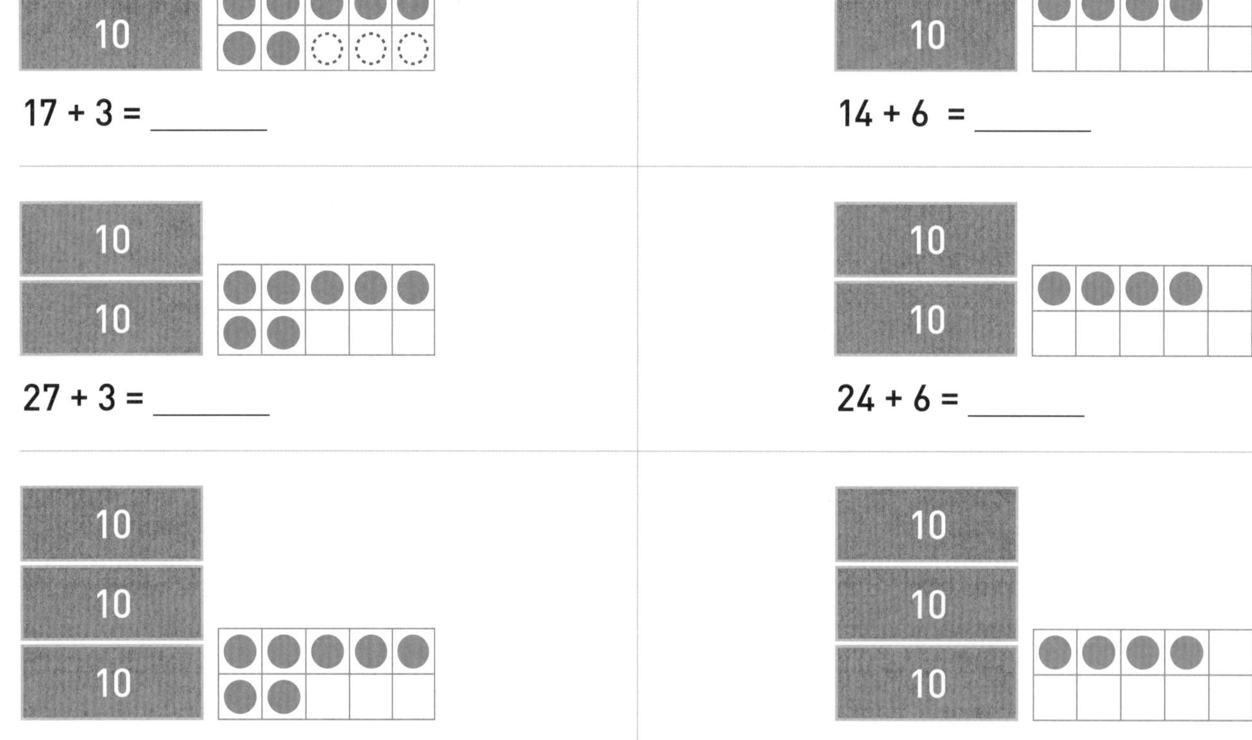

17 + 3 = ______

14 + 6 = ______

27 + 3 = ______

24 + 6 = ______

37 + 3 = ______

34 + 6 = ______

0 5 10 15 20 25 30 35 40 45 50 55 60 65 70 75 80 85 90 95 100

2. 몇 십이 되려면 어떤 수를 더해야 할까요? 아래 수 배열표를 이용해서 문제를 풀어 보세요.

6 + ______ = 10

16 + ______ = 20

26 + ______ = 30

38 + ______ = 40

48 + ______ = 50

58 + ______ = 60

64 + ______ = 70

74 + ______ = 80

87 + ______ = 90

97 + ______ = 100

1	2	3	4	5	6	7	8	9	10
11	12	13	14	15	16	17	18	19	20
21	22	23	24	25	26	27	28	29	30
31	32	33	34	35	36	37	38	39	40
41	42	43	44	45	46	47	48	49	50
51	52	53	54	55	56	57	58	59	60
61	62	63	64	65	66	67	68	69	70
71	72	73	74	75	76	77	78	79	80
81	82	83	84	85	86	87	88	89	90
91	92	93	94	95	96	97	98	99	100

3. 계산해 보세요.

32 + 8 = ______

49 + 1 = ______

77 + 3 = ______

3 + 77 = ______

53 + 7 = ______

85 + 5 = ______

68 + 2 = ______

2 + 68 = ______

24 + 6 = ______

51 + 9 = ______

94 + 6 = ______

6 + 94 = ______

한 번 더 연습해요!

일의 자리가 십이 되면
십의 자리에 1을
더해야 하는구나~!

1. 몇 십이 되려면 어떤 수를 더해야 할까요?

48 + ______ = 50

58 + ______ = 60

68 + ______ = 70

78 + ______ = 80

88 + ______ = 90

98 + ______ = 100

47 + ______ = 50

52 + ______ = 60

65 + ______ = 70

76 + ______ = 80

83 + ______ = 90

94 + ______ = 100

4. 깃발에 알맞은 수를 써 보세요.

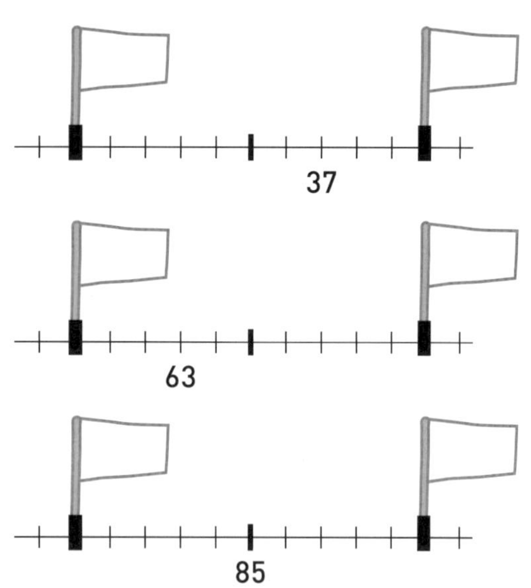

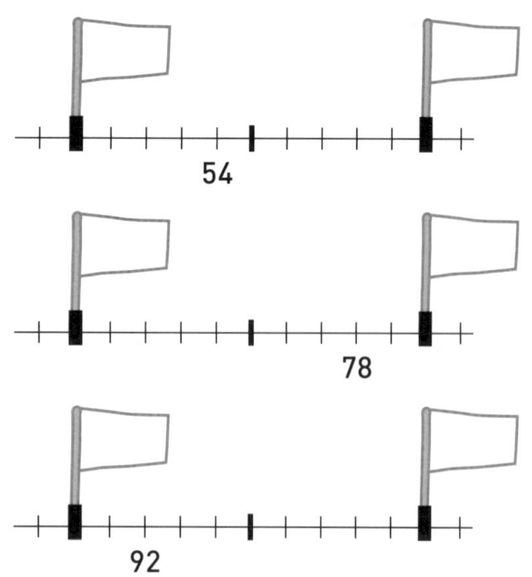

5. 수 가르기로 알맞은 수를 써넣어 보세요.

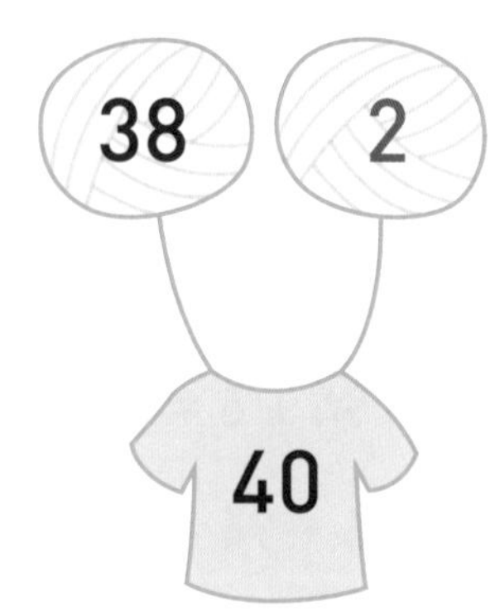

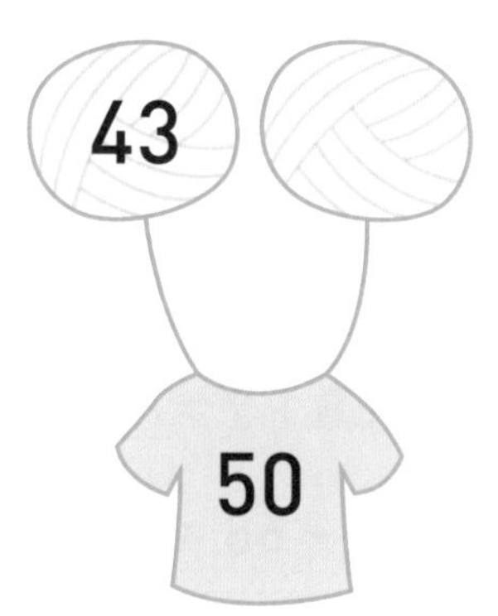

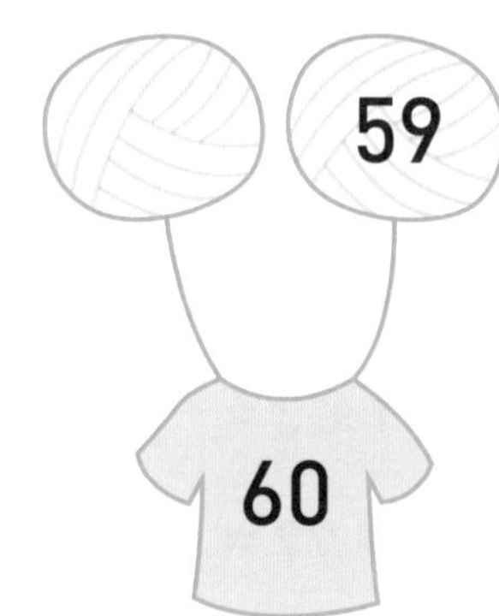

6. 계산한 후 알맞은 답을 찾아 선으로 이어 보세요.

47 + 3 + 6		44 + 7 + 6
48 + 2 + 7	56	45 + 6 + 5
46 + 4 + 8		47 + 6 + 3
45 + 5 + 6	57	9 + 8 + 41
41 + 9 + 8		2 + 7 + 48
44 + 6 + 7	58	4 + 8 + 46

7. □ 안에 >, =, <를 알맞게 써넣어 보세요.

36 + 4	□	41	52	□	39 + 10 + 1	73 + 7	□	91 − 11
47 + 3	□	50	75	□	40 + 25 + 5	2 + 58	□	97 − 24
51 + 8	□	60	90	□	82 + 6 + 2	5 + 65	□	72 − 3

8. 아래 글을 읽고 로봇의 이름을 알아맞혀 보세요.

- 로사의 가격은 처음엔 54유로였다가 나중에 6유로만큼 올랐어요.
- 진은 로봇 중에서 두 번째로 가격이 비싸요.
- 제노의 가격은 와즈 2개의 가격과 같아요.
- 로보트닉은 진의 가격보다 2유로가 싸요.
- 피오는 이름을 밝히지 않은 로봇보다 비싸지 않아요.
- 기브는 이름을 밝히지 않은 로봇의 이름이에요.

________ ________ ________ ________

________ ________ ________

_____월 _____일 _____요일

9 덧셈에서 몇 십 만들기

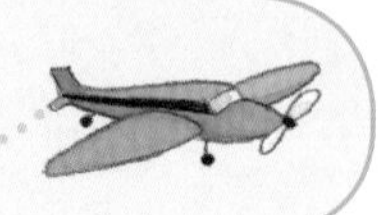

1. 식에 맞게 그림을 그려 계산해 보세요.

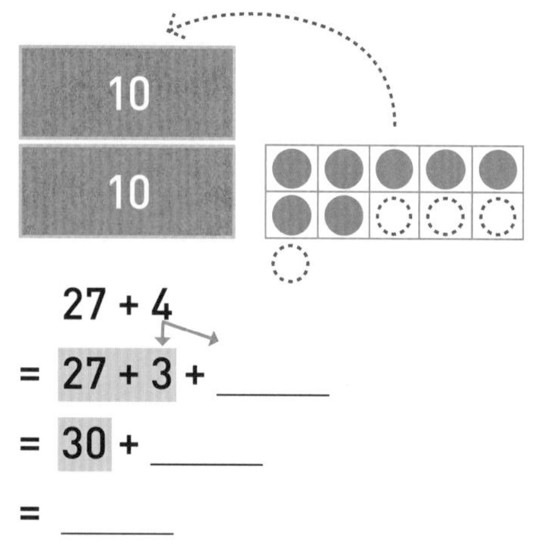

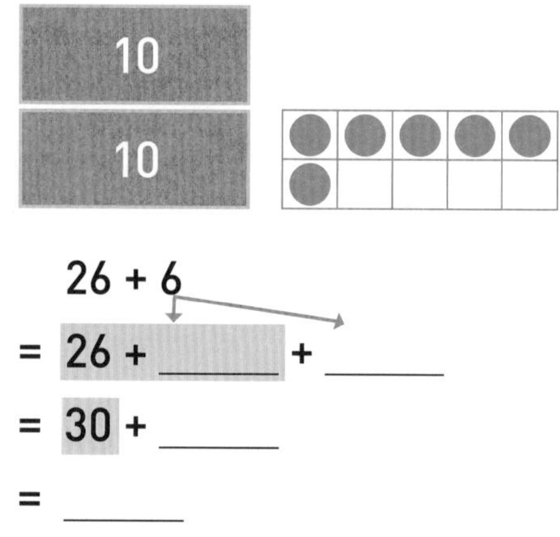

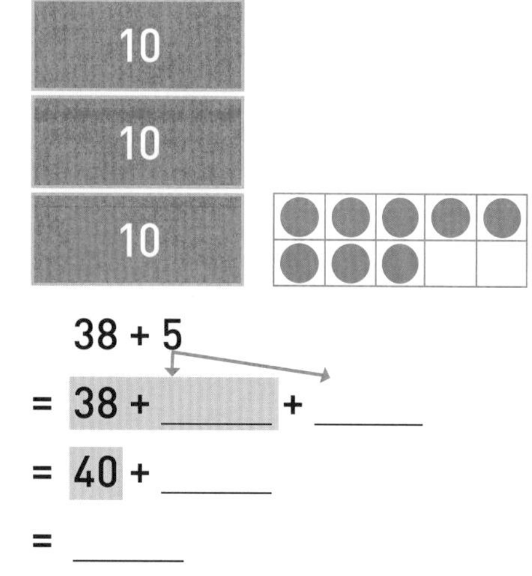

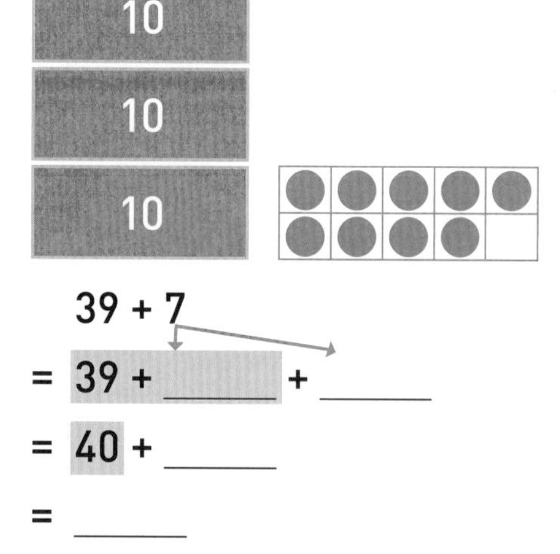

2. 그림을 이용해서 계산해 보세요.

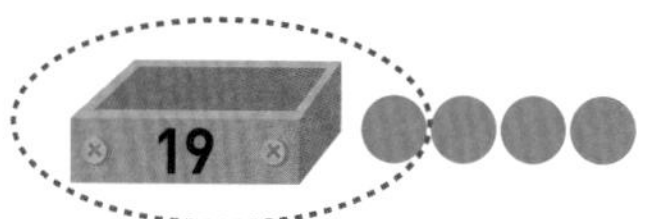

19 + 4 = ______

29 + 5 = ______

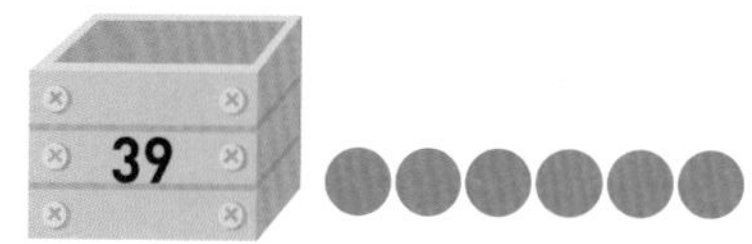

39 + 6 = ______

18 + 4 = ______

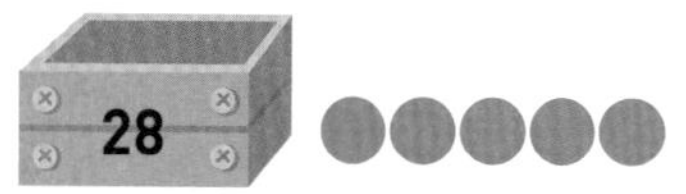

28 + 5 = ______

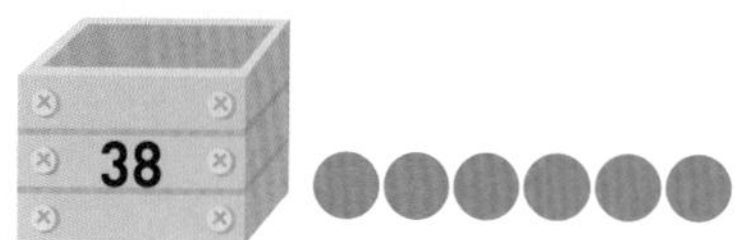

38 + 6 = ______

17 + 4 = ______

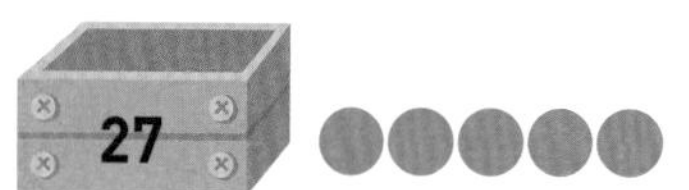

27 + 5 = ______

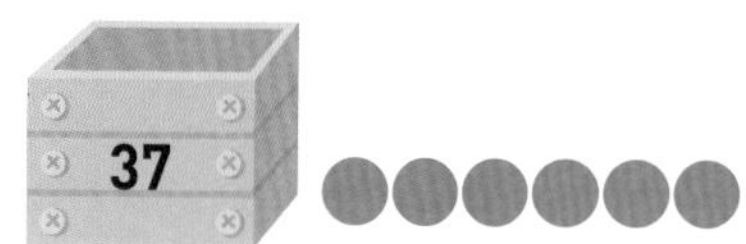

37 + 6 = ______

한 번 더 연습해요!

1. 그림을 이용해서 계산해 보세요.

19 + 2 = ______

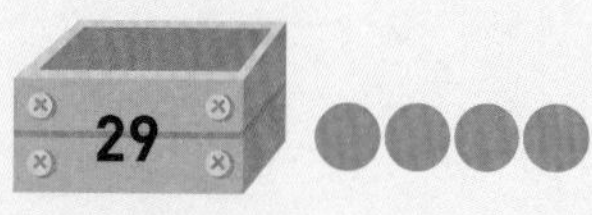

29 + 4 = ______

39 + 5 = ______

2. 계산해 보세요.

15 + 5 + 4 = ______

15 + 9 = ______

57 + 3 + 6 = ______

57 + 9 = ______

68 + 2 + 4 = ______

68 + 6 = ______

3. 어떤 수를 더해야 몇 십을 만들 수 있나요? 알맞은 수를 찾아 연결해 보세요.

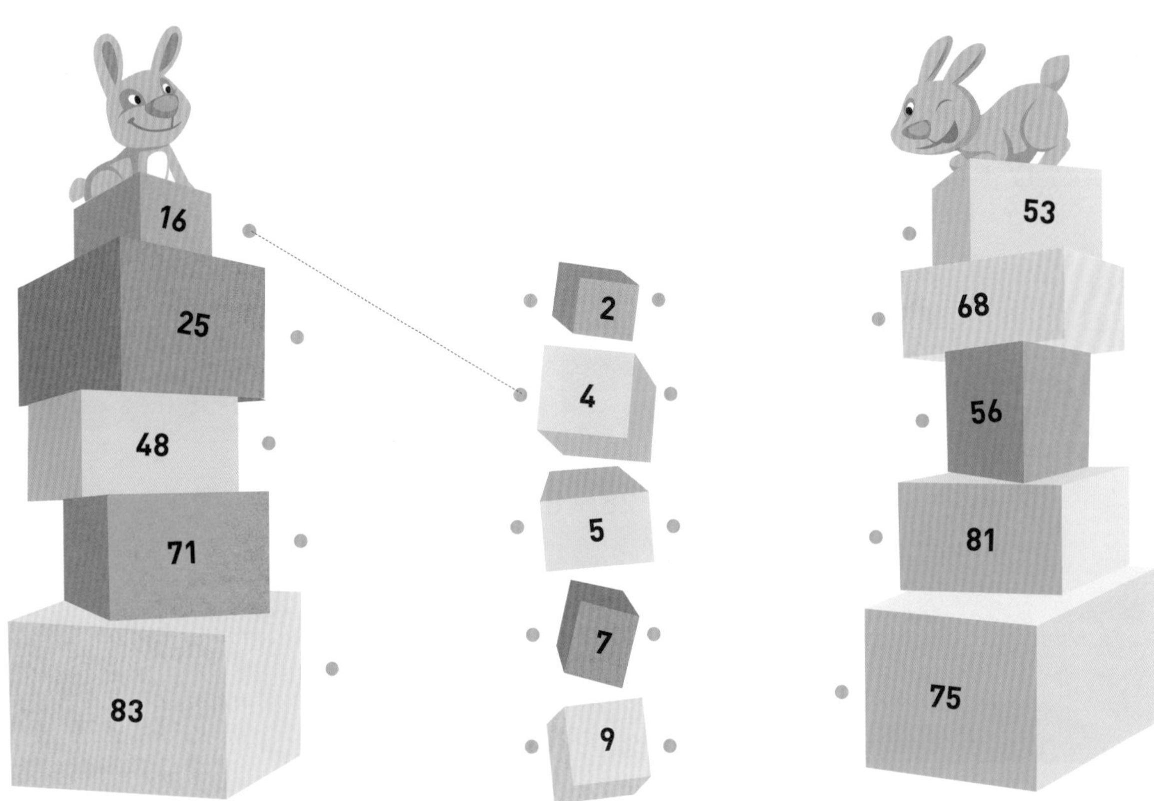

4. 계산 과정을 그림으로 그리고 정답을 알아보세요.

28 + 4 = ______

37 + 6 = ______

35 + 8 = ______

46 + 5 = ______

5. 아래 글을 읽고 가방의 주인과 취미가 무엇인지 알아보세요.

- 한 친구는 그림 그리는 것을 좋아해요.
- 파란색 백팩의 주인은 육상 경기를 해요.
- 올리는 육상 경기를 하지 않아요.
- 가운데 백팩의 주인은 준이에요.
- 준은 수영을 즐겨요.
- 제이드는 육상 경기를 해요.

주인 ______________
취미 ______________

주인 ______________
취미 ______________

주인 ______________
취미 ______________

6. 그림이 들어간 식을 보고 그림의 값을 구해 보세요.

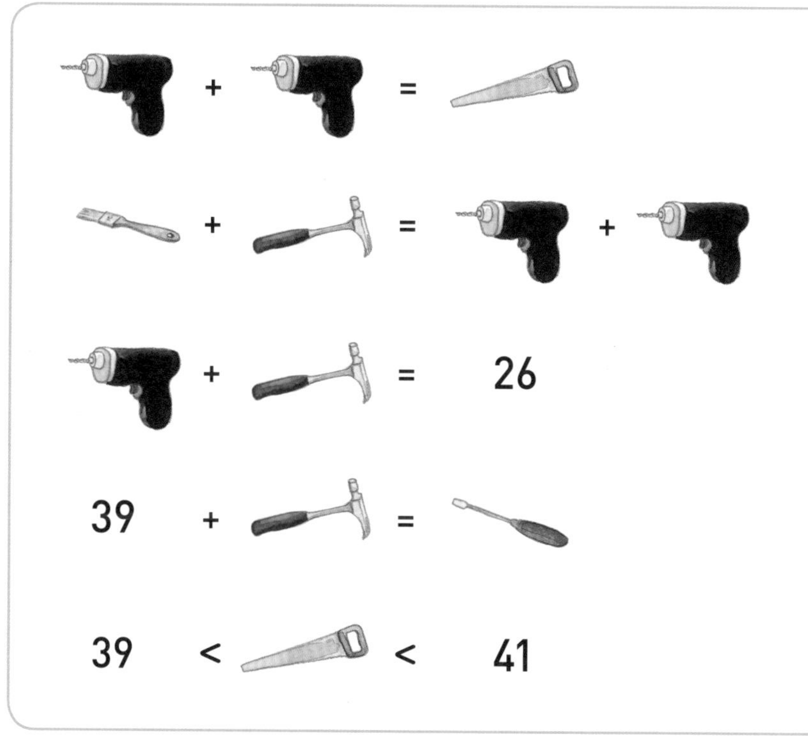

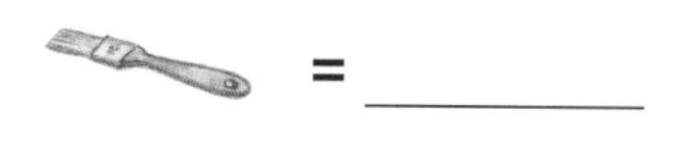

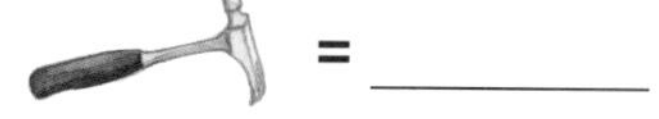

= ______________

= ______________

= ______________

= ______________

= ______________

7. 그림을 이용해서 계산해 보세요.

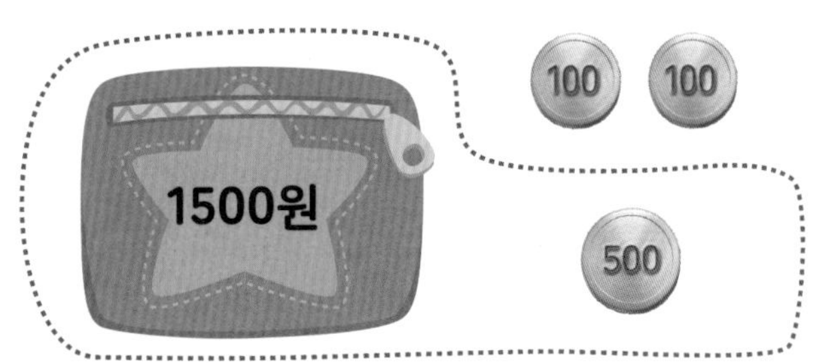

1500원 + 700원 = ________

2600원 + 600원 = ________

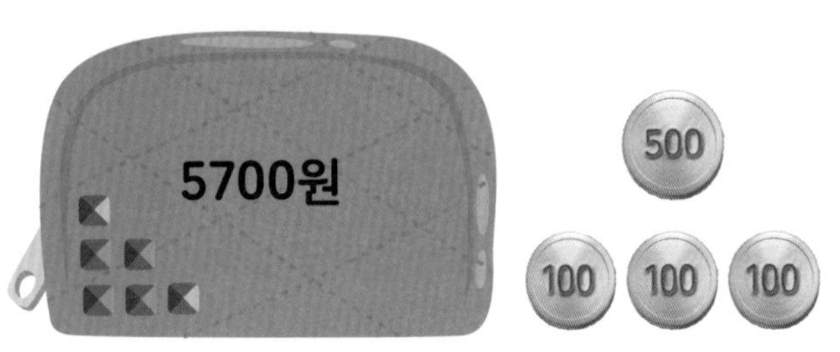

5700원 + 800원 = ________

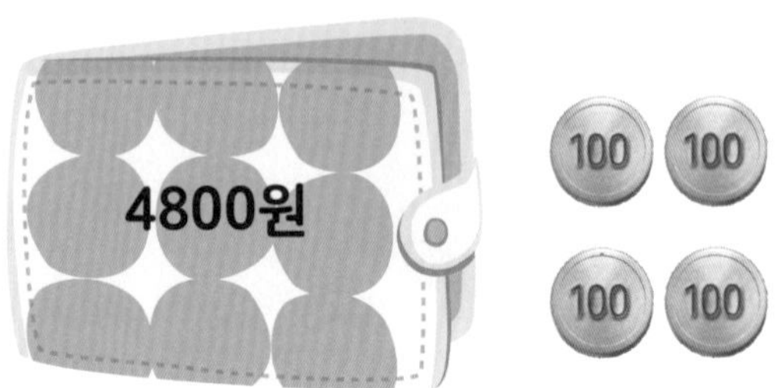

4800원 + 400원 = ________

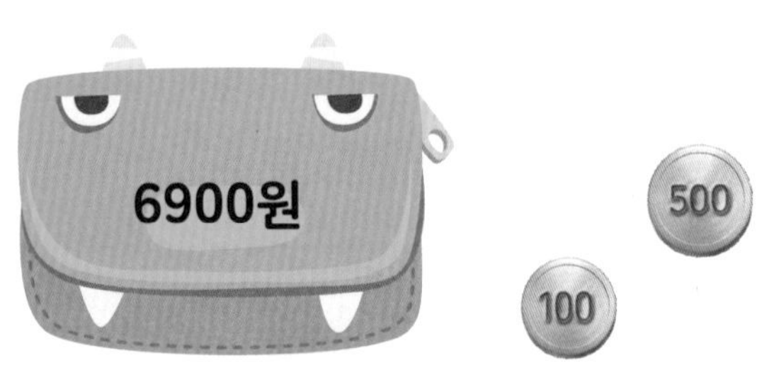

6900원 + 600원 = ________

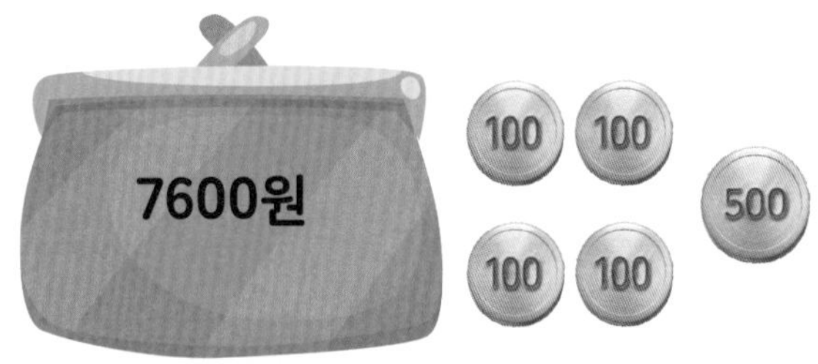

7600원 + 900원 = ________

8. 빈칸에 답을 쓴 후, 애벌레에서 정답을 찾아 ○표 하세요.

48 + 4 = ________	35 + 6 = ________	77 + 7 = ________
48 + 5 = ________	45 + 6 = ________	78 + 7 = ________
5 + 48 = ________	6 + 45 = ________	6 + 79 = ________

41 51 51 52 53 53 56 84 85 85

9. 구입한 것을 모두 더하면 얼마인가요? 계산 과정을 그림으로 그린 후 식과 답을 구해 보세요.

① 엠마는 로봇 1개와 팽이 1개를 샀어요.

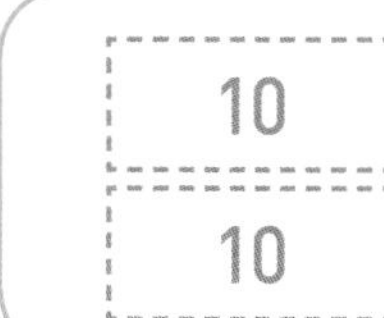

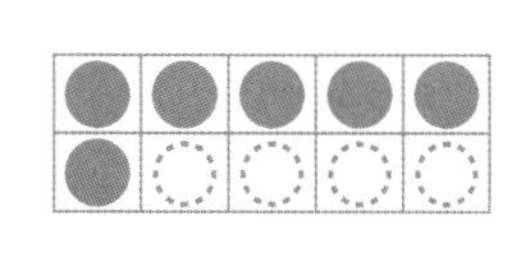

식 :

정답 :

② 알렉은 로봇 1개와 공책 1개를 샀어요.

식 :

정답 :

③ 니나는 인형 1개와 공책 1개를 샀어요.

식 :

정답 :

④ 매트는 로켓 1개와 팽이 1개를 샀어요.

식 :

정답 :

한 번 더 연습해요!

1. 계산해 보세요.

27 + 5 = ______

47 + 5 = ______

5 + 67 = ______

29 + 4 = ______

59 + 4 = ______

4 + 89 = ______

46 + 6 = ______

57 + 7 = ______

8 + 58 = ______

10. 규칙에 따라 빈칸에 알맞은 수를 써넣어 보세요.

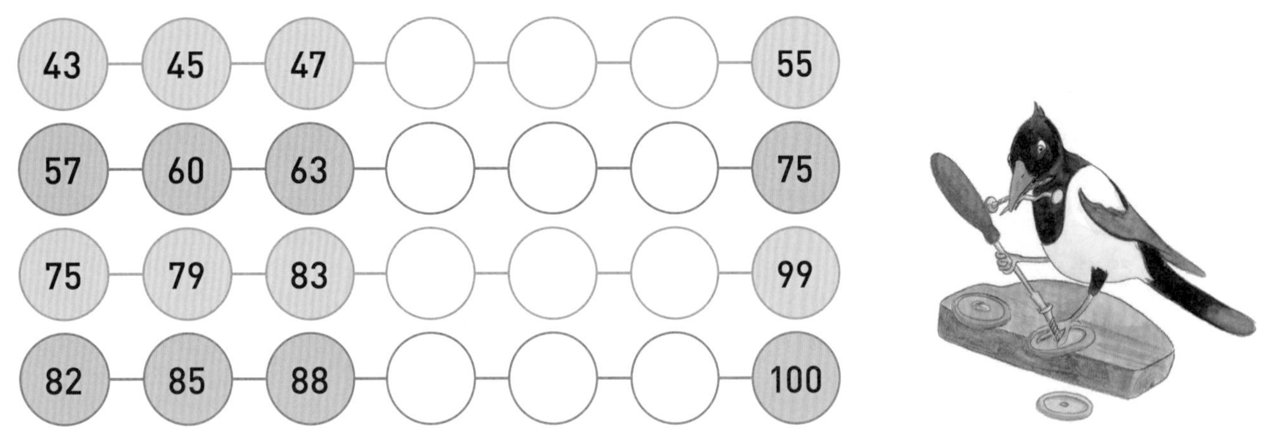

11. 수 가르기로 알맞은 수를 써 보세요.

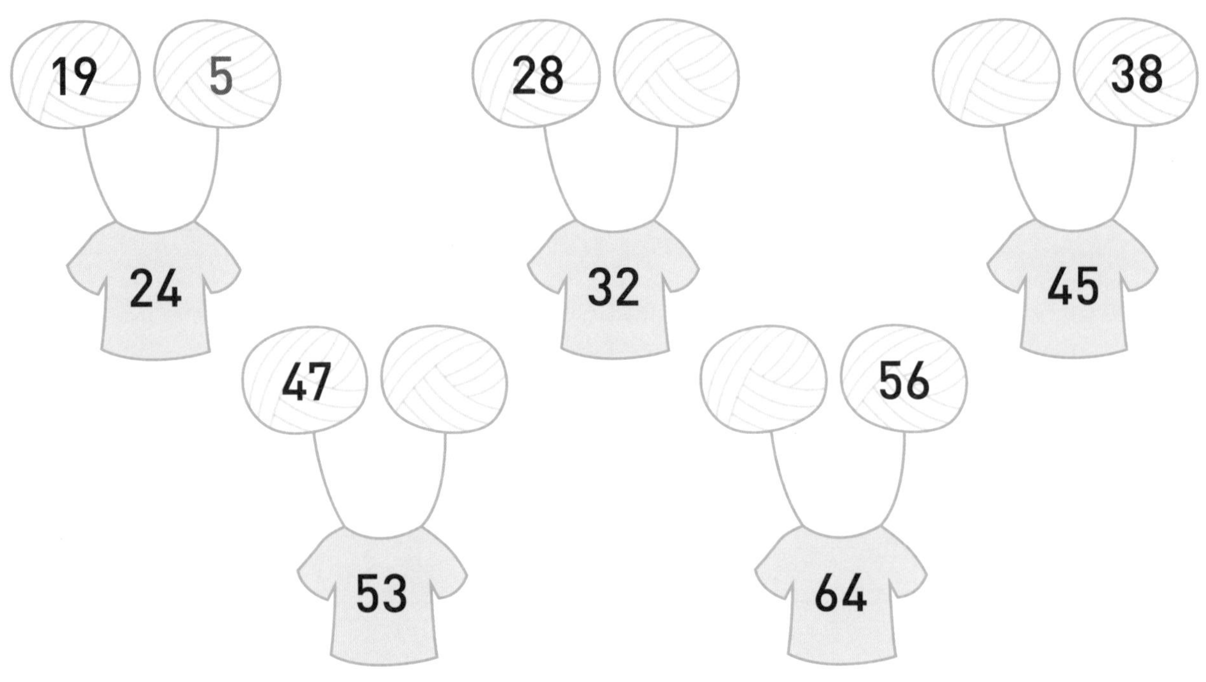

12. 계산한 후 알맞은 답을 찾아 선으로 이어 보세요.

13. 계산한 후 정답에 해당하는 알파벳을 찾아 □ 안에 써넣어 보세요.

18 + 9 + 9 = ______	□	63 − 30 + 3 = ______	□
100 − 30 + 7 = ______	□	99 − 40 − 40 = ______	□
25 + 1 + 25 = ______	□	100 − 90 + 15 = ______	□
29 + 7 + 8 = ______	□	60 − 10 − 6 = ______	□
60 + 3 + 20 = ______	□	17 + 9 + 42 = ______	□
6 + 6 + 7 = ______	□	63 − 30 − 23 = ______	□
100 − 40 − 50 = ______	□	45 − 25 − 1 = ______	□

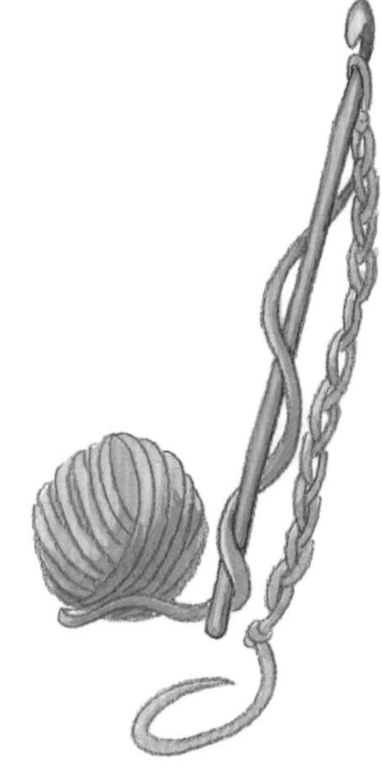

10	19	25	36	44	51	68	77	83
R	E	A	M	S	N	U	O	T

1	2	3	4	5	6	7	8	9	10
11	12	13	14	15	16	17	18	19	20
21	22	23	24	25	26	27	28	29	30
31	32	33	34	35	36	37	38	39	40
41	42	43	44	45	46	47	48	49	50
51	52	53	54	55	56	57	58	59	60
61	62	63	64	65	66	67	68	69	70
71	72	73	74	75	76	77	78	79	80
81	82	83	84	85	86	87	88	89	90
91	92	93	94	95	96	97	98	99	100

덧셈 놀이

인원 : 2명 준비물 : 6~9까지의 수 카드

놀이 방법

1. 가위바위보로 순서를 정한 후 첫 번째 사람이 수 배열표의 수 중 하나를 골라 동그라미로 표시하세요.
2. 다음 사람은 6~9까지의 수 카드를 숫자가 안 보이게 뒤집은 다음 한 장을 골라요.
3. 첫 번째 사람이 1번에서 표시한 수와 두 번째 사람이 고른 수 카드의 값을 더하세요.
   예를 들어 첫 번째 사람이 24를 표시하고, 두 번째 사람이 8 카드를 골랐다면 24+8의 값을 첫 번째 사람이 계산해야 해요.
4. 두 사람이 답을 함께 확인한 후 정답이면 2점을 얻고, 아니면 점수가 없어요. 그리고 순서가 바뀌어요.
5. 다섯 번까지 하여 점수를 더 많이 얻은 사람이 이겨요.

________의 점수 : ________의 점수 :

책 뒤에 있는 놀이 카드를 이용하세요.

14. 길을 따라 문제를 풀어 □ 안을 채우세요.

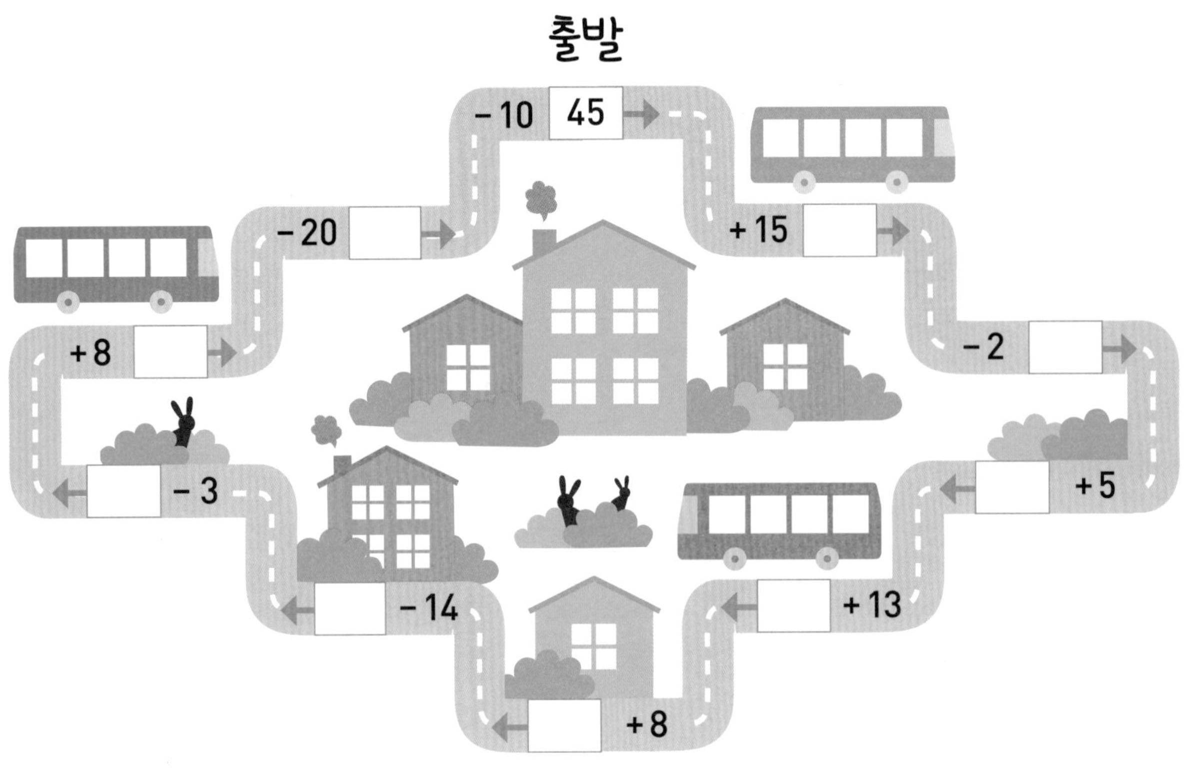

15. 그림이 들어간 식을 보고 그림의 값을 구해 보세요.

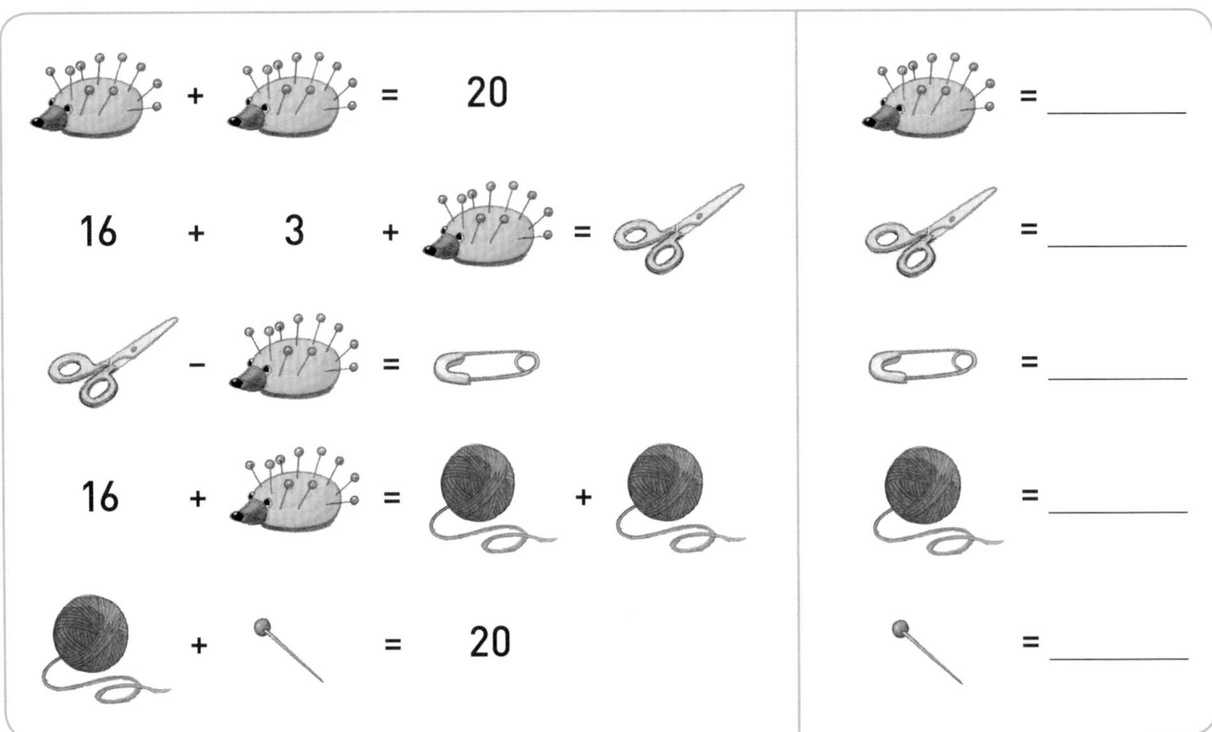

16. 칩은 집을 짓고 있어요. 칩이 가진 조각들은 다음과 같아요.
칩이 만들 수 있는 집의 종류는 모두 몇 가지가 될까요? 색칠해 보세요.

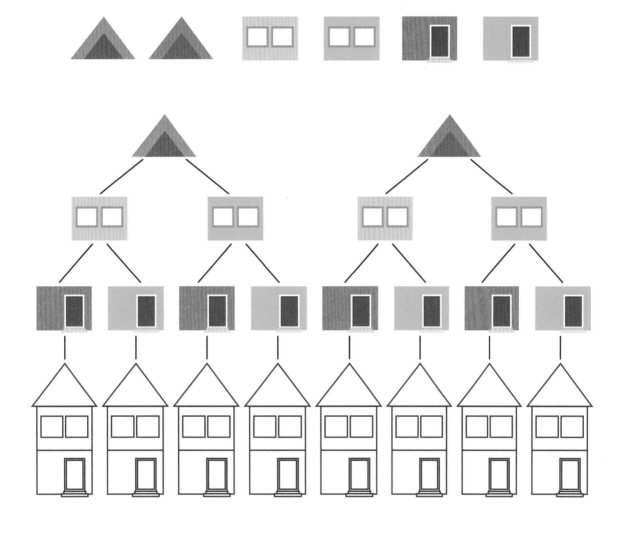

17. 책 가격을 각각 알아보세요.

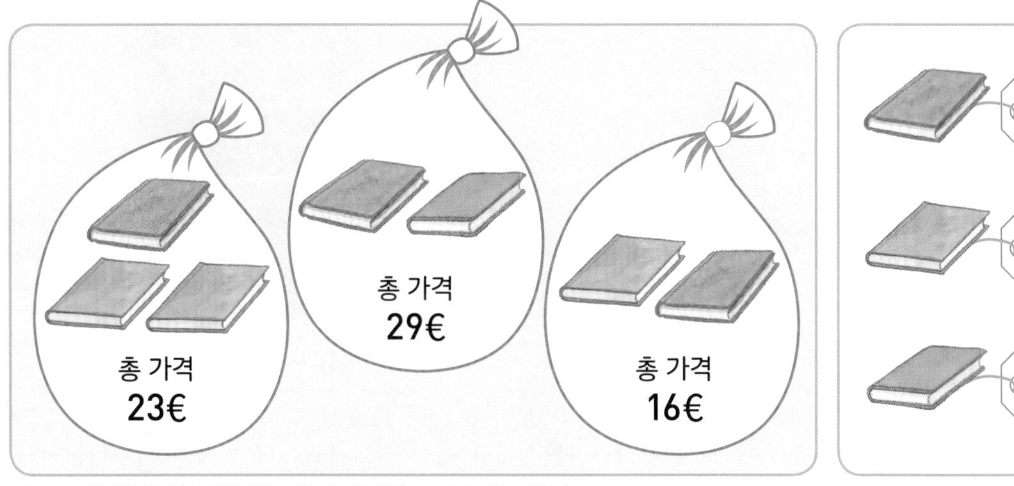

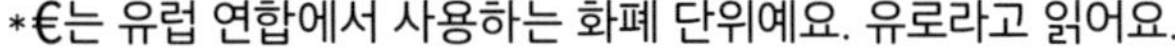
*€는 유럽 연합에서 사용하는 화폐 단위예요. 유로라고 읽어요.

____ 월 ____ 일 ____ 요일

10 몇 십에서 빼기

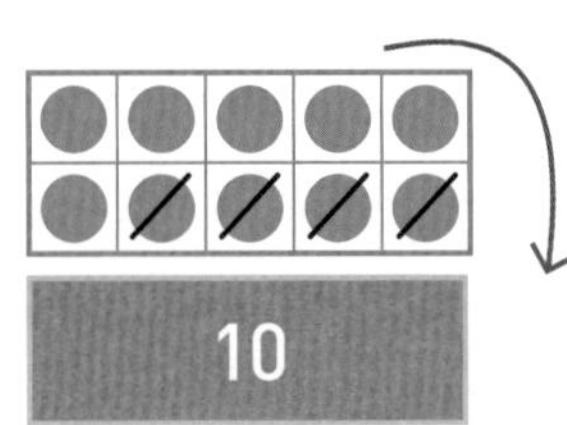

20 − 4 = 16

1. 식에 맞게 그림을 그려 계산해 보세요.

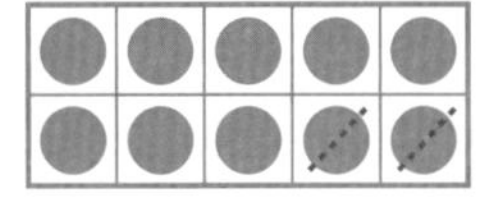

10 − 2 = ______

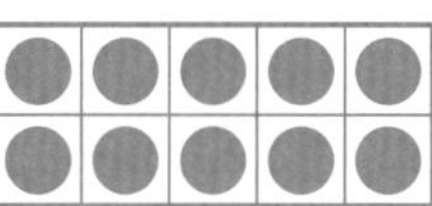

10 − 6 = ______

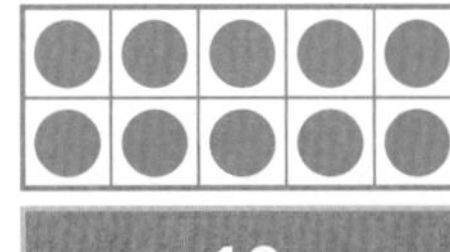

20 − 2 = ______

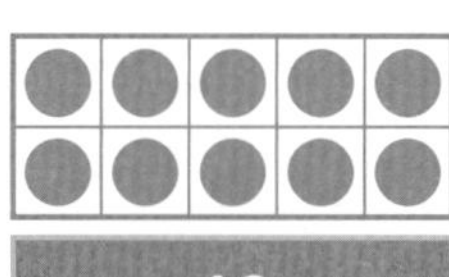

20 − 6 = ______

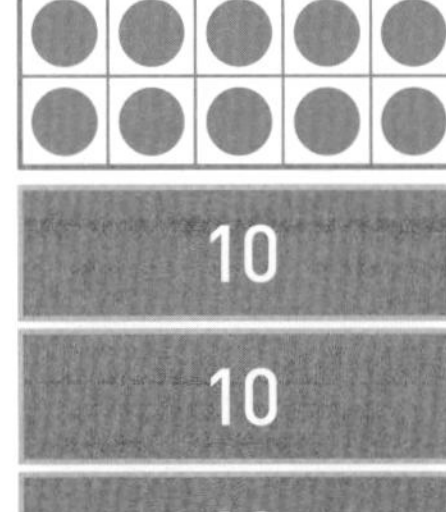

40 − 2 = ______

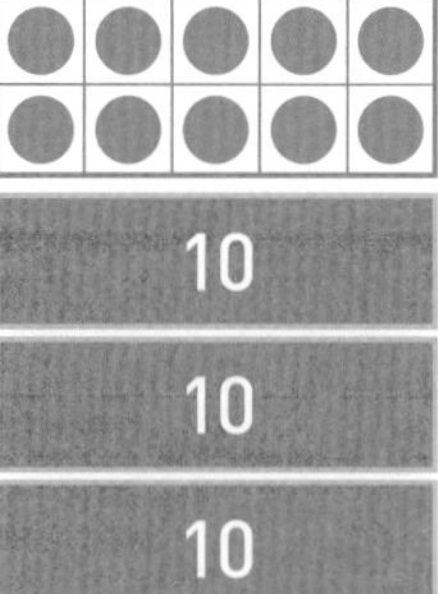

40 − 6 = ______

0 5 10 15 20 25 30 35 40 45 50 55 60 65 70 75 80 85 90 95 100

2. 계산해 보세요.

30 - 5 = ______　　50 - 7 = ______

40 - 5 = ______　　60 - 7 = ______

80 - 5 = ______　　70 - 7 = ______

60 - 3 = ______　　80 - 9 = ______

70 - 3 = ______　　90 - 9 = ______

80 - 3 = ______　　100 - 9 = ______

3. 알맞은 수를 구해 보세요.

______ - 4 = 6

______ - 4 = 16

______ - 4 = 26

______ - 4 = 36

______ - 4 = 56

______ - 4 = 86

4. 그림을 보고 식과 답을 써 보세요.

① 알렉은 2000원을 가지고 있어요. 알렉은 열쇠고리를 1개 샀어요. 알렉에게 남은 돈은 얼마인가요?

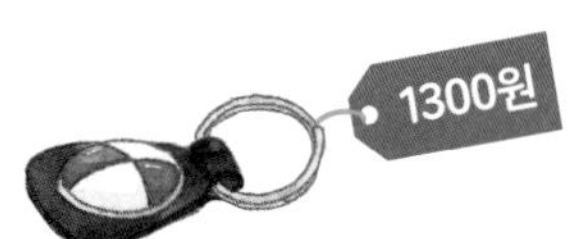

식 : ______________________

정답 : ______________________

② 엠마는 3000원을 가지고 있어요. 엠마는 목걸이를 1개 샀어요. 엠마에게 남은 돈은 얼마인가요?

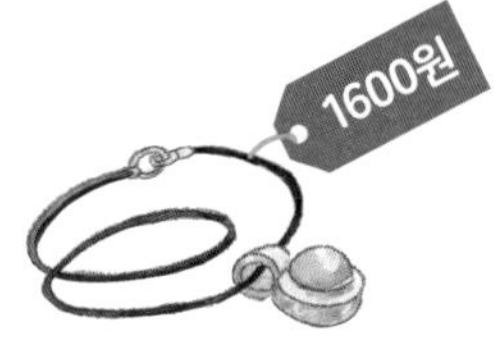

식 : ______________________

정답 : ______________________

빼어지는 수가 빼는 수보다 작을 경우 윗자리에서 10을 빌려 와서 빼야 해~!

한 번 더 연습해요!

1. 계산해 보세요.

20 - 3 = ______　　50 - 4 = ______　　60 - 8 = ______

40 - 3 = ______　　70 - 4 = ______　　80 - 8 = ______

5. 수 가족을 쓰고, 식을 완성해 보세요.

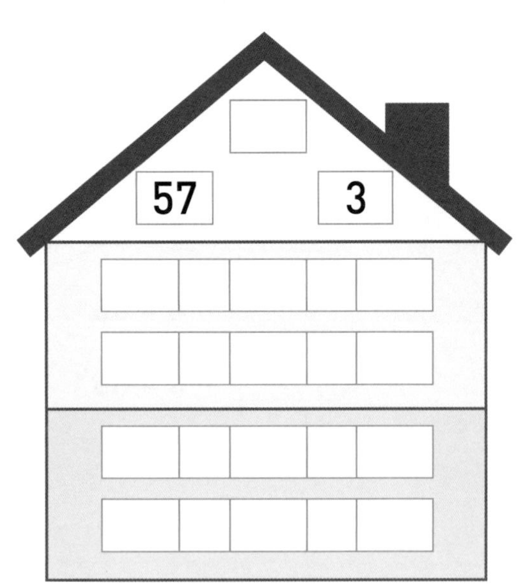

6. 알맞은 수를 구해 보세요.

_______ - 5 = 35

_______ - 4 = 26

_______ - 7 = 73

_______ - 9 = 61

_______ - 6 = 84

_______ - 8 = 92

7. 시계의 주인이 누구인지 알아보고 알맞은 색을 칠해 보세요.

- 키티의 시계는 파란색이에요.
- 알리사의 시계는 각이 없어요.
- 키티의 시계는 가운데 있지 않아요.
- 노아의 시계는 2시 30분을 가리키고 있어요.
- 노란 시계는 줄의 끝에 있어요.
- 빨간 시계는 3시 30분을 가리키고 있어요.

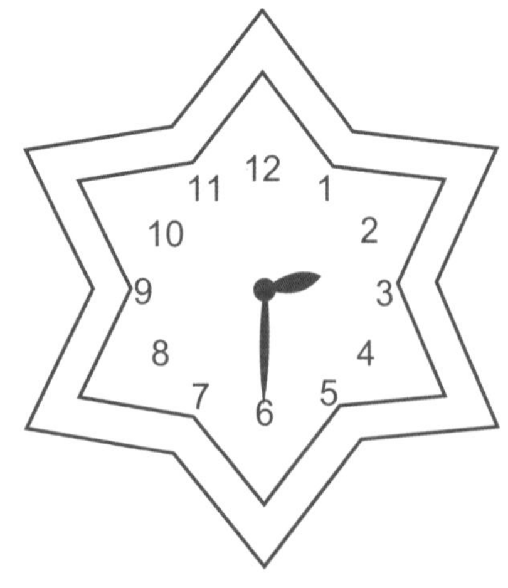

주인 : ______________ 주인 : ______________ 주인 : ______________

8. 로봇의 작동 원리를 알아낸 후, 알맞은 수를 구해 보세요.

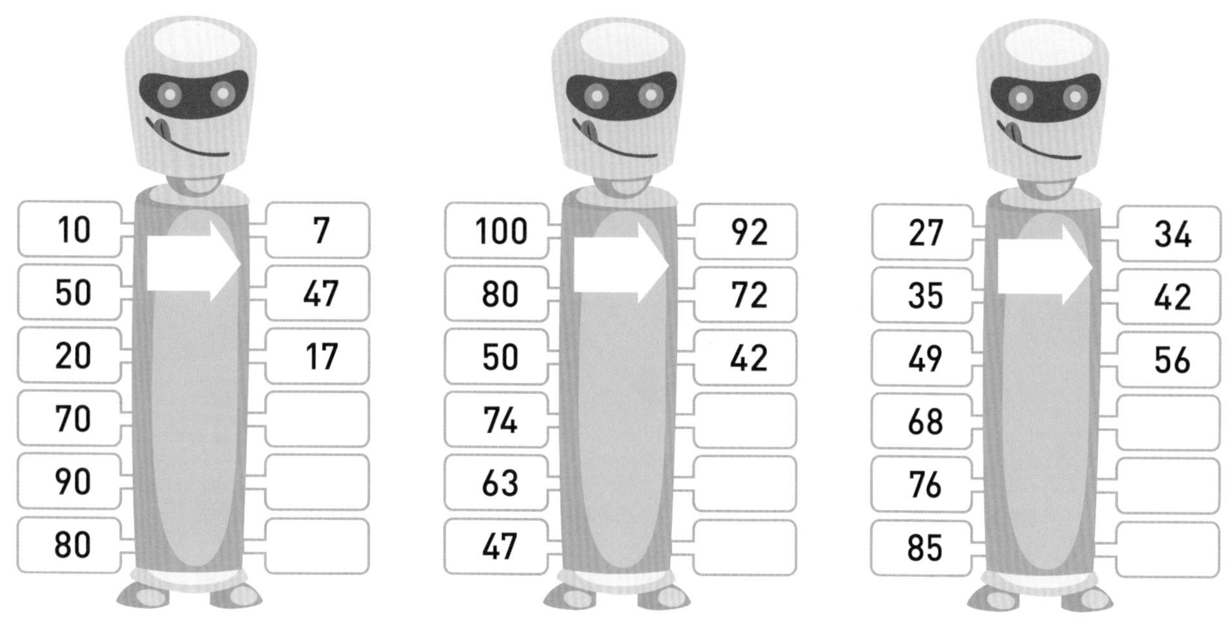

9. 자동차의 주인과 목적지를 알아보고 알맞은 색을 칠해 보세요.

- 노란 차는 가운데 있어요.
- 파란 차는 가게로 가고 있어요.
- 녹색 차는 존이 운전하고 있어요.
- 파란 차는 노란 차의 왼쪽에 있어요.
- 믹은 아이스 링크로 가고 있어요.
- 세 차 중 하나는 수영장으로 가고 있어요.
- 마이크는 노란 차와 녹색 차를 운전하지 않아요.

운전자 :

목적지 :

운전자 :

목적지 :

운전자 :

목적지 :

11 뺄셈에서 몇 십 만들기

32 − 5
= 32 − 2 − 3
= 30 − 3
= 27

빼어지는 수를 몇 십으로 만들어 주려면 빼는 수를 가르기 하여 일의 자리를 뺀 후, 몇 십이 된 수에서 남은 수를 빼요.

1. 식에 맞게 그림을 그려 계산해 보세요.

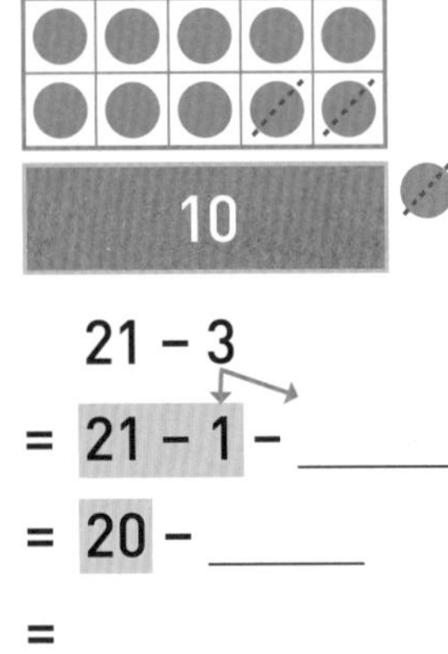

21 − 3
= 21 − 1 − ____
= 20 − ____
= ____

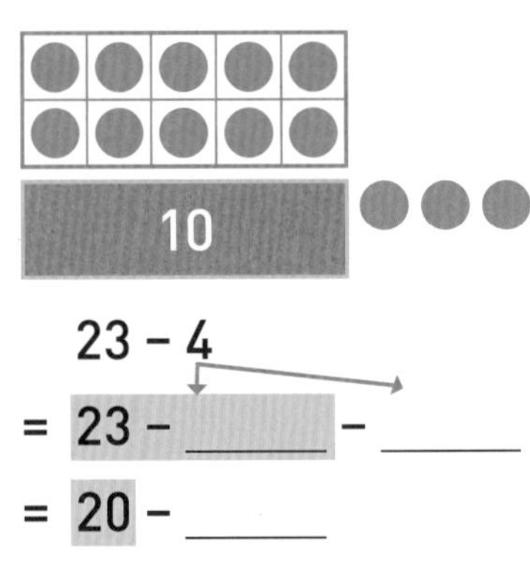

23 − 4
= 23 − ____ − ____
= 20 − ____
= ____

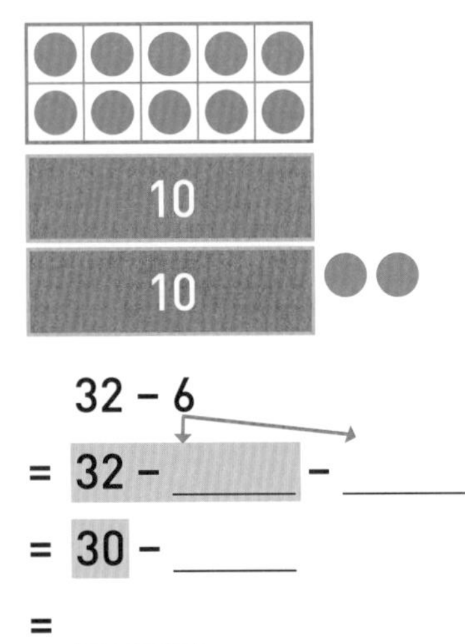

32 − 6
= 32 − ____ − ____
= 30 − ____
= ____

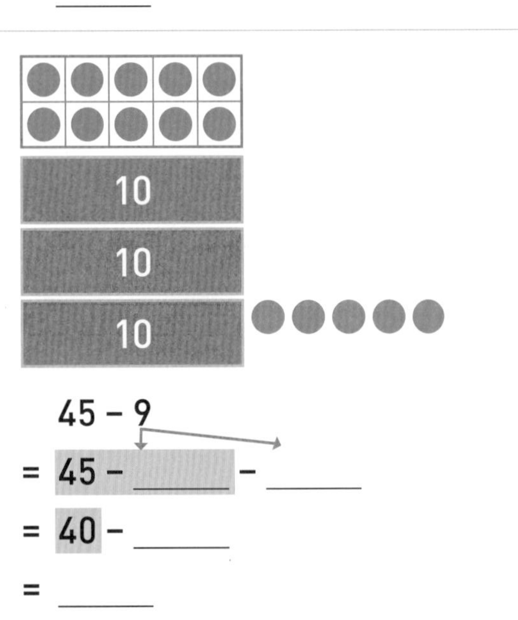

45 − 9
= 45 − ____ − ____
= 40 − ____
= ____

2. 그림을 이용해서 계산해 보세요.

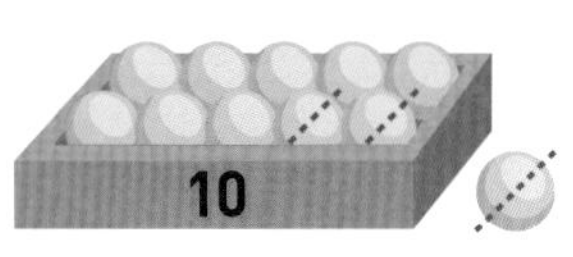

11 − 3 = ______

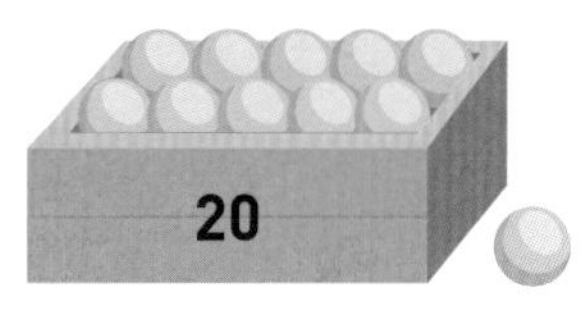

21 − 5 = ______

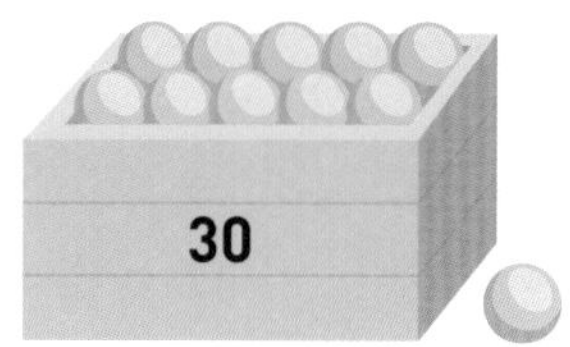

31 − 6 = ______

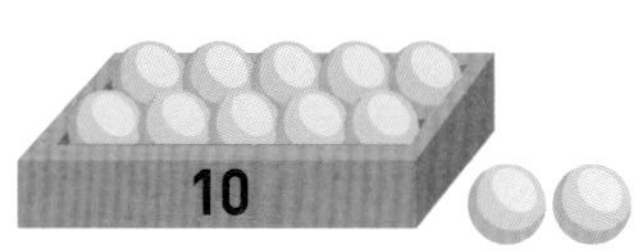

12 − 3 = ______

22 − 4 = ______

32 − 7 = ______

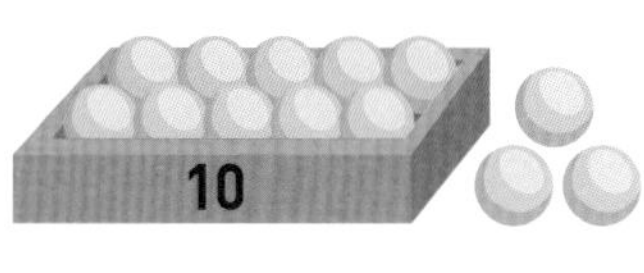

13 − 4 = ______

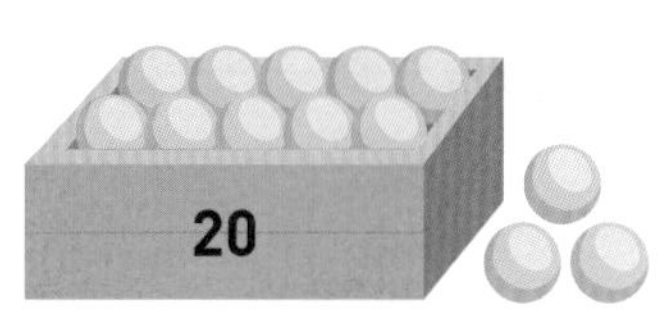

23 − 6 = ______

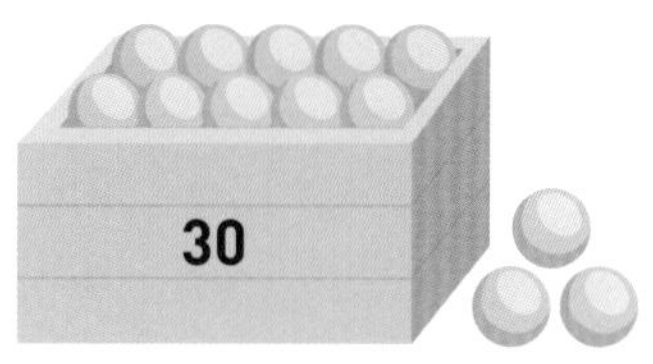

33 − 6 = ______

한 번 더 연습해요!

1. 그림을 이용해서 계산해 보세요.

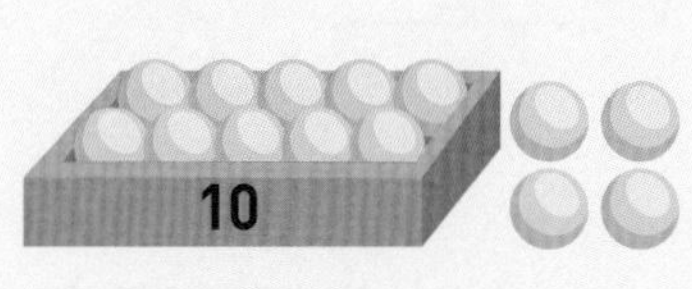

14 − 5 = ______

24 − 6 = ______

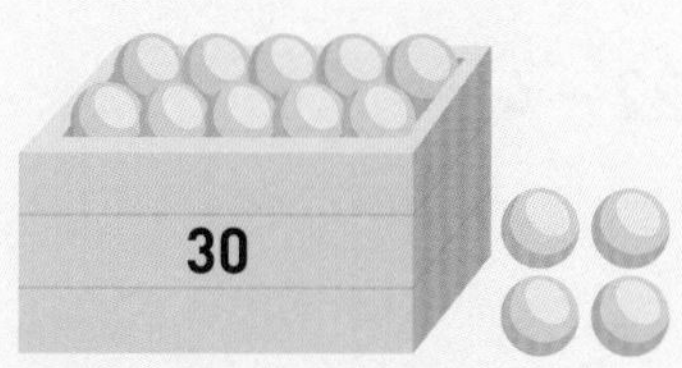

34 − 7 = ______

2. 계산해 보세요.

36 − 6 − 2 = ______　　42 − 2 − 2 = ______　　64 − 4 − 1 = ______

36 − 8 = ______　　42 − 4 = ______　　64 − 5 = ______

3. 계산한 값을 수직선과 바르게 이어 보세요.

63 − 4

64 − 6

70 − 4

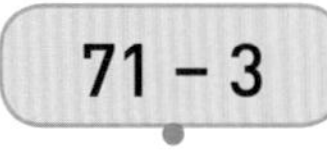

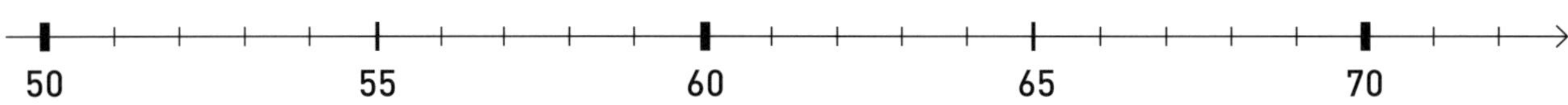

90 − 20

83 − 10

91 − 4

90 − 5

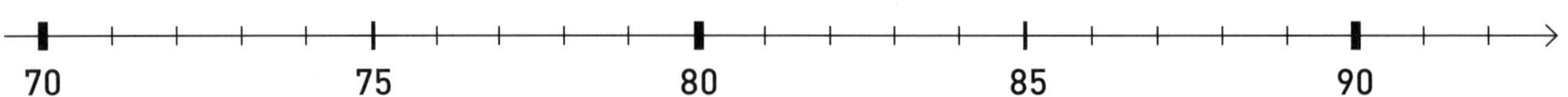

4. 계산 과정을 그림으로 그리고 정답을 구해 보세요.

22 − 4 = ______

33 − 7 = ______

41 − 6 = ______

54 − 5 = ______

5. □ 안에 +, −를 알맞게 써넣어 보세요.

23 □ 3 □ 9 = 29	37 □ 6 □ 4 = 27
39 □ 4 □ 8 = 51	48 □ 5 □ 3 = 50
57 □ 6 □ 2 = 61	65 □ 8 □ 3 = 76
75 □ 7 □ 7 = 75	94 □ 8 □ 5 = 81

스스로 문제를 만들어 풀어 보세요.

_____ + _____ + _____ = 35　　　_____ + _____ − _____ = 60

_____ − _____ − _____ = 42　　　_____ − _____ + _____ = 87

6. 그림이 들어간 식을 보고 그림의 값을 구해 보세요.

 −  = 24　　　 = _____

 − 15 = 15　　　 = _____

 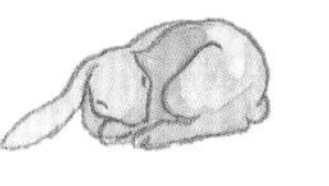 −   =  　　　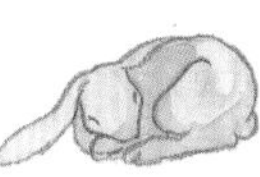 = _____

 24 +  = 　　　 = _____

  −  = 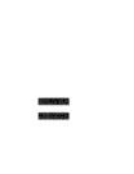　　　 = _____

 15 +  = 　　　 = _____

12 9가 나오는 덧셈과 뺄셈

1. 그림을 보고 계산해 보세요.

24 − 10 + 1 = ________

24 − 9 = ________

35 − 10 + 1 = ________

35 − 9 = ________

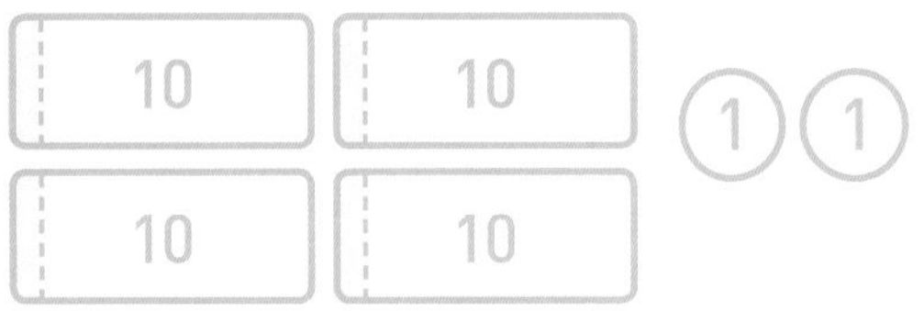

42 − 10 + 1 = ________

42 − 9 = ________

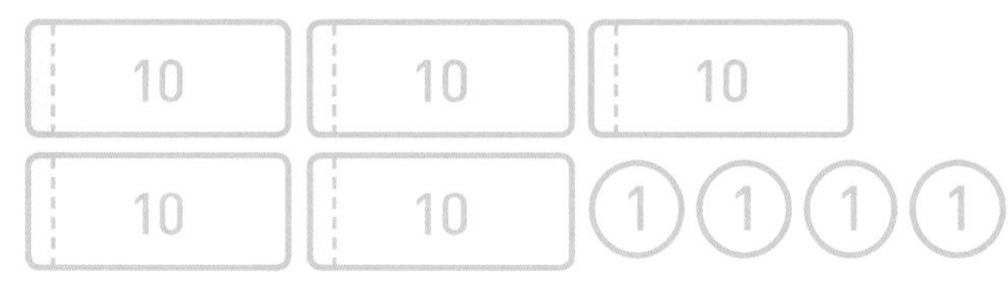

54 − 10 + 1 = ________

54 − 9 = ________

2. 계산해 보세요.

23 − 10 + 1 = ________

23 − 9 = ________

65 − 10 + 1 = ________

65 − 9 = ________

78 − 10 + 1 = ________

78 − 9 = ________

3. 그림을 보고 계산해 보세요.

25 + 10 − 1 = ______

25 + 9 = ______

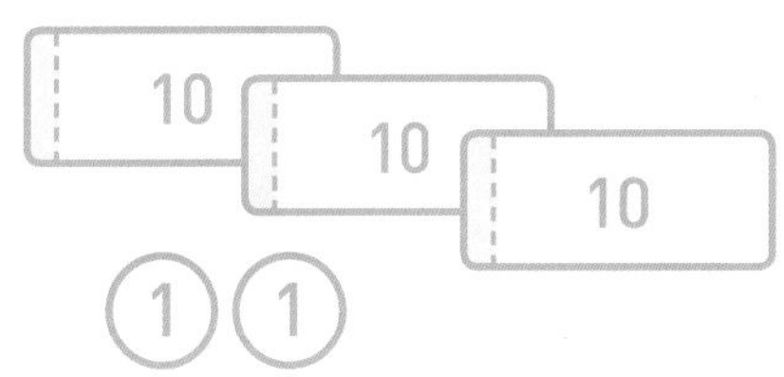

32 + 10 − 1 = ______

32 + 9 = ______

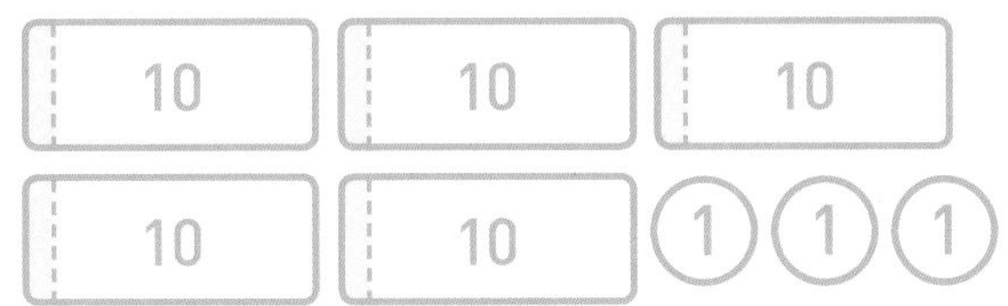

53 + 10 − 1 = ______

53 + 9 = ______

44 + 10 − 1 = ______

44 + 9 = ______

4. 계산해 보세요.

47 + 10 − 1 = ______

47 + 9 = ______

63 + 10 − 1 = ______

63 + 9 = ______

79 + 10 − 1 = ______

79 + 9 = ______

한 번 더 연습해요!

1. 계산해 보세요.

36 − 10 + 1 = ______

36 − 9 = ______

73 − 10 + 1 = ______

73 − 9 = ______

27 + 10 − 1 = ______

27 + 9 = ______

65 + 10 − 1 = ______

65 + 9 = ______

25 − 9 = ______

34 − 9 = ______

46 + 9 = ______

52 + 9 = ______

5. 수 가족을 쓰고, 식을 완성해 보세요.

6. 다람쥐의 아침 식사를 찾아 주세요. 단, 덧셈식의 답은 다음에 이어진 덧셈식의 앞의 수와 같아요.

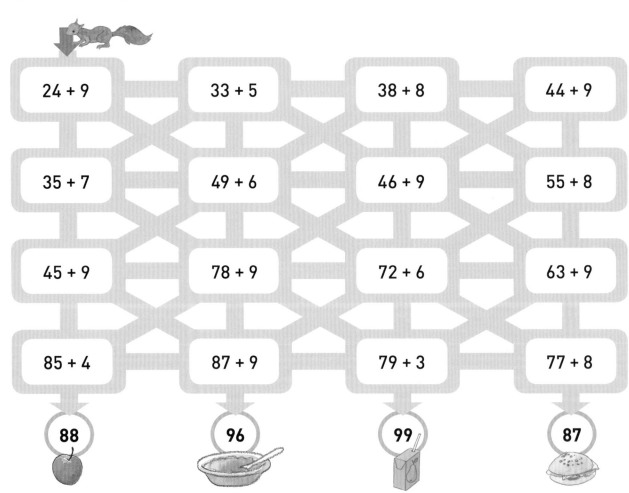

24 + 9	33 + 5	38 + 8	44 + 9
35 + 7	49 + 6	46 + 9	55 + 8
45 + 9	78 + 9	72 + 6	63 + 9
85 + 4	87 + 9	79 + 3	77 + 8
88	96	99	87

7. 로봇의 작동 원리를 알아낸 후, 알맞은 수를 구해 보세요.

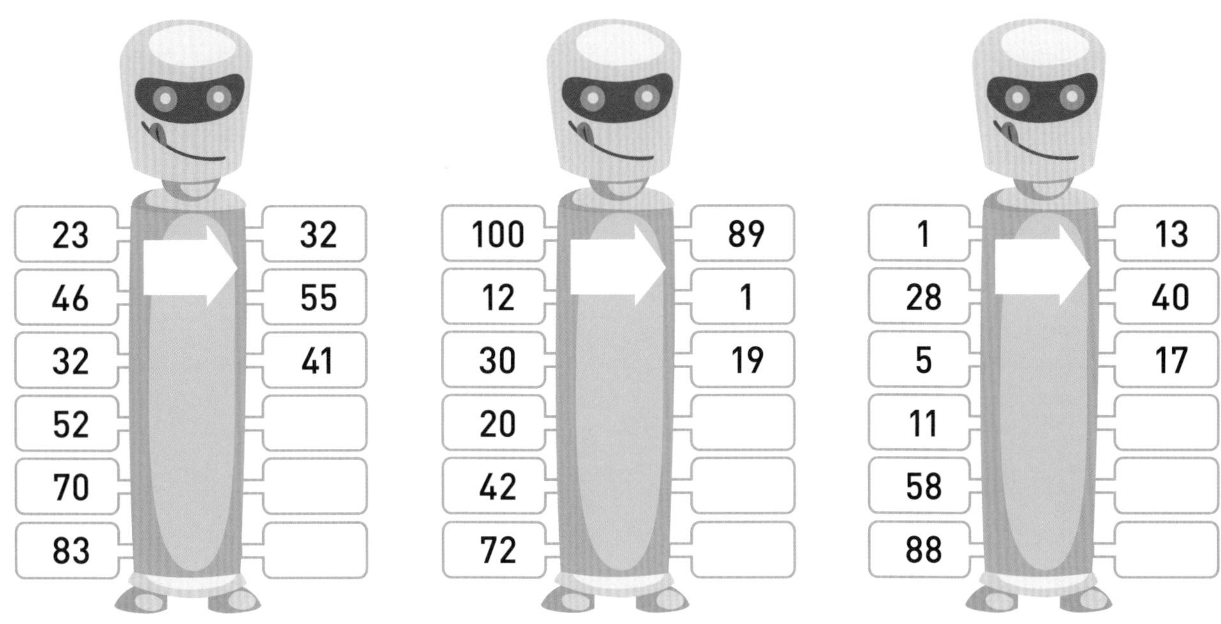

왼쪽	오른쪽	왼쪽	오른쪽	왼쪽	오른쪽
23	32	100	89	1	13
46	55	12	1	28	40
32	41	30	19	5	17
52		20		11	
70		42		58	
83		72		88	

놀이 수학

로봇의 작동 원리

인원 : 2명

놀이 방법

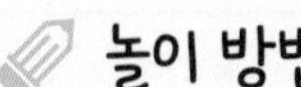

1. 가위바위보로 순서를 정한 후, 이긴 사람이 로봇의 왼쪽 6칸에 들어갈 수를 모두 적으세요.
2. 진 사람은 작동 원리를 생각한 후, 그 원리에 따라 계산한 값을 오른쪽 6칸에 쓰세요.
3. 왼쪽에 수를 적은 사람은 어떤 원리로 오른쪽의 답을 얻었는지 알아내어 화살표 안에 적어요.
4. 순서를 바꾸어 놀이를 계속해요.

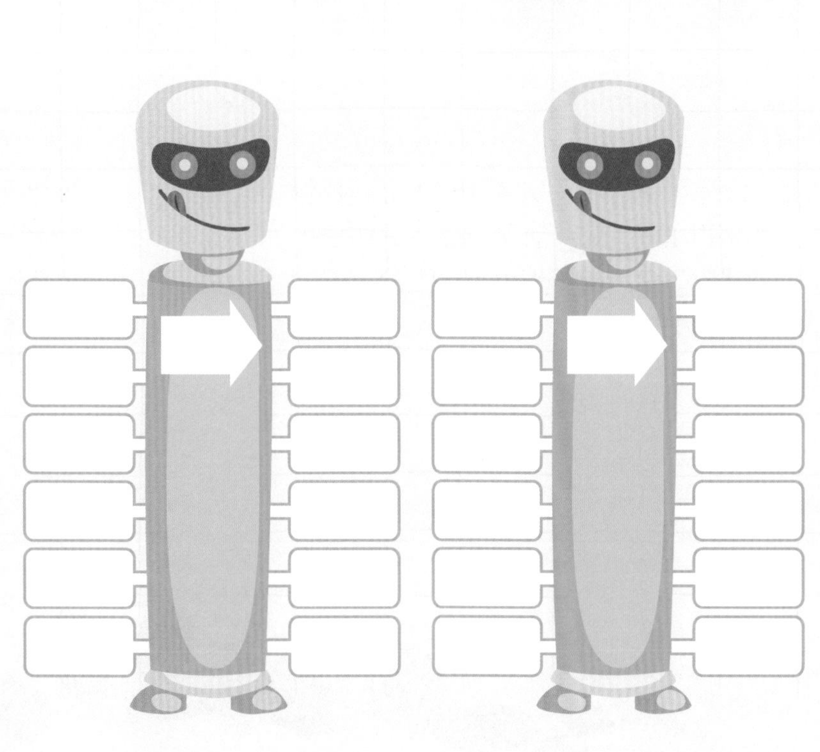

8. 아래 글을 읽고 식과 답을 써 보세요.

① 노란 단추 35개와 녹색 단추 7개가 책상 위에 있어요. 단추는 모두 몇 개인가요?

식 : ______________________

정답 : ______________________

② 오스카는 단추를 30개 가지고 있고, 사라는 단추를 9개 가지고 있어요. 사라는 오스카보다 단추를 몇 개 더 적게 가지고 있나요?

식 : ______________________

정답 : ______________________

③ 공구함에 못이 63개 있어요. 그중 7개는 짧고 나머지는 길어요. 공구함에 있는 긴 못은 몇 개인가요?

식 : ______________________

정답 : ______________________

④ 책상 위에 달 스티커가 64개 있어요. 별 스티커는 달 스티커보다 8개가 더 많아요. 별 스티커는 몇 개인가요?

식 : ______________________

정답 : ______________________

⑤ 노란 바구니에 공이 47개 있어요. 파란 바구니에는 노란 바구니보다 공이 9개 더 많아요. 파란 바구니에 든 공은 몇 개인가요?

식 : ______________________

정답 : ______________________

⑥ 36개가 한 세트인 크레파스가 있어요. 그중 9개가 책상 위에 있어요. 크레파스 케이스 안에는 몇 개의 크레파스가 있나요?

식 : ______________________

정답 : ______________________

9. 계산한 후 정답에 해당하는 알파벳을 찾아 □ 안에 써넣어 보세요.

60 + 27 = ______ □
93 − 9 = ______ □
91 − 20 = ______ □
50 + 26 = ______ □
55 + 8 = ______ □
99 − 2 = ______ □

30 + 61 = ______ □
77 + 7 = ______ □
20 + 70 = ______ □
85 + 5 = ______ □
51 + 9 = ______ □
68 + 8 = ______ □

48 + 9 = ______ □
21 + 42 = ______ □
86 − 10 = ______ □
69 − 9 = ______ □

57	60	63	71	76	84	87	90	91	97
T	E	I	B	R	A	F	M	H	C

10. 규칙에 따라 빈칸에 알맞은 수를 써넣어 보세요.

76 — 73 — 70 — ○ — ○ — ○ — 58

76 — 72 — 68 — ○ — ○ — ○ — 52

한 번 더 연습해요!

1. 설명을 읽고 식과 답을 써 보세요.

별 스티커가 27개 있어요. 달 스티커는 별 스티커보다 9개 더 많아요. 달 스티커는 몇 개인가요?

식 : ______________________

정답 : ______________________

2. 계산해 보세요.

93 − 6 = ______

65 − 8 = ______

50 − 9 = ______

43 − 7 = ______

59 + 9 = ______

11. 빈칸에 알맞은 수를 구해 보세요.

61 - ______ = 0	61 - ______ = 1	61 - ______ = 2
60 - ______ = 0	60 - ______ = 1	60 - ______ = 2
59 - ______ = 0	59 - ______ = 1	59 - ______ = 2

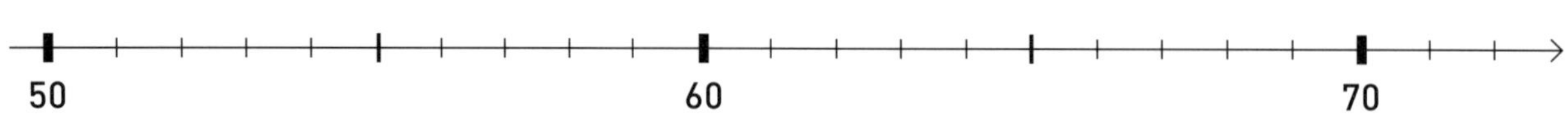

12. 계산해 보세요.

37 − 10 = ______	75 − 10 = ______	94 − 10 = ______
37 − 9 = ______	75 − 9 = ______	94 − 9 = ______
37 − 8 = ______	75 − 8 = ______	94 − 8 = ______

13. 계산값이 53이 나오는 길을 따라가 보세요.

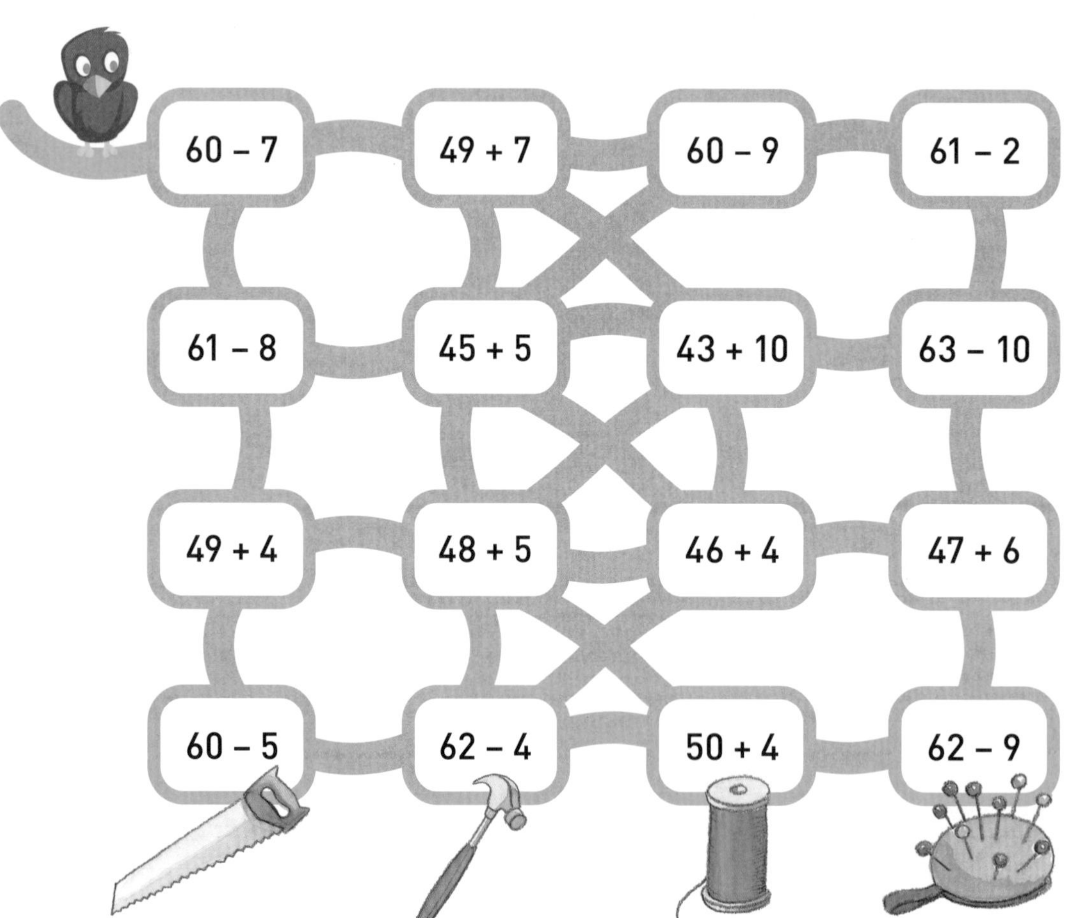

14. □ 안에 +, −를 알맞게 써넣어 보세요.

83 □ 8 □ 6 = 69	59 □ 9 □ 3 = 71
92 □ 6 □ 4 = 90	72 □ 8 □ 6 = 74
94 □ 4 □ 9 = 89	100 □ 3 □ 9 = 88
86 □ 7 □ 4 = 97	100 □ 9 □ 5 = 96

15. 계산한 후 알맞은 답을 찾아 이어 보세요.

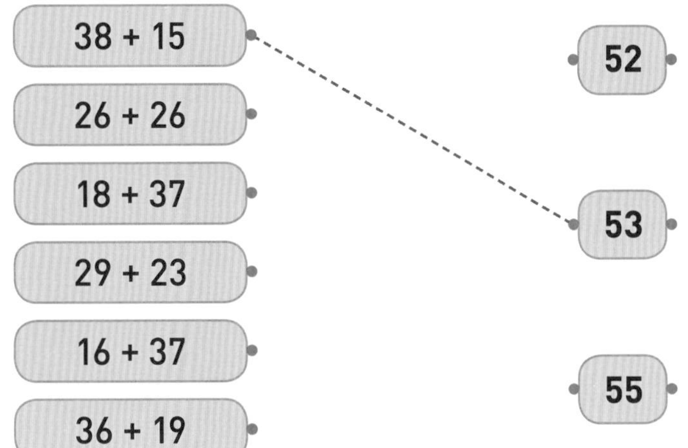

38 + 15	52	27 + 26
26 + 26		28 + 24
18 + 37	53	13 + 39
29 + 23		37 + 18
16 + 37	55	16 + 39
36 + 19		28 + 25

16. 그림을 보고 각각의 값을 구해 보세요.

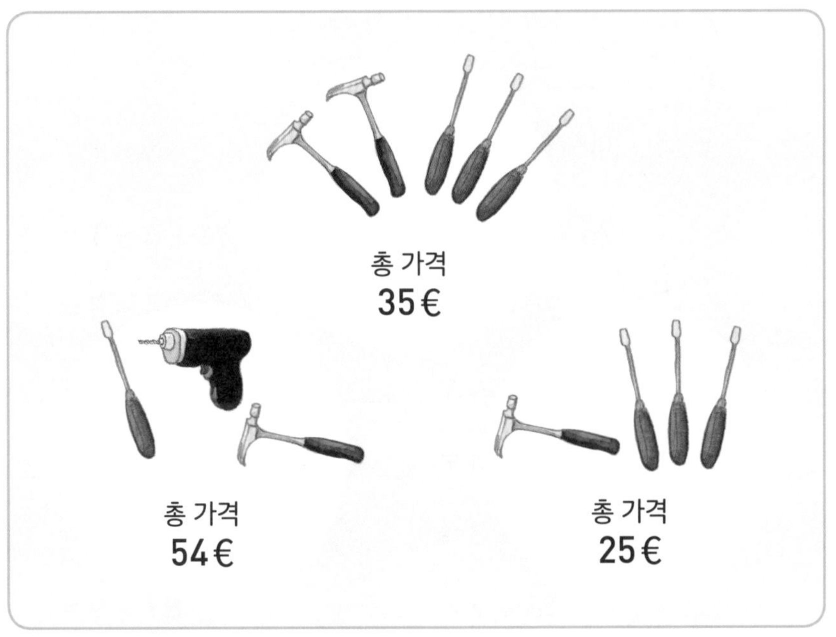

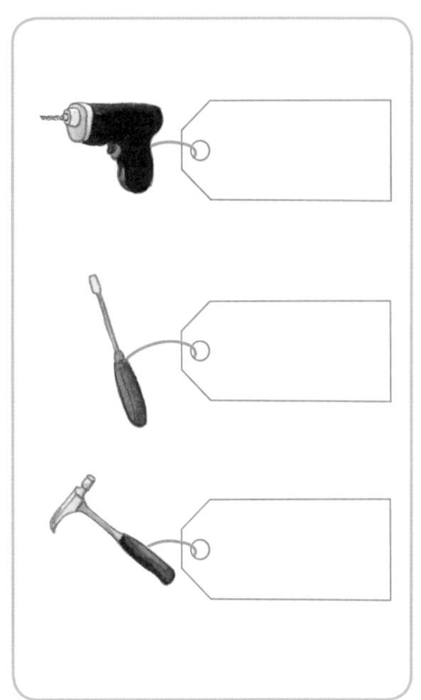

실력을 평가해 봐요!

____ 월 ____ 일 ____ 요일

1. 빈칸에 알맞은 수를 구해 보세요.

19 + ______ = 20　　　32 + ______ = 40　　　67 + ______ = 70

28 + ______ = 30　　　55 + ______ = 60　　　83 + ______ = 90

2. 그림을 보고 계산해 보세요.

1600원 + 500원 = __________

5700원 + 600원 = __________

6800원 + 300원 = __________

8500원 + 700원 = __________

3. 알맞은 수를 구해 보세요.

20 − ______ = 16

70 − ______ = 68

90 − ______ = 85

______ − 3 = 47

______ − 1 = 69

______ − 8 = 72

4. 계산해 보세요.

25 + 5 + 2 = ______　　　34 − 4 − 1 = ______

25 + 7 = ______　　　34 − 5 = ______

48 + 2 + 4 = ______　　　53 − 3 − 3 = ______

48 + 6 = ______　　　53 − 6 = ______

76 + 4 + 3 = ______　　　87 − 7 − 2 = ______

76 + 7 = ______　　　87 − 9 = ______

5. 규칙에 따라 빈칸에 알맞은 수를 써넣어 보세요.

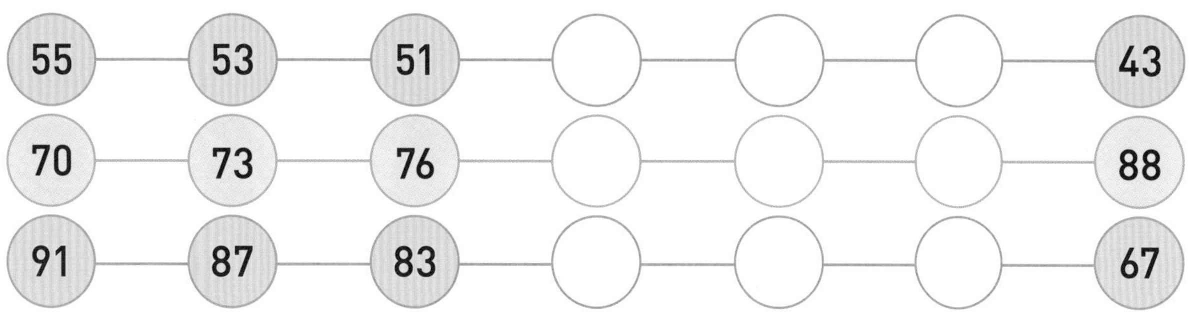

6. 계산해 보세요.

20 + 71 = ________　　38 + 8 = ________　　47 + 7 = ________

55 − 50 = ________　　64 − 5 = ________　　74 − 7 = ________

7. 아래 글을 읽고 식과 답을 써 보세요.

❶ 비비안은 노란 단추 36개와 회색 단추 8개를 가지고 있어요. 비비안이 가진 단추는 모두 몇 개인가요?

식 : ________________

정답 : ________________

❷ 에이미는 단추를 75개 가지고 있는데, 그중 9개는 검정색이고 나머지는 노란색이에요. 에이미가 가진 노란색 단추는 몇 개인가요?

식 : ________________

정답 : ________________

❸ 윌은 단추를 58개 가지고 있고, 로즈는 윌보다 7개 더 가지고 있어요. 로즈가 가진 단추는 몇 개인가요?

식 : ________________

정답 : ________________

실력이 자란 만큼 별을 색칠하세요.

 정말 잘했어요.

꽤 잘했어요.

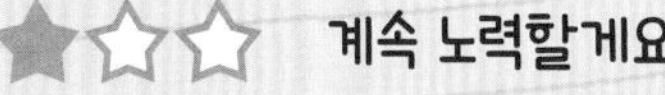 계속 노력할게요.

단원 평가

1 빈칸에 알맞은 수를 구해 보세요.

12 + ______ = 20

35 + ______ = 40

58 + ______ = 60

60 − ______ = 53

80 − ______ = 76

2 로봇의 작동 원리를 알아낸 후, 알맞은 수를 구해 보세요.

넣는 수	나오는 수
8	14
16	22
24	30
59	
77	

넣는 수	나오는 수
15	8
21	14
33	26
52	
94	

3

규칙에 따라 빈칸에 알맞은 수를 써넣어 보세요.

24	22	20				12
32	36	40				56
33	30	27				15
94	91	88				76

4

노란 공의 값은 얼마인지 구해 보세요.

총 가격
21€

총 가격
33€

5

계산해 보세요.

65 − 30 − 7 = ______

83 − 40 − 4 = ______

91 − 60 − 5 = ______

27 + 14 = ______

59 + 33 = ______

48 + 45 = ______

도전! 심화 평가

____ 월 ____ 일 ____ 요일

1. 빈칸에 알맞은 수를 구해 보세요.

59 + ____ = 88	____ + 38 = 61	64 - ____ = 36
24 + ____ = 72	____ + 45 = 84	73 - ____ = 28
37 + ____ = 54	____ + 57 = 82	85 - ____ = 44
46 + ____ = 93	____ + 66 = 94	91 - ____ = 35

2. 처음 수를 구해 보세요.

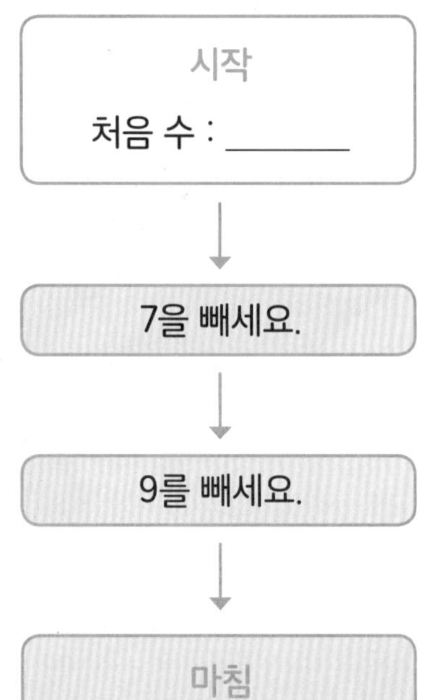

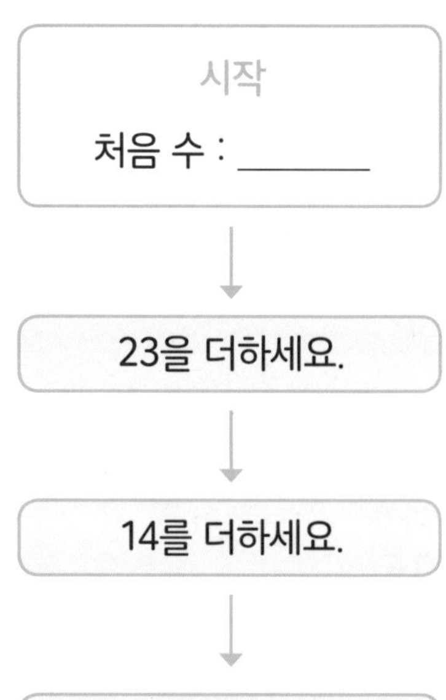

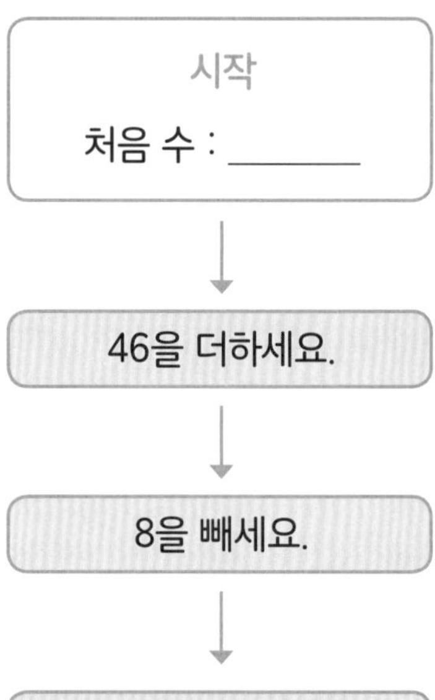

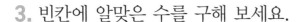

3. 빈칸에 알맞은 수를 구해 보세요.

74 < 8 + ____ < 76	46 > 52 - ____ > 44	80 > ____ - 7 > 78
61 < 6 + ____ < 63	77 > 85 - ____ > 75	89 > ____ - 4 > 87
87 > 47 + ____ > 85	37 < 63 - ____ < 39	66 < ____ - 6 < 68
92 > 29 + ____ > 90	52 < 71 - ____ < 54	73 < ____ - 9 < 75

4. 아래 글을 읽고 문제를 풀어 보세요.

❶ 매튜는 블록을 24개 가지고 있어요. 매튜는 그중 9개를 제리에게 주고 남은 블록을 3등분하여 그 가운데 한 무더기를 안토니에게 주었어요. 매튜에게 남은 블록은 몇 개인가요?

정답 : ______________________

❷ 안나는 스티커를 38개 가지고 있는데 할머니에게 7개를 더 받았어요. 안나는 모든 스티커를 3개의 공책에 똑같이 나누어 두었어요. 한 권의 공책에 둔 스티커는 몇 개인가요?

정답 : ______________________

❸ 사라는 평면도형 블록으로 놀려고 해요. 사라는 삼각형 블록 46개와 삼각형 블록보다 9개 더 적은 사각형 블록을 가지고 있어요. 오각형 블록은 삼각형 블록과 사각형 블록의 합보다 5개가 적어요. 사라가 가진 오각형 블록은 몇 개인가요?

정답 : ______________________

5. 아래와 같은 답이 나오도록 스스로 문제를 만들어 보세요.

❶ 65가 나오는 덧셈이나 뺄셈 문제를 만들어 보세요.

____

____

정답 : 65

❷ 99가 나오는 덧셈이나 뺄셈 문제를 만들어 보세요.

____

____

정답 : 99

보물 사냥꾼

인원 : 2명　준비물 : 97쪽 활동지

나의 보물

1		3		5		7		9	
	12		14		16		18		
		23		25		27		29	
31			34				38		
	42		44		46		48		50
51		53		55		57		59	
	62				66			69	
		73		75		77			80
	82		84				88		
91				95					100

놀이 방법

1. 두 명 모두 각자 숫자표가 있어야 해요. 한 명은 교재를, 다른 한 명은 교재 뒤에 있는 활동지를 잘라서 사용하세요.
2. 놀이 참가자는 상대편이 못 보도록 가리고 숫자표에 2칸을 덮는 보물 5개를 표시해요. 각각의 보물은 서로 닿지 않게 표시하세요.
3. 서로 돌아가며 상대가 보물 상자를 어느 칸에 표시했는지 번호를 알아맞히세요.

   예) "6번에 보물 상자가 있지?"라고 물어보았을 때, 상대편이 표시하지 않았다면 "비었어."라고 말하고 순서가 바뀌어요. 그러나 보물 상자가 있다면 "보물 상자를 찾았어."라고 말하고 보물 상자를 찾은 사람은 한 번 더 알아맞힐 기회가 생겨요.
4. 가장 먼저 상대방의 보물 상자를 모두 찾는 사람이 놀이에서 이겨요.

물어봤던 것들을 표시하세요.

1		3		5		7		9	
	12		14		16		18		
		23		25		27		29	
31			34				38		
	42		44		46		48		50
51		53		55		57		59	
	62				66			69	
		73		75		77			80
	82		84				88		
91				95					100

빙고

친구와 함께해도 재밌어~!

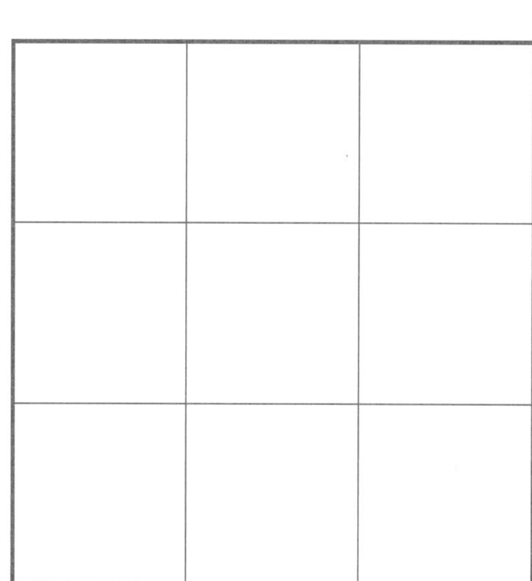

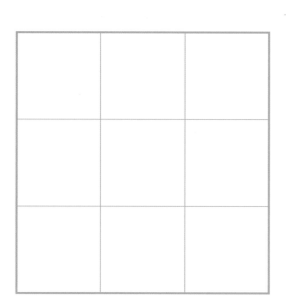

놀이 방법

1. 0에서 100까지 원하는 수를 골라 빙고 칸을 채워요. 단, 일의 자리 수에는 0 또는 5가 꼭 들어가야 해요.
   예) 15, 30, 45…처럼 일의 자리는 0이나 5가 들어가야 해요.
2. 9칸의 수는 모두 달라야 해요.
3. 부모님은 큰 소리로 수를 불러요.
4. 부른 수가 있다면 X 표시를 해요.
5. 가로, 세로 또는 대각선으로 3개를 연속해서 표시하면 "빙고!"를 외치고 놀이에서 이겨요.

덧셈, 뺄셈 놀이

인원 : 2명　준비물 : 주사위, 99쪽 활동지

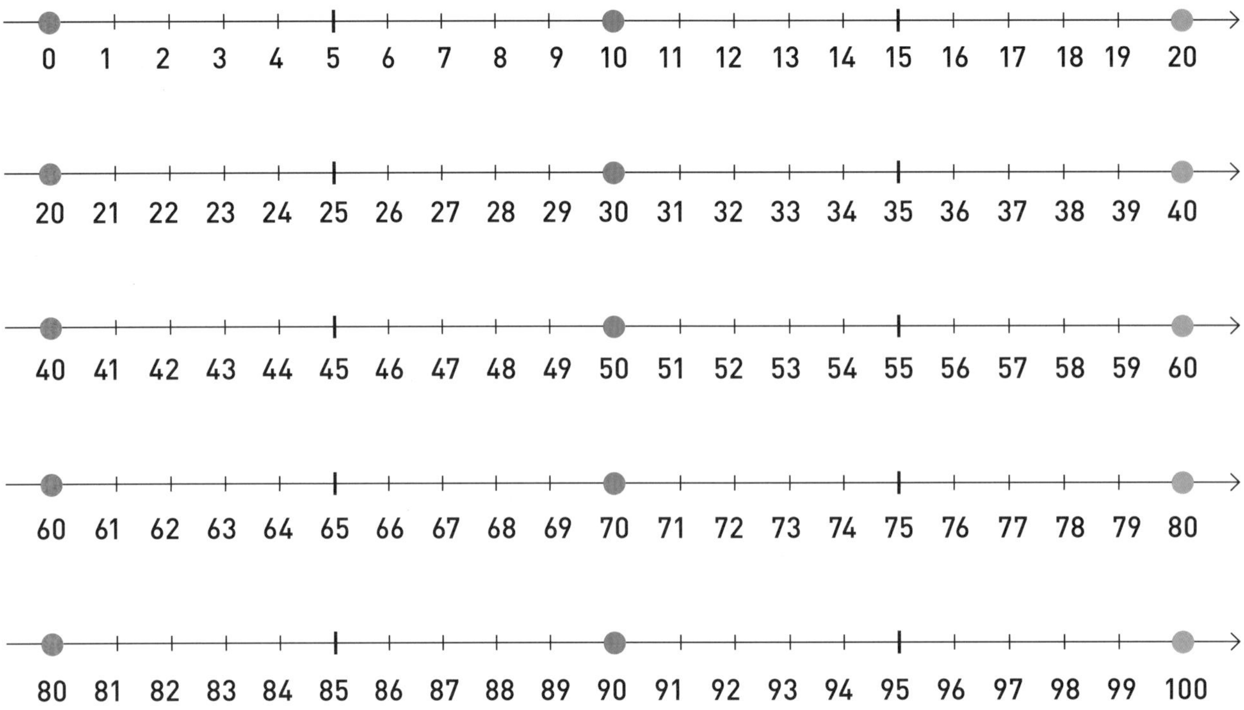

0 1 2 3 4 5 6 7 8 9 10 11 12 13 14 15 16 17 18 19 20

20 21 22 23 24 25 26 27 28 29 30 31 32 33 34 35 36 37 38 39 40

40 41 42 43 44 45 46 47 48 49 50 51 52 53 54 55 56 57 58 59 60

60 61 62 63 64 65 66 67 68 69 70 71 72 73 74 75 76 77 78 79 80

80 81 82 83 84 85 86 87 88 89 90 91 92 93 94 95 96 97 98 99 100

_______의 점수 :　　　　_______의 점수 :

_______의 점수 :　　　　_______의 점수 :

놀이 방법

덧셈 놀이

1. 한 명은 교재를, 다른 한 명은 교재 뒤에 있는 활동지를 잘라서 사용하세요.
2. 맨 위 줄 빨간색 점(0)부터 놀이를 시작해요.
3. 돌아가며 주사위를 3번씩 굴리고, 주사위 눈의 수에 따라 앞으로 가요.
4. 수직선 위에 × 표시로 자기 자리를 표시해요.
5. 파란 점에 도착한 사람은 4칸 더 앞으로 갈 수 있어요. 가장 먼저 100까지 도착한 사람이 이겨요.

뺄셈 놀이

1. 맨 아래 줄 녹색 점(100)부터 시작해요.
2. 주사위를 3번씩 굴리고, 움직인 자리를 × 표시하세요. × 표시가 녹색 점에서 가장 가까운 사람이 1점을 얻어요.
3. 파란 점에 도착하면 3점을 얻어요.
4. 점수를 계산한 후, 다음 위의 줄 녹색 점으로 이동해서 같은 방법으로 놀이를 해요.
5. 5번까지 해서 점수를 가장 많이 모은 사람이 이겨요.

계산값 어림하기

인원 : 2명 준비물 : 덧셈 연습 카드

놀이 방법

1. 덧셈 연습 카드를 섞은 후 탁자 위에 뒤집어 놓으세요.
2. 교대로 카드 한 장을 뒤집어요.
3. 카드에 적힌 덧셈식을 보고 어림하여 빨리 계산하세요. 그리고 답이 속하는 네잎 클로버에 손가락을 대요.
4. 함께 정답을 확인해요.
5. 정확한 수의 범위에 손가락을 먼저 댄 사람이 점수를 얻어요.

_______의 점수 :

_______의 점수 :

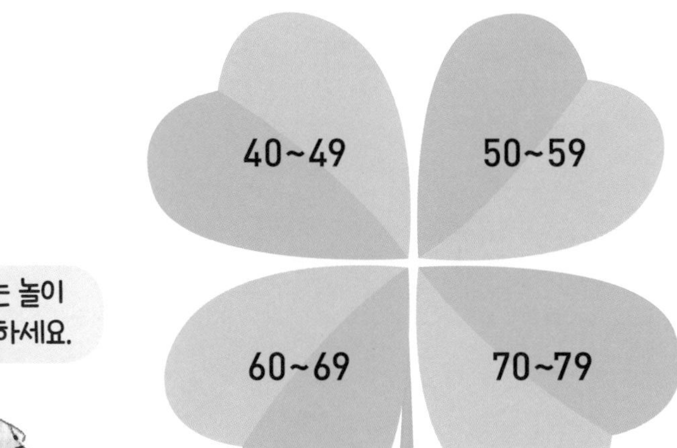

책 뒤에 있는 놀이 카드를 이용하세요.

놀이를 할 때는 규칙을 잘 지켜야 해~!

한 번 더 연습해요!

1. 2씩 더하세요.

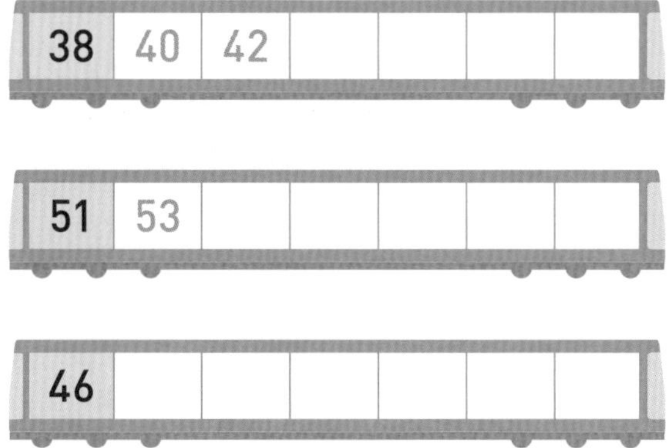

2. 2씩 빼세요.

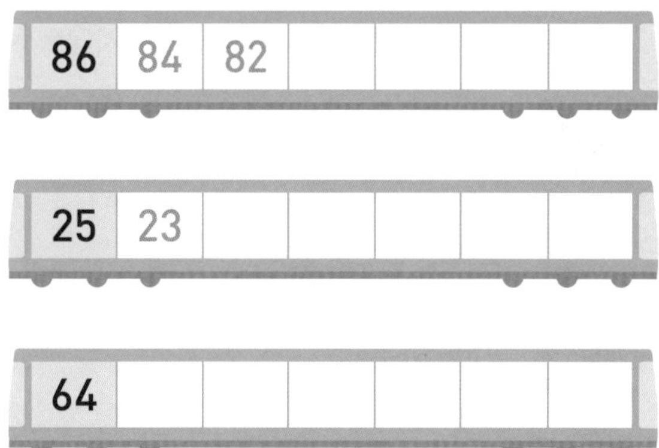

____월 ____일 ____요일

궁전을 지켜라!

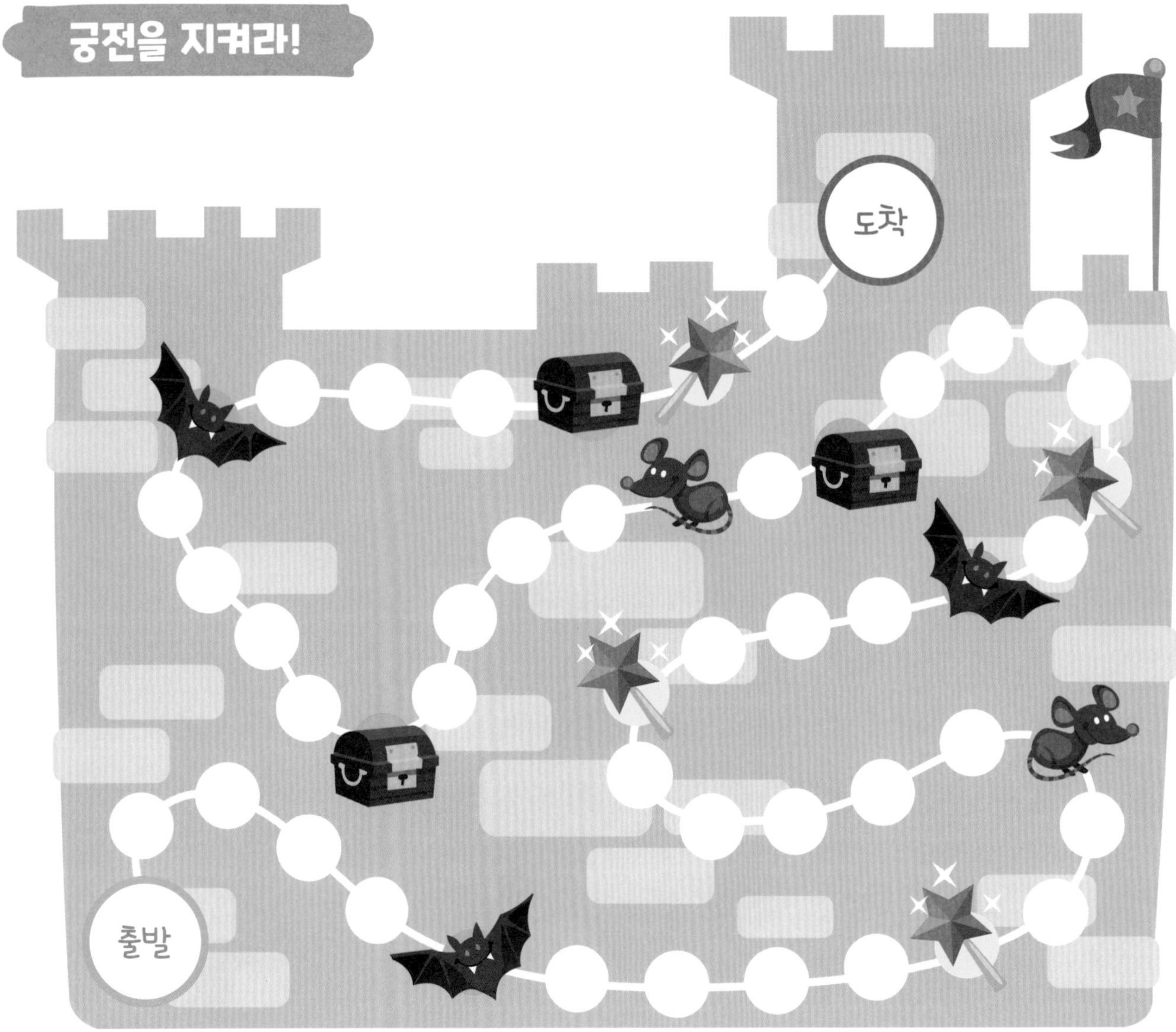

도착

출발

놀이 방법

1. 참여하는 인원 수에 맞게 구분이 가도록 게임 말을 준비해요.
2. 순서를 정하여 순서대로 주사위를 굴려요.
3. 게임 말이 아래와 같은 그림에 도착하면 지시대로 하세요.

2칸 뒤로 가요.

주사위를 한 번 더 굴려요.

앞으로 3칸 가요.

한 발로 서서 10까지 세요.

도착점까지 먼저 가는 사람이 이겨요.

나만의 게임 만들기

게임에 제목을 붙인 후 게임 판을 그려 보세요.

게임 제목 :

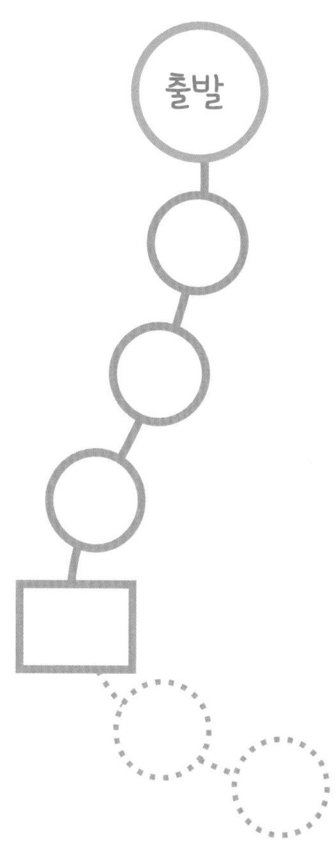

네모 안에 그림을 그리고 지시 내용을 만들어 적어 보세요.

____ 월 ____ 일 ____ 요일

200까지의 수

1. 빈칸에 알맞은 수를 채워 보세요.

101	102			105				109	
		113			116			119	120
		123	124			127	128		
	142		144			147			150
	152				156		158	159	
161			164			167			
		173			176		178	179	
181		183				187			190
191				195			198		200

2. 계산해 보세요.

5 + 5 = ______

6 + 6 = ______

7 + 7 = ______

8 + 8 = ______

9 + 9 = ______

10 + 10 = ______

50 + 50 = ______

60 + 60 = ______

70 + 70 = ______

80 + 80 = ______

90 + 90 = ______

100 + 100 = ______

내가 만든 계산식

1. 200까지의 수를 생각하며 표를 완성해 보세요.

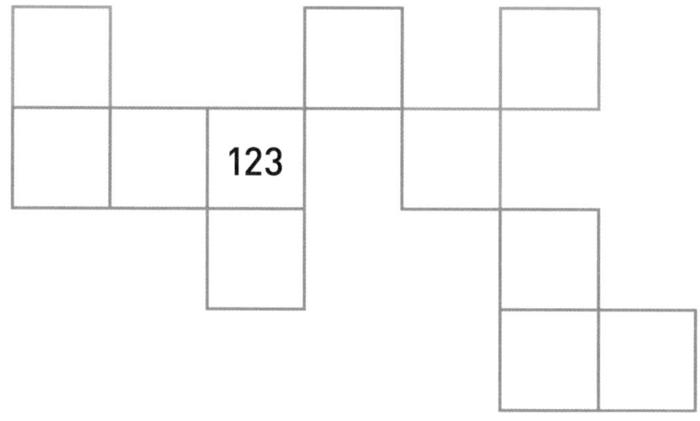

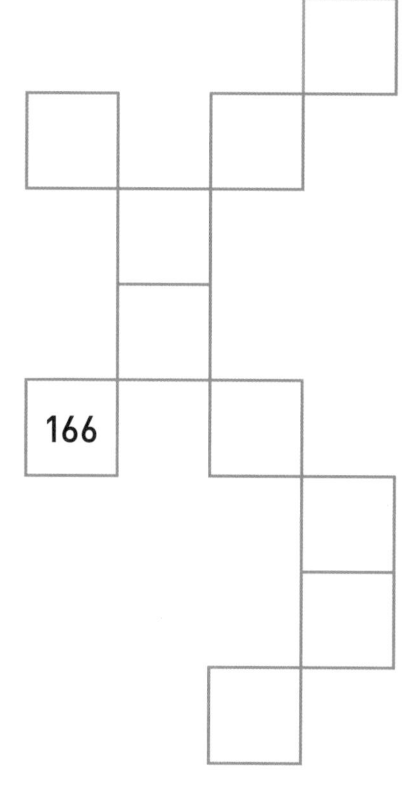

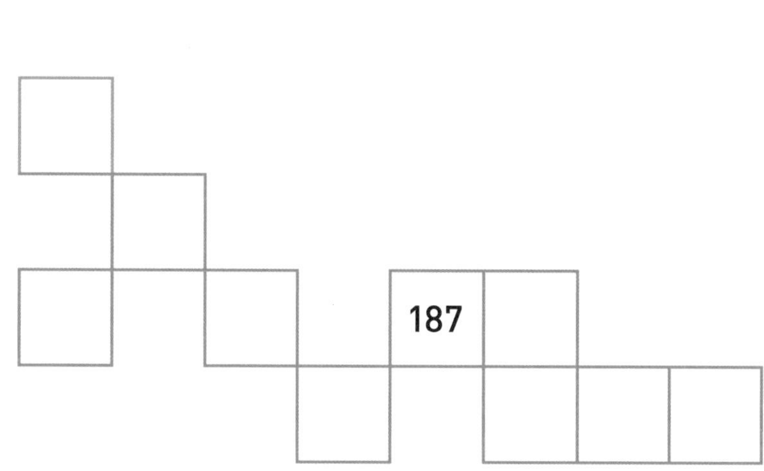

2. 계산식을 스스로 만들어 보세요.

_______ + _______ = 200

_______ + _______ = 200

200 − _______ = _______

200 − _______ = _______

_______ + _______ = 200

_______ + _______ = 200

200 − _______ = _______

200 − _______ = _______

88쪽 놀이 수학 <보물 사냥꾼>에 활용하세요.

나의 보물

1		3		5		7		9	
	12		14		16		18		
		23		25		27		29	
31			34				38		
	42		44		46		48		50
51		53		55		57		59	
	62				66			69	
		73		75		77			80
	82		84				88		
91				95					100

물어봤던 것들을 표시하세요.

1		3		5		7		9	
	12		14		16		18		
		23		25		27		29	
31			34				38		
	42		44		46		48		50
51		53		55		57		59	
	62				66			69	
		73		75		77			80
	82		84				88		
91				95					100

나의 보물

1		3		5		7		9	
	12		14		16		18		
		23		25		27		29	
31			34				38		
	42		44		46		48		50
51		53		55		57		59	
	62				66			69	
		73		75		77			80
	82		84				88		
91				95					100

물어봤던 것들을 표시하세요.

1		3		5		7		9	
	12		14		16		18		
		23		25		27		29	
31			34				38		
	42		44		46		48		50
51		53		55		57		59	
	62				66			69	
		73		75		77			80
	82		84				88		
91				95					100

90쪽 놀이 수학 <덧셈, 뺄셈 놀이>에 활용하세요.

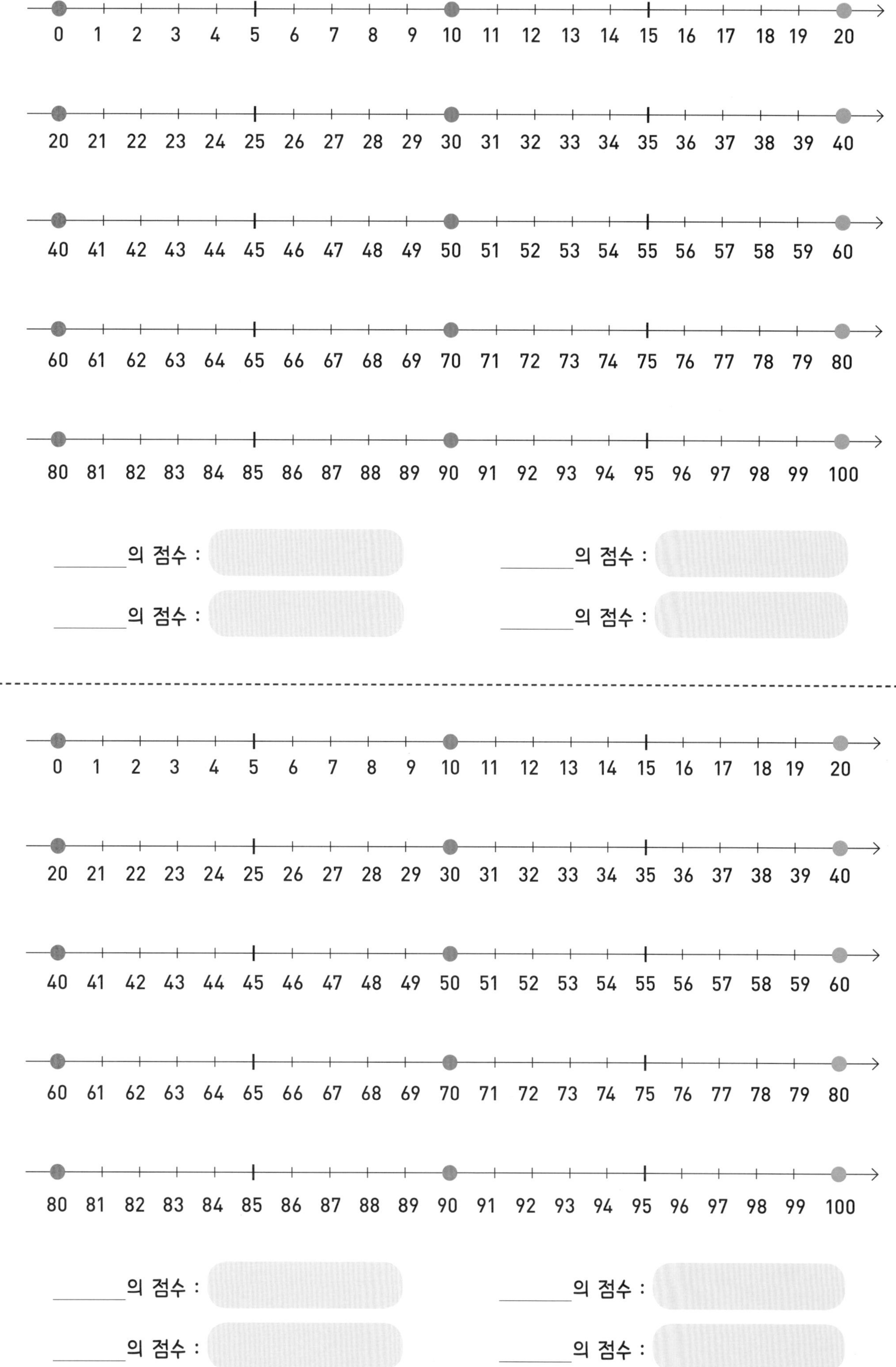

놀이 카드는 반복되어 사용될
준비물이니 잃어버리지 않도록
잘 보관해 주세요.

2-1 놀이 수학 1권 45쪽, 63쪽 / 1~2권 덧셈과 뺄셈, 곱셈 놀이에 활용하세요.

0	1	2	3
4	5	6	7
8	9	10	
H Hundreds (백의 자리)	T Tens (십의 자리)	O Ones (일의 자리)	− +

2-1 1~2권 덧셈과 뺄셈, 곱셈 놀이에 활용하세요.

20	30
40	50
60	70
80	90

2-1 1권 16쪽 <십진법을 알아봐요>에 활용하세요.

백 모형

일 모형

십 모형

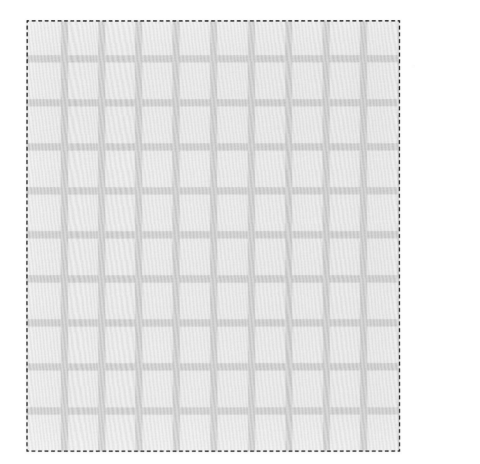

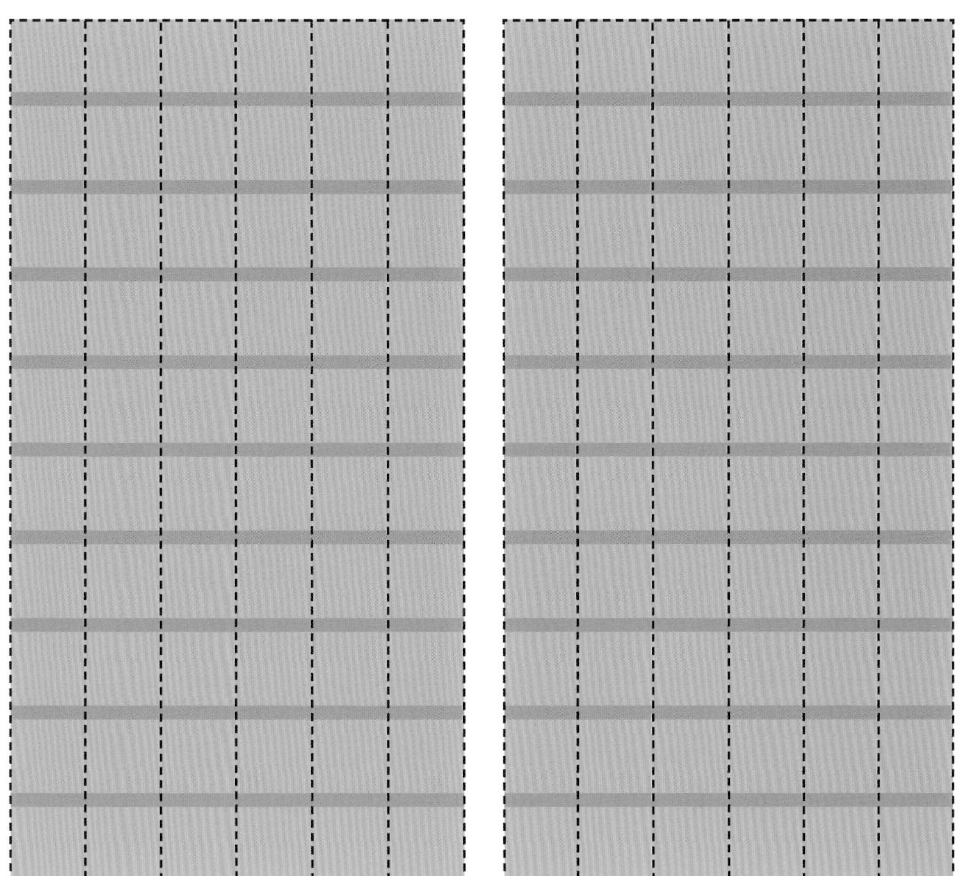

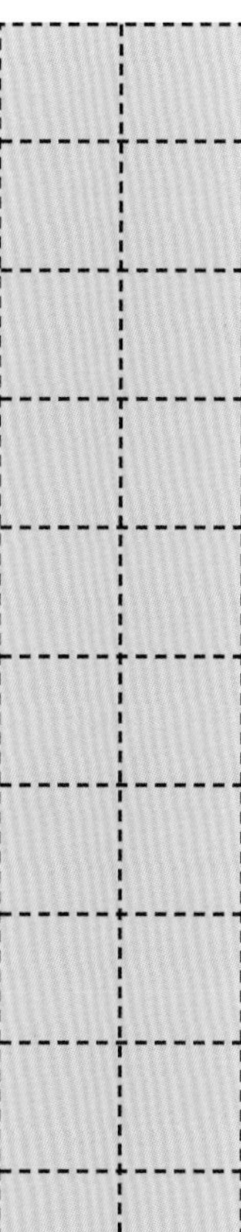

2-1 1권 20쪽 <10000원은 1000원이 10개>에 활용하세요.

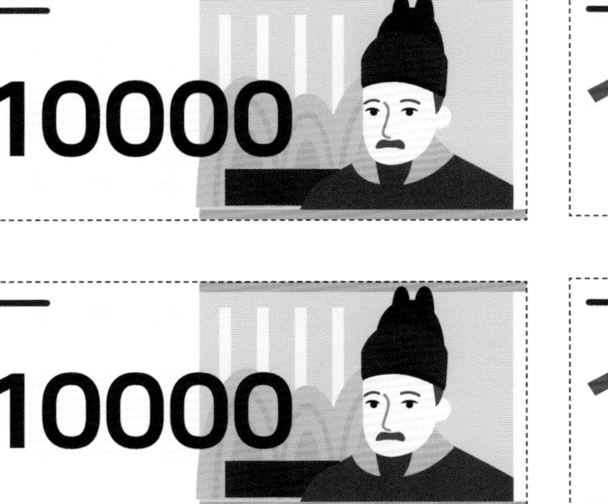

2-1 놀이 수학 1권 91쪽에 활용하세요.

31 + 9	41 + 7	43 + 7	53 + 3	58 + 2	59 + 3	64 + 7	73 + 3
36 + 6	46 + 3	46 + 4	51 + 7	55 + 5	58 + 8	67 + 6	72 + 6
34 + 9	45 + 4	43 + 8	55 + 3	59 + 2	59 + 9	64 + 9	74 + 4
38 + 8	43 + 6	45 + 6	53 + 6	57 + 4	64 + 4	70 + 5	73 + 6
39 + 9	42 + 7	45 + 7	57 + 2	58 + 4	60 + 9	68 + 8	70 + 9

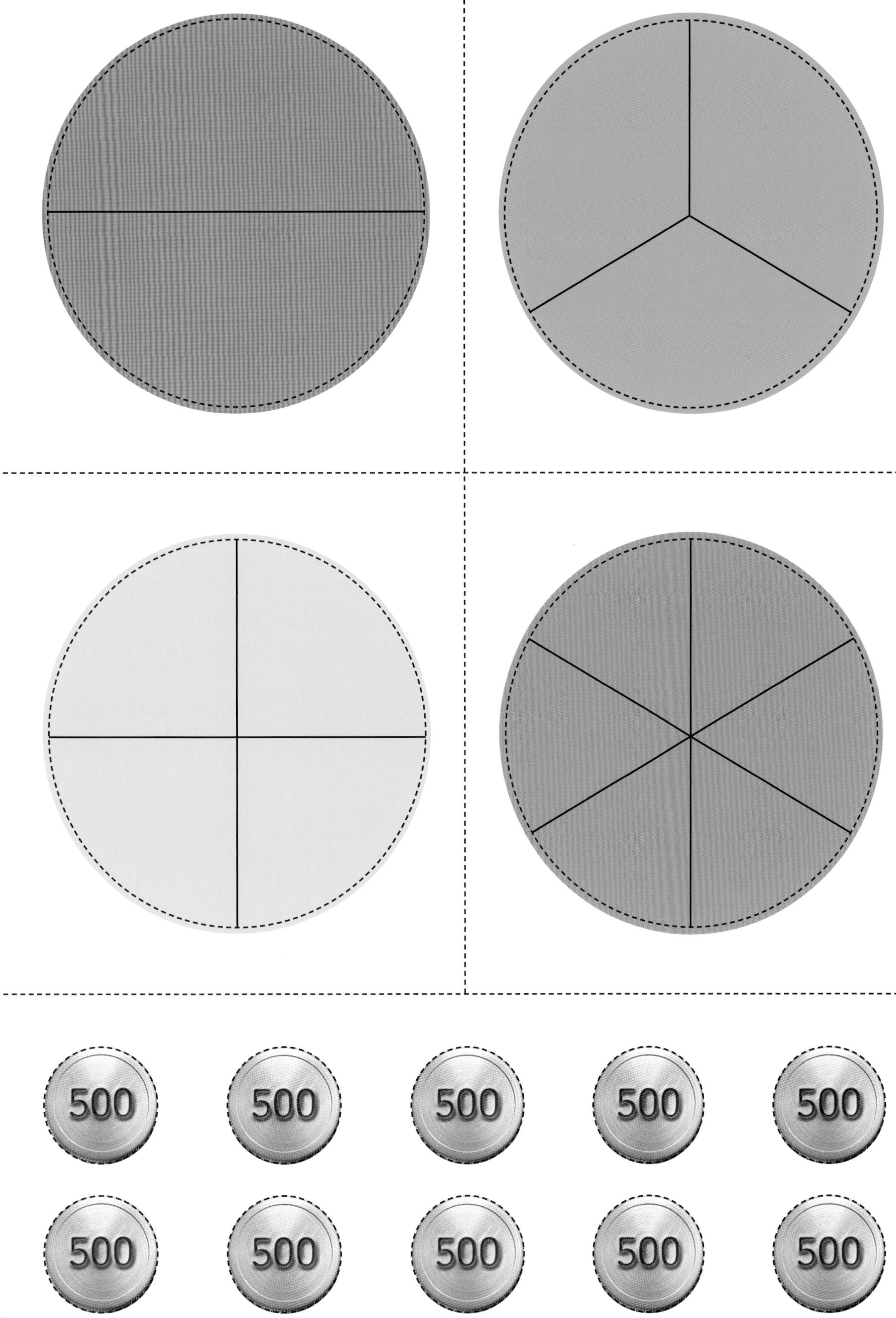

2-1 놀이 수학 2권 114쪽에 활용하세요.

2-1 놀이 수학 2권 116쪽에 활용하세요.

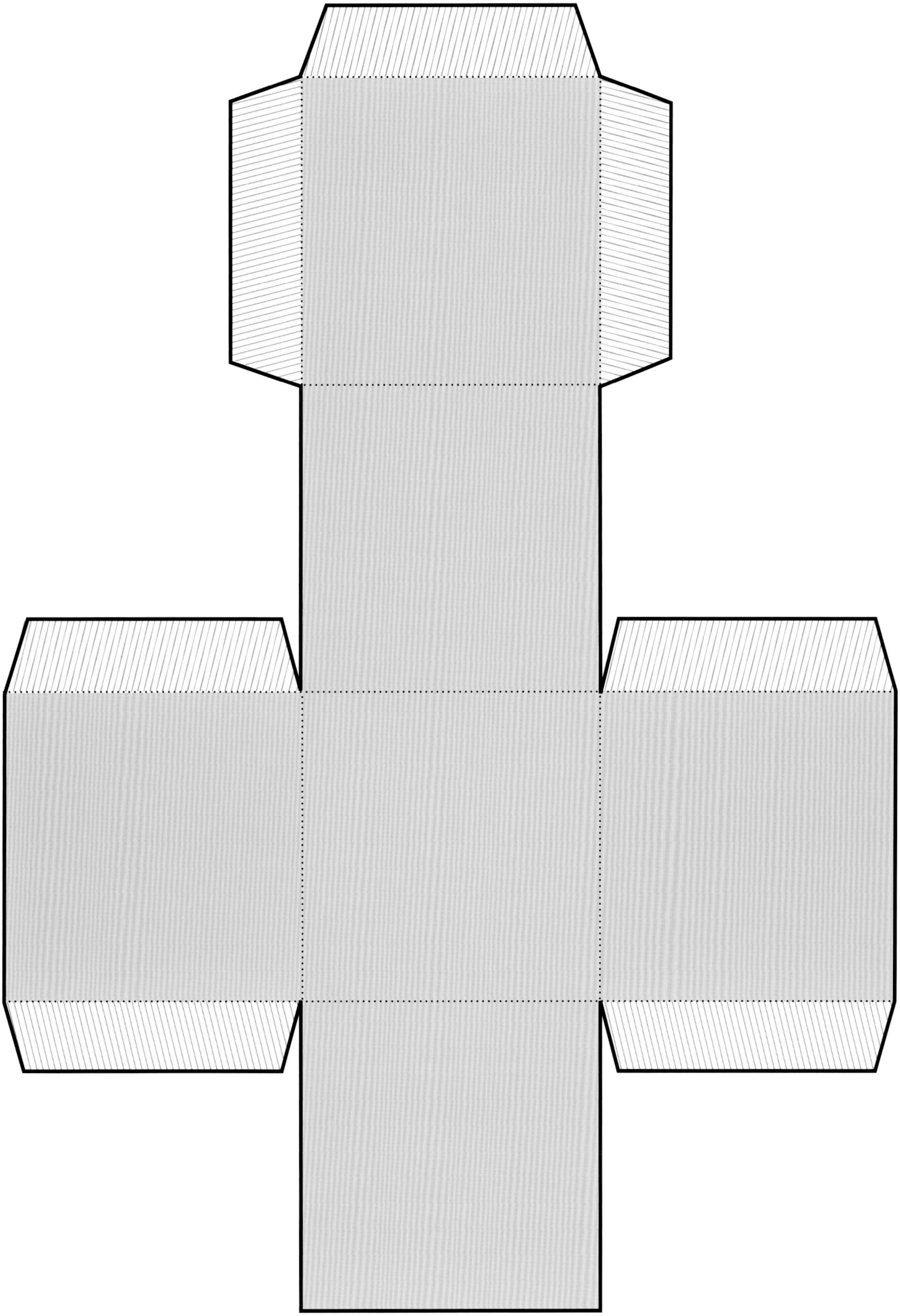

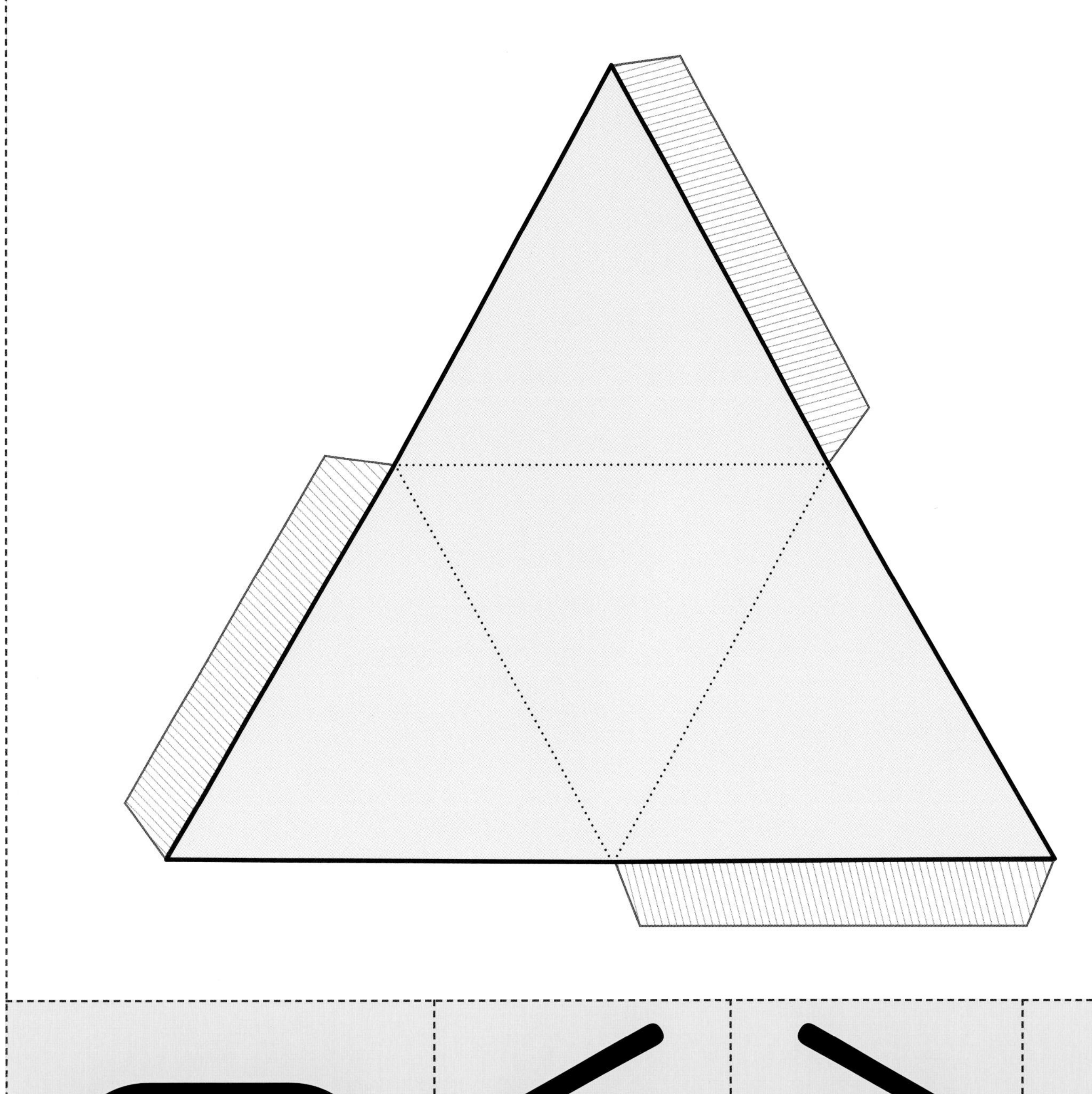

100

<

>

×

=

−

+

핀란드
2학년
수학 교과서

__________ 초등학교 ____ 학년 ____ 반

이름 ____________________

QR코드를 스캔하면 놀이 수학
동영상을 보실 수 있습니다.

핀란드 2학년 수학 교과서 2-1 2권

초판 7쇄 발행 2024년 5월 20일

지은이 마아리트 포슈박, 안네 칼리올라, 아르토 티카넨, 미이아-리이사 바네우스
그린이 마이사 라야마키-쿠코넨 **옮긴이** 이경희
펴낸이 정혜숙 **펴낸곳** 마음이음

책임편집 이금정 **디자인** 디자인서가
등록 2016년 4월 5일(제2018-000037호)
주소 03925 서울시 마포구 월드컵북로 402 9층 917A호(상암동 KGIT센터)
전화 070-7570-8869 **팩스** 0505-333-8869
전자우편 ieum2016@hanmail.net
블로그 https://blog.naver.com/ieum2018

ISBN 979-11-89010-42-3 64410
979-11-89010-40-9 (세트)

어린이제품안전특별법에 의한 제품표시
제조자명 마음이음 **제조국명** 대한민국 **사용연령** 8세 이상 어린이 제품
KC마크는 이 제품이 공통안전기준에 적합하였음을 의미합니다.

핀란드 2학년 수학 교과서 2-1 2권

글 마아리트 포슈박, 안네 칼리올라,
아르토 티카넨, 미이아-리이사 바네우스
그림 마이사 라야마키-쿠코넨
옮김 이경희(전 수학 교과서 집필진)

마음이음

핀란드 학생들이 수학도 잘하고 수학 흥미도가 높은 비결은?

우리나라 학생들이 수학 학업 성취도가 세계적으로 높은 것은 자랑거리이지만 수학을 공부하는 시간이 다른 나라에 비해 많은 데다, 사교육에 의존하고, 흥미도가 낮은 건 숨기고 싶은 불편한 진실입니다. 이러한 측면에서 사교육 없이 공교육만으로 국제학업성취도평가(PISA)에서 상위권을 놓치지 않는 핀란드의 교육 비결이 궁금하지 않을 수가 없습니다. 더군다나 핀란드에서는 숙제도, 순위를 매기는 시험도 없어 학교에서 배우는 수학 교과서 하나만으로 수학을 온전히 이해해야 하지요. 과연 어떤 점이 수학 교과서 하나만으로 수학 성적과 흥미도 두 마리 토끼를 잡게 한 걸까요?

– 핀란드 수학 교과서는 수학과 생활이 동떨어진 것이 아닌 친밀한 것으로 인식하게 합니다. 그래서 시간, 측정, 돈 등 학생들은 다양한 방식으로 수학을 사용하고 응용하면서 소비, 교통, 환경 등 자신의 생활과 관련지으며 수학을 어려워하지 않습니다.

- 교과서 국제 비교 연구에서도 교과서의 삽화가 학생들의 흥미도를 결정하는 데 중요한 역할을 한다고 했습니다. 핀란드 수학 교과서의 삽화는 수학적 개념과 문제를 직관적으로 쉽게 이해하도록 구성하여 학생들의 흥미를 자극하는 데 큰 역할을 하고 있습니다.

- 핀란드 수학 교과서는 또래 학습을 통해 서로 가르쳐 주고 배울 수 있도록 합니다. 교구를 활용한 놀이 수학, 조사하고 토론하는 탐구 과제는 수학적 의사소통 능력을 향상시키고 자기 주도적인 학습 능력을 길러 줍니다.

- 핀란드 수학 교과서는 창의성을 자극하는 문제를 풀게 합니다. 답이 여러 가지 형태로 나올 수 있는 문제, 스스로 문제 만들고 풀기를 통해 짧은 시간에 많은 문제를 푸는 것이 아닌 시간이 걸리더라도 사고하며 수학을 하도록 합니다.

- 핀란드 수학 교과서는 코딩 교육을 수학과 연계하여 컴퓨팅 사고와 문제 해결을 돕는 다양한 활동을 담고 있습니다. 코딩의 기초는 수학에서 가장 중요한 논리와 일맥상통하기 때문입니다.

핀란드는 국정 교과서가 아닌 자율 발행제로 학교마다 교과서를 자유롭게 선정합니다. 마음이음에서 출판한 『핀란드 수학 교과서』는 핀란드 초등학교 2190개 중 1320곳에서 채택하여 수학 교과서로 사용하고 있습니다. 또한 이웃한 나라 스웨덴에서도 출판되어 교과서 시장을 선도하고 있지요.

코로나로 인하여 온라인 수업과 재택 수업으로 학습 격차가 커지고 있습니다. 다행히 『핀란드 수학 교과서』는 우리나라 수학 교육 과정을 다 담고 있으며 부모님 가이드도 있어 가정 학습용으로 좋습니다. 자기 주도적인 학습이 가능한 『핀란드 수학 교과서』는 학업 성취와 흥미를 잡는 해결책이 될 수 있을 것으로 기대합니다.

이경희(전 수학 교과서 집필진)

추천의 글

아이들이 수학을 공부해야 하는 이유는 수학 지식을 위한 단순 암기도 아니며, 많은 문제를 빠르게 푸는 것도 아닙니다. 시행착오를 통해 정답을 유추해 가면서 스스로 사고하는 힘을 키우기 위함입니다.

핀란드의 수학 교육은 다양한 수학적 활동을 통하여 수학 개념을 자연스럽게 깨닫게 하고, 논리적 사고를 유도하는 문제들로 학생들이 수학에 흥미를 갖도록 하는 데 성공했습니다. 이러한 자기 주도적인 수학 교과서가 우리나라에 번역되어 출판하게 된 것을 두 팔 벌려 환영하며, 학생들이 수학을 즐겁게 공부하게 될 것이라 생각하여 감히 추천하는 바입니다.

하동우(민족사관고등학교 수학 교사)

수학은 언어, 그림, 색깔, 그래프, 방정식 등으로 다양하게 표현하는 의사소통의 한 형태입니다. 이들 사이의 관계를 파악하면서 수학적 사고력도 높아지는데, 안타깝게도 우리나라 교육 환경에서는 수학이 의사소통임을 인지하기 어렵습니다. 수학 교육 과정이 수직적으로 배열되어 있기 때문입니다. 그런데 『핀란드 수학 교과서』는 배운 개념이 거미줄처럼 수평으로 확장, 반복되고, 아이들은 넓고 깊게 스며들 듯이 개념을 이해할 수 있습니다.

정유숙(쑥샘TV 운영자)

『핀란드 수학 교과서』를 보는 순간 다양한 문제들을 보고 놀랐습니다. 다양한 형태의 문제를 풀면서 생각의 폭을 넓히고, 생각의 힘을 기르고, 수학 실력을 보다 안정적으로 만들 수 있습니다. 또한 놀이와 탐구로 학습하면서 수학에 대한 흥미가 높아져 문제를 스스로 이해하고 터득하는 데 도움이 됩니다.

숫자가 바탕이 되는 수학은 세계적인 유일한 공통 과목입니다. 21세기를 이끌어 갈 아이들에게 4차산업혁명을 넘어 인공지능 시대에 맞는 창의적인 사고를 길러 주는 바람직한 수학 교육이 이 책을 통해 이루어지길 바랍니다.

김재련(사월이네 공부방 원장)

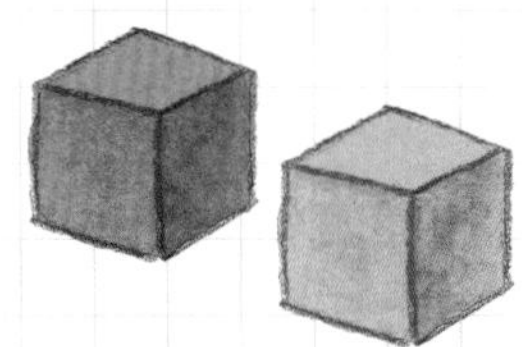

한국의 학생들에게

「핀란드 수학 교과서(Star Maths)」 시리즈를 펴낸 오타바(Otava) 출판사는 교재 전문 출판사로 120년이 넘는 역사를 지닌 명실상부한 핀란드의 대표 출판사입니다. 특히 「Star Maths」 시리즈는 핀란드 학교 현장의 수학 전문가들이 최신 핀란드 국립교육과정을 반영하여 함께 개발한 핀란드의 대표 수학 교과서입니다.

수 개념과 십진법을 이해하기 위한 탄탄한 기반을 제공하여 연산 능력을 키우고, 기본, 응용, 심화 문제 등 학생 개개인의 학습 차이를 다각도에서 고려하여 다양한 평가 문제를 실었습니다. 또한 친구 또는 부모님과 함께 놀이를 통해 문제 해결을 하며 수학적 즐거움을 발견하여 수학에 대한 긍정적인 태도를 갖도록 합니다.

한국의 학생들이 이 책과 함께 즐거운 수학 세계로 여행을 떠나길 바랍니다.

마아리트 포슈박, 안네 칼리올라, 아르토 티카넨,
미이아-리이사 바네우스(STAR MATHS 공동 저자)

핀란드 수학 교과서, 왜 특별할까?

- 수학과 연계하여 컴퓨팅 사고와 문제 해결력을 키워 줘요.
- 교구를 활용한 놀이 수학을 통해 수학 개념을 이해시켜요.

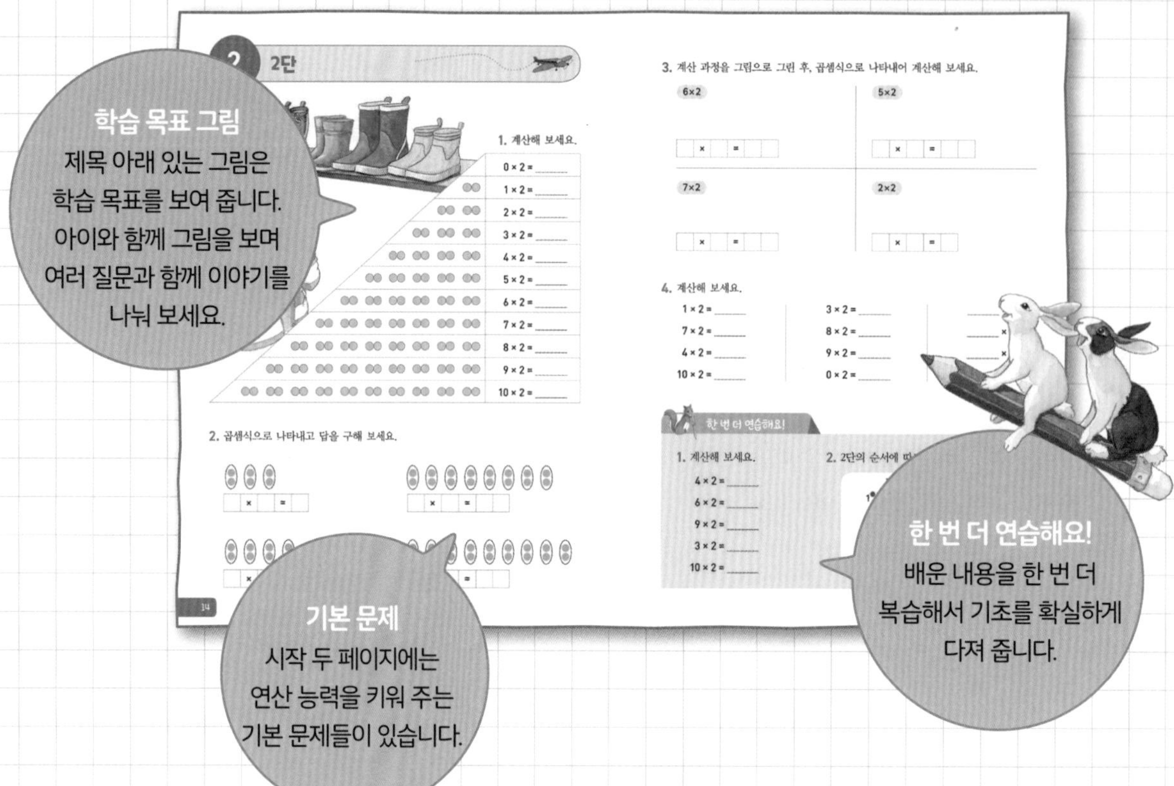

학습 목표 그림
제목 아래 있는 그림은 학습 목표를 보여 줍니다. 아이와 함께 그림을 보며 여러 질문과 함께 이야기를 나눠 보세요.
기본 문제
시작 두 페이지에는 연산 능력을 키워 주는 기본 문제들이 있습니다.
한 번 더 연습해요!
배운 내용을 한 번 더 복습해서 기초를 확실하게 다져 줍니다.

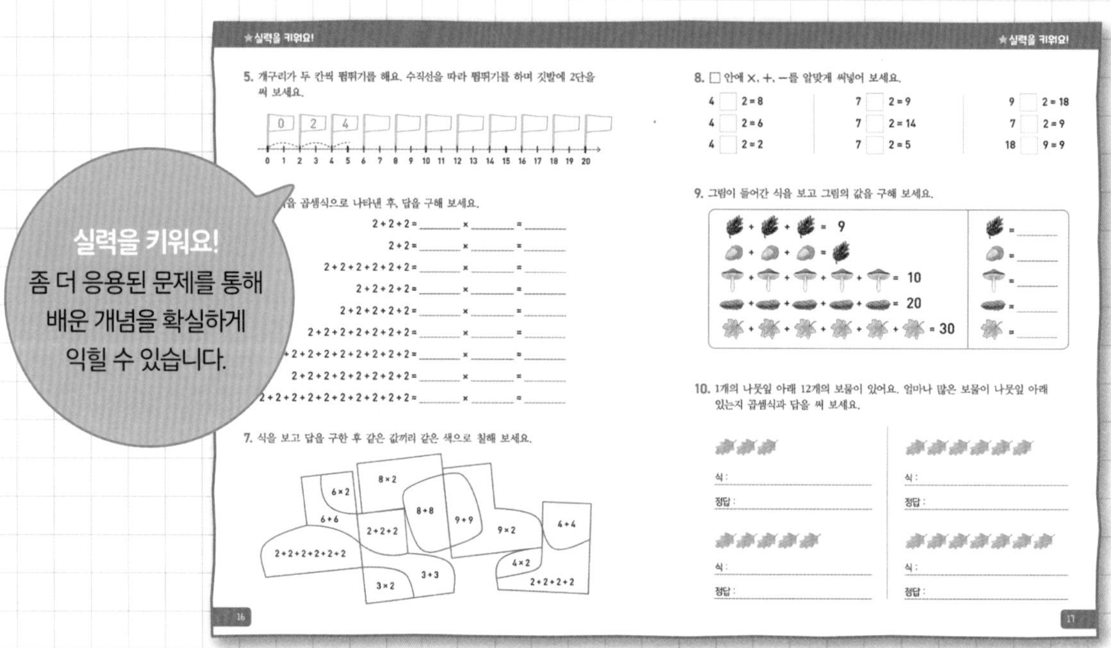

- 수학적 이야기가 풍부한 그림으로 수학 학습에 영감을 불어넣어요.
- 수학적 구조를 발견하고 이해하게 하여 수학 공식을 암기할 필요 없어요.
- 연산, 서술형, 응용과 심화, 사고력 문제가 한 권에 모두 들어 있어요.

실력을 평가해 봐요!
평가 문제
개념과 원리를 잘
이해했는지 스스로
점검해 볼 수 있습니다.
도전! 심화 평가
심화 평가
기본 문제를 모두 이해한
아이가 도전해 볼 수 있는
난이도 있는 문제로
구성하였습니다.
3 + 6 =
놀이 수학
놀이 수학
책에 포함된 놀이 카드를
사용해 부모님 또는 친구와
함께 놀이를 하며 수학에 대한
흥미를 키울 수 있습니다.
탐구 과제
탐구 과제
스스로 탐구하고 조사하며
수학 개념을 내 것으로
만들 수 있습니다.

차례

___월 ___일 ___요일

1 덧셈과 곱셈의 관계

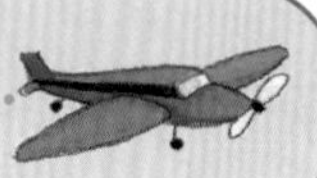

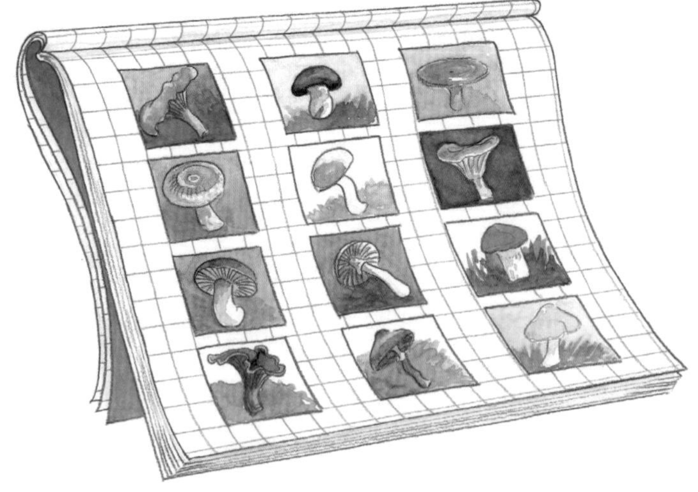

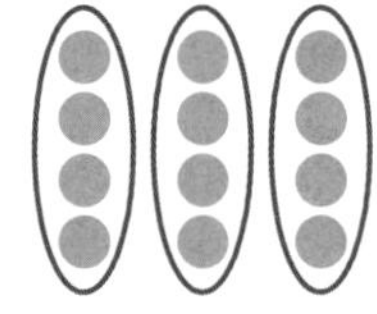

덧셈 4 + 4 + 4 = 12

곱셈 4 곱하기 3은 12와 같습니다.

$4 \times 3 = 12$

곱해지는 수 곱하는 수 곱

1. 덧셈식과 곱셈식으로 나타내고 답을 구해 보세요.

2	+	2	+	2	=	

2	×	3	=	

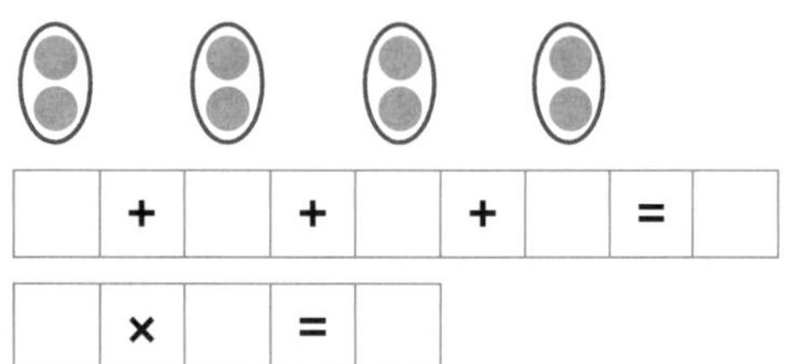

	+		+		+		=	

	×		=	

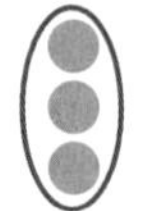 

	+		=	

	×		=	

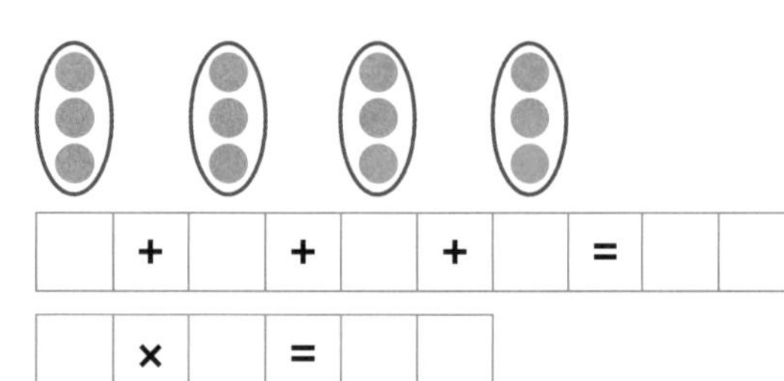

	+		+		+		=		

	×		=		

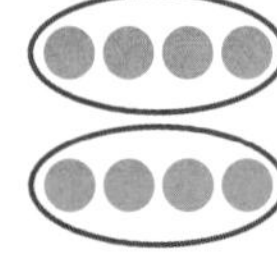

	+		=	

	×		=	

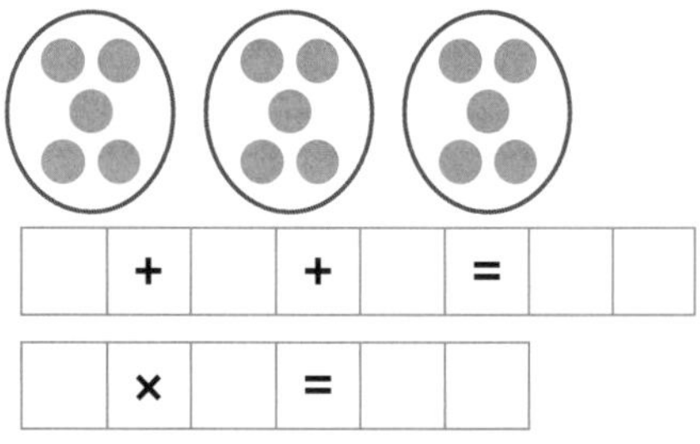

	+		+		=		

	×		=		

2. 계산 과정을 그림으로 그린 후, 곱셈식으로 나타내어 계산해 보세요.

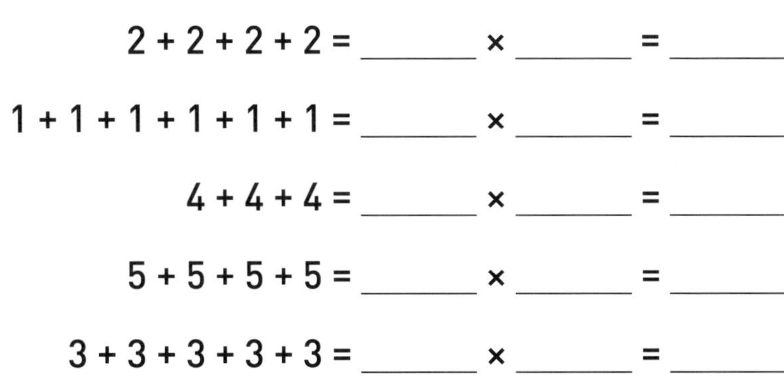

3. 덧셈식을 곱셈식으로 나타내고 계산해 보세요.

2 + 2 + 2 + 2 = _______ × _______ = _______

1 + 1 + 1 + 1 + 1 + 1 = _______ × _______ = _______

4 + 4 + 4 = _______ × _______ = _______

5 + 5 + 5 + 5 = _______ × _______ = _______

3 + 3 + 3 + 3 + 3 = _______ × _______ = _______

한 번 더 연습해요!

1. 덧셈식과 곱셈식으로 나타내고 계산해 보세요.

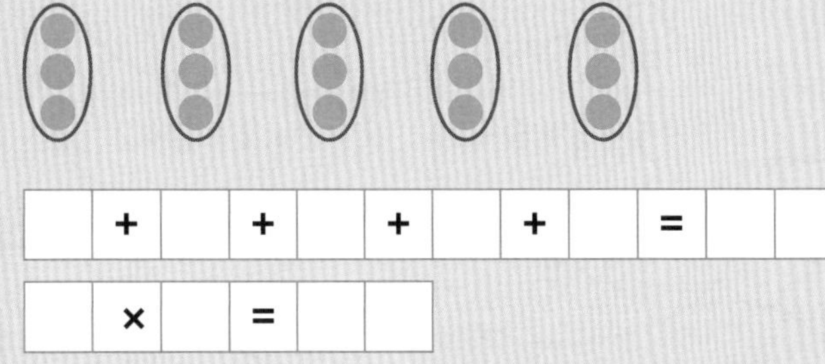

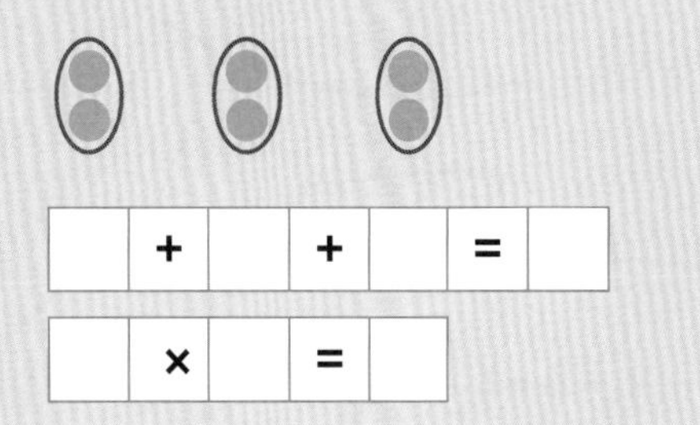

4. 알맞은 덧셈식과 곱셈식을 찾아 연결해 보세요.

덧셈식	곱셈식
2 + 2	2 × 3
2 + 2 + 2	2 × 2
2 + 2 + 2 + 2 + 2 + 2	2 × 4
2 + 2 + 2 + 2 + 2	2 × 6
2 + 2 + 2 + 2	2 × 5

덧셈식	곱셈식
5 + 5 + 5 + 5 + 5	5 × 3
5 + 5 + 5	5 × 6
5 + 5 + 5 + 5 + 5 + 5	5 × 5
5 + 5	5 × 4
5 + 5 + 5 + 5	5 × 2

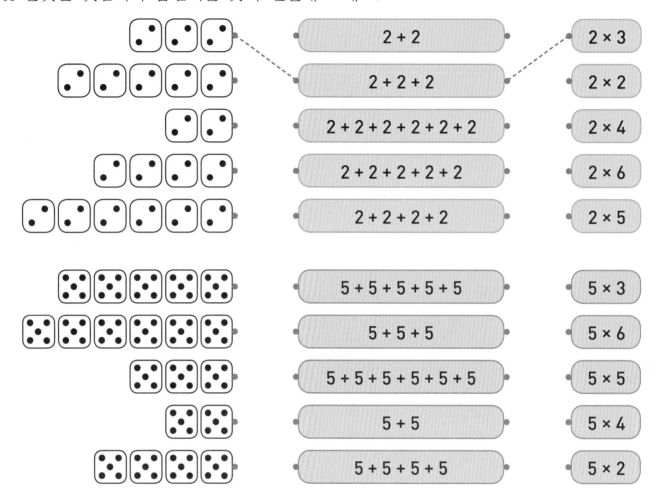

5. 계산한 후 정답에 해당하는 색을 칠해 보세요. 6 10 12 15

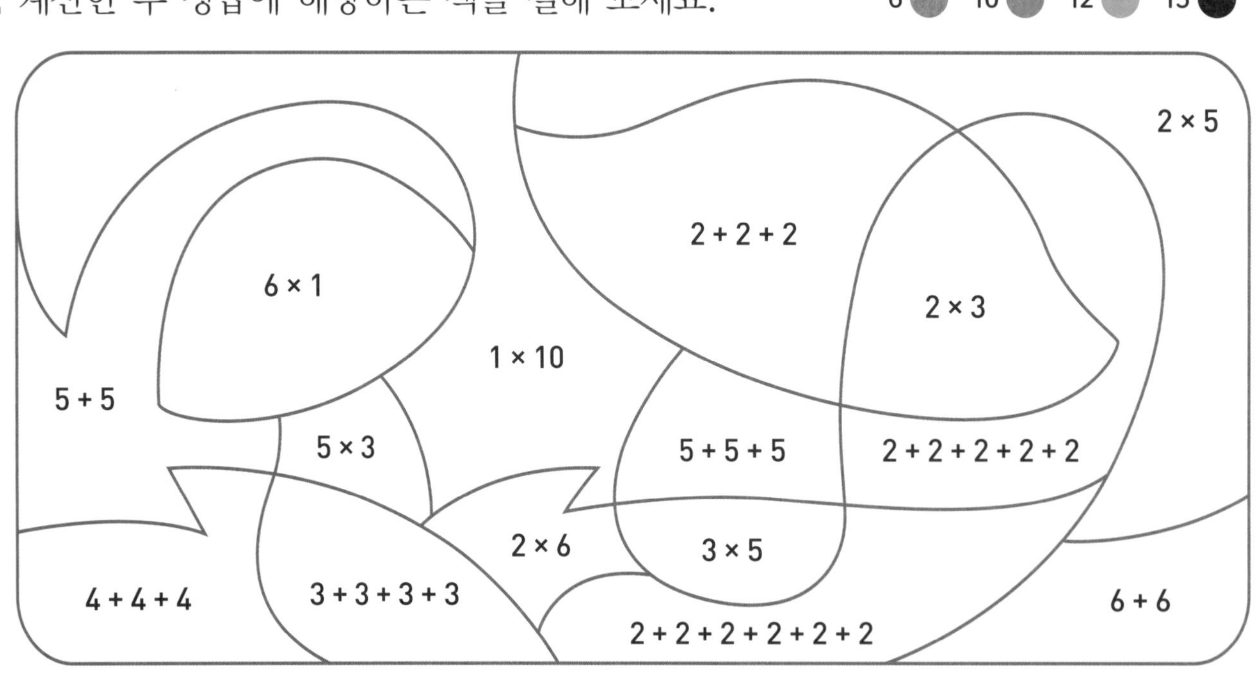

6. 바구니에 든 사과 개수를 그림으로 그린 후 덧셈식과 곱셈식으로 나타내어 계산해 보세요.

바구니 1개당 담긴 사과 개수	바구니 개수	그림	덧셈식과 곱셈식
2	3	(○○) (○○) (○○)	2 + 2 + 2 = ____ 2 × 3 = ____
3	4		____ = ____ ____ = ____
2	6		____ = ____ ____ = ____
5	3		____ = ____ ____ = ____

어느 값이 더 클까?

인원 : 2명　준비물 : 연필과 종이

놀이 방법

1. ①부터 ④까지 주어진 순서대로 한 사람은 앞의 곱셈을 그림으로 그리고, 다른 한 사람은 뒤의 곱셈을 그림으로 그려요.
2. 두 곱셈의 결과 중 어떤 것이 큰지 함께 알아보세요.

① 5×4 , 7×3　② 6×9 , 7×8
③ 7×7 , 6×8　④ 8×8 , 7×9

2단

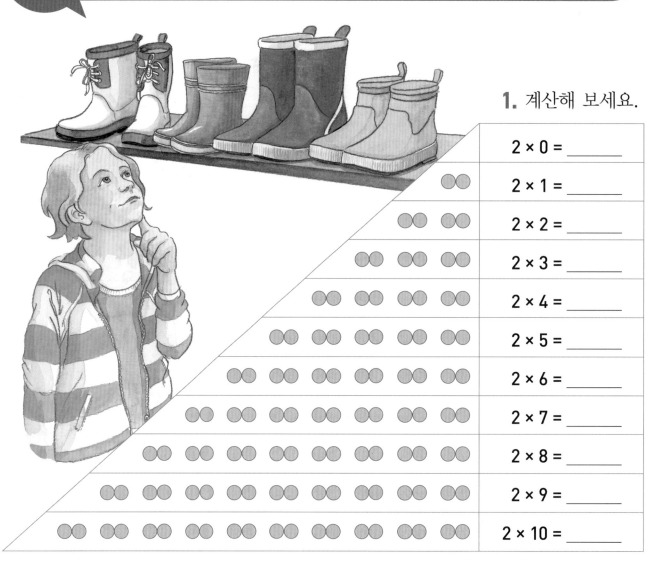

1. 계산해 보세요.

2 × 0 = ______
2 × 1 = ______
2 × 2 = ______
2 × 3 = ______
2 × 4 = ______
2 × 5 = ______
2 × 6 = ______
2 × 7 = ______
2 × 8 = ______
2 × 9 = ______
2 × 10 = ______

2. 곱셈식으로 나타내고 답을 구해 보세요.

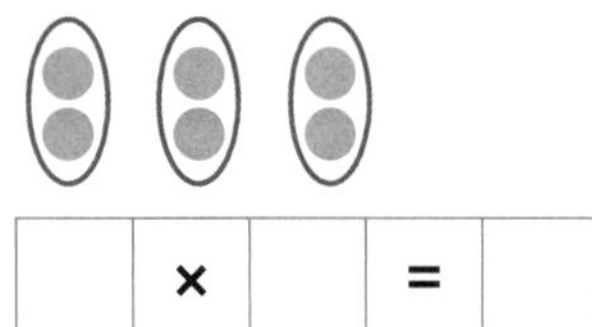

	×		=	

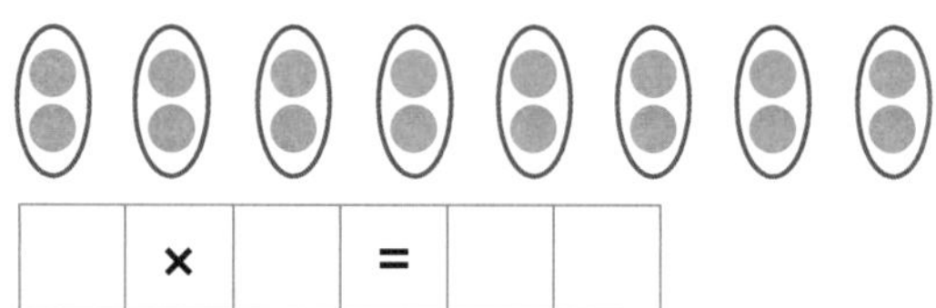

	×		=		

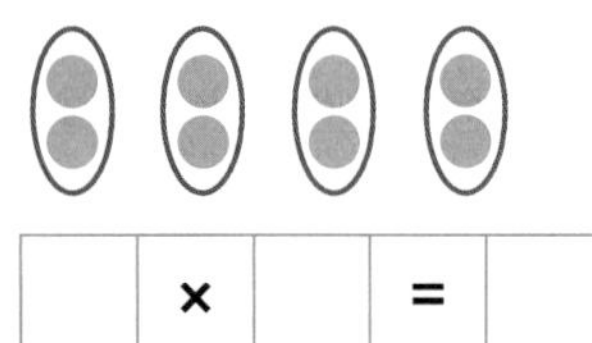

	×		=	

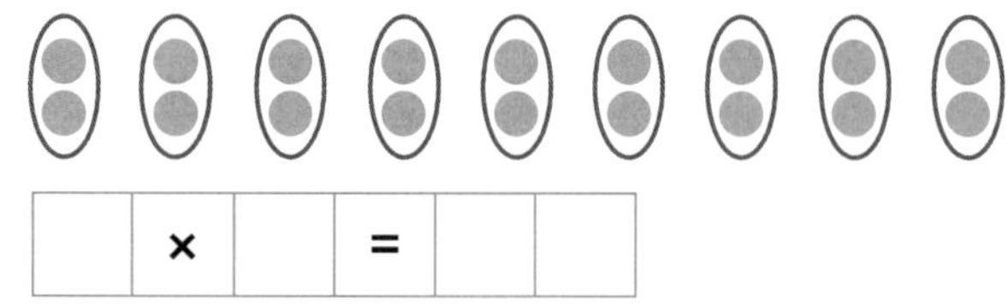

	×		=		

3. 계산 과정을 그림으로 그린 후, 곱셈식으로 나타내어 계산해 보세요.

2의 6배

	×		=		

2의 5배

	×		=		

2의 7배

	×		=		

2의 2배

	×		=	

4. 계산해 보세요.

2 × 1 = ______

2 × 7 = ______

2 × 4 = ______

2 × 10 = ______

2 × 3 = ______

2 × 8 = ______

2 × 9 = ______

2 × 0 = ______

2 × ______ = 8

2 × ______ = 12

2 × ______ = 16

2 × ______ = 18

한 번 더 연습해요!

1. 계산해 보세요.

2 × 4 = ______

2 × 6 = ______

2 × 9 = ______

2 × 3 = ______

2 × 10 = ______

2. 2단의 순서에 따라 선을 이어 보세요.

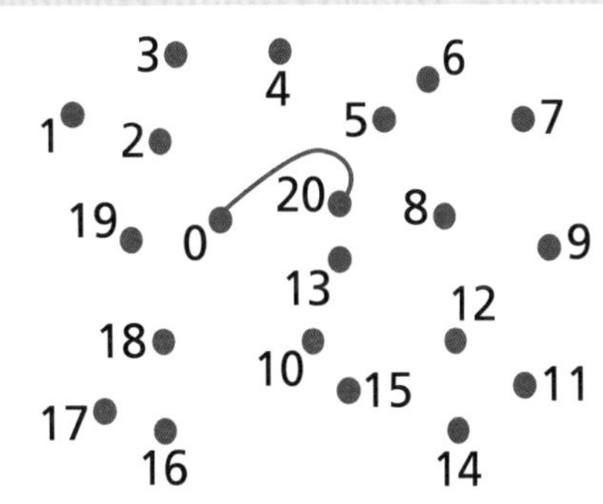

5. 개구리가 두 칸씩 뜀뛰기를 해요. 수직선을 따라 뜀뛰기를 하며 깃발에 2단을 써 보세요.

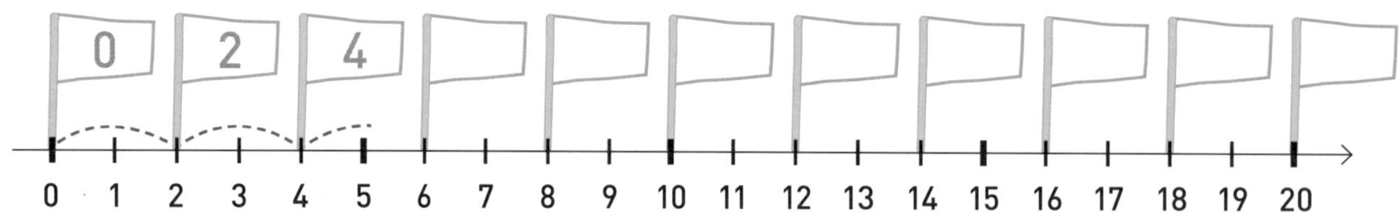

6. 덧셈식을 곱셈식으로 나타낸 후, 답을 구해 보세요.

2 + 2 + 2 = ______ × ______ = ______

2 + 2 = ______ × ______ = ______

2 + 2 + 2 + 2 + 2 + 2 = ______ × ______ = ______

2 + 2 + 2 + 2 = ______ × ______ = ______

2 + 2 + 2 + 2 + 2 = ______ × ______ = ______

2 + 2 + 2 + 2 + 2 + 2 + 2 = ______ × ______ = ______

2 + 2 + 2 + 2 + 2 + 2 + 2 + 2 + 2 = ______ × ______ = ______

2 + 2 + 2 + 2 + 2 + 2 + 2 + 2 = ______ × ______ = ______

2 + 2 + 2 + 2 + 2 + 2 + 2 + 2 + 2 + 2 = ______ × ______ = ______

7. 식을 보고 답을 구한 후 같은 값끼리 같은 색으로 칠해 보세요.

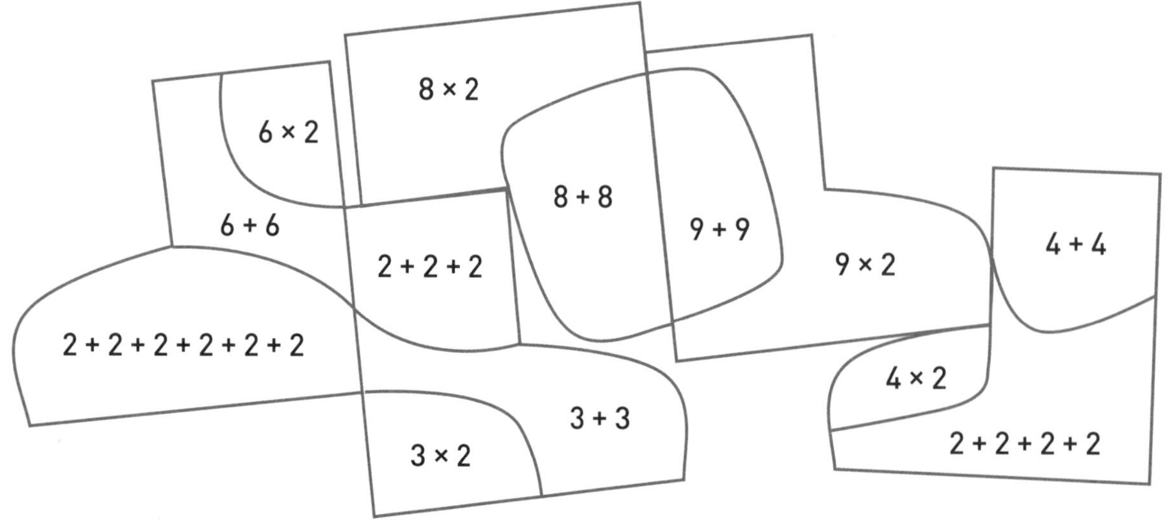

8. □ 안에 ×, +, −를 알맞게 써넣어 보세요.

4 □ 2 = 8	7 □ 2 = 9	9 □ 2 = 18
4 □ 2 = 6	7 □ 2 = 14	7 □ 2 = 9
4 □ 2 = 2	7 □ 2 = 5	18 □ 9 = 9

9. 그림이 들어간 식을 보고 그림의 값을 구해 보세요.

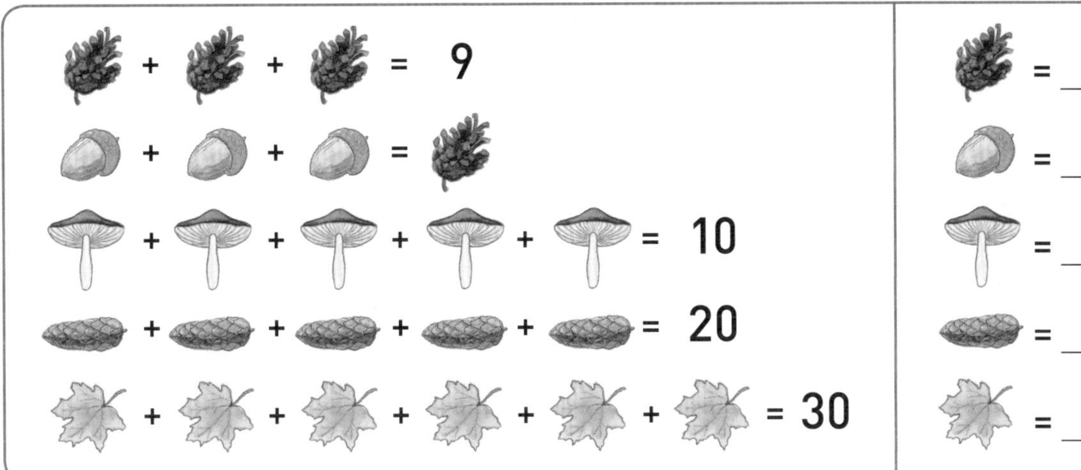

10. 1개의 나뭇잎 아래 2개의 보물이 있어요. 얼마나 많은 보물이 나뭇잎 아래 있는지 곱셈식과 답을 써 보세요.

식 : ____________

정답 : ____________

식 : ____________

정답 : ____________

식 : ____________

정답 : ____________

식 : ____________

정답 : ____________

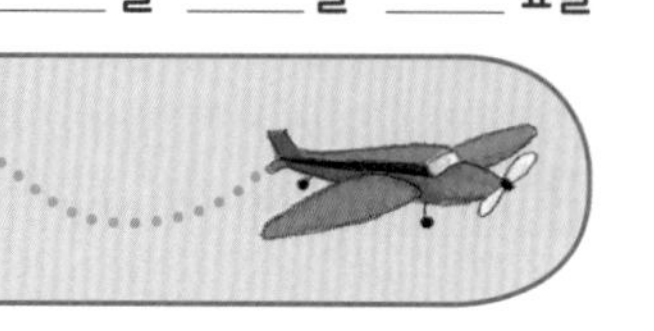

3 5단

1. 계산해 보세요.

5 × 0 = ______
5 × 1 = ______
5 × 2 = ______
5 × 3 = ______
5 × 4 = ______
5 × 5 = ______
5 × 6 = ______
5 × 7 = ______
5 × 8 = ______
5 × 9 = ______
5 × 10 = ______

2. 곱셈식으로 나타내고 답을 구해 보세요.

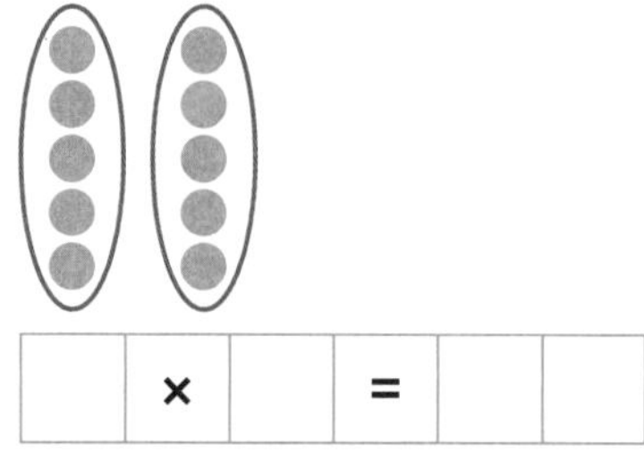

	×		=		

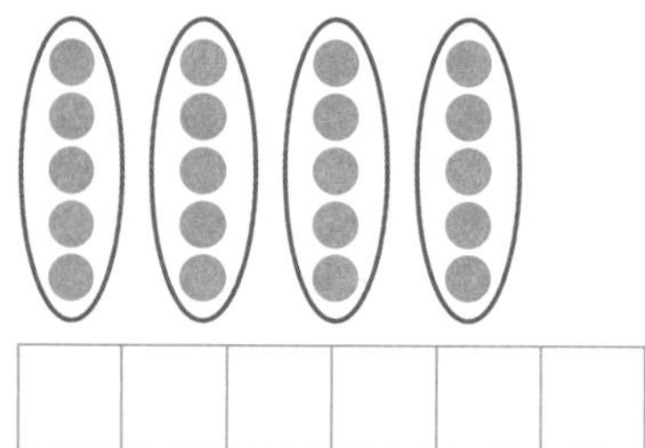

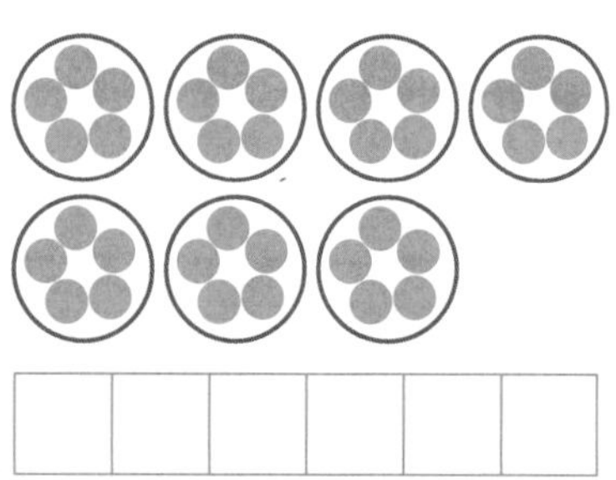

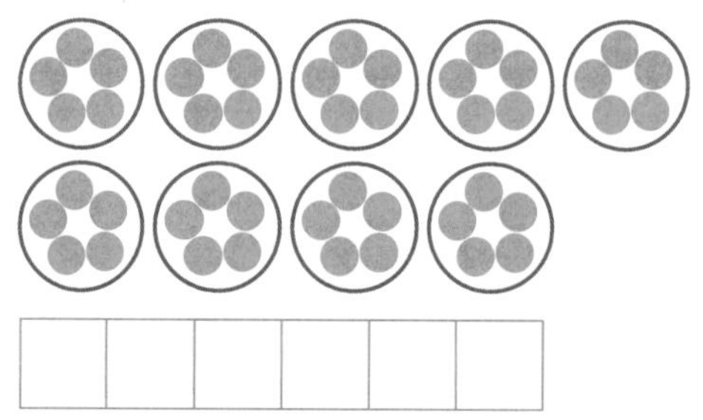

3. 계산 과정을 그림으로 그린 후, 곱셈식으로 나타내어 계산해 보세요.

5의 3배

5의 6배

5의 5배

5의 8배

4. 계산해 보세요.

5 × 1 = ______

5 × 7 = ______

5 × 4 = ______

5 × 10 = ______

5 × 2 = ______

5 × 8 = ______

5 × 6 = ______

5 × 0 = ______

5 × ______ = 20

5 × ______ = 15

5 × ______ = 5

5 × ______ = 45

한 번 더 연습해요!

1. 계산해 보세요.

5 × 2 = ______

5 × 9 = ______

5 × 7 = ______

5 × 6 = ______

5 × 10 = ______

2. 5단의 순서에 따라 선을 이어 보세요.

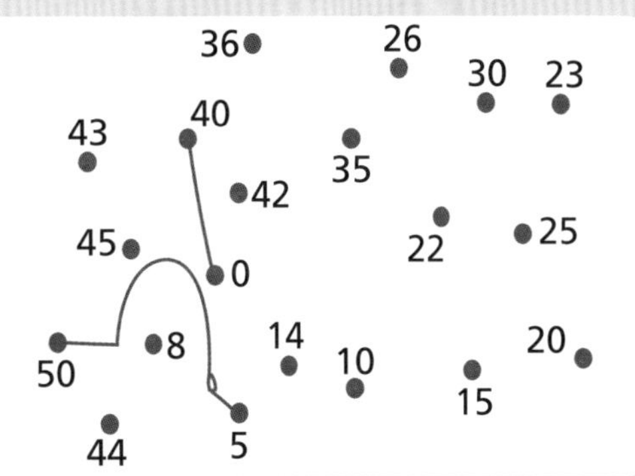

5. 5단을 생각하며 시계의 분침을 읽어 보세요.

6. 식을 보고 답을 구한 후 같은 값끼리 같은 색으로 칠해 보세요.

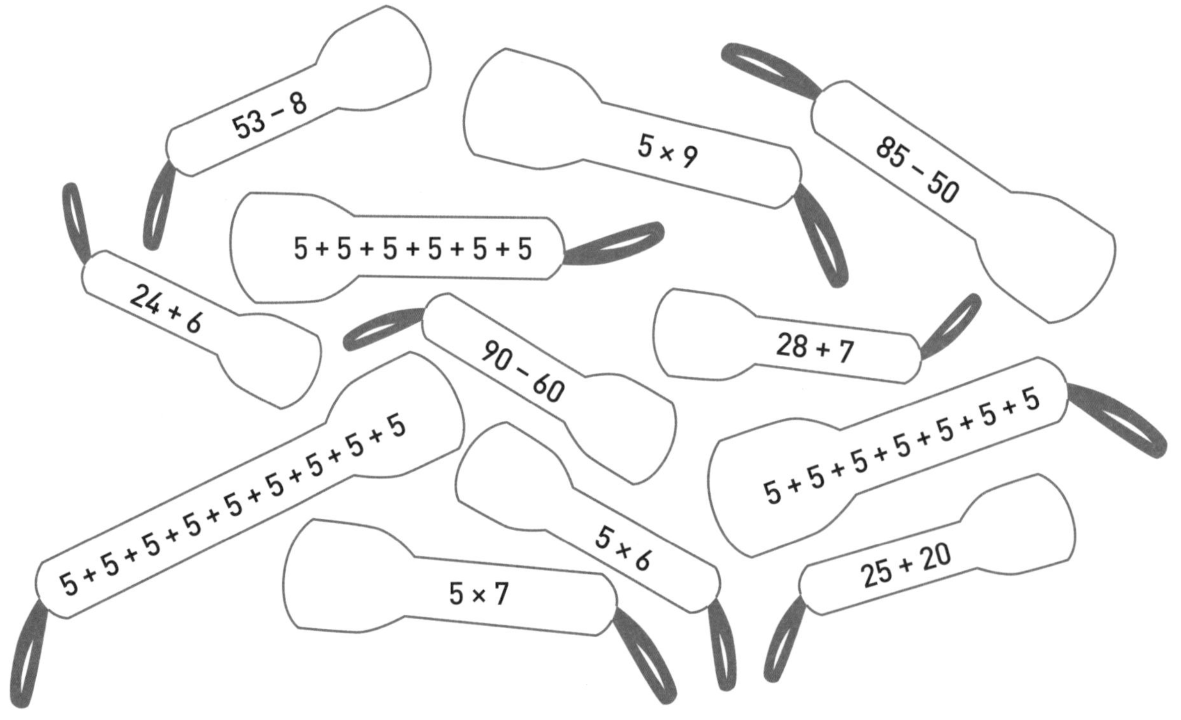

7. □ 안에 ×, +, −를 알맞게 써넣어 보세요.

2 □ 5 = 10	25 □ 5 = 20	11 □ 2 = 22
8 □ 5 = 13	45 □ 35 = 10	50 □ 5 = 55
9 □ 2 = 18	5 □ 30 = 35	10 □ 0 = 0

8. 그림이 들어간 식을 보고 그림의 값을 구해 보세요.

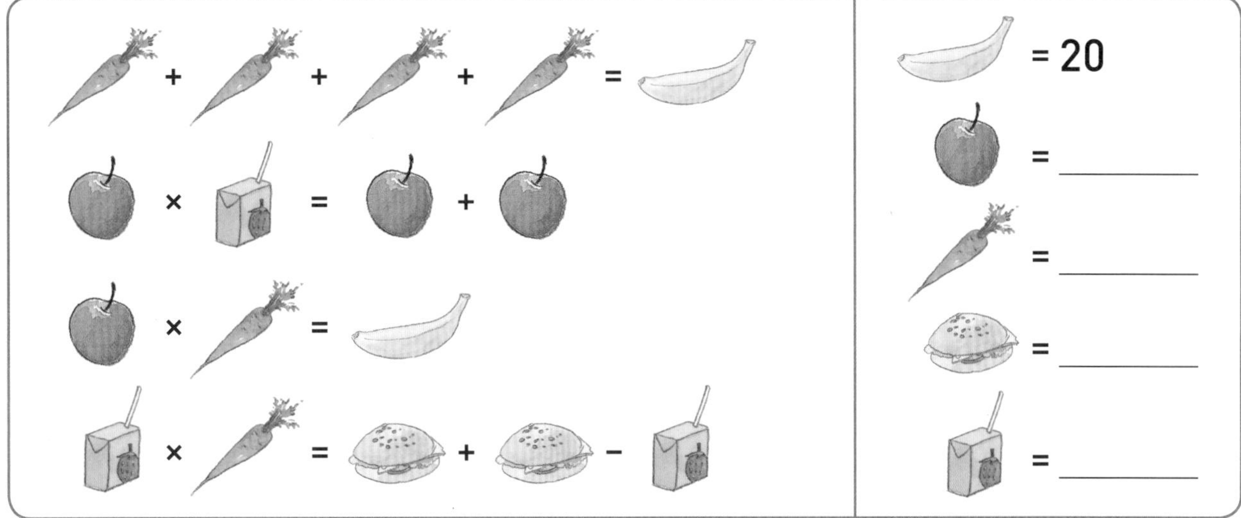

9. 1개의 나뭇잎 아래 5개의 보물이 있어요. 얼마나 많은 보물이 나뭇잎 아래 있는지 곱셈식과 답을 써 보세요.

식 : ______________________

정답 : ______________________

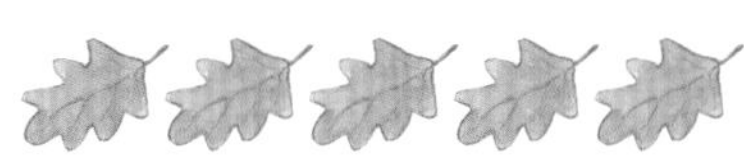

식 : ______________________

정답 : ______________________

식 : ______________________

정답 : ______________________

식 : ______________________

정답 : ______________________

10. 규칙에 따라 빈칸에 알맞은 수를 써넣어 보세요.

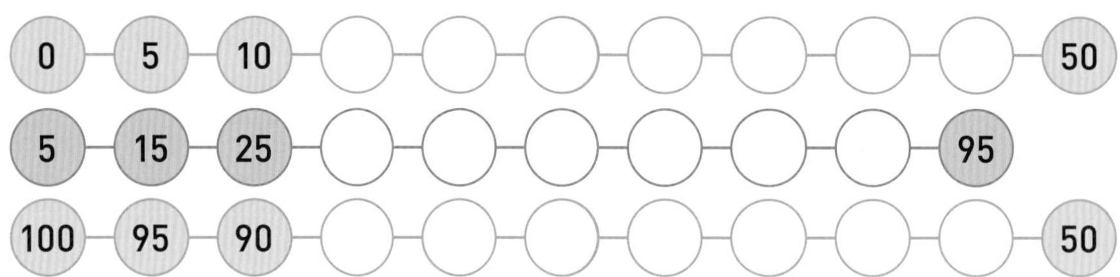

11. 가려진 정사각형은 몇 개인가요? 곱셈식으로 나타내고 답을 구해 보세요.

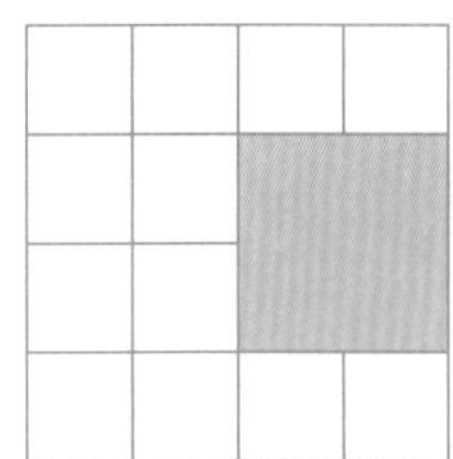

2 × 2 = ______

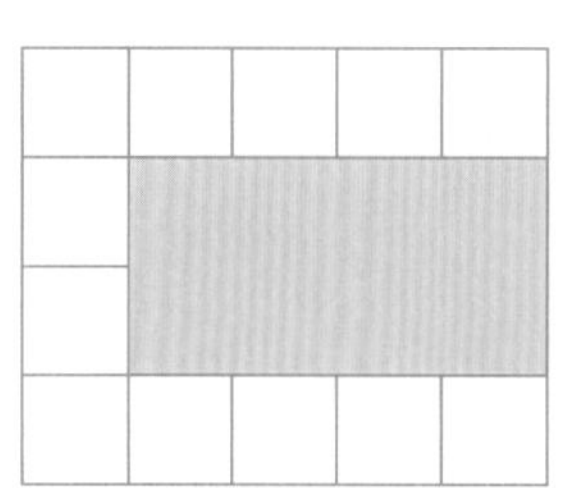

____ × ____ = ______

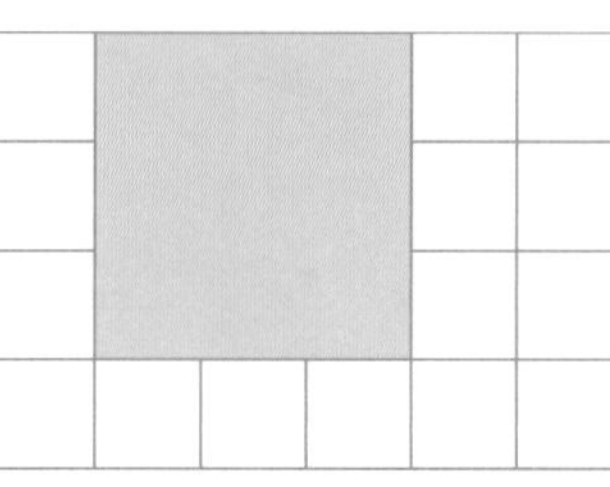

____ × ____ = ______

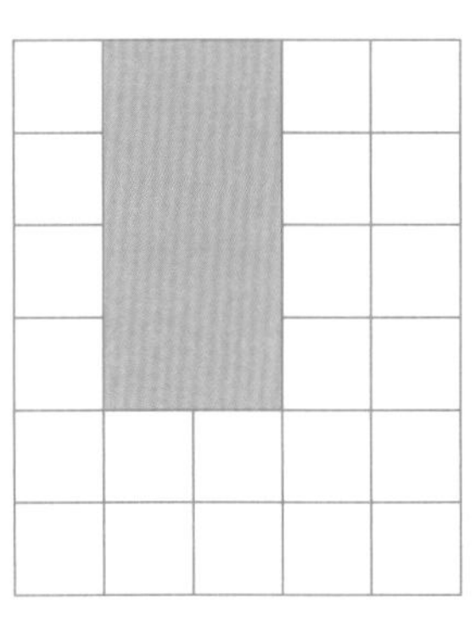

____ × ____ = ______

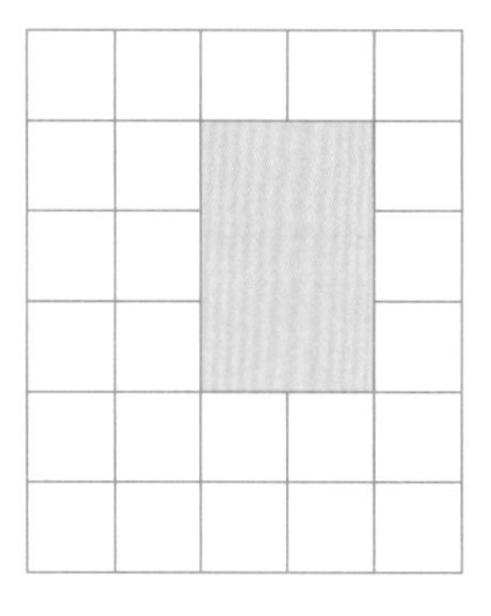

____ × ____ = ______

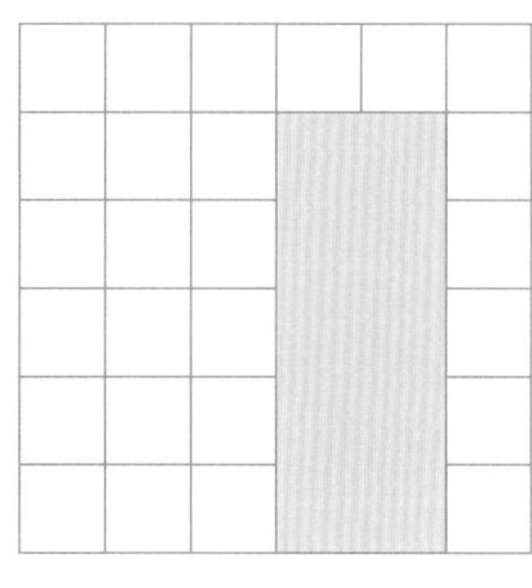

____ × ____ = ______

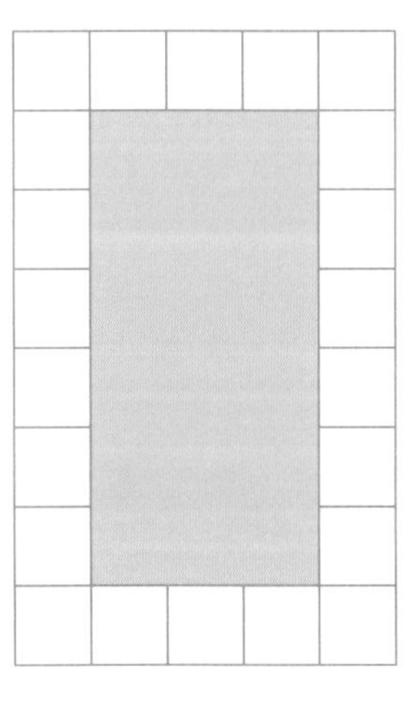

____ × ____ = ______

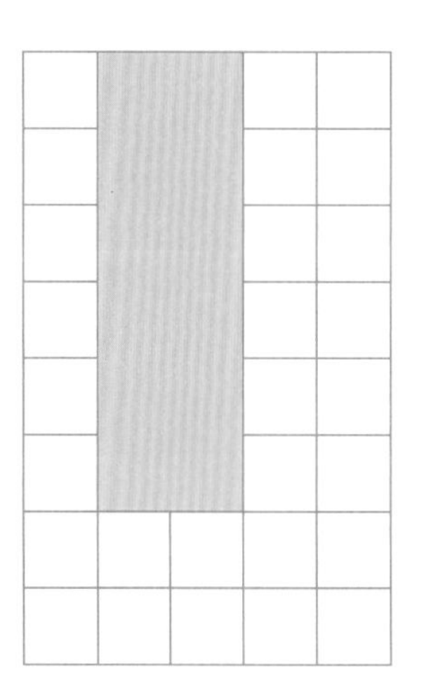

____ × ____ = ______

____ × ____ = ______

12. 규칙에 따라 빈칸에 알맞은 수를 써넣어 보세요.

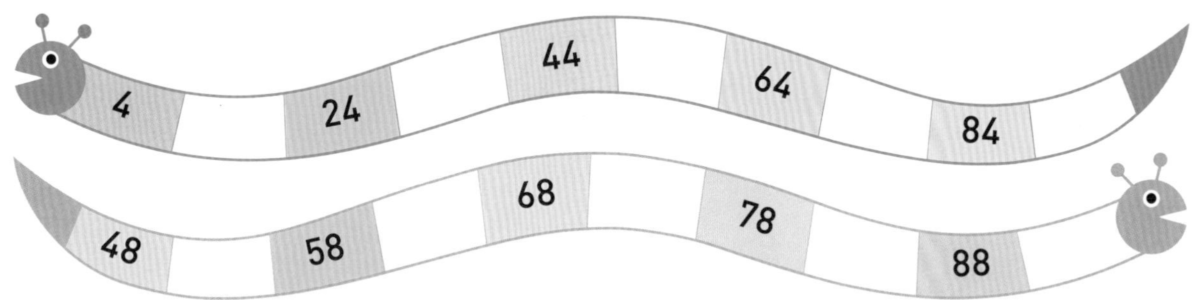

13. 빈칸에 알맞은 수를 써넣어 보세요.

×	2	5
1	2	
2		
5		25
10		

×	2	5
3		
6	12	
4		
8		

14. 설명을 읽고 지갑의 주인을 알아맞혀 보세요.

- 셀마의 지갑에는 5유로 지폐 1개와 2유로 동전 2개가 있어요.
- 엘리스의 지갑에는 5유로 지폐 1개와 2유로 동전 1개가 있어요.
- 리나의 지갑에는 2유로 동전 4개와 1유로 동전 3개가 있어요.
- 키라의 지갑에는 10유로 지폐 2개와 1유로 동전 3개가 있어요.
- 에밀리의 지갑에는 5유로 지폐 4개가 있어요.

4 10단

1. 계산해 보세요.

10 × 0 = ____
10 × 1 = ____
10 × 2 = ____
10 × 3 = ____
10 × 4 = ____
10 × 5 = ____
10 × 6 = ____
10 × 7 = ____
10 × 8 = ____
10 × 9 = ____
10 × 10 = ____

2. 곱셈식으로 나타내고 답을 구해 보세요.

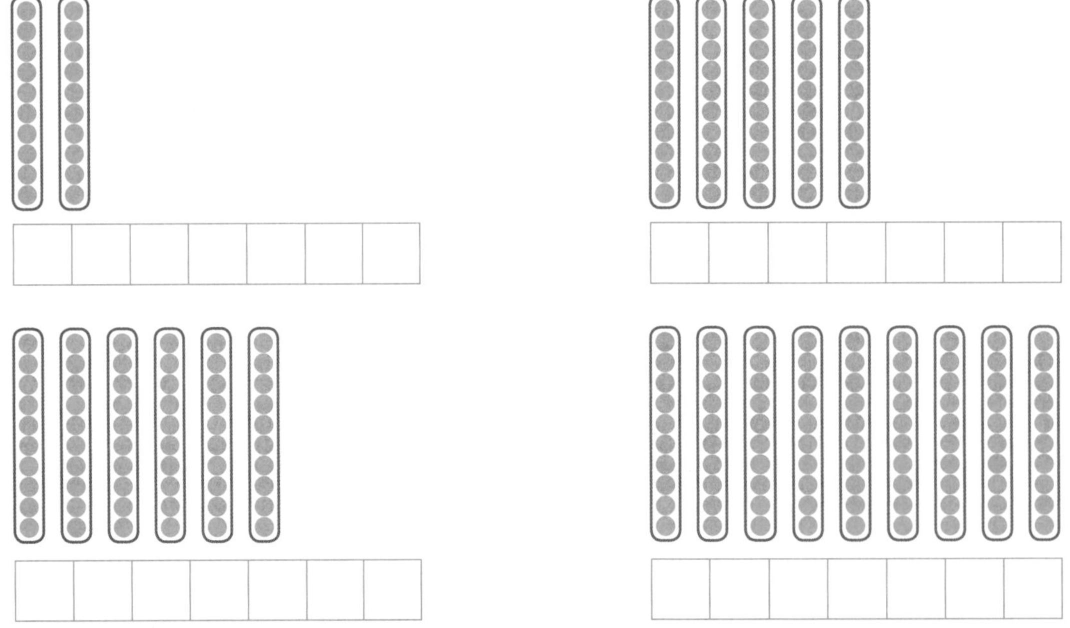

3. 계산 과정을 그림으로 그린 후, 곱셈식으로 나타내어 계산해 보세요.

10의 4배

10의 7배

10의 3배

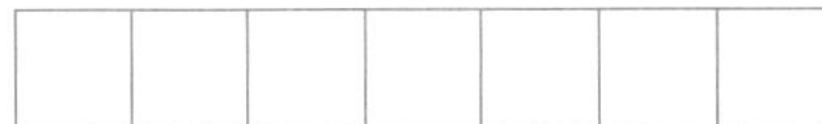

10의 8배

4. 계산해 보세요.

10 × 0 = ______	10 × 7 = ______	10 × ______ = 40
10 × 4 = ______	10 × 5 = ______	10 × ______ = 90
10 × 8 = ______	10 × 6 = ______	10 × ______ = 100

한 번 더 연습해요!

1. 계산해 보세요.

10 × 3 = ______

10 × 7 = ______

10 × 8 = ______

10 × 2 = ______

10 × 10 = ______

2. 10단의 순서에 따라 선을 이어 보세요.

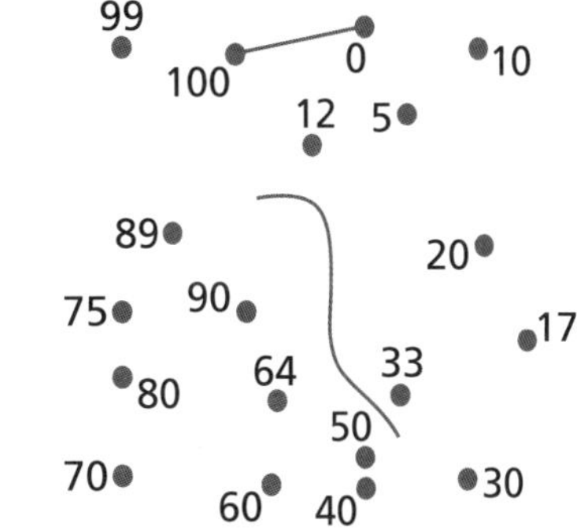

5. 규칙에 따라 빈칸에 알맞은 수를 써넣어 보세요.

0	10	20							100

105	95	85							5

6. 중앙에 있는 수와 파란색 수를 곱한 값을 □ 안에 써넣어 보세요.

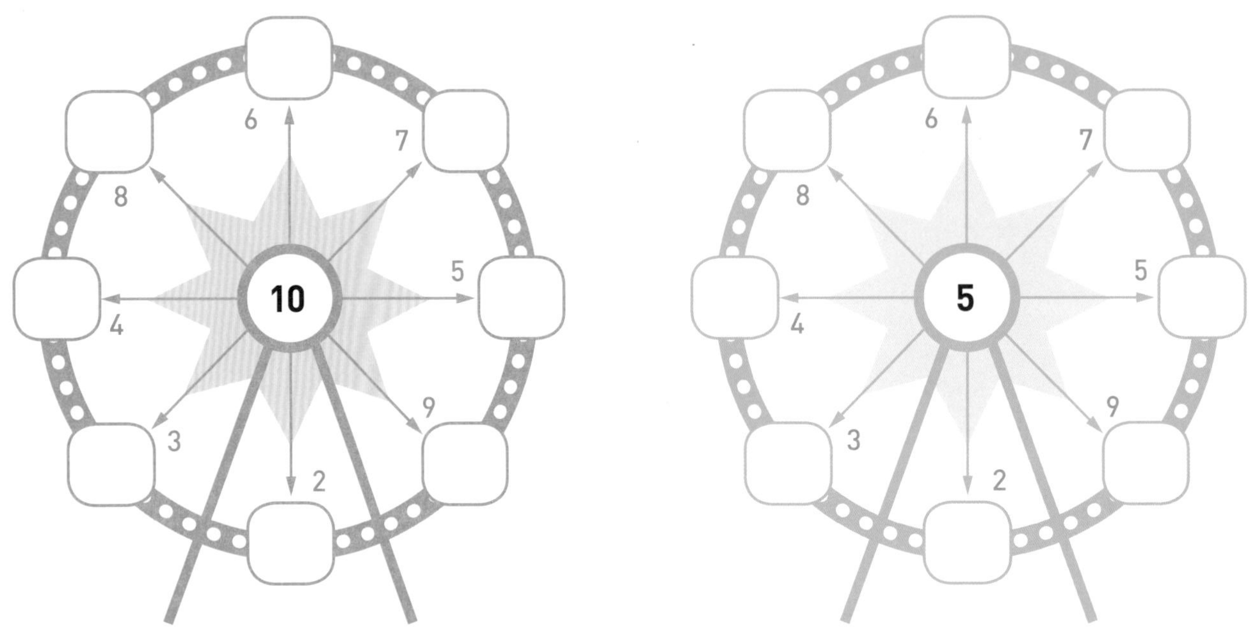

7. 식을 보고 답을 구한 후 같은 값끼리 같은 색으로 칠해 보세요.

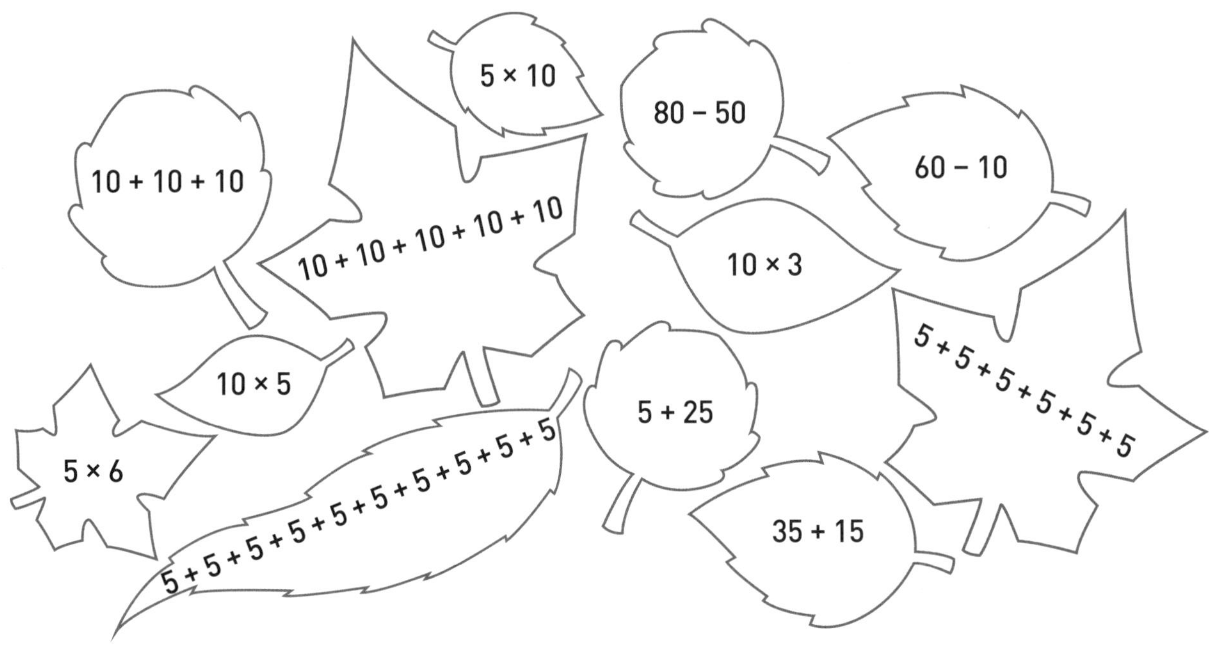

8. 빈칸에 알맞은 수를 써넣어 보세요.

×	2	5	10
3			
7			
9		45	
6			

×	2	5	10
2			
5			
8		40	
4			

9. 그림이 들어간 표를 보고 그림의 값을 구해 보세요.

			45
			25
			25
40	30	25	

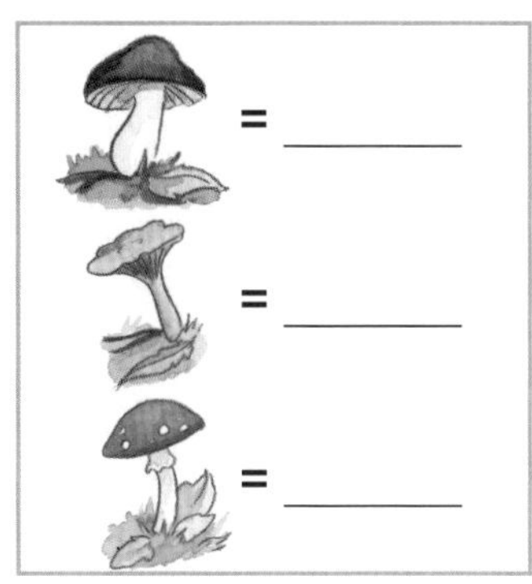

10. 그림이 들어간 식을 보고 그림의 값을 구해 보세요.

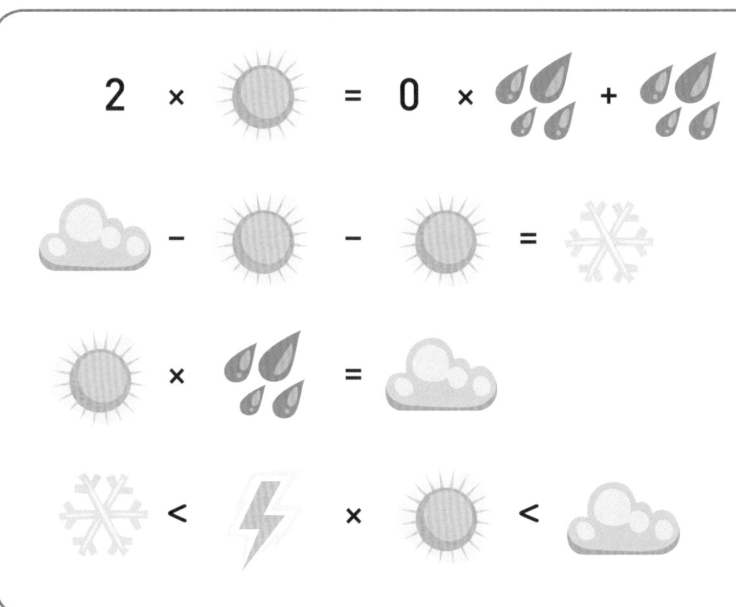

5 곱셈의 교환 법칙

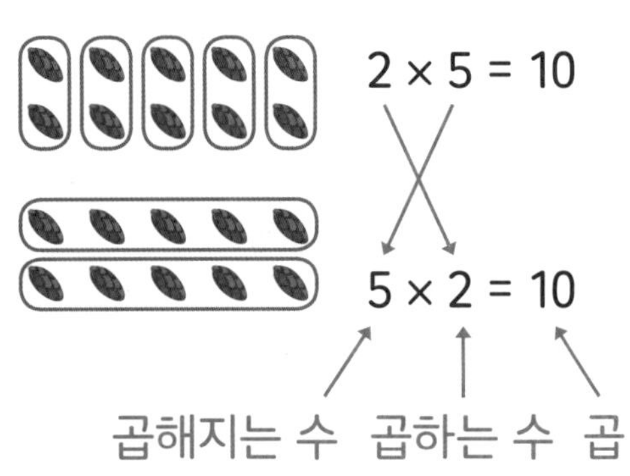

1. 곱셈식으로 나타내고 답을 구해 보세요.

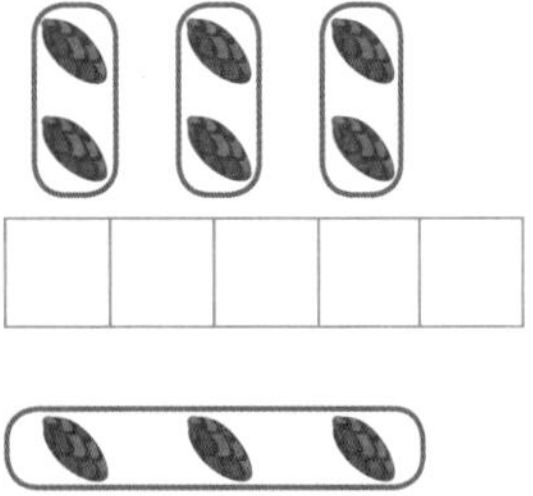

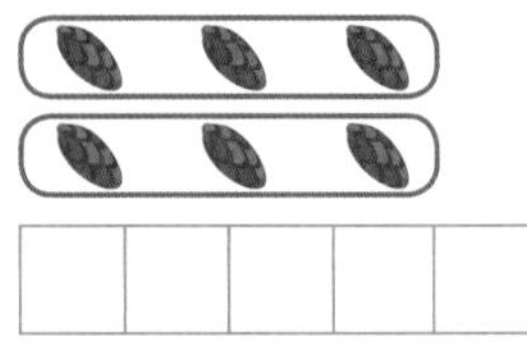

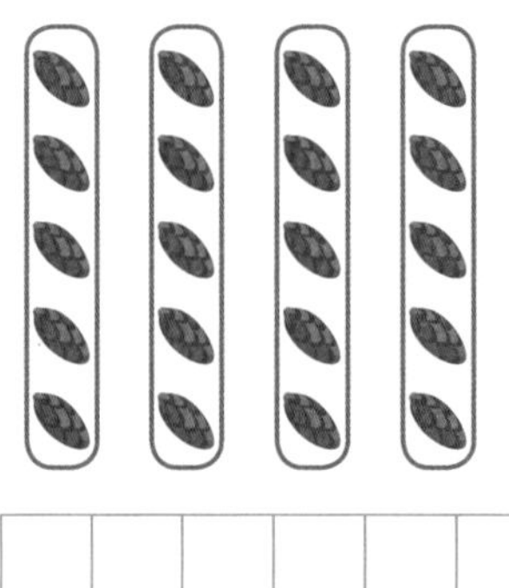

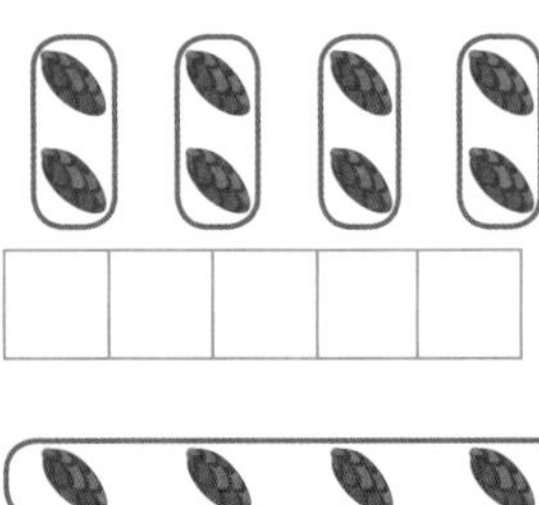

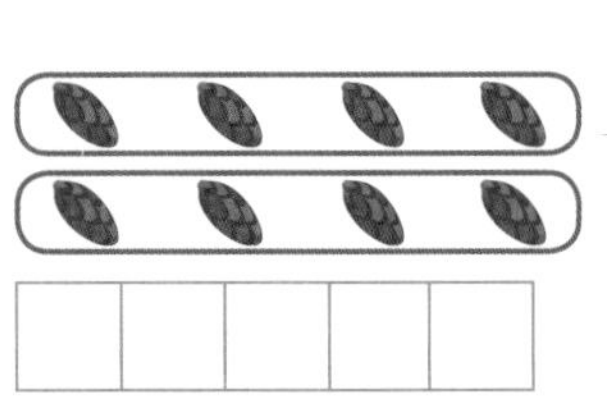

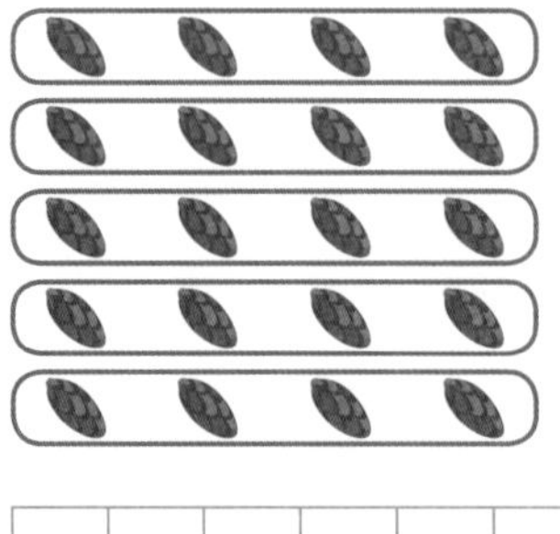

2. 계산 과정을 그림으로 그린 후, 곱셈식으로 나타내어 계산해 보세요.

2의 8배

5의 3배

8의 2배

3의 5배

3. 계산해 보세요.

7 × 2 = ______ 9 × 2 = ______ 6 × 5 = ______

2 × 7 = ______ 2 × 9 = ______ 5 × 6 = ______

한 번 더 연습해요!

1. 곱셈식으로 나타내고 답을 구해 보세요.

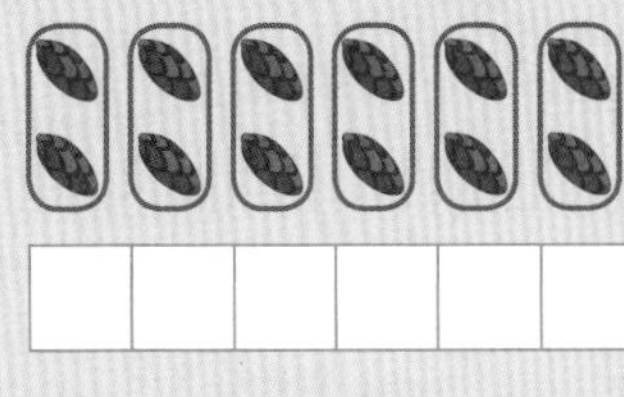

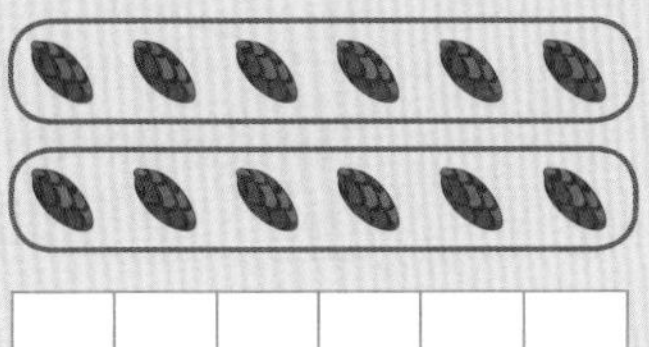

2. 계산해 보세요.

8 × 2 = ______

2 × 8 = ______

1 × 2 = ______

2 × 1 = ______

2 × 5 = ______

5 × 2 = ______

4. 그림을 보고 곱셈식을 두 가지 방법으로 나타내고 답을 구해 보세요.

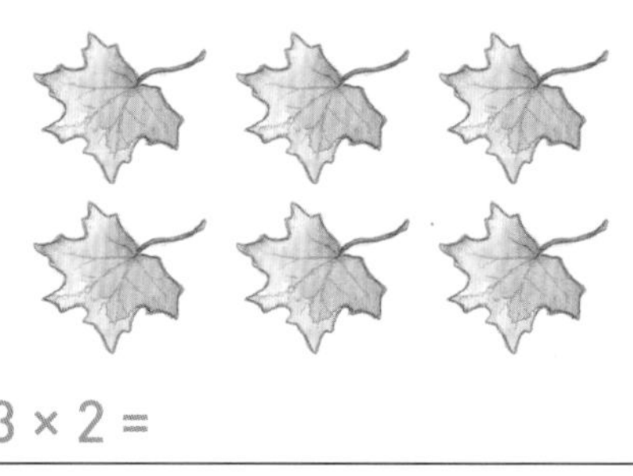

3 × 2 =

2 × 3 =

5. 계산한 후 정답에 해당하는 색을 칠해 보세요. 8 10 12 20 30 40

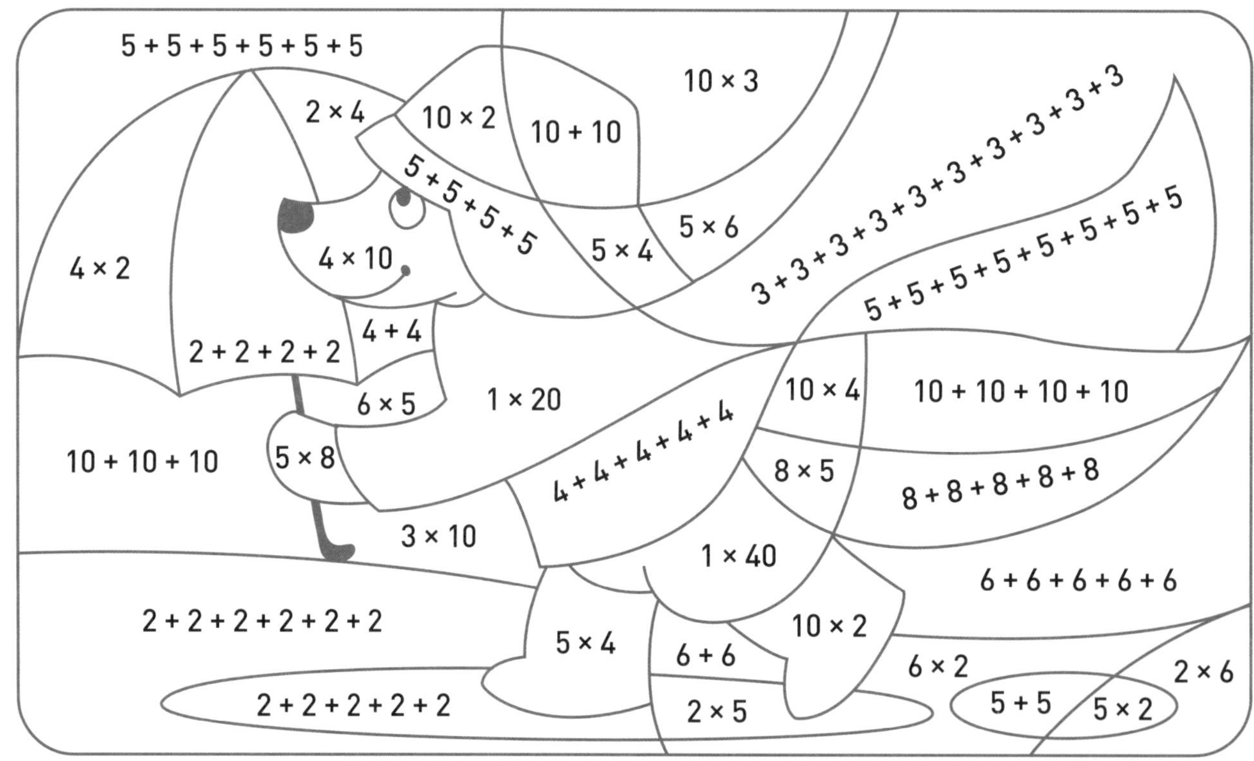

6. 빈칸에 알맞은 수를 구해 보세요.

2 × ____ = 12	9 × ____ = ____ × 9 = 9	____ × 7 = 7 × ____ = 14
5 × ____ = 15	8 × ____ = ____ × 8 = 40	____ × 6 = 6 × ____ = 30
10 × ____ = 80	7 × ____ = ____ × 7 = 70	____ × 5 = 5 × ____ = 50

7. 그림이 들어간 표를 보고 그림의 값을 구해 보세요.

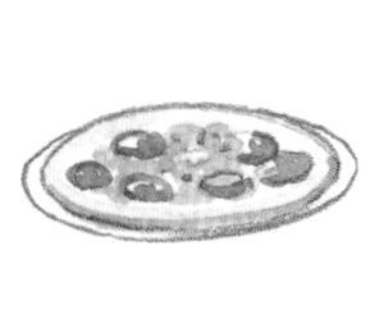		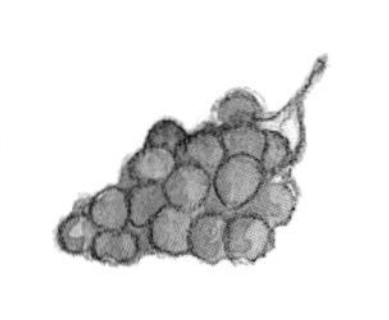			40
					30
		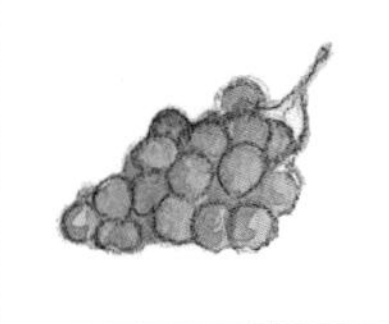			25
				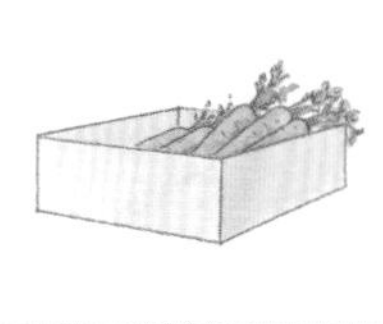	37
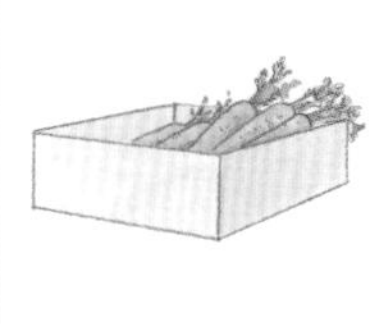		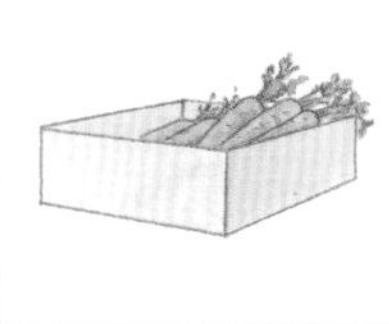	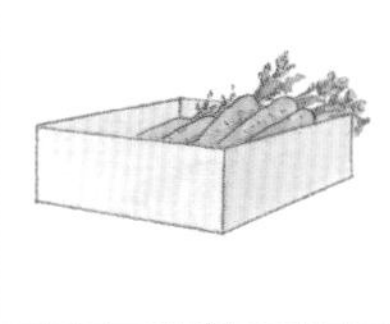	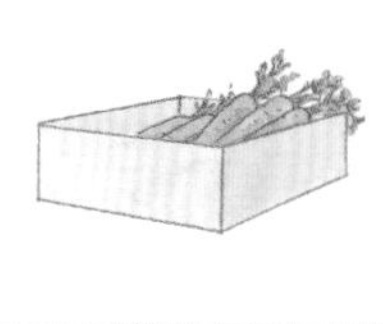	36
40	39	21	29	39	

 = ____

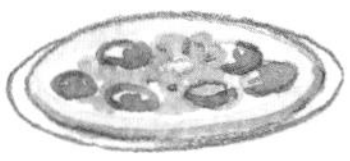

= ____

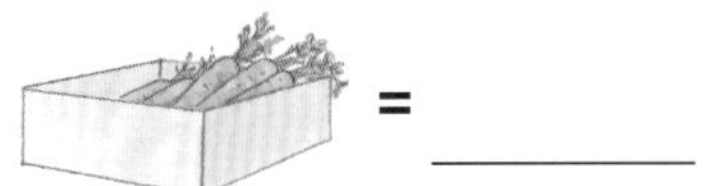 = ____

= ____

= ____

6 혼합 계산

곱셈과 덧셈

2 × 3 + 1
= 6 + 1
= 7

곱셈을 먼저 구하고 덧셈을 해요.

곱셈과 뺄셈

2 × 3 − 1
= 6 − 1
= 5

곱셈을 먼저 구하고 뺄셈을 해요.

1. 계산해 보세요.

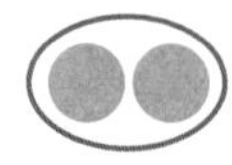 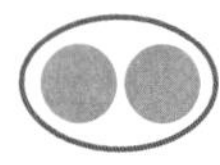 

2 × 2 + 3
= 4 + 3
= ____

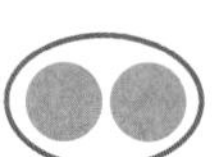 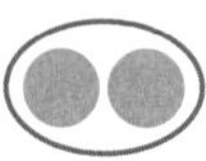 

2 × 2 + 5
= ____ + ____
= ____

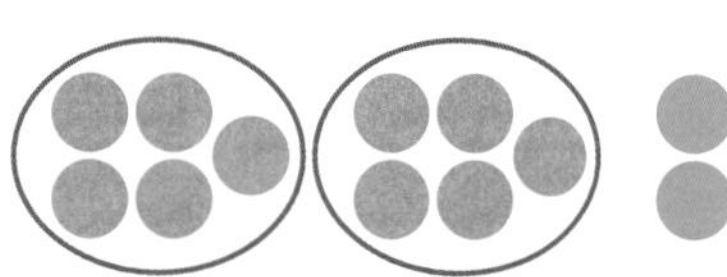

5 × 2 + 2
= ____ + ____
= ____

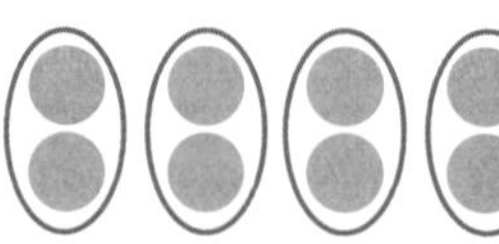

2 × 4 + 1
= ____ + ____
= ____

2. 계산해 보세요.

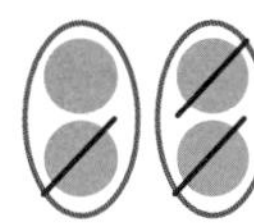

2 × 2 − 3

= 4 − 3

= ____

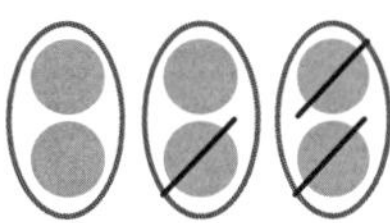

2 × 3 − 3

= ____ − ____

= ____

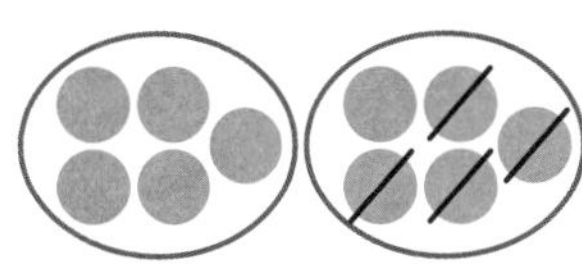

5 × 2 − 4

= ____ − ____

= ____

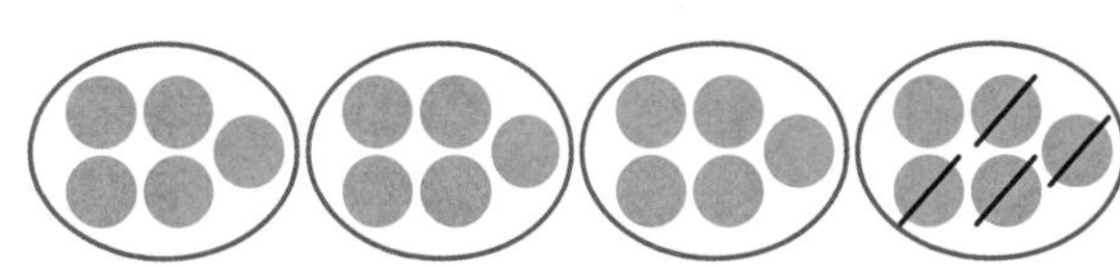

5 × 4 − 4

= ____ − ____

= ____

3. 계산해 보세요.

2 × 5 − 5 = ____

8 × 2 − 3 = ____

4 × 5 − 9 = ____

6 × 5 − 5 = ____

8 × 5 − 2 = ____

9 × 5 − 6 = ____

4 × 10 − 7 = ____

7 × 10 − 3 = ____

9 × 10 − 1 = ____

한 번 더 연습해요!

1. 계산해 보세요.

4 × 2 + 3 = ____

0 × 2 + 6 = ____

3 × 5 + 6 = ____

7 × 5 + 7 = ____

7 × 2 − 9 = ____

8 × 5 − 8 = ____

6 × 5 − 3 = ____

5 × 5 − 8 = ____

10 × 2 + 3 = ____

10 × 4 + 5 = ____

10 × 6 − 7 = ____

10 × 8 − 9 = ____

4. 그림을 보고 모두 얼마인지 식과 답을 써 보세요.

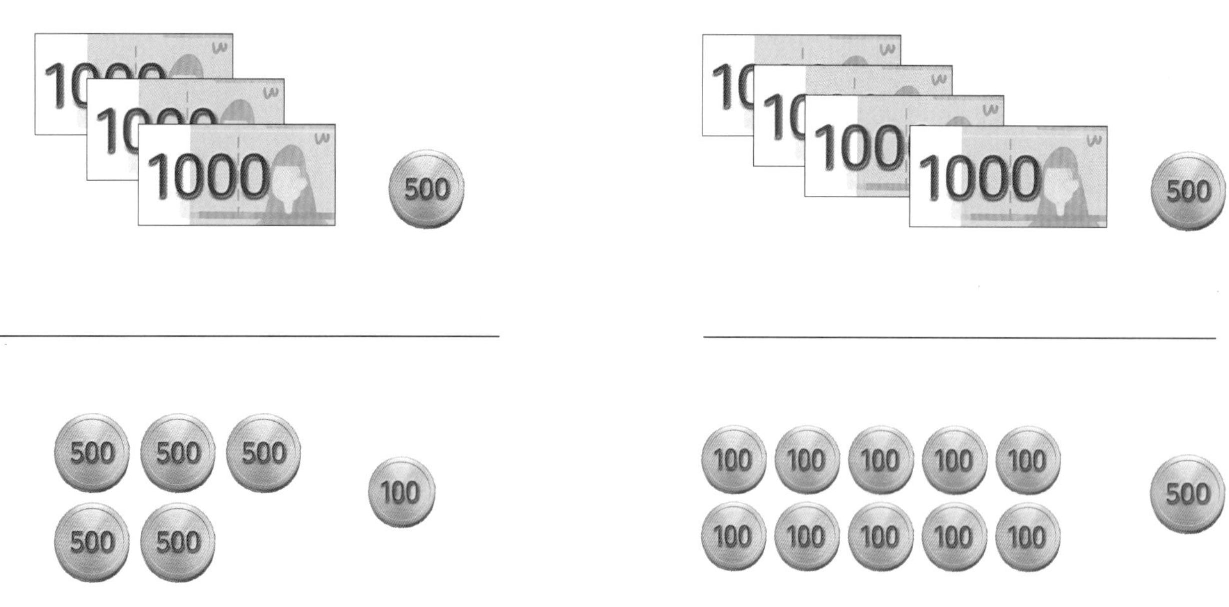

5. 계산한 후 정답에 해당하는 색을 칠해 보세요. 16 23 35 40 그밖의 값

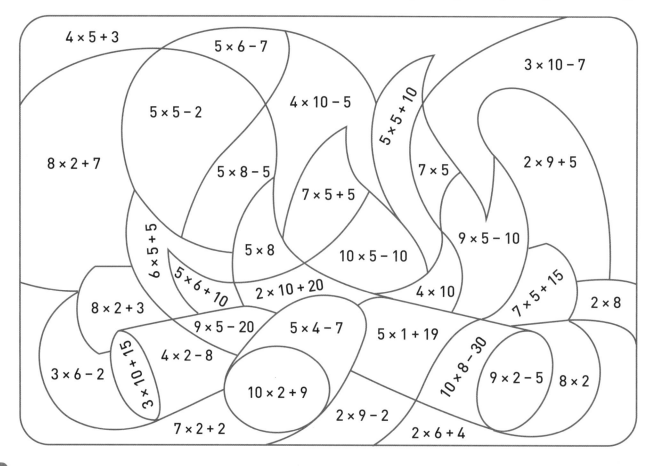

4 × 5 + 3

5 × 6 − 7

3 × 10 − 7

5 × 5 − 2

4 × 10 − 5

5 × 5 + 10

8 × 2 + 7

5 × 8 − 5

7 × 5

2 × 9 + 5

7 × 5 + 5

6 × 5 + 5

5 × 8

10 × 5 − 10

9 × 5 − 10

5 × 6 + 10

2 × 10 + 20

4 × 10

7 × 5 + 15

2 × 8

8 × 2 + 3

9 × 5 − 20

5 × 4 − 7

5 × 1 + 19

3 × 10 + 15

4 × 2 − 8

10 × 8 − 30

3 × 6 − 2

9 × 2 − 5

8 × 2

10 × 2 + 9

2 × 9 − 2

7 × 2 + 2

2 × 6 + 4

6. 파란색 컵의 값을 구해 보세요.

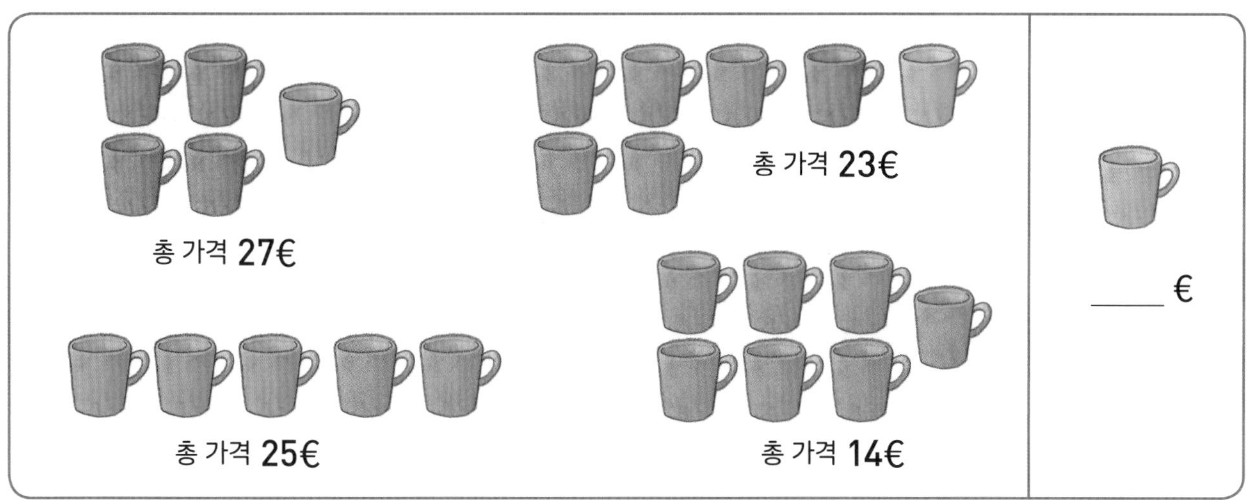

7. 녹색 도시락의 값을 구해 보세요.

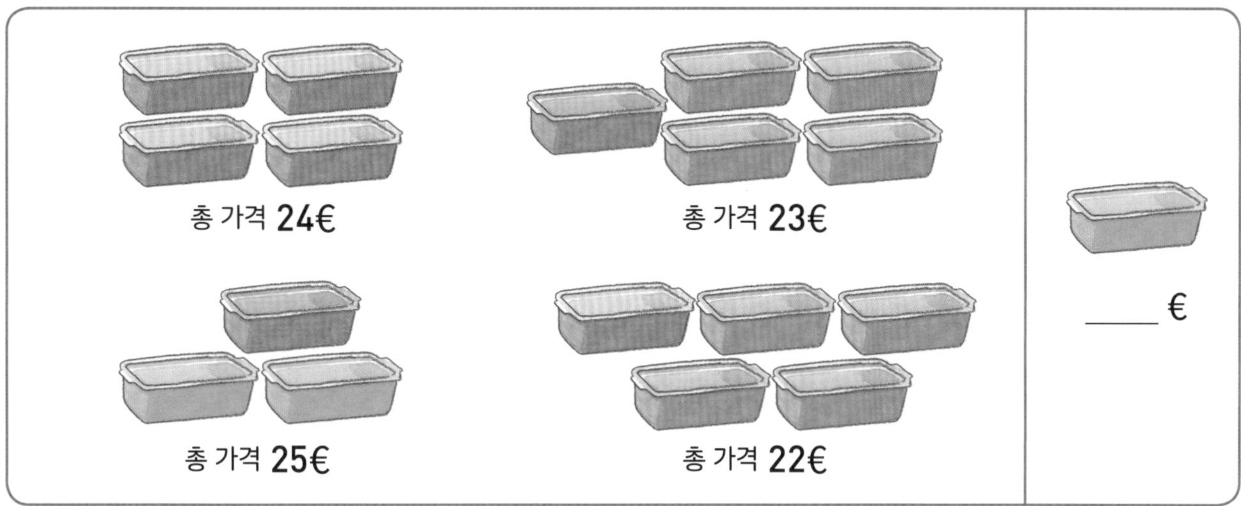

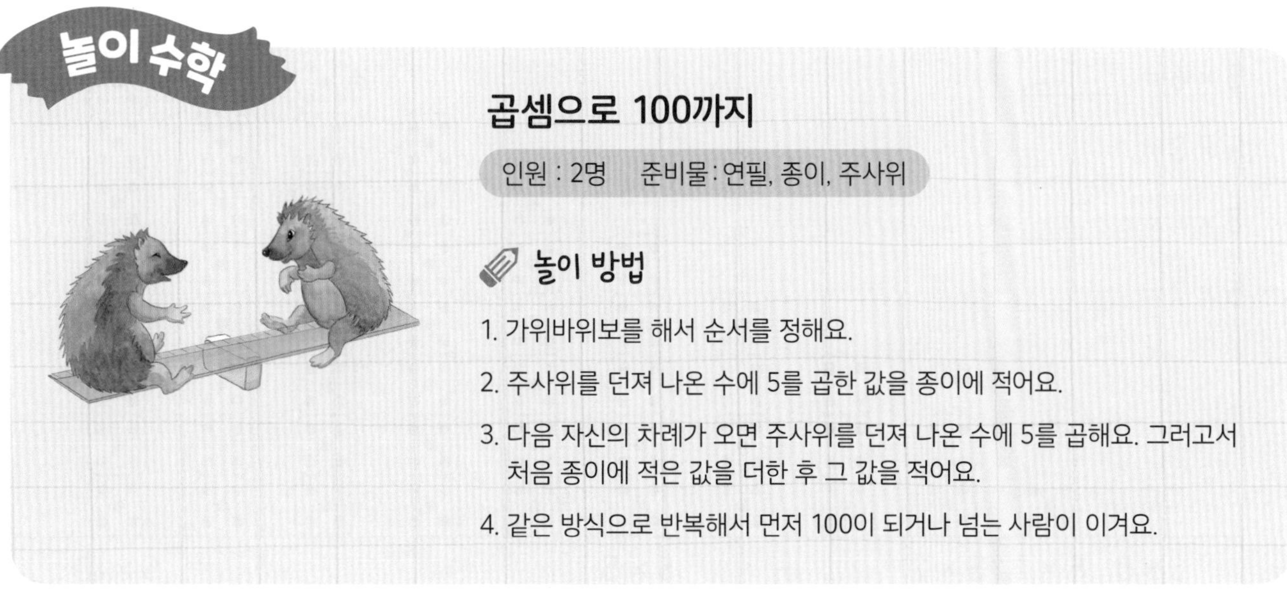

놀이 수학

곱셈으로 100까지

인원 : 2명 준비물 : 연필, 종이, 주사위

놀이 방법

1. 가위바위보를 해서 순서를 정해요.
2. 주사위를 던져 나온 수에 5를 곱한 값을 종이에 적어요.
3. 다음 자신의 차례가 오면 주사위를 던져 나온 수에 5를 곱해요. 그러고서 처음 종이에 적은 값을 더한 후 그 값을 적어요.
4. 같은 방식으로 반복해서 먼저 100이 되거나 넘는 사람이 이겨요.

____월 ____일 ____요일

7 혼합 계산의 기초

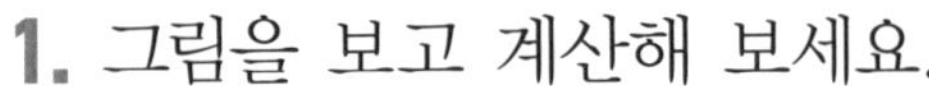

1. 그림을 보고 계산해 보세요.

5 × 3 = ______

5 × 9 = ______

5 × 6 = ______

5 × 8 = ______

5 × 4 = ______

5 × 7 = ______

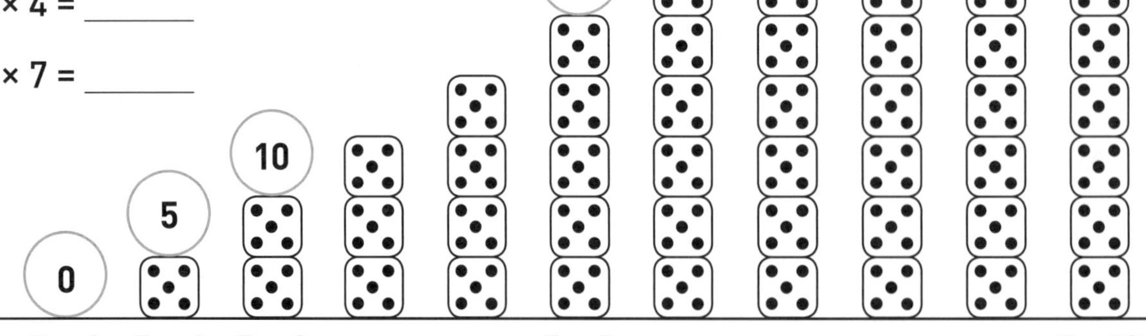

2. 계산해 보세요.

2 × 2 + 2 = ______	5 × 2 + 2 = ______	10 × 2 − 2 = ______
2 × 3 = ______	6 × 2 = ______	9 × 2 = ______
2 × 5 + 5 = ______	5 × 5 + 5 = ______	10 × 5 − 5 = ______
5 × 3 = ______	5 × 6 = ______	9 × 5 = ______

3. 계산해 보세요.

4 × 2 = ______	4 × 5 = ______	3 × 5 = ______	4 × 10 = ______
8 × 2 = ______	8 × 5 = ______	6 × 5 = ______	8 × 10 = ______

4. 똑같은 수로 수 가르기를 해 보세요.

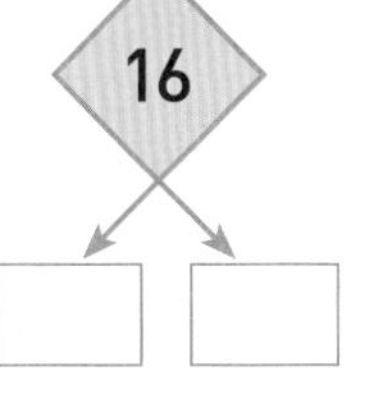

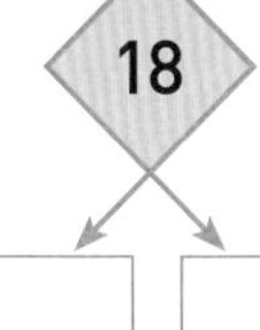

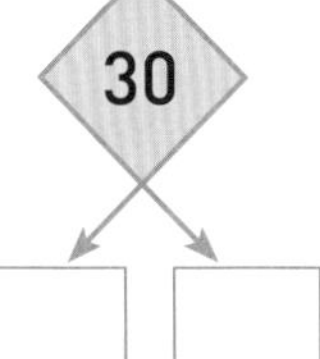

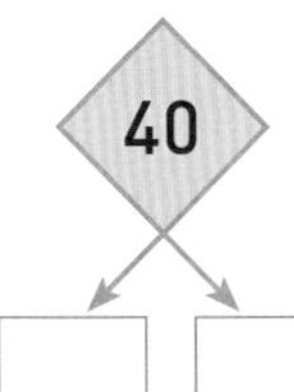

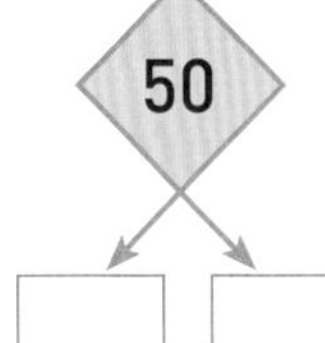

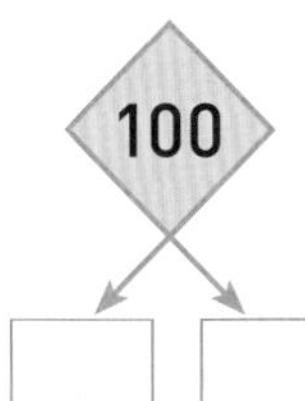

한 번 더 연습해요!

1. 계산해 보세요.

5 × 2 + 4 = ______	10 × 2 − 4 = ______	6 × 2 = ______
7 × 2 = ______	8 × 2 = ______	9 × 5 = ______
5 × 5 + 10 = ______	10 × 5 − 10 = ______	5 × 5 = ______

5. 그림을 보고 계산해 보세요.

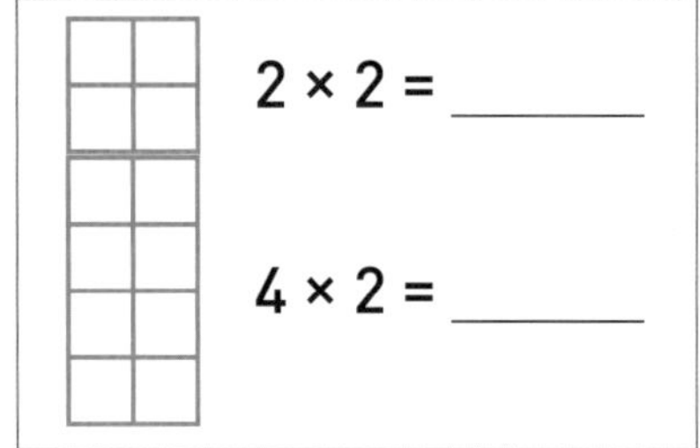

2 × 2 = ______

4 × 2 = ______

6 × 2 = ______

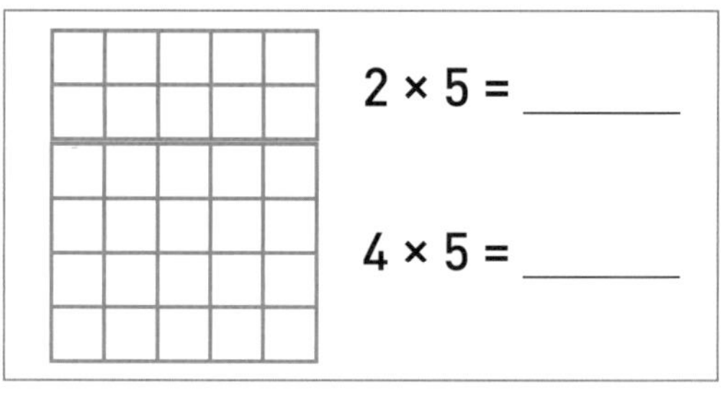

2 × 5 = ______

4 × 5 = ______

6 × 5 = ______

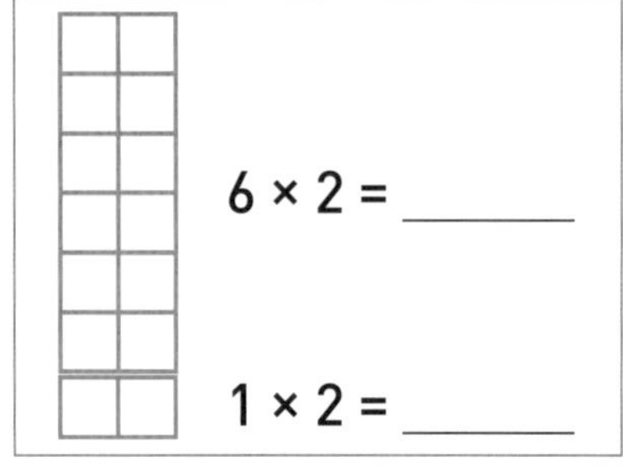

6 × 2 = ______

1 × 2 = ______

7 × 2 = ______

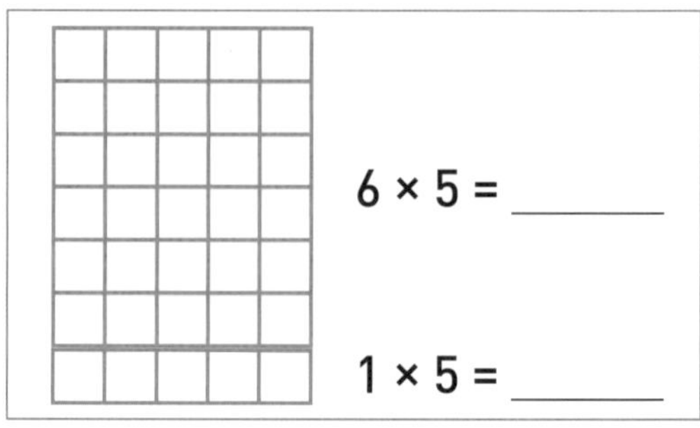

6 × 5 = ______

1 × 5 = ______

7 × 5 = ______

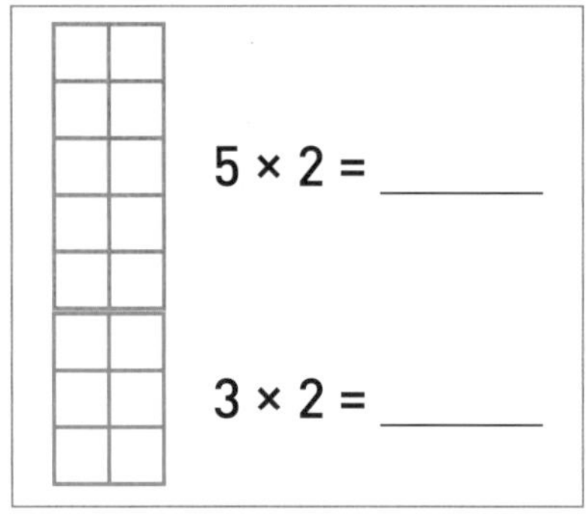

5 × 2 = ______

3 × 2 = ______

8 × 2 = ______

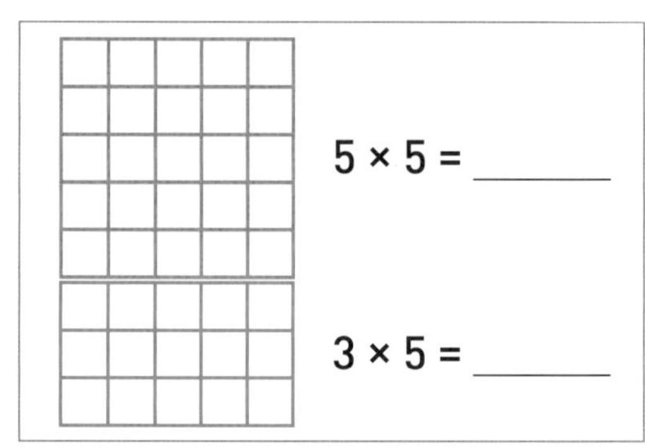

5 × 5 = ______

3 × 5 = ______

8 × 5 = ______

6. 3개의 티셔츠와 3개의 반바지가 있어요. 토끼가 입을 수 있는 모든 경우의 옷차림을 색칠해 보세요.

토끼의 옷장 :

7. □ 안에 >, =, <를 알맞게 써넣어 보세요.

5 × 2	□	12	7 × 5	□	30 + 15	6 × 5	□	10 × 3
8 × 2	□	17	6 × 5	□	40 − 15	9 × 5	□	4 × 10
9 × 2	□	18	8 × 5	□	50 − 10	5 × 4	□	5 × 5

8. 빈칸에 알맞은 수를 구해 보세요.

2 × 8 + ____ = 20	____ × 5 + 4 = 44	____ × 4 + 10 = 50
9 × 2 + ____ = 27	____ × 5 + 7 = 37	____ × 9 + 10 = 100
7 × 2 − ____ = 9	____ × 5 − 5 = 45	____ × 5 − 10 = 35

9. 설명을 읽고 장화의 주인을 알아맞혀 보세요.

- 엘리스의 장화는 케빈 장화에 5를 곱한 값에서 7을 뺀 값과 같아요.
- 클라우드 장화의 각각의 자리 수를 모두 더한 값은 하트 장화의 각각의 자리 수를 더한 값보다 4가 커요.
- 클라우드의 장화는 같은 수를 5번 더한 수와 같아요.
- 케빈 장화에 5를 곱하면 40이 나와요.
- 토니 장화의 각각의 자리 수를 곱하면 35가 나와요.
- 소피아 장화의 일의 자리 수는 2와 3의 곱과 같아요.

설명을 읽고
확실한 답부터
먼저 찾으렴~!

10. 계산 과정을 그림으로 그린 후, 곱셈식으로 나타내어 계산해 보세요.

❶ 칩은 씨앗을 4번 가져왔어요.
한 번 가져올 때마다 5개씩 가져왔어요.
칩이 가져온 씨앗은 모두 몇 개인가요?

식 :

정답 :

❷ 캐시는 씨앗을 9번 가져왔어요.
한 번 가져올 때마다 2개씩 가져왔어요.
캐시가 가져온 씨앗은 모두 몇 개인가요?

식 :

정답 :

❸ 칩은 딸기를 6번 가져왔어요.
한 번 가져올 때마다 5개씩 가져왔어요.
칩이 가져온 딸기는 모두 몇 개인가요?

식 :

정답 :

❹ 캐시는 딸기를 3번 가져왔어요.
한 번 가져올 때마다 5개씩 가져왔어요.
캐시가 가져온 딸기는 모두 몇 개인가요?

식 :

정답 :

❺ 칩은 옥수수를 7번 가져왔어요. 한 번 가져올 때마다 2개씩 가져왔어요.
그중에서 5개를 잃어 버렸다면 칩에게 남은 옥수수는 모두 몇 개인가요?

식 :

정답 :

11. 계산해 보세요.

3 × 2 = ______

2 × 3 = ______

7 × 2 = ______

2 × 7 = ______

3 × 5 = ______

5 × 3 = ______

9 × 5 = ______

5 × 9 = ______

4 × 10 = ______

10 × 4 = ______

10 × 9 = ______

9 × 10 = ______

12. 계산한 후 정답에 해당하는 알파벳을 찾아 써 보세요.

____ × 5 = 35 □

____ × 5 = 25 □

____ × 2 = 6 □

____ × 8 = 80 □

____ × 2 = 2 □

____ × 2 = 8 □

5 × ____ = 15 □

1 × ____ = 10 □

1	3	4	5	7	10
H	K	I	A	L	E

한 번 더 연습해요!

1. 캐시는 딸기를 7번 가져왔어요.
한 번 가져올 때마다 5개씩 가져왔어요.
캐시가 가져온 딸기는 모두 몇 개인가요?

식 : ____________________

정답 : ____________________

2. 계산해 보세요.

4 × 2 = ______

2 × 4 = ______

8 × 2 = ______

2 × 8 = ______

6 × 5 = ______

5 × 6 = ______

5 × 2 = ______

13. 조건에 맞게 색칠해 보세요.

❶ 2단을 색칠해 보세요.

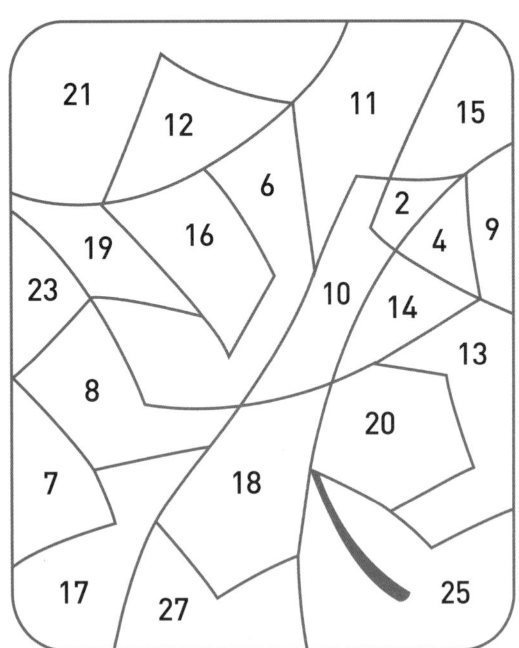

❷ 5단을 색칠해 보세요.

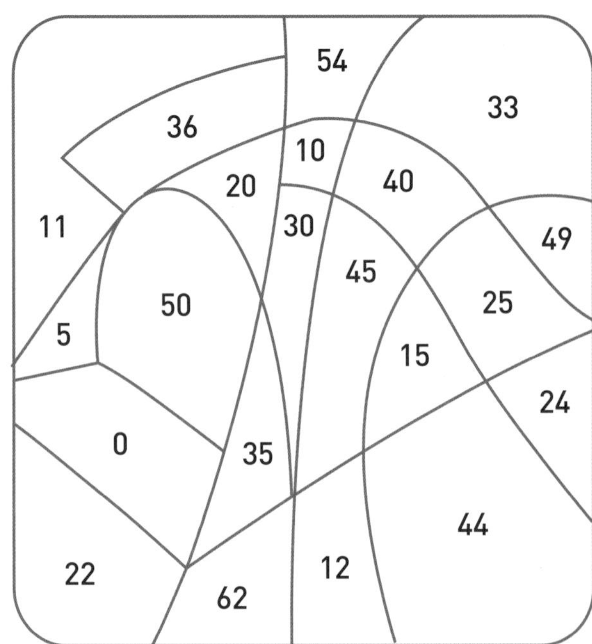

❸ 10단을 색칠해 보세요.

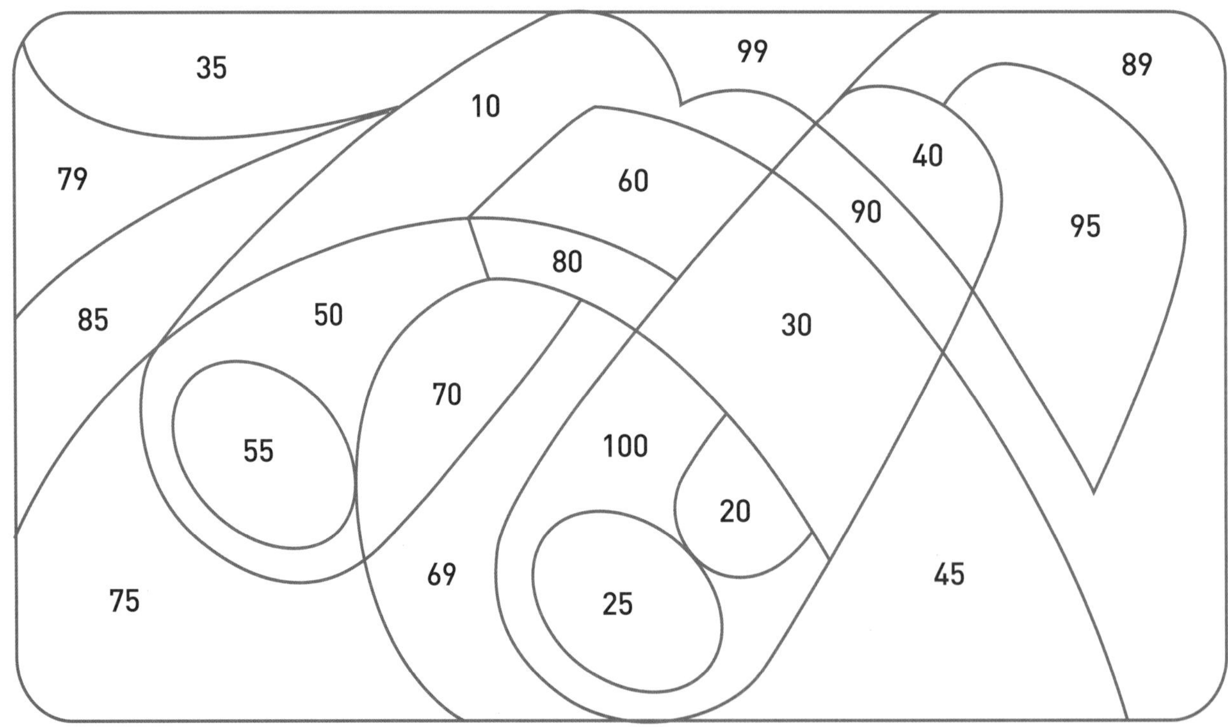

14. 빈칸에 알맞은 수를 구해 보세요.

4 × 2 + ____ = 14	____ × 5 + 20 = 50	8 × ____ + 14 = 94
2 × 6 + ____ = 21	____ × 5 + 32 = 72	10 × ____ + 11 = 101
8 × 2 − ____ = 8	____ × 5 − 15 = 30	10 × ____ − 56 = 14

15. 각각의 친구들이 가지고 있는 열매는 몇 개인가요?

나는 숲에서 솔방울을 6개씩 5번 가져왔어.

나는 숲에서 솔방울을 10개씩 4번 가져왔어. 그중 3개는 가지고 오다가 길에 떨어뜨렸어.

베라가 가진 솔방울은 ______ 개입니다.

제시가 가진 솔방울은 ______ 개입니다.

나는 솔방울을 7개씩 5줄을 만들고 싶은데 2개가 모자라.

나는 숲에서 솔방울을 9개씩 3번 가져왔어. 그리고 다시 가서 5개를 더 가져왔어.

마리가 가진 솔방울은 ______ 개입니다.

월터가 가진 솔방울은 ______ 개입니다.

나는 월터가 가진 솔방울의 절반만큼 숲에서 가져왔어.

나는 숲에서 솔방울을 3번 가져왔어. 한 번 가져올 때 베라보다 두 배 많이 가져왔어.

오티스가 가진 솔방울은 ______ 개입니다.

재스퍼가 가진 솔방울은 ______ 개입니다.

실력을 평가해 봐요!

____월 ____일 ____요일

1. 계산 과정을 그림으로 그리고 식과 답을 써 보세요.

2×7

식 : ______________________

정답 : ______________________

5×4

식 : ______________________

정답 : ______________________

2. 덧셈식을 곱셈식으로 나타내고 계산해 보세요.

2 + 2 + 2 = ____ × ____ = ____

1 + 1 + 1 + 1 + 1 = ____ × ____ = ____

6 + 6 + 6 = ____ × ____ = ____

5 + 5 + 5 + 5 + 5 + 5 = ____ × ____ = ____

3 + 3 + 3 + 3 = ____ × ____ = ____

4 + 4 + 4 + 4 = ____ × ____ = ____

3. 계산해 보세요.

2 × 2 = ______

5 × 2 = ______

2 × 9 = ______

8 × 5 = ______

5 × 3 = ______

4 × 10 = ______

8 × 2 + 7 = ______

5 × 7 + 10 = ______

9 × 5 − 8 = ______

4. 빈칸에 알맞은 수를 구해 보세요.

____ × 2 = 6

____ × 2 = 12

____ × 2 = 20

____ × 5 = 10

____ × 5 = 25

____ × 5 = 35

____ × 10 = 60

____ × 10 = 20

____ × 10 = 0

5. 계산 과정을 그림으로 그리고 식과 답을 써 보세요.

❶ 칩은 딸기를 2개씩 8번 가져왔어요.
딸기는 모두 몇 개인가요?

식 :

정답 :

❷ 캐시는 씨앗을 4개씩 5번 가져왔어요.
씨앗은 모두 몇 개인가요?

식 :

정답 :

6. □ 안에 >, =, <를 알맞게 써넣어 보세요.

4 × 2 □ 6

2 × 8 □ 15

5 × 4 □ 20

6 × 5 □ 35

10 × 3 □ 31

7 × 1 □ 0

7. □ 안에 +, −, ×를 알맞게 써넣어 보세요.

30 □ 6 = 24

6 □ 5 = 30

24 □ 6 = 30

10 □ 3 = 30

35 □ 6 = 29

7 □ 17 = 24

실력이 자란 만큼 별을 색칠하세요.

★★★ 정말 잘했어요.

★★☆ 꽤 잘했어요.

★☆☆ 계속 노력할게요.

단원 평가

1

규칙에 따라 빈칸에 알맞은 수를 써넣어 보세요.

0	2	4								
50	45	40								

2

1	2	3	4	5	6	7	8	9	10
11	12	13	14	15	16	17	18	19	20
21	22	23	24	25	26	27	28	29	30
31	32	33	34	35	36	37	38	39	40
41	42	43	44	45	46	47	48	49	50
51	52	53	54	55	56	57	58	59	60
61	62	63	64	65	66	67	68	69	70
71	72	73	74	75	76	77	78	79	80
81	82	83	84	85	86	87	88	89	90
91	92	93	94	95	96	97	98	99	100

- 위 표에서 2씩 뛰어 세기 한 수에 ○표 해 보세요.
- 위 표에서 5씩 뛰어 세기 한 수에 X표 해 보세요.
- 위 표에서 10씩 뛰어 세기 한 수에 ■표 해 보세요.

3

계산해 보세요.

5 × 7 = ______

2 × 5 = ______

2 × 3 = ______

2 × 8 = ______

5 × 6 = ______

5 × 9 = ______

4

그림이 들어간 식을 보고 그림의 값을 구해 보세요.

+ + = 12

+ + + = 40

+ + + + = 45

+ + + + = 55

= ________

= ________

= ________

= ________

5

4개의 외투와 3개의 바지로 입을 수 있는 옷차림이 모두 몇 가지인지 구해 보세요.

정답: ________________ 가지

도전! 심화 평가

____ 월 ____ 일 ____ 요일

1. 그림이 들어간 식을 보고 그림의 값을 구해 보세요.

 ×  = 25

 ×  = 36

 ×  = 16

 × = 100

 = ______

 = ______

 = ______

 = ______

 ×  = 18

 × = 45

 = ______

 = ______

 = ______

 ×  = 30

 −  = 1

 = ______

 = ______

 ×  = 

 ×  = 40

  = ______

 = ______

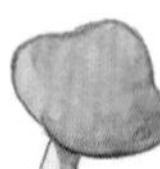 = ______

아하!
그렇구나!

2. □ 안에 알맞은 수를 넣어 곱셈 계단을 완성해 보세요.

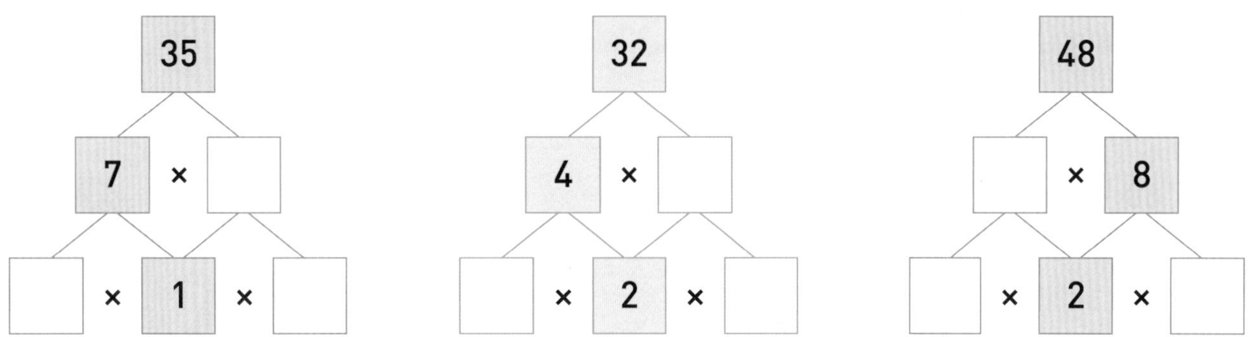

3. 로봇의 작동 원리를 알아낸 후, 알맞은 수를 구해 보세요.

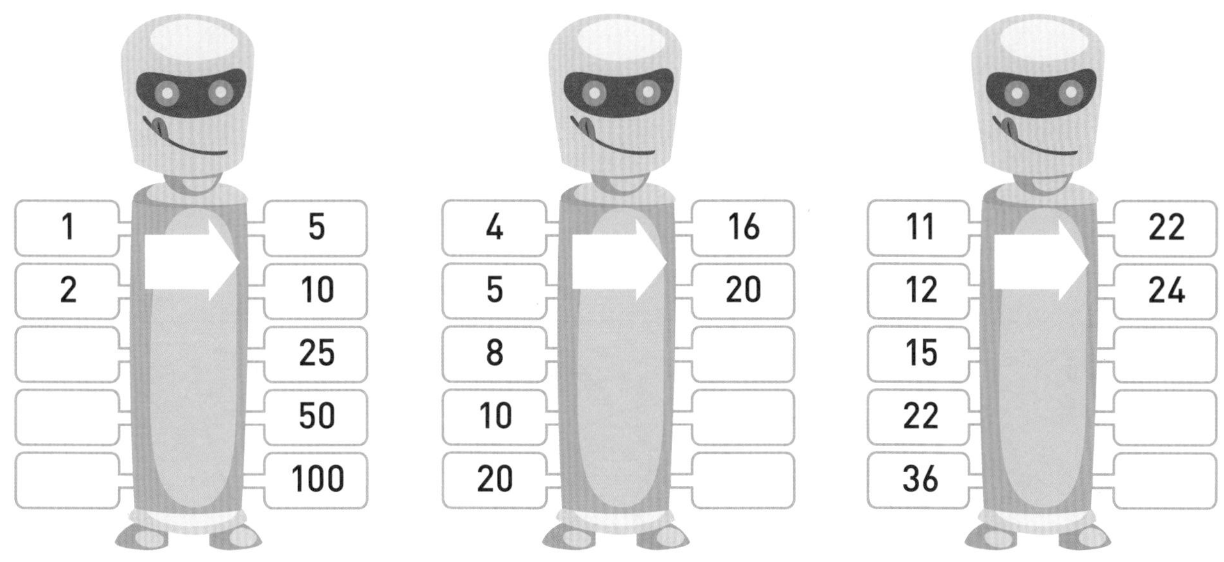

4. 주어진 수를 이용하여 곱셈식이 나오는 상황을 이야기로 쓰고, 식과 답을 구해 보세요.

① 2와 34

정답 :

② 5와 60

정답 :

5. 계산한 후 정답에 해당하는 알파벳을 찾아 써 보세요.

7 × 2 + 8 = ______ ☐

7 × 5 + 5 = ______ ☐

60 − 6 = ______ ☐

9 × 2 + 5 = ______ ☐

36 + 6 = ______ ☐

9 × 5 + 9 = ______ ☐

8 × 2 + 4 = ______ ☐

22	40	54	23	42	20
C	A	R	T	I	E

6. 조건에 맞게 색칠해 보세요.

12 < ● < 23　　24 < ● < 51　　66 < ● < 81

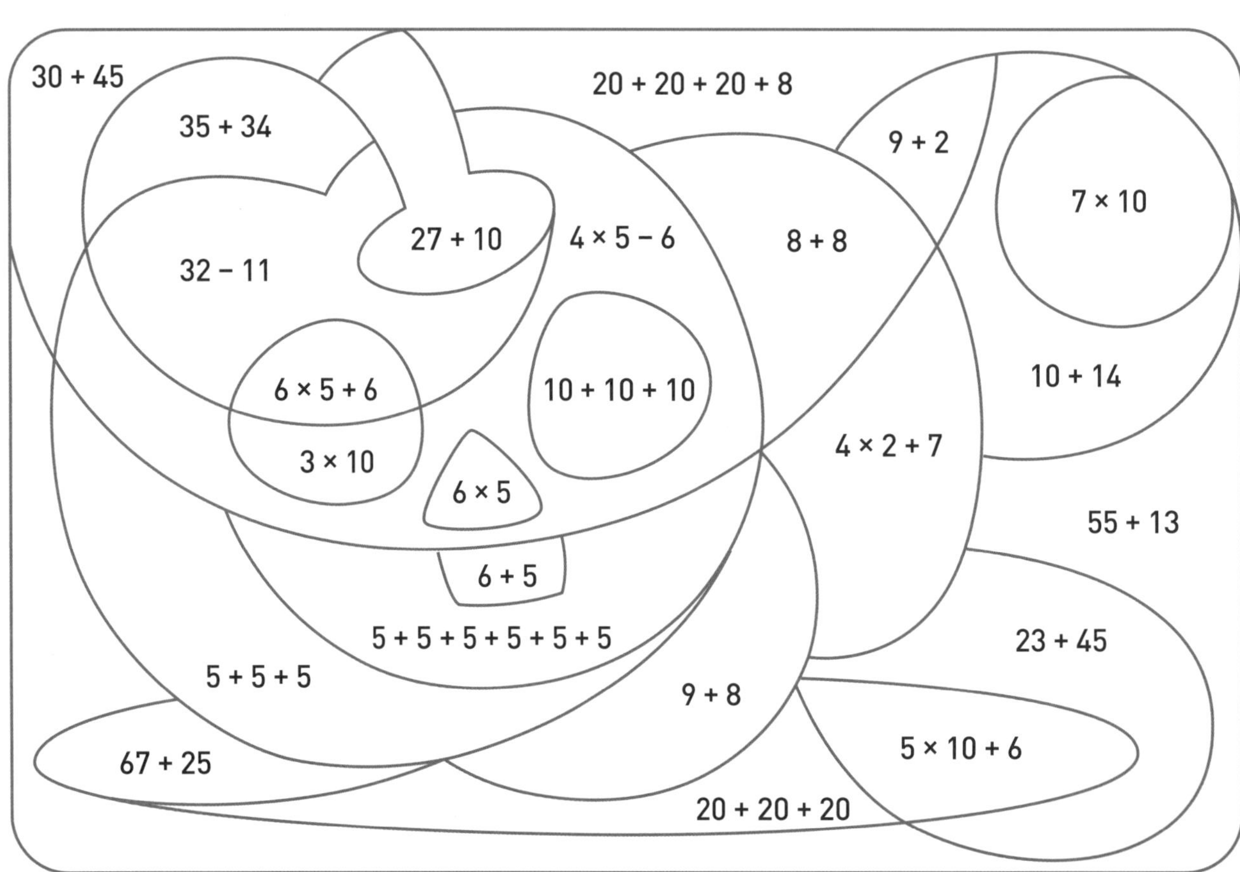

7. 주어진 모양을 똑같은 모양으로 4등분해서 색칠해 보세요. 각각 다른 색으로 칠해 보세요.

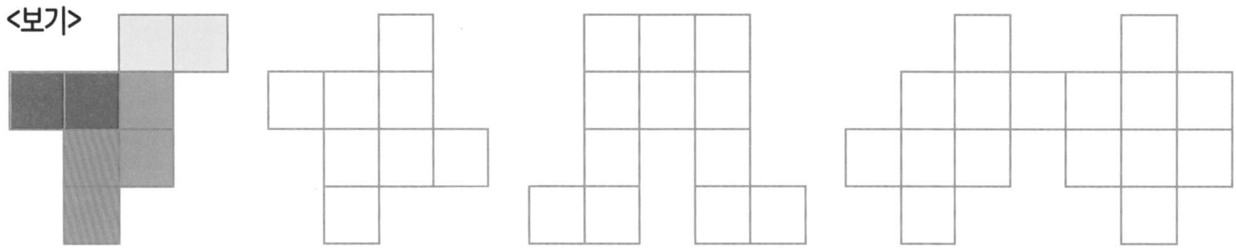

8. 돈을 똑같이 나누려고 해요. 각각의 어린이가 받게 될 돈은 얼마인가요?

총액
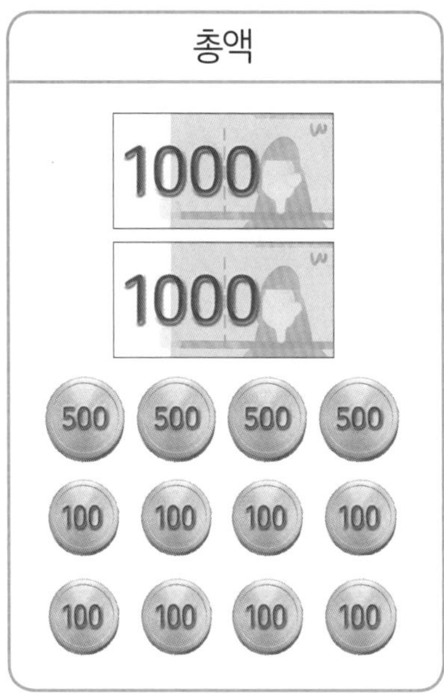

어린이의 수	1인당 받게 될 돈

9. 똑같은 수로 수 가르기를 해 보세요.

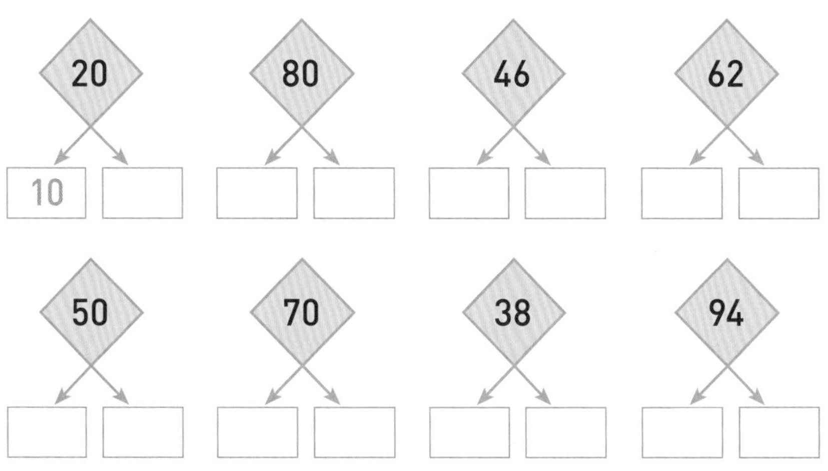

8 똑같이 나누기

알렉과 엠마는 전등을 3그룹으로 똑같이 나누려 해요. 한 그룹당 전등은 몇 개인가요?

전등의 수 : 6

한 그룹당 전등의 수 : 2

1. 전등을 똑같이 2그룹으로 나누려 해요.

전등의 수 : ________

한 그룹당 전등의 수 : ________

전등의 수 : ________

한 그룹당 전등의 수 : ________

2. 전등을 똑같이 4그룹으로 나누려 해요.

전등의 수 : ________

한 그룹당 전등의 수 : ________

전등의 수 : ________

한 그룹당 전등의 수 : ________

3. 전등을 똑같이 5그룹으로 나누려 해요.

전등의 수 : ________

한 그룹당 전등의 수 : ________

전등의 수 : ________

한 그룹당 전등의 수 : ________

4. 그림을 그려 정답을 구해 보세요.

❶ 알렉, 엠마, 니나는 6개의 사탕을 똑같이 나누려 해요. 한 사람당 받을 수 있는 사탕은 몇 개인가요?

정답: ______________________

❷ 알렉, 엠마, 니나는 18개의 사탕을 똑같이 나누려 해요. 한 사람당 받을 수 있는 사탕은 몇 개인가요?

정답: ______________________

❸ 알렉, 엠마, 조니, 니나는 16개의 사탕을 똑같이 나누려 해요. 한 사람당 받을 수 있는 사탕은 몇 개인가요?

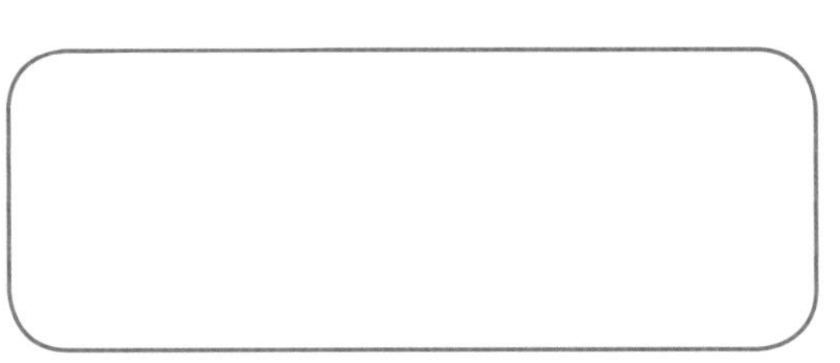

정답: ______________________

❹ 알렉, 엠마, 조니, 니나는 20개의 사탕을 똑같이 나누려 해요. 한 사람당 받을 수 있는 사탕은 몇 개인가요?

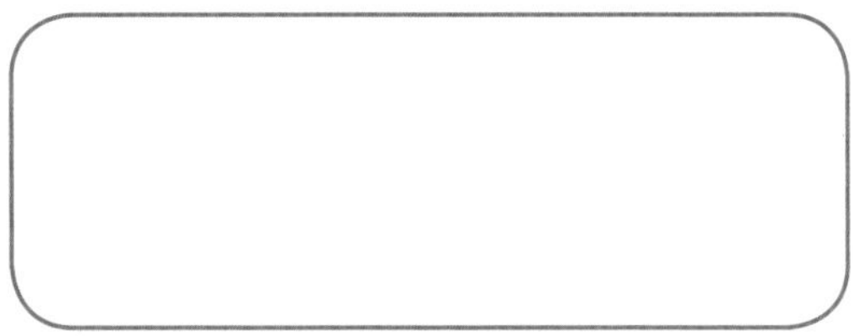

정답: ______________________

한 번 더 연습해요!

1. 그림을 그려 정답을 구해 보세요.

알렉, 엠마, 니나는 12개의 사탕을 똑같이 나누려 해요. 한 사람당 받을 수 있는 사탕은 몇 개인가요?

정답: ______________________

2. 계산해 보세요.

______ × 2 = 2

______ × 2 = 10

______ × 2 = 14

______ × 2 = 12

______ × 2 = 16

5. 사과를 바구니에 똑같이 나누어 담고 표를 완성해 보세요.

사과의 수	바구니의 수	바구니당 담긴 사과의 수

사과의 수	바구니의 수	바구니당 담긴 사과의 수

사과의 수	바구니의 수	바구니당 담긴 사과의 수

사과의 수	바구니의 수	바구니당 담긴 사과의 수

사과의 수	바구니의 수	바구니당 담긴 사과의 수

사과의 수	바구니의 수	바구니당 담긴 사과의 수

6. 2개의 선을 그어 나뉜 부분의 수의 합을 같게 만들어 보세요.

6

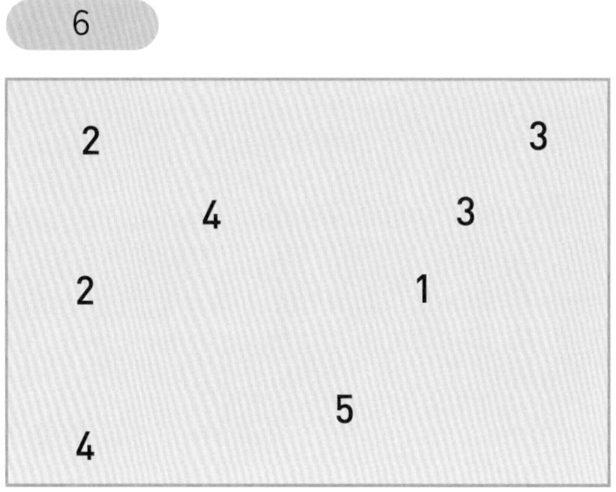

7

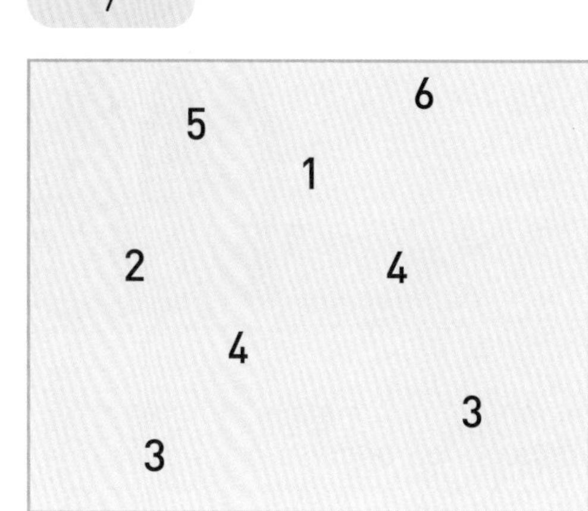

7. 3개의 선을 그어 1마리의 다람쥐와 1개의 열매가 들어가게 만들어 보세요.

9 몫

전체 어린이의 수	그룹당 어린이의 수	그룹의 수
12	3	4

1. 어린이의 수를 그룹으로 나누어 표를 완성해 보세요.

전체 어린이의 수	그룹당 어린이의 수	그룹의 수
	2	

전체 어린이의 수	그룹당 어린이의 수	그룹의 수
	3	

전체 어린이의 수	그룹당 어린이의 수	그룹의 수
	5	

2. 설명을 읽고 문제를 풀어 보세요.

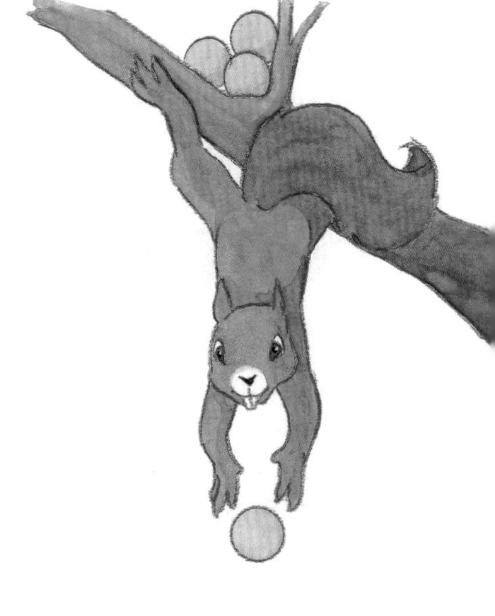

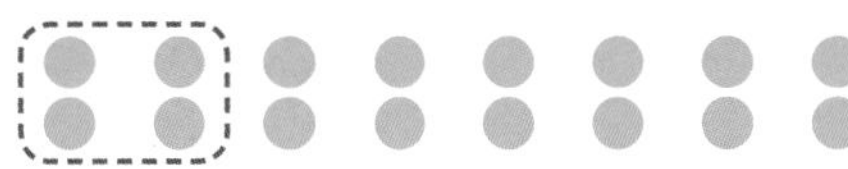

❶ 공이 16개 있어요. 가방 하나에 공을 4개씩 담을 수 있다면 가방이 몇 개 필요한가요?

정답 : ______________________

❷ 공이 16개 있어요. 가방 하나에 공을 8개씩 담을 수 있다면 가방이 몇 개 필요한가요?

정답 : ______________________

❸ 공이 16개 있어요. 가방 하나에 공을 2개씩 담을 수 있다면 가방이 몇 개 필요한가요?

정답 : ______________________

한 번 더 연습해요!

1. 그림을 이용해서 문제를 풀어 보세요.

❶ 초가 20개 있어요. 탁자에 초를 4개씩 올려 둔다면 탁자가 몇 개 필요한가요?

정답 : ______________________

❷ 초가 20개 있어요. 탁자에 초를 2개씩 올려 둔다면 탁자가 몇 개 필요한가요?

정답 : ______________________

2. 계산해 보세요.

6 × 5 = ______

3 × 2 = ______

0 × 2 = ______

1 × 5 = ______

4 × 2 = ______

3 × 5 = ______

7 × 5 = ______

3. 설명을 읽고 문제를 풀어 보세요.

차 1대당 타이어가 4개씩 필요해요. 타이어 개수를 확인하고
몇 대의 차를 만들 수 있는지 알아보세요.

타이어의 수 ________개
만들 수 있는 차는 ________ 대입니다.

타이어의 수 ________개
만들 수 있는 차는 ________ 대입니다.

타이어의 수 ________개
만들 수 있는 차는 ________ 대입니다.

타이어의 수 ________개
만들 수 있는 차는 ________ 대입니다.

4. 조건에 맞게 색칠해 보세요.

❶ 2단을 색칠해 보세요.

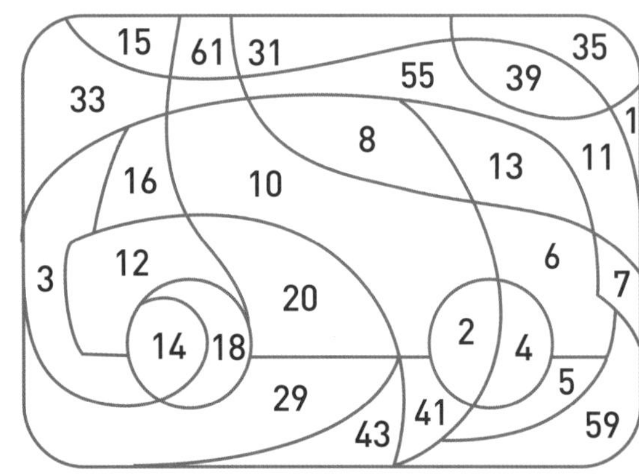

❷ 5단을 색칠해 보세요.

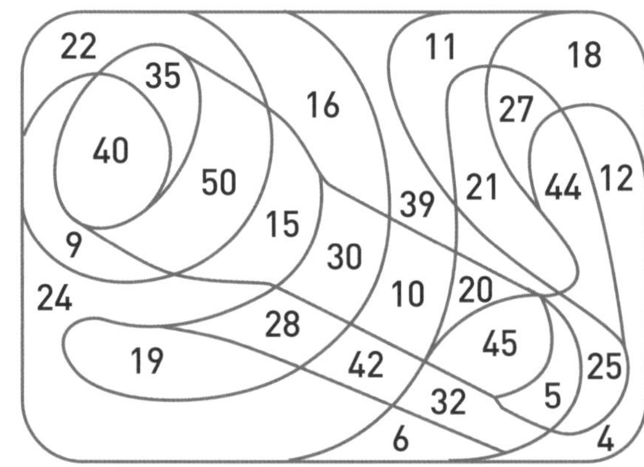

5. 주어진 쿠폰으로 물건을 몇 개 살 수 있나요?

12쿠폰

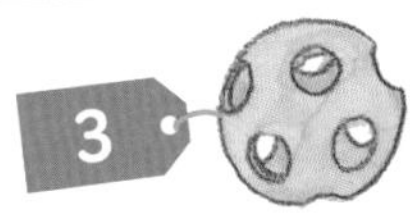

______ 개 ______ 개 ______ 개 ______ 개

18쿠폰

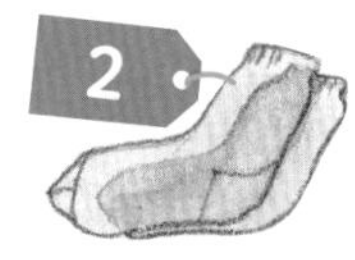

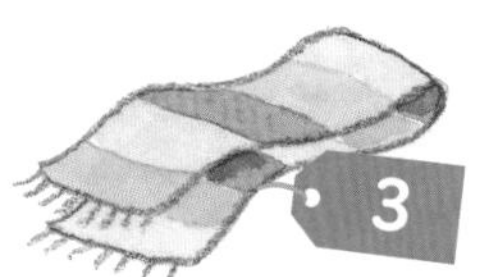

______ 개 ______ 개 ______ 개 ______ 개

24쿠폰

______ 개 ______ 개 ______ 개 ______ 개

놀이 수학

블록 나누기

인원 : 2명 준비물 : 블록 30개

놀이 방법

1. 탁자 위에 블록 30개를 올려놓으세요.
2. 가위바위보를 해서 이긴 사람이 블록을 가져오고 싶은 만큼 가져오세요.
3. 다음 사람이 남은 블록을 가지고 아래 예시처럼 그룹당 블록의 수를 원하는 수로 정해 블록을 나눈 뒤, 표를 완성하세요.
4. 순서를 바꿔 같은 방법으로 놀이를 이어 가세요.

	블록의 수	그룹당 블록의 수	그룹의 수	남은 수
예시	11	2	5	1
1회				
2회				
3회				
4회				

6. 똑같은 크기로 2개로 나눈 뒤, 한 개만 색칠해 보세요.

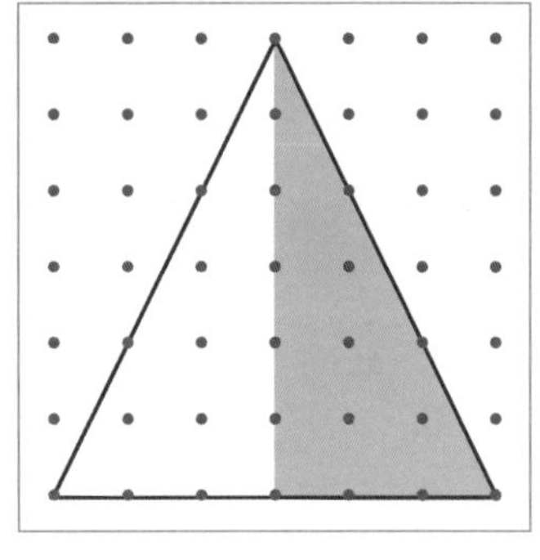
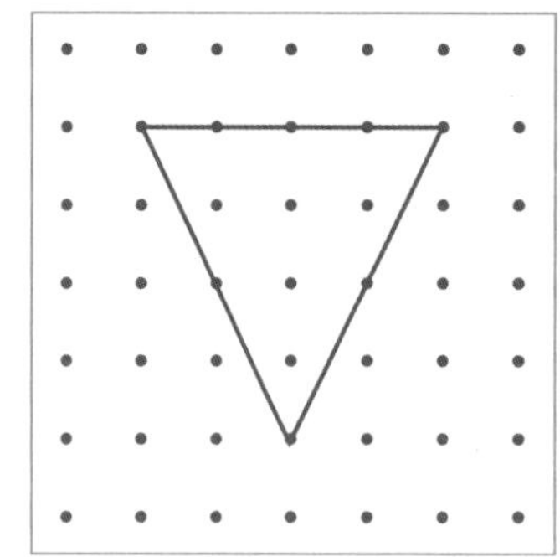
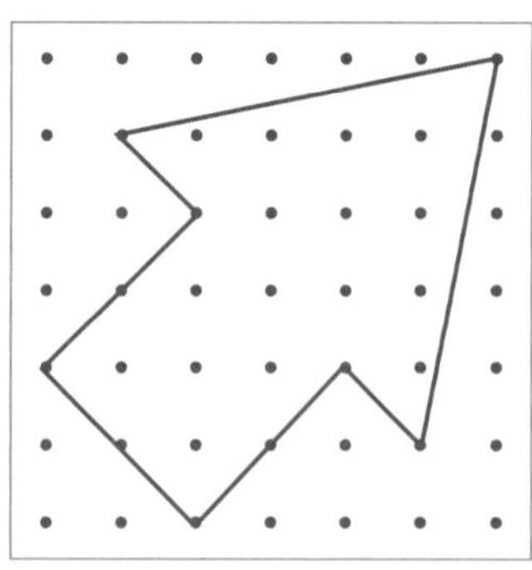
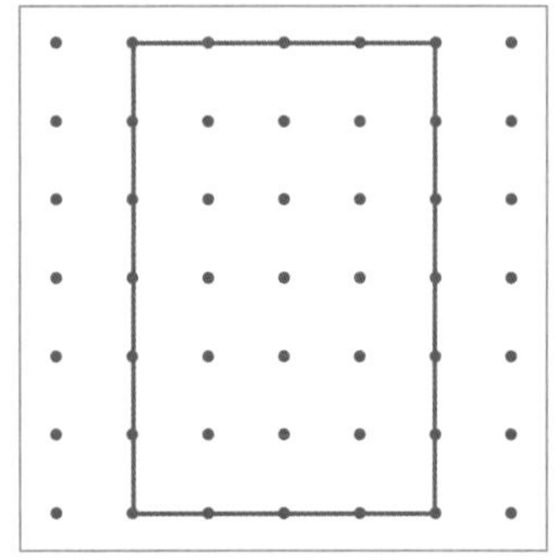
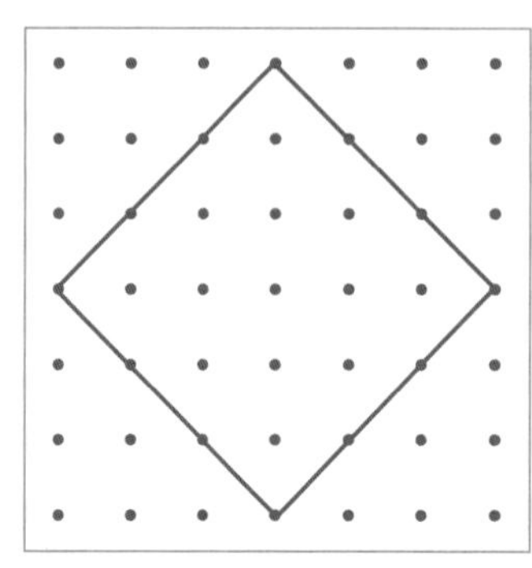
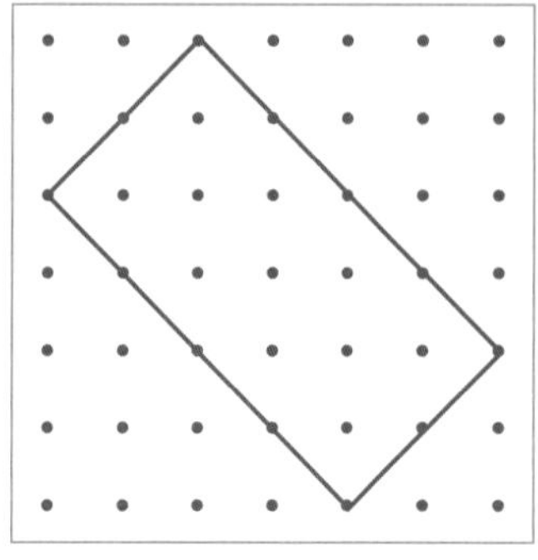
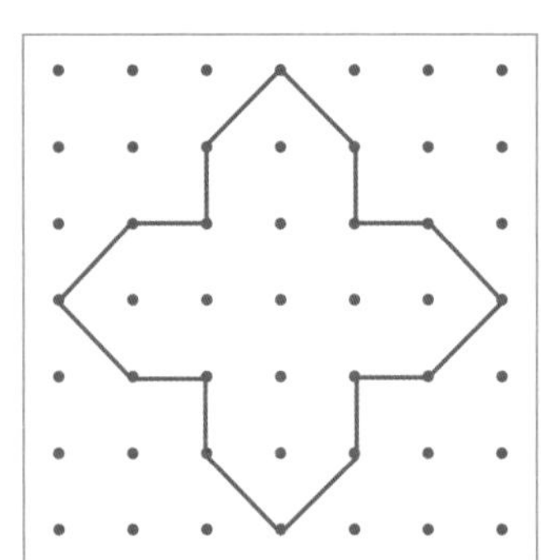
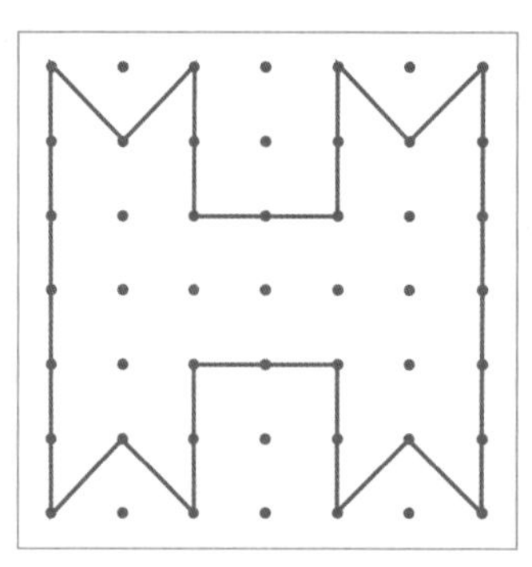
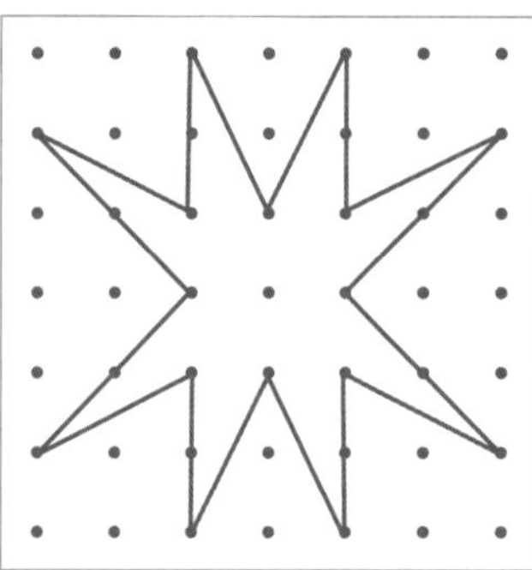

7. 똑같은 크기로 4개로 나눈 뒤, 한 개만 색칠해 보세요.

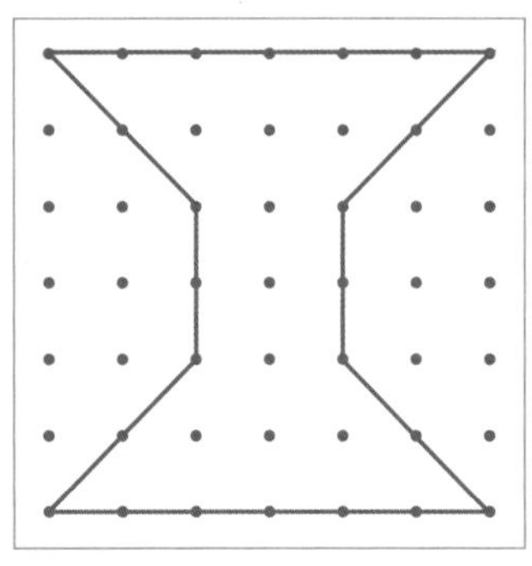
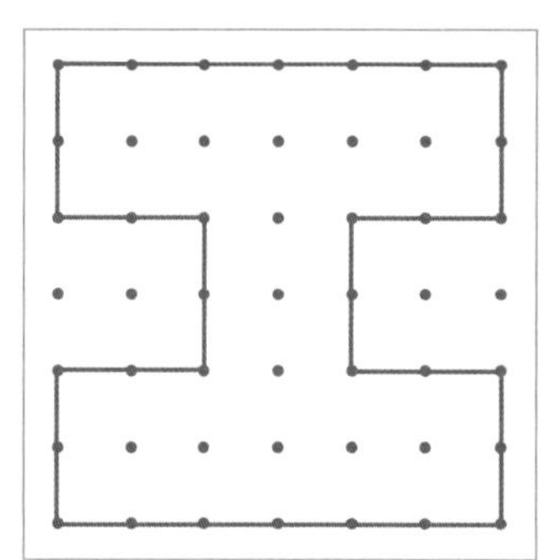
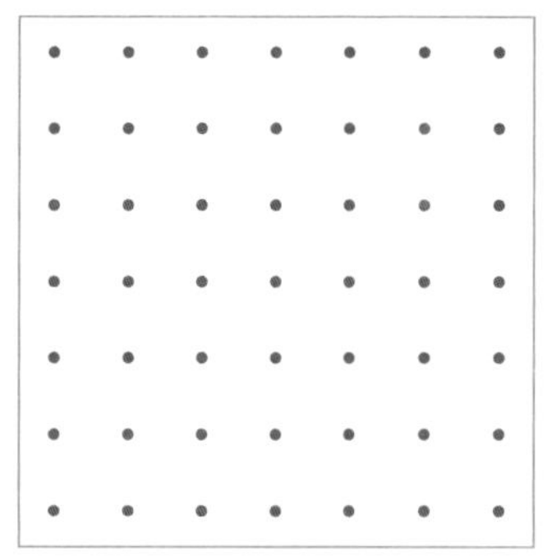

스스로 문제를 만들어 풀어 보세요.

8. 정답을 쓴 후, 애벌레에서 답을 찾아 ◯표 하세요.

❶ 피자를 4등분으로 자르고, 그 피자의 반을 먹었어요.
몇 조각이 남았나요?

정답 : ____________________

❷ 피자를 6등분으로 자르고, 그 피자의 반을 먹었어요.
몇 조각이 남았나요?

정답 : ____________________

❸ 피자를 10등분으로 자르고, 그 피자의 반을 먹었어요.
몇 조각이 남았나요?

정답 : ____________________

❹ 피자를 12등분으로 자르고, 그 피자의 반의 반을 먹었어요.
몇 조각이 남았나요?

정답 : ____________________

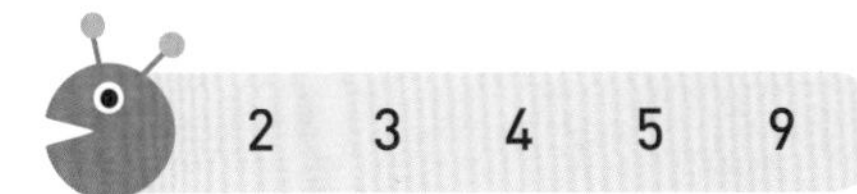

9. 설명을 읽고 케이크의 주인을 알아맞혀 보세요.

- 조엘 케이크의 한 조각을 가져가면 남은 부분은 절반보다 커요.
- 제이드의 케이크 조각은 크기가 같지 않아요.
- 메이 케이크의 반을 가져가면 남은 조각 수는 월터의 케이크 조각 수와 같아요.
- 비비안의 케이크 한 조각을 가져가면 케이크의 반이 남아요.

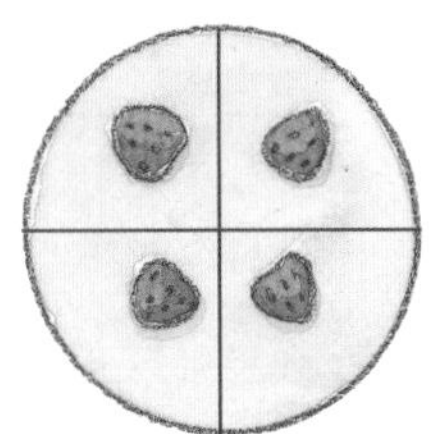 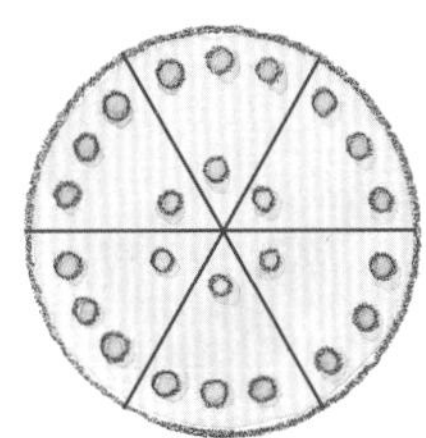 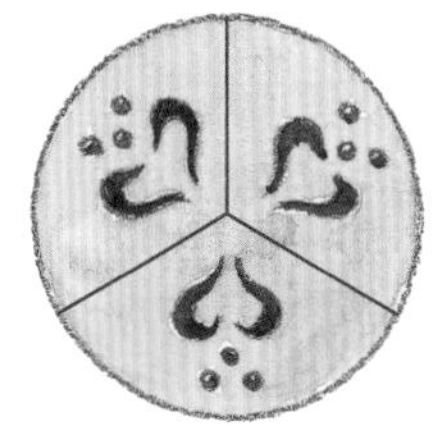 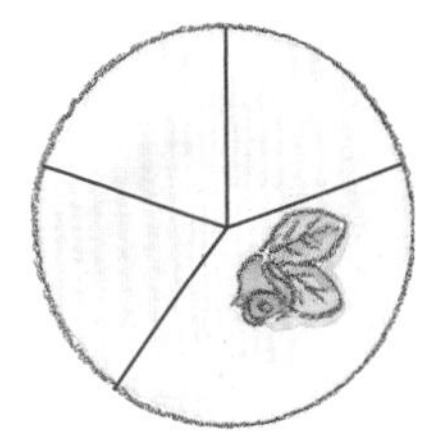 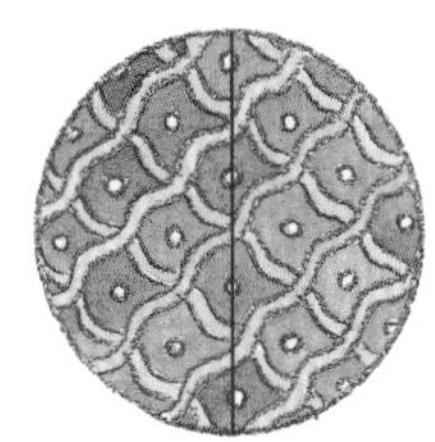

__________ __________ __________ __________ __________

___월 ___일 ___요일

10 전체를 부분으로 나누기

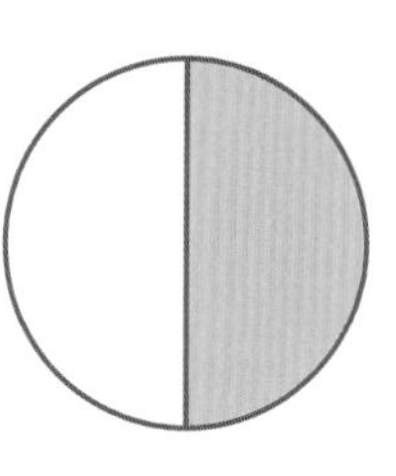

전체를 2등분했어요.
$\frac{1}{2}$을 색칠했어요.

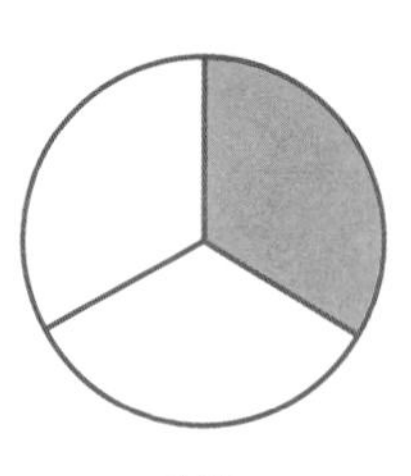

전체를 3등분했어요.
$\frac{1}{3}$을 색칠했어요.

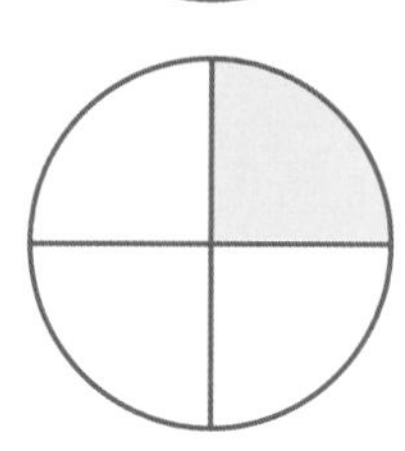

전체를 4등분했어요.
$\frac{1}{4}$을 색칠했어요.

1. 색칠해 보세요.

$\frac{1}{2}$

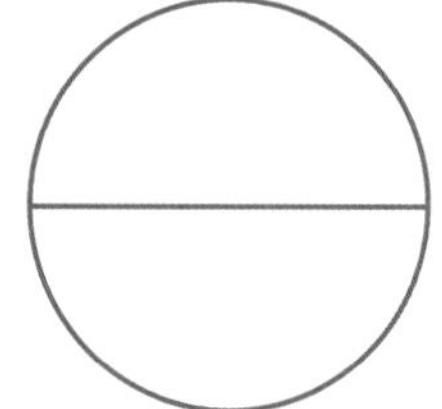

$\frac{1}{3}$

 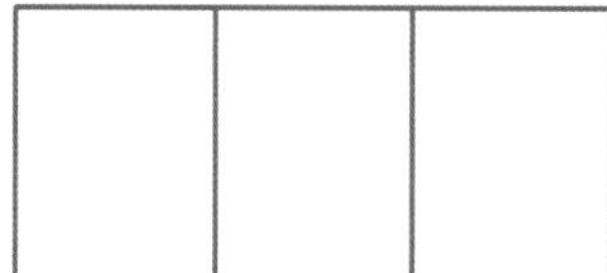 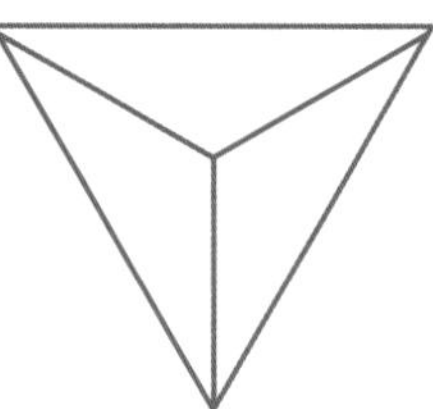

$\frac{1}{4}$

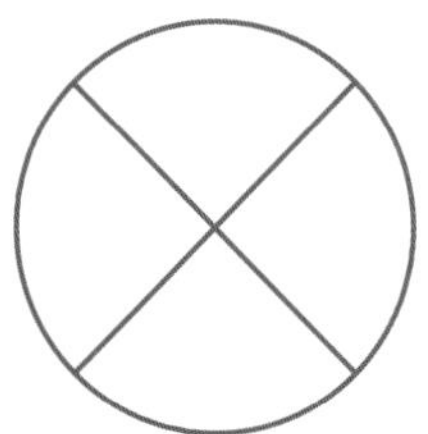 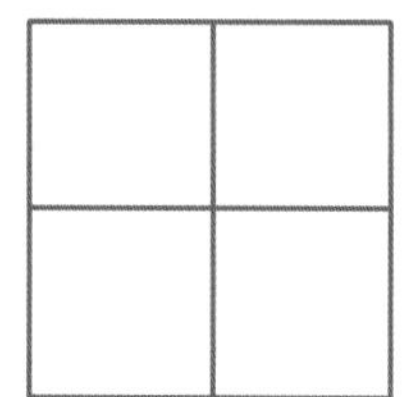 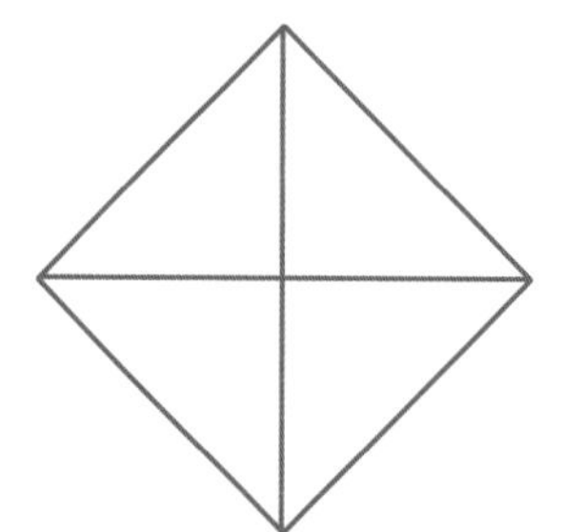 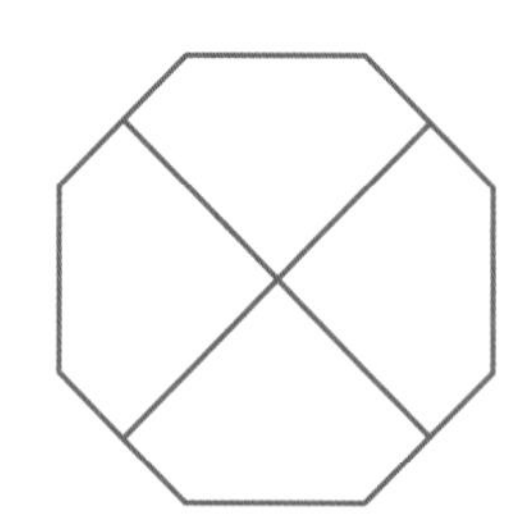

2. 전체를 똑같이 나누었어요. 색칠한 부분을 분수의 값으로 나타내 보세요.

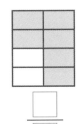

색칠한 부분

분수의 값

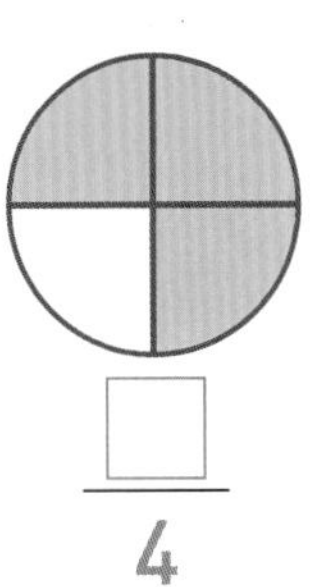

4

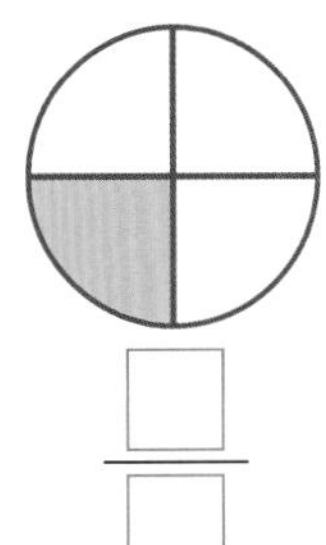

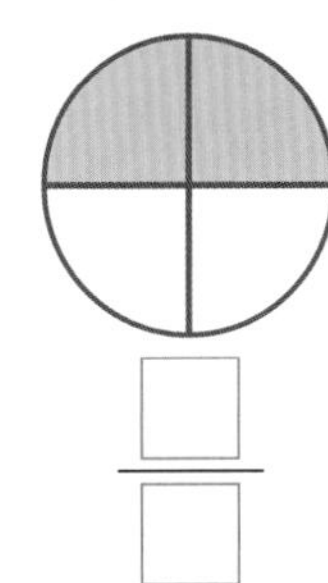

색칠한 부분

분수의 값

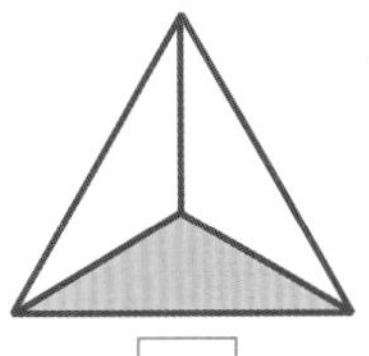

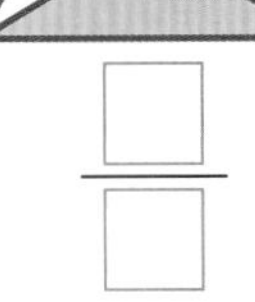

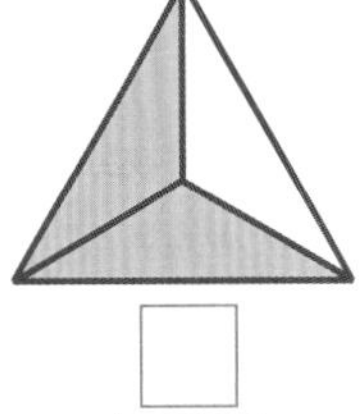

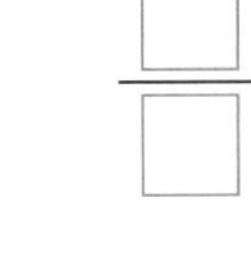

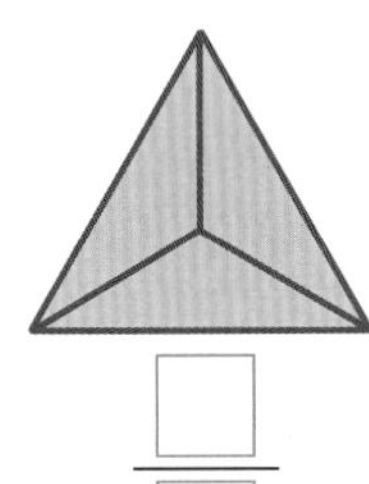

색칠한 부분

분수의 값

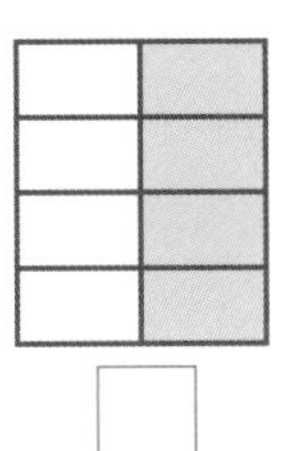

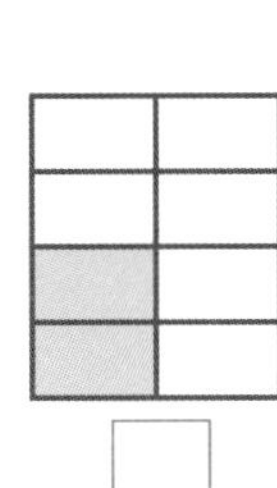

한 번 더 연습해요!

1. 분수의 값을 색칠해 보세요.

$\frac{2}{3}$

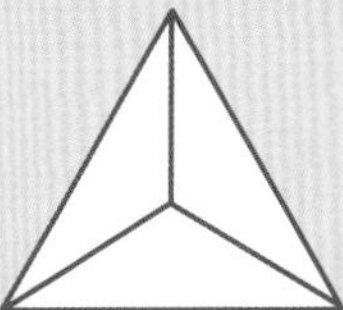

$\frac{1}{3}$

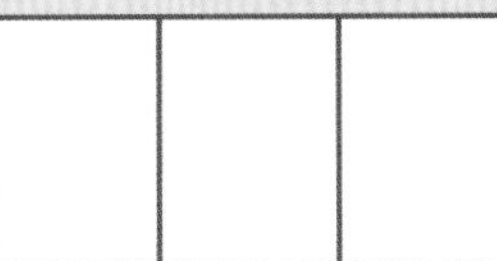

$\frac{1}{4}$

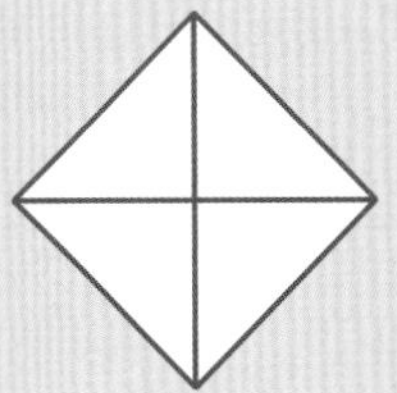

$\frac{3}{4}$

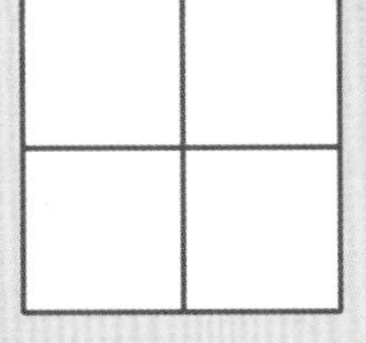

2. 계산해 보세요.

______ × 2 = 4

______ × 9 = 45

______ × 2 = 16

______ × 5 = 25

______ × 5 = 45

______ × 10 = 80

3. 그림과 분수의 값을 알맞게 이어 보세요.

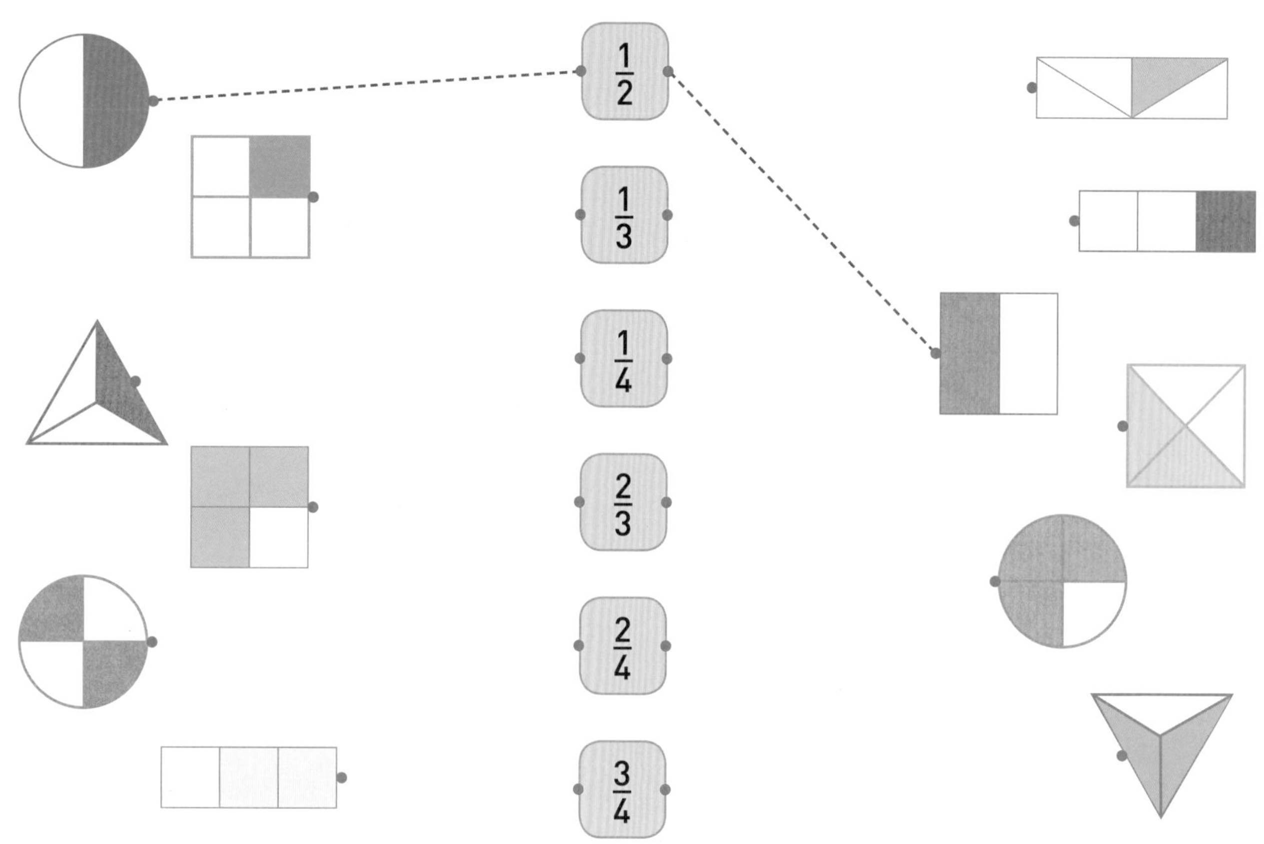

4. 반쪽 모양이 칠해져 있어요. 나머지 모양을 완성하고 색칠해 보세요.

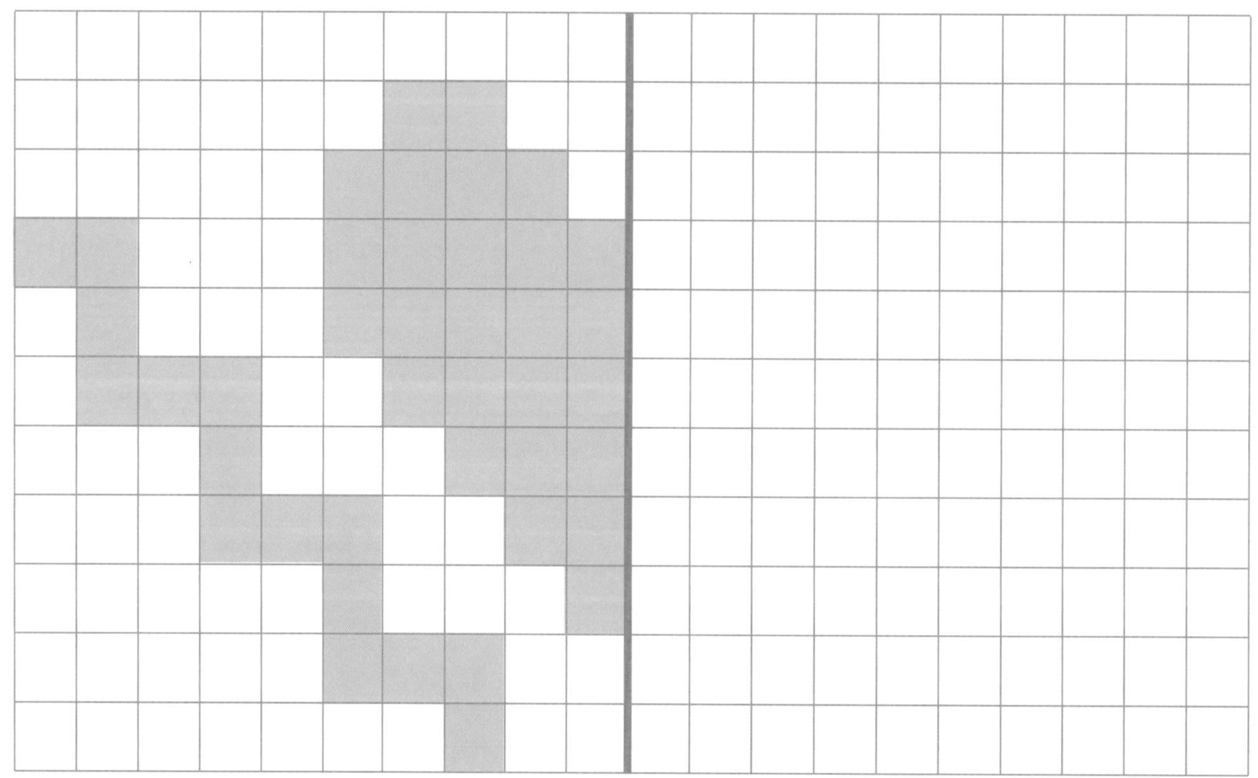

5. 분수의 값만큼 색칠한 후, □ 안에 >, =, <를 알맞게 써넣어 보세요.

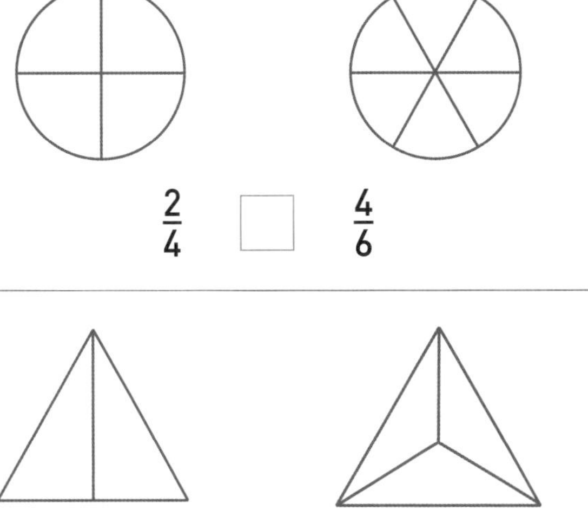

$\frac{2}{4}$ □ $\frac{4}{6}$

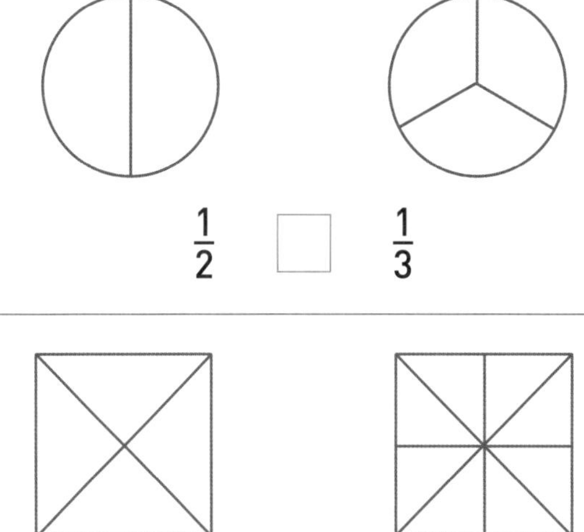

$\frac{1}{2}$ □ $\frac{1}{3}$

$\frac{1}{2}$ □ $\frac{1}{3}$

$\frac{2}{4}$ □ $\frac{2}{8}$

6. 아래 글을 읽고 문제를 풀어 보세요.

❶ 알렉의 초콜릿은 10조각이에요.
그중 $\frac{1}{2}$을 칩에게 주었다면 알렉에게 남은 초콜릿은 몇 조각인가요?

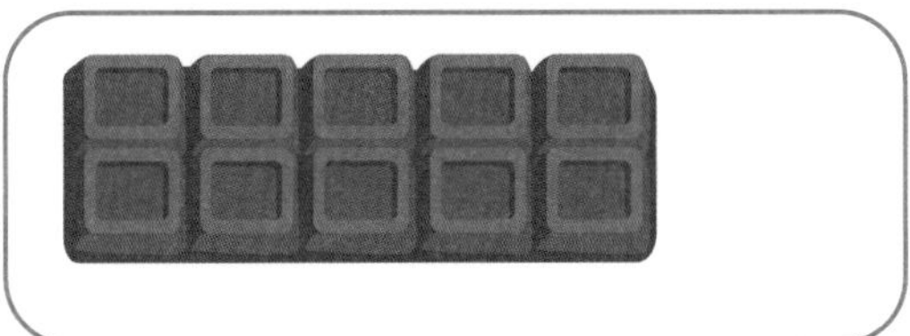

정답 :

❷ 엠마의 초콜릿은 6조각이에요.
그중 $\frac{1}{3}$을 칩에게 주었다면 엠마에게 남은 초콜릿은 몇 조각인가요?

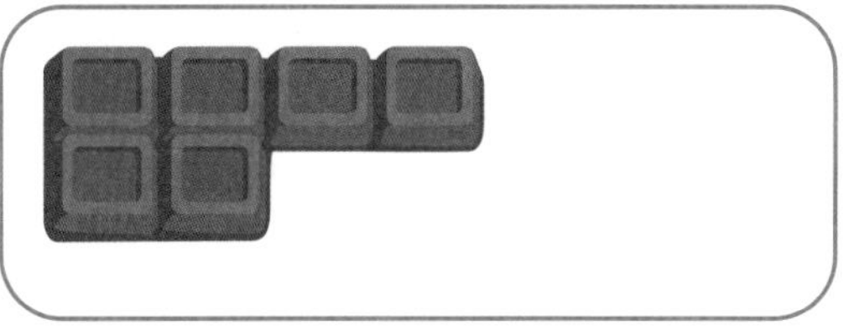

정답 :

❸ 알렉의 초콜릿은 9조각이에요.
그중 $\frac{1}{3}$을 엠마에게 주었다면 알렉에게 남은 초콜릿은 몇 조각인가요?

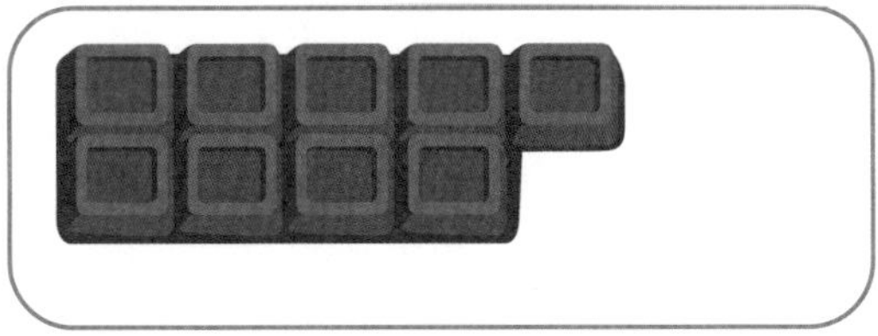

정답 :

❹ 엠마의 초콜릿은 8조각이에요.
그중 $\frac{1}{4}$을 알렉에게 주었어요. 알렉이 받은 초콜릿은 몇 조각인가요?

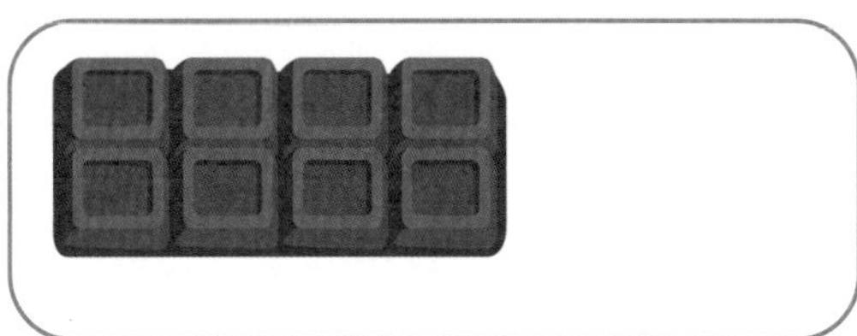

정답 :

7. 쿠키를 2그룹으로 똑같이 나누었어요. 각 그룹당 가져갈 쿠키는 몇 개인가요?

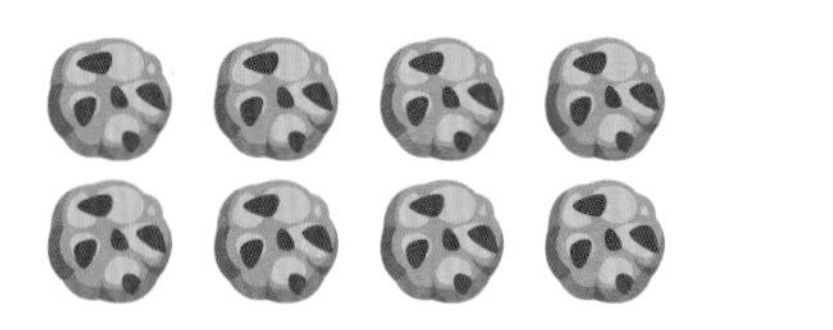

전체 쿠키의 수 : ________

그룹당 가져갈 쿠키의 수 : ________

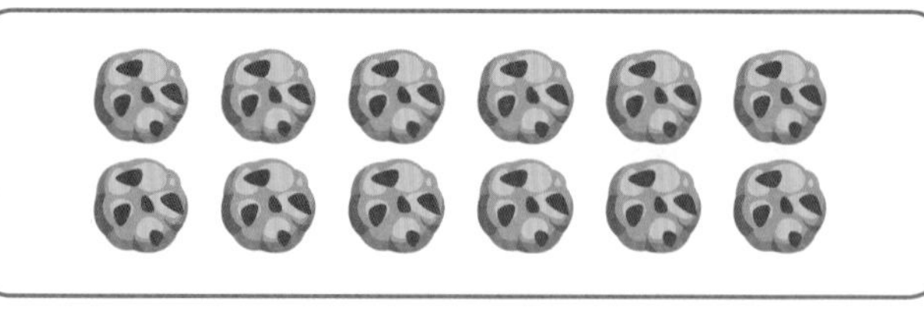

전체 쿠키의 수 : ________

그룹당 가져갈 쿠키의 수 : ________

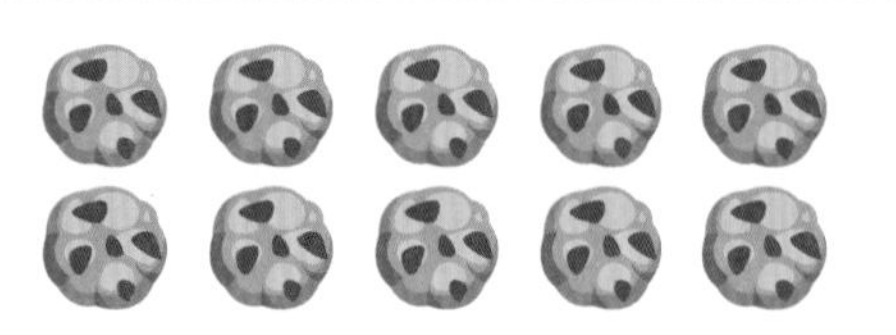

전체 쿠키의 수 : ________

그룹당 가져갈 쿠키의 수 : ________

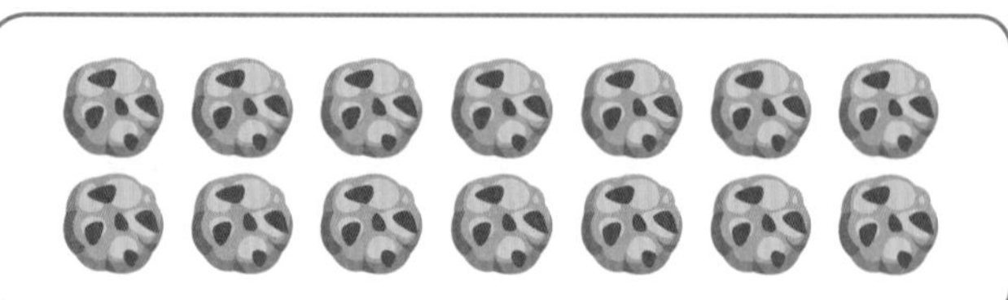

전체 쿠키의 수 : ________

그룹당 가져갈 쿠키의 수 : ________

8. 공을 주어진 조건으로 나눈 후 표를 완성해 보세요.

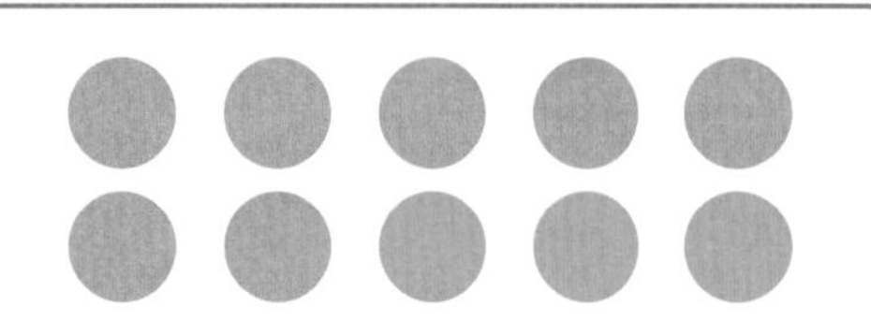

전체 공의 수	그룹당 공의 수	그룹의 수
	2	

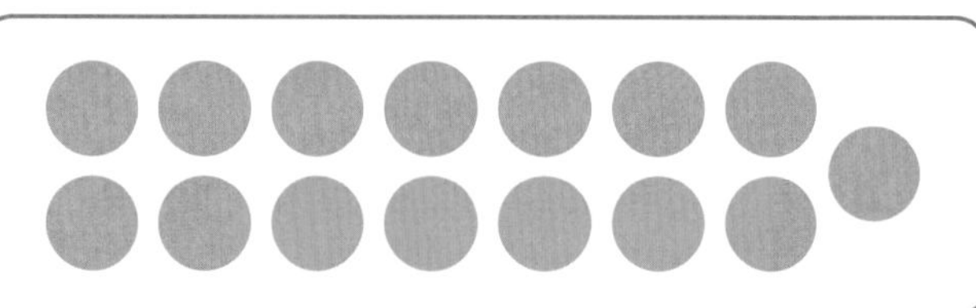

전체 공의 수	그룹당 공의 수	그룹의 수
	5	

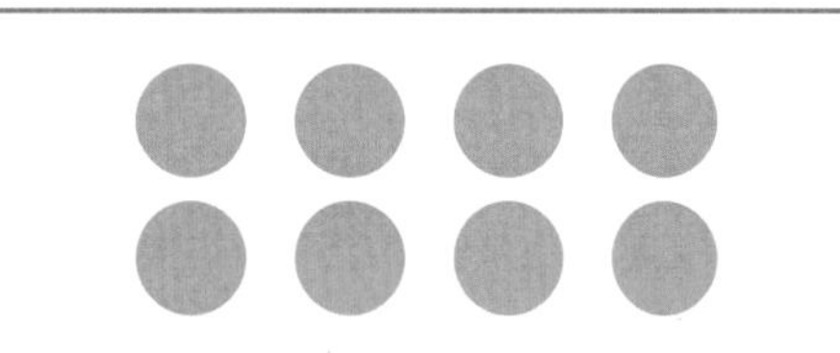

전체 공의 수	그룹당 공의 수	그룹의 수
	4	

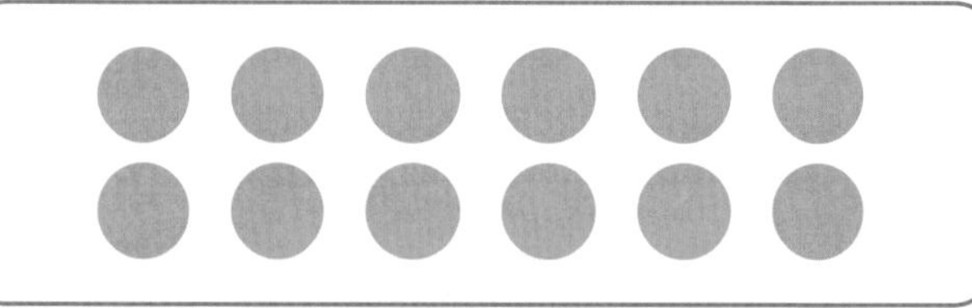

전체 공의 수	그룹당 공의 수	그룹의 수
	3	

9. 분수의 값만큼 색칠해 보세요.

$\frac{1}{4}$

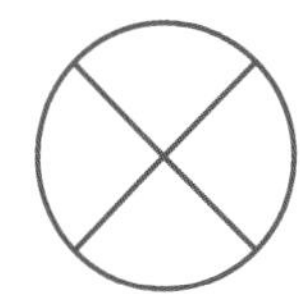 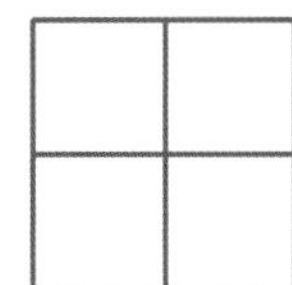 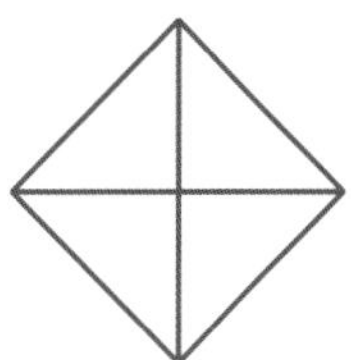 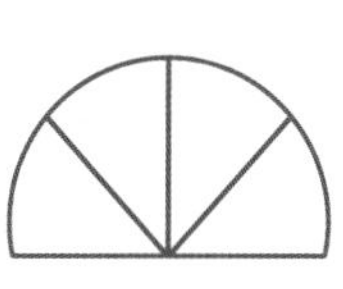

$\frac{2}{3}$

 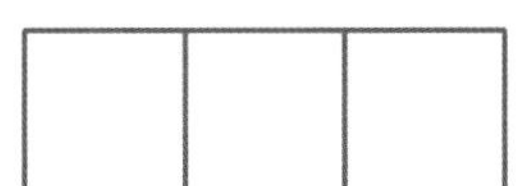 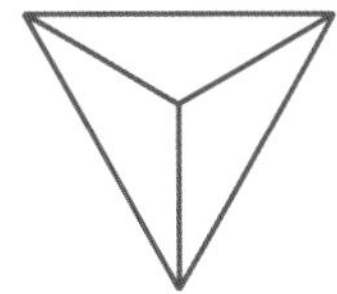 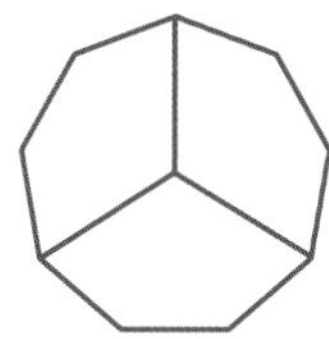

$\frac{1}{2}$

 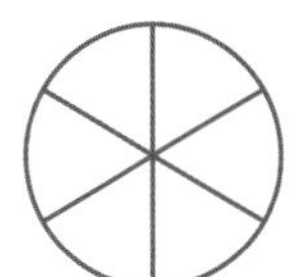 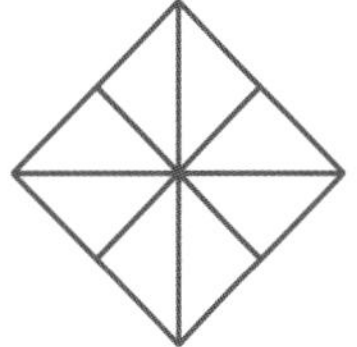 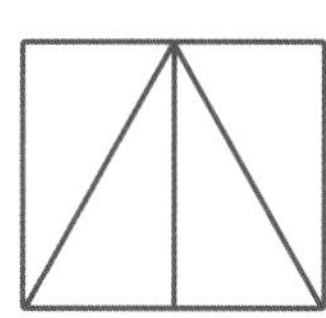

10. 계산해 보세요.

25 + 25 = ______　　36 + 12 = ______　　100 – 20 = ______

75 + 25 = ______　　64 – 32 = ______　　48 – 12 = ______

한 번 더 연습해요!

1. 설명을 읽고 문제를 풀어 보세요.

❶ 접시에 쿠키가 18개 있어요. 알렉과 엠마는 쿠키를 똑같이 나누었어요. 각자 가져간 쿠키는 몇 개인가요?

정답 : ______

❷ 접시에 쿠키가 16개 있어요. 알렉, 엠마, 헨리, 엔은 쿠키를 똑같이 나누었어요. 각자 가져간 쿠키는 몇 개인가요?

정답 : ______

2. 계산해 보세요.

3 × 2 = ______

8 × 2 = ______

3 × 5 = ______

______ × 2 = 12

______ × 5 = 20

______ × 5 = 35

11. ❶ 칩은 촛대에 초를 3개씩 꽂았어요. 촛대가 몇 개 필요한가요?

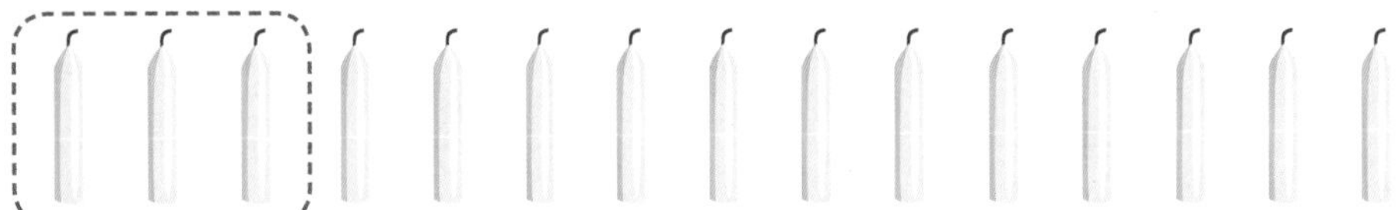

초의 수 : ________

촛대의 수 : ________

❷ 칩은 촛대에 초를 4개씩 꽂았어요. 촛대가 몇 개 필요한가요?

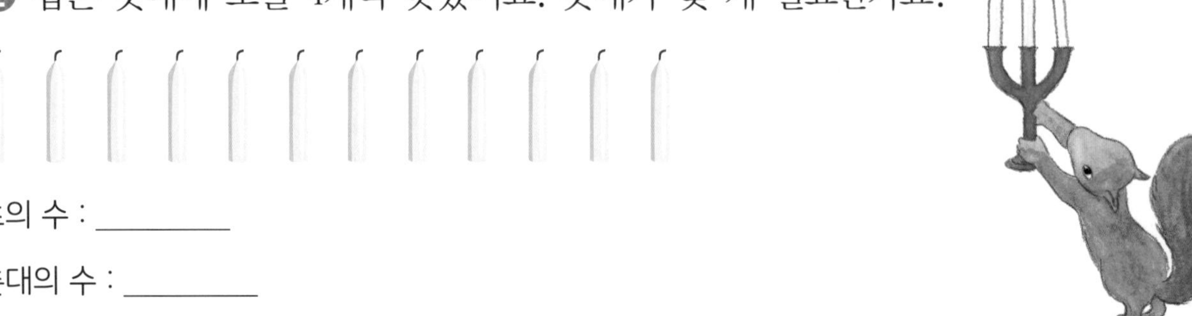

초의 수 : ________

촛대의 수 : ________

12. 빈칸에 알맞은 수를 구해 보세요.

____ × 2 = 4	____ × 5 = 15	10 = 10 × ____
____ × 2 = 16	____ × 5 = 25	60 = 10 × ____
____ × 2 = 20	____ × 5 = 45	100 = 10 × ____

13. 조건에 맞게 색칠해 보세요.

- 2단을 색칠해 보세요.
- 5단을 색칠해 보세요.

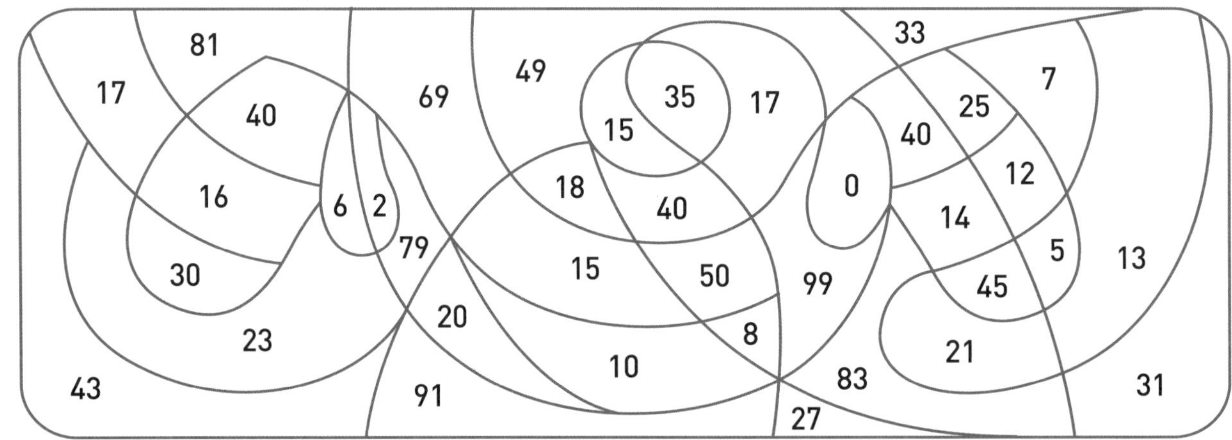

14. □ 안에 >, =, <를 알맞게 써넣어 보세요.

4 × 5	□	20	7 × 2	□	14	2 × 4	□	5 × 1
7 × 5	□	36	8 × 2	□	16	2 × 8	□	3 × 5
9 × 2	□	17	9 × 5	□	42	5 × 5	□	10 × 4

15. 빈칸에 알맞은 수를 구해 보세요.

2 × ____ = 0 + 12	5 × ____ = 8 + 7	2 × ____ = 23 − 7
2 × ____ = 9 + 5	5 × ____ = 14 + 6	5 × ____ = 33 − 8
2 × ____ = 7 + 13	5 × ____ = 42 + 3	5 × ____ = 44 − 9

16. 가방 1개 안에 공이 12개 담겨 있어요. 아래 설명을 읽고 문제를 풀어 보세요.

❶ 공을 친구 3명에게 똑같이 나누어 주었어요. 한 명당 받는 공은 몇 개인가요?

정답 : ______

❷ 공을 친구 4명에게 똑같이 나누어 주었어요. 한 명당 받는 공은 몇 개인가요?

정답 : ______

❸ 2개의 가방에 담긴 공은 모두 몇 개인가요?

정답 : ______

❹ 3개의 가방에 담긴 공은 모두 몇 개인가요?

정답 : ______

❺ 3개의 가방에 담긴 공을 친구 2명에게 똑같이 나누어 주었어요. 한 명당 받는 공은 몇 개인가요?

정답 : ______

❻ 5개의 가방에 담긴 공은 모두 몇 개인가요?

정답 : ______

❼ 5개의 가방에 담긴 공을 친구 4명에게 똑같이 나누어 주었어요. 한 명당 받는 공은 몇 개인가요?

정답 : ______

실력을 평가해 봐요!

____ 월 ____ 일 ____ 요일

1. 쿠키를 3등분한 후 빈칸을 채우세요.

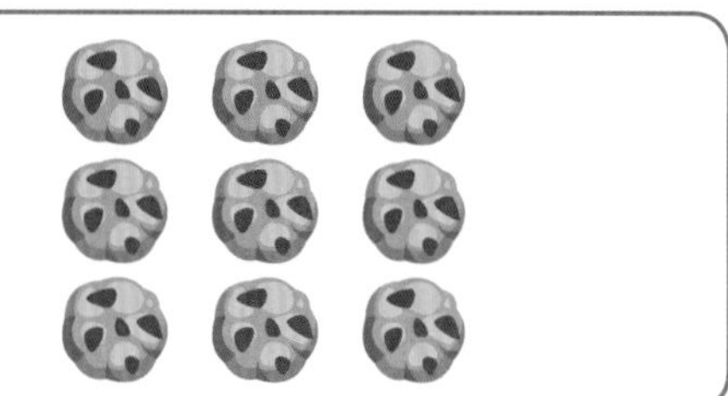

전체 쿠키의 수 : ________

그룹당 쿠키의 수 : ________

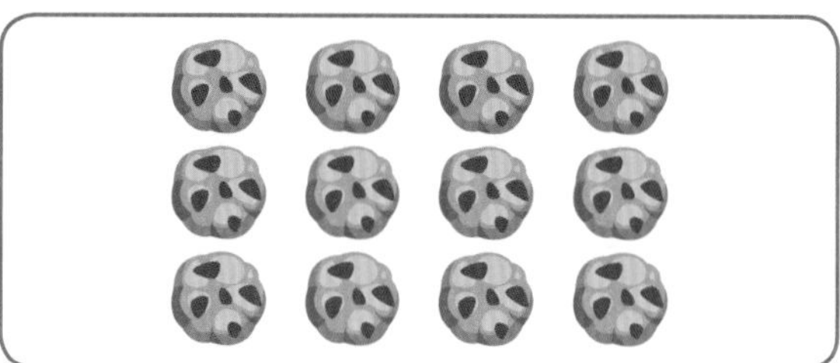

전체 쿠키의 수 : ________

그룹당 쿠키의 수 : ________

2. 쿠키를 아래 제시한 수로 똑같이 나눈 후 표를 완성해 보세요.

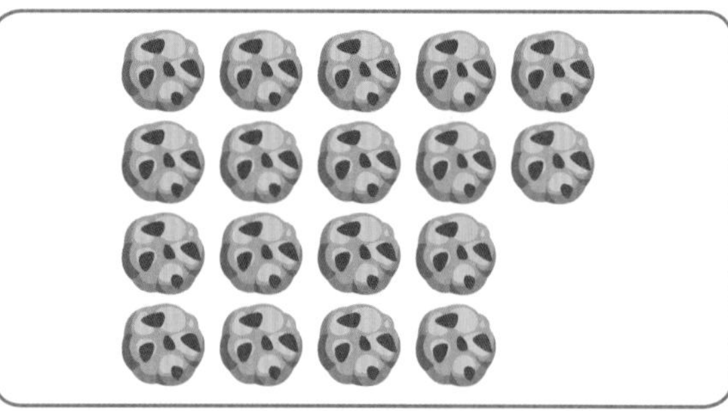

전체 쿠키의 수	그룹당 쿠키의 수	그룹의 수
	6	

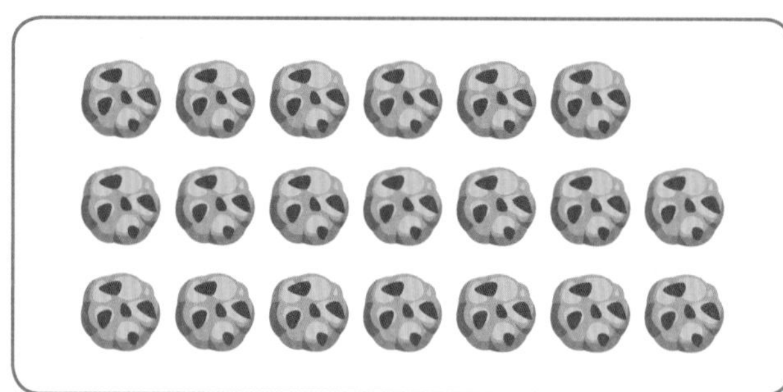

전체 쿠키의 수	그룹당 쿠키의 수	그룹의 수
	5	

3. 전체를 몇 등분하였는지 써 보세요.

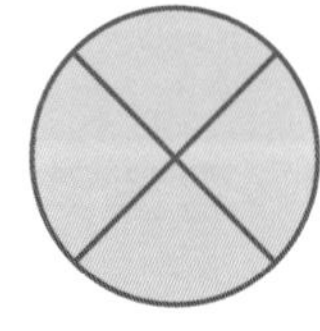

____

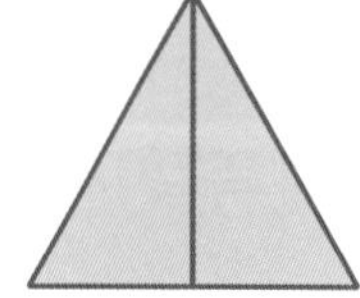

____

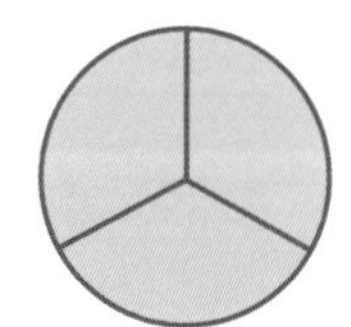

____

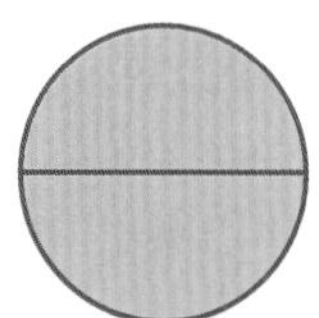

____

____

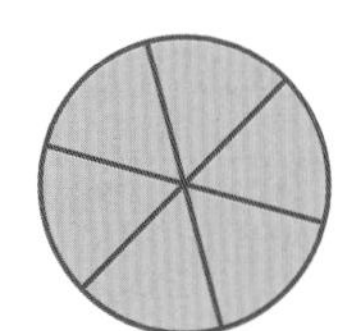

____

4. 전체의 절반을 칠해 보세요.

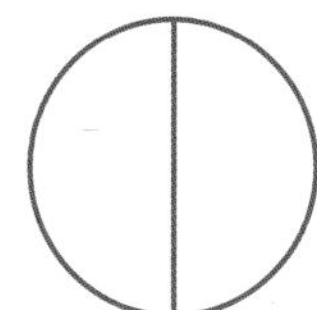 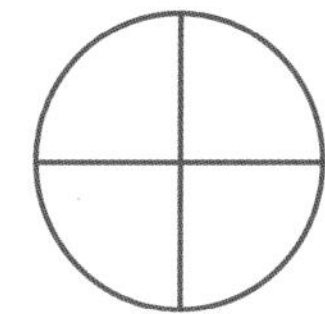 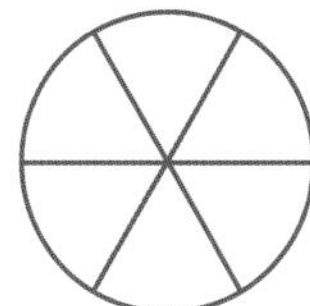 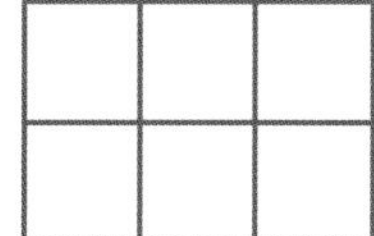 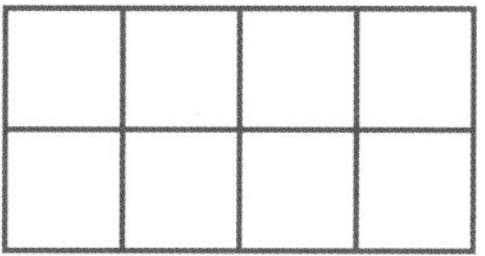

5. 빈칸에 알맞은 수를 구해 보세요.

____ × 2 = 8	____ × 5 = 35	____ × 10 = 50
____ × 2 = 14	____ × 5 = 40	____ × 10 = 70
____ × 2 = 20	____ × 5 = 45	____ × 10 = 100

6. □ 안에 >, =, <를 알맞게 써넣어 보세요.

7 × 2 □ 10 + 4	9 × 2 □ 17	6 × 10 □ 52 + 7
4 × 5 □ 15 + 5	9 × 5 □ 46	9 × 10 □ 80 − 10

7. 엠마와 알렉에게 돈을 똑같이 나누어 주려고 해요.
각각 얼마의 돈을 받게 되나요?

  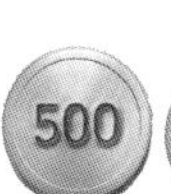  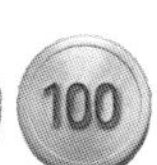

한 사람당 : ____________

한 사람당 : ____________

실력이 자란 만큼 별을 색칠하세요.

 정말 잘했어요.

 꽤 잘했어요.

 계속 노력할게요.

1 장식품의 나머지 절반을 색칠해 보세요.

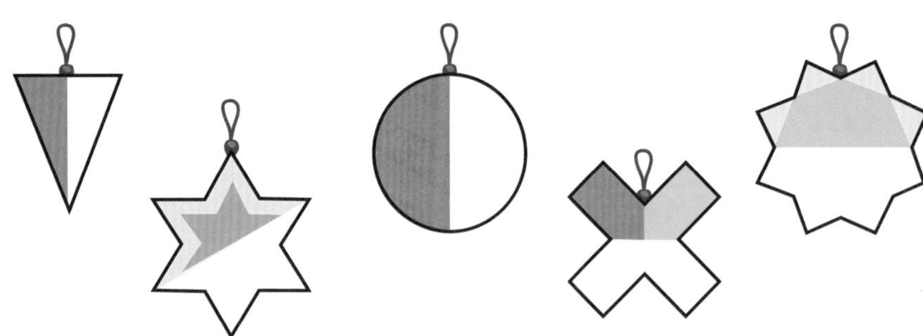

2 주어진 수만큼 뛰어 세기하며 알맞은 숫자를 써넣어 보세요.

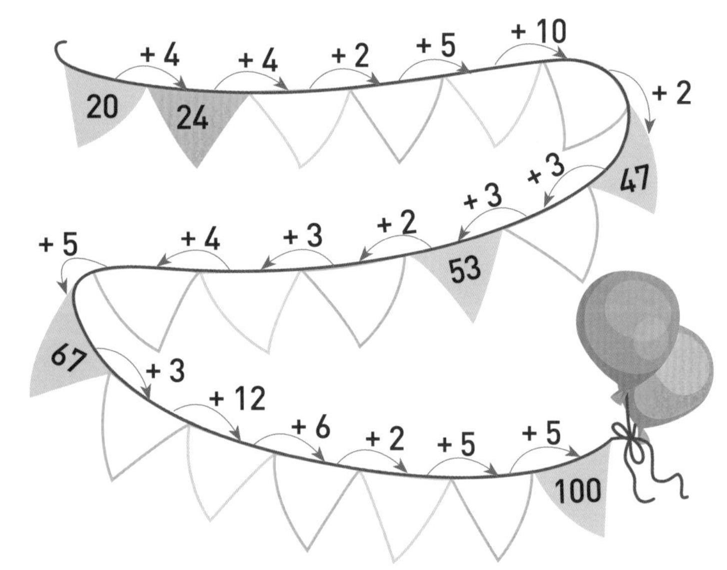

3 계산값에 해당하는 알파벳을 찾아 써넣어 보세요.

58 − 31 = ____ □

91 + 9 = ____ □

68 + 7 = ____ □

50 − 9 = ____ □

44 + 6 = ____ □

94 + 6 = ____ □

65 − 4 = ____ □

70 − 9 = ____ □

68 − 8 = ____ □

17 − 2 = ____ □

15	27	41	50	60	61	75	100
N	G	T	R	O	B	F	I

4 아래 설명을 읽고 친구들의 이름을 알아맞혀 보세요.

______ ______ ______ ______ ______

- 미나는 조니와 베라 사이에 있어요.
- 로라는 베라 옆에 있어요.
- 베라와 메이는 같은 색의 접시를 들고 있어요.
- 조니는 파란 접시를 들고 있어요.

5 조건에 맞게 색칠해 보세요.

- 상자 안에는 파란색과 빨간색의 공만 있어요.
- 빨간색 공은 파란색 공의 2배만큼 있어요.

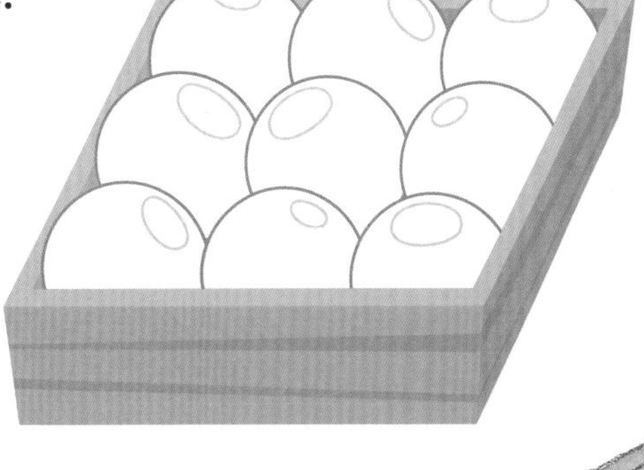

도전! 심화 평가

_____ 월 _____ 일 _____ 요일

1. 표를 완성해 보세요.

×	3	4	5	6	7	8	9	10	11	12	13
2	6										
5			25								
10											

2. 설명을 읽고 답을 구해 보세요.

❶ 지갑에 있는 쿠폰의 3배로 3쿠폰짜리 스티커를 몇 개 살 수 있나요?

정답 : ____________

❷ 지갑에 있는 쿠폰의 4배로 4쿠폰짜리 연필을 몇 개 살 수 있나요?

정답 : ____________

3. 똑같은 수로 나누어 보세요.

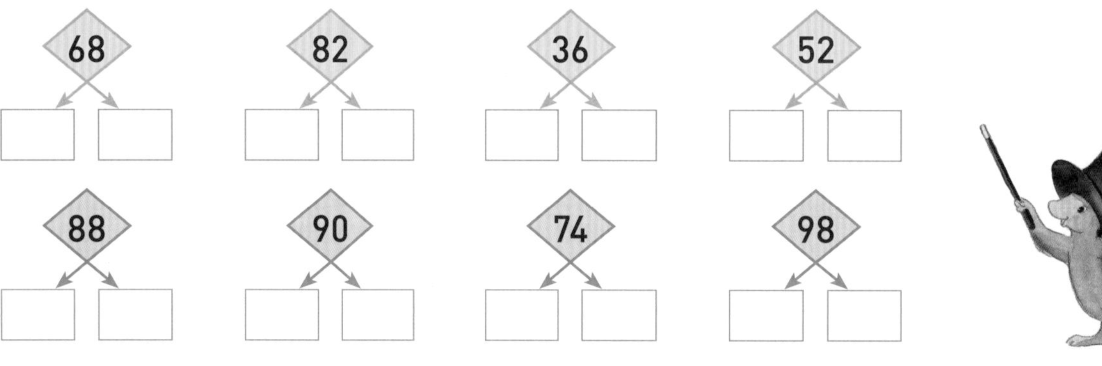

4. □ 안에 >, =, <를 알맞게 써넣어 보세요.

3 × 5 □ 24 − 9

16 + 27 □ 4 × 8

5 × 5 + 11 □ 6 × 5 + 12

5 × 7 + 27 □ 5 × 9 − 12

5. 처음 수를 구해 보세요.

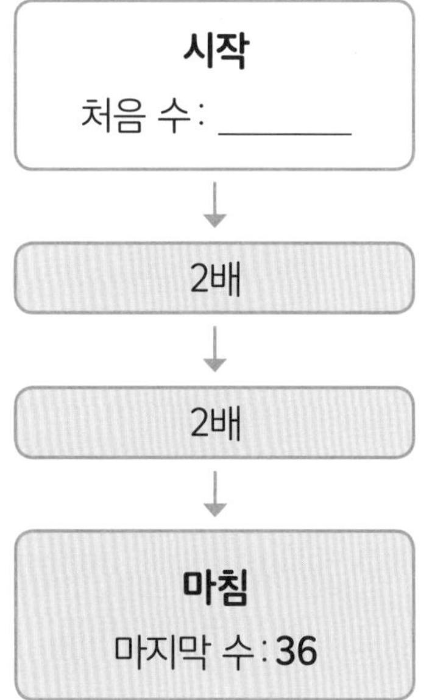

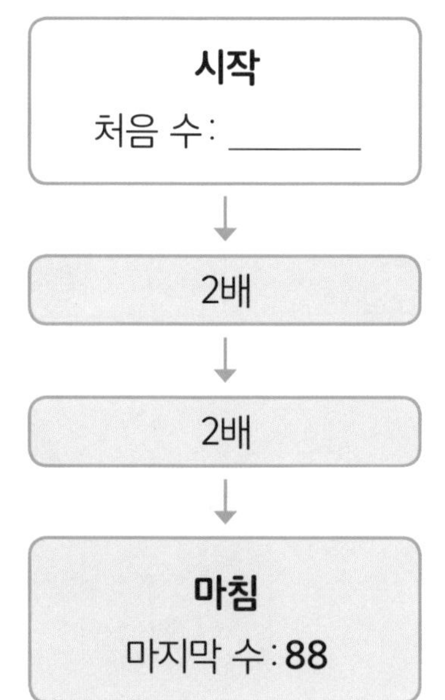

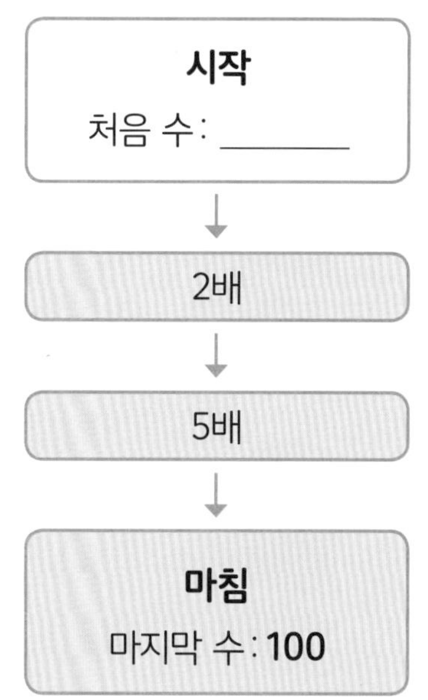

6. 아래 글을 읽고 정답을 구해 보세요.

❶ 엠마는 빵을 32개 구웠어요.
알렉은 엠마의 2배만큼 빵을 구웠어요.
두 사람이 구운 빵은 모두 몇 개인가요?

정답 : ____________________

❷ 알렉과 엠마는 빵을 $\frac{1}{3}$만큼 냉동실에 넣었고,
나머지는 학교 알뜰 시장에 가져갔어요.
알렉과 엠마가 알뜰 시장에 가져간 빵은
몇 개인가요?

정답 : ____________________

7. 설명을 읽고 애완동물의 이름을 알아맞혀 보세요.

- 럼피는 맨 앞에 있지 않아요.
- 네로는 슈가 뒤에 있어요.
- 미니는 네로 뒤에 있어요.
- 키트는 럼피의 앞에 있어요.
- 슈가는 줄의 가운데에 있어요.

________ ________ ________ ________ ________

11 입체도형

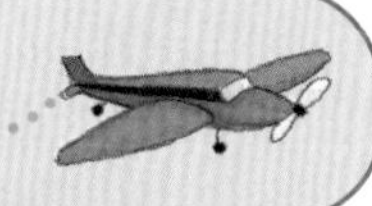

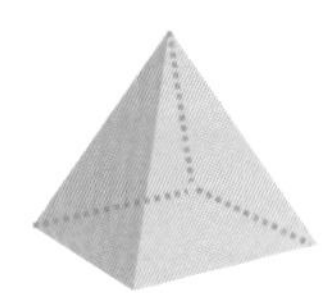

원뿔 사각뿔 정육면체

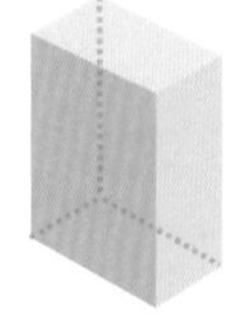

원기둥 사각기둥

1. 입체도형을 열어 알맞은 전개도와 이어 보세요.

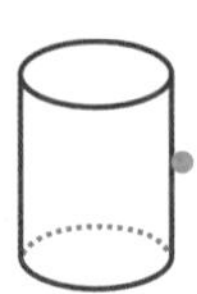

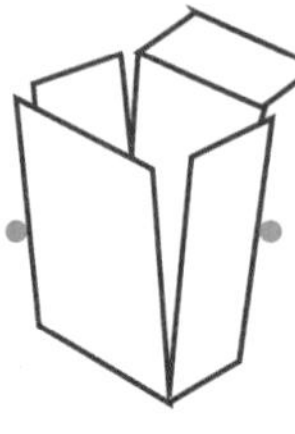

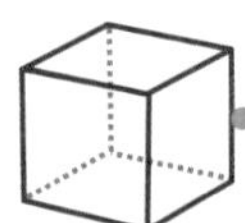

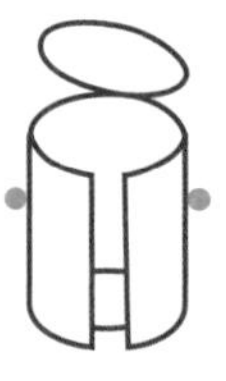

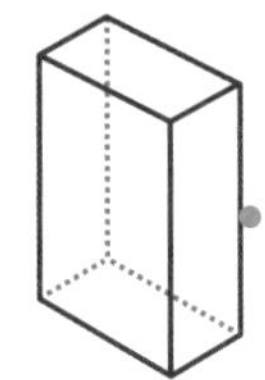

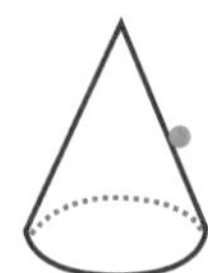

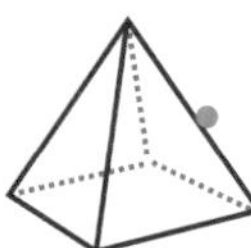

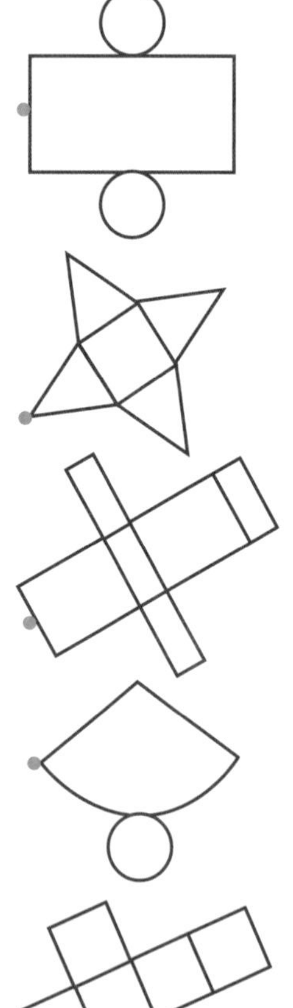

2. 정육면체를 몇 개 쌓았나요? 개수를 적어 보세요.

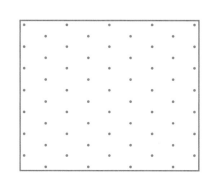

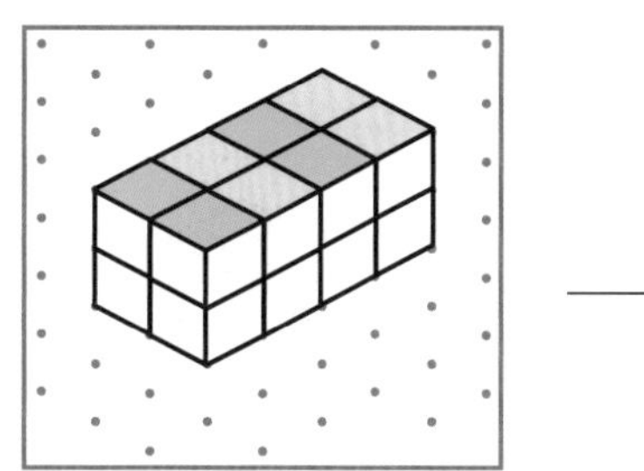

_______ 개

_______ 개

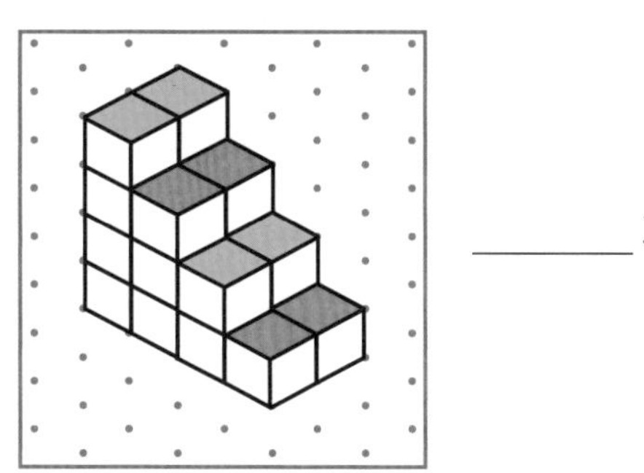

_______ 개

_______ 개

3. 똑같이 그려 보세요.

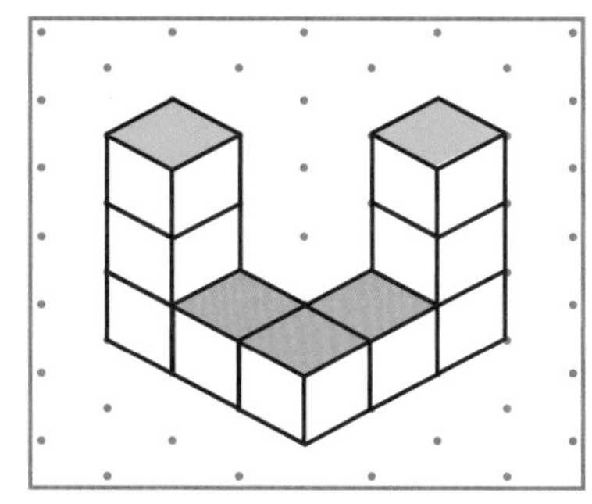

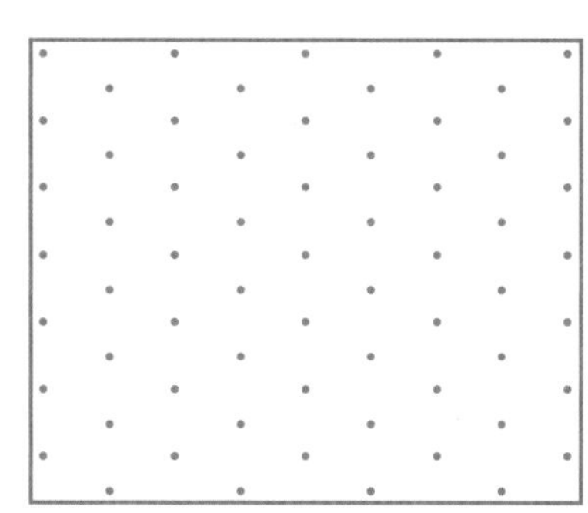

한 번 더 연습해요!

1. 곱셈식으로 나타내고 답을 구해 보세요.

정육면체가 몇 개 있나요?

식 : ____________________

정답 : ____________________

2. 계산해 보세요.

5 × 5 = _______

6 × 2 = _______

7 × 5 = _______

4 × 2 = _______

4. 쌓기나무로 쌓은 구조물을 위에서 내려다본 모양을 모눈종이 위에 그렸어요. 위치에 맞게 색칠해 보세요.

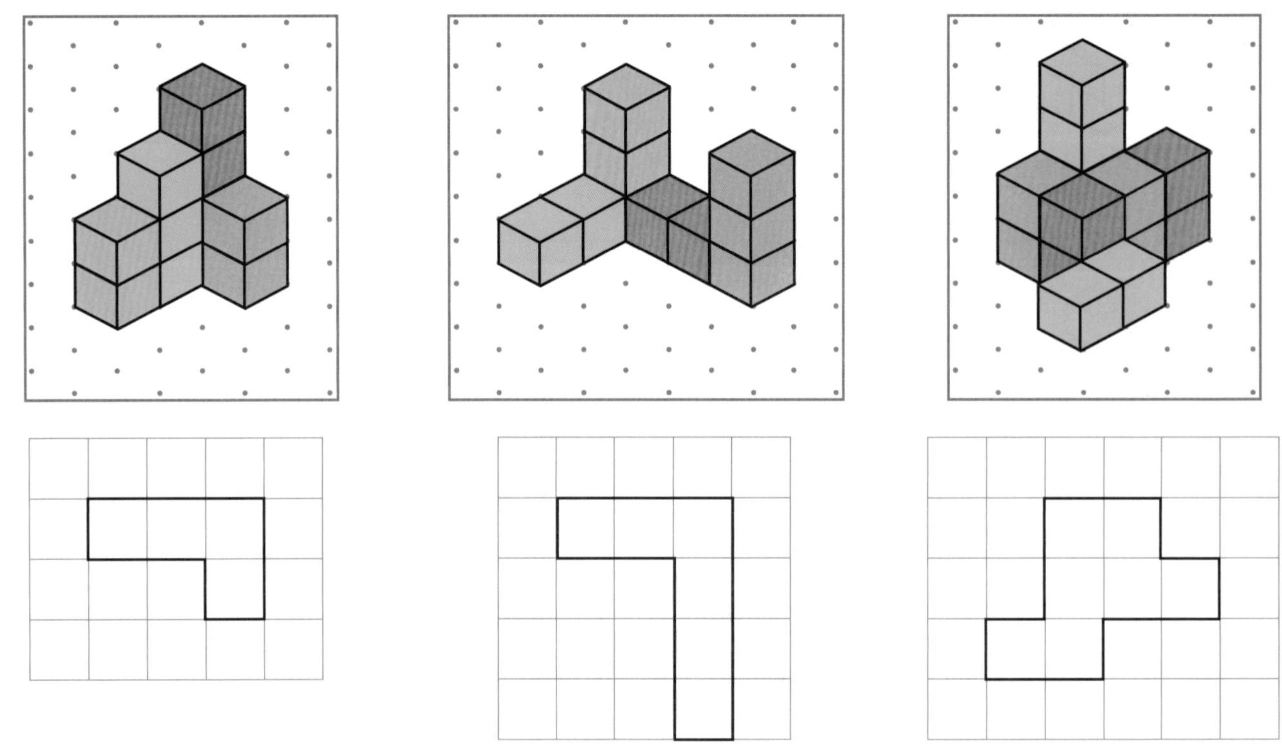

5. 정육면체를 피해 도착까지 가는 길을 찾아보세요.

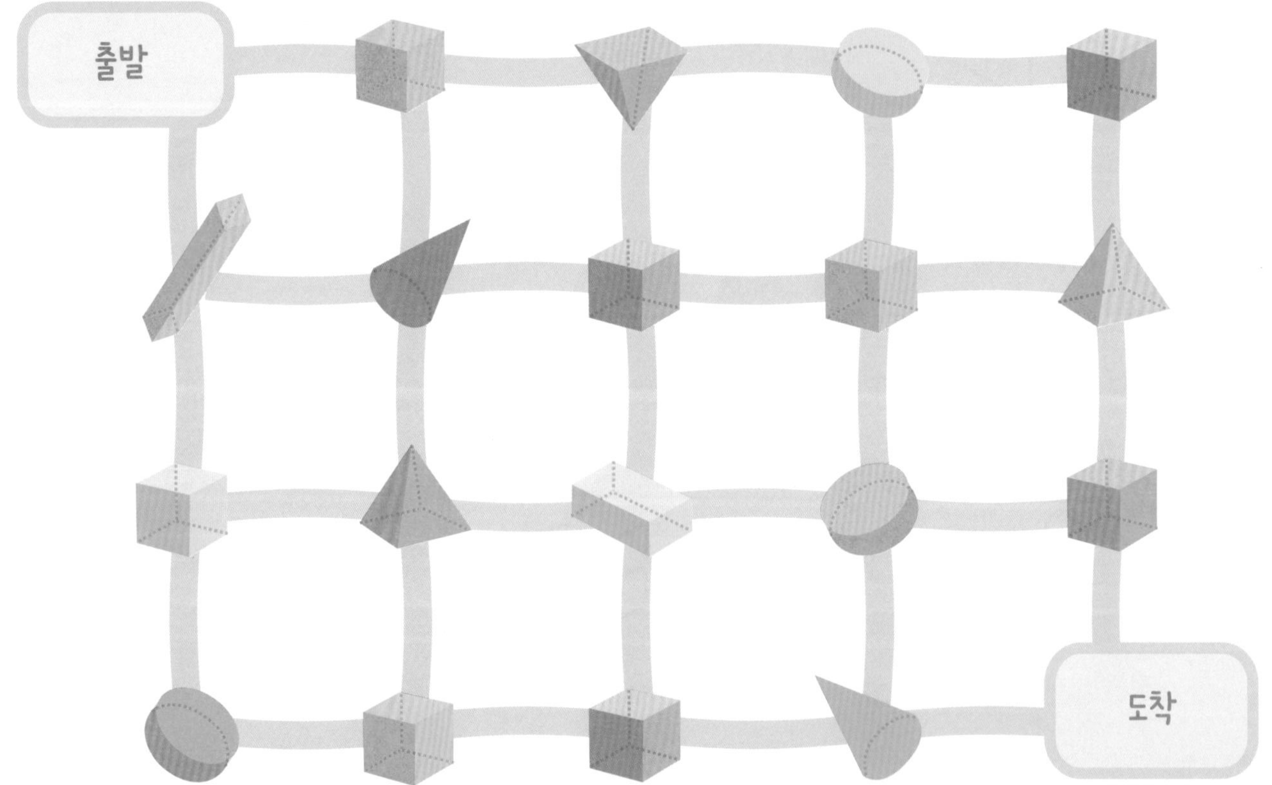

6. 쌓기나무로 쌓은 구조물을 위에서 내려다본 모양을 모눈종이 위에 그리세요. 그러고서 위치에 맞게 색칠한 후 블록의 개수도 써 보세요.

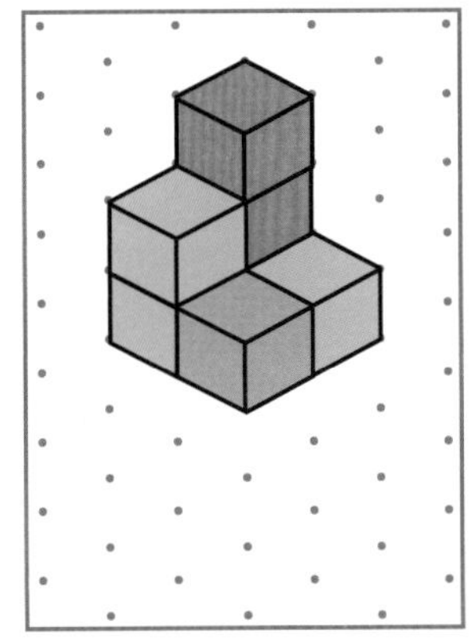

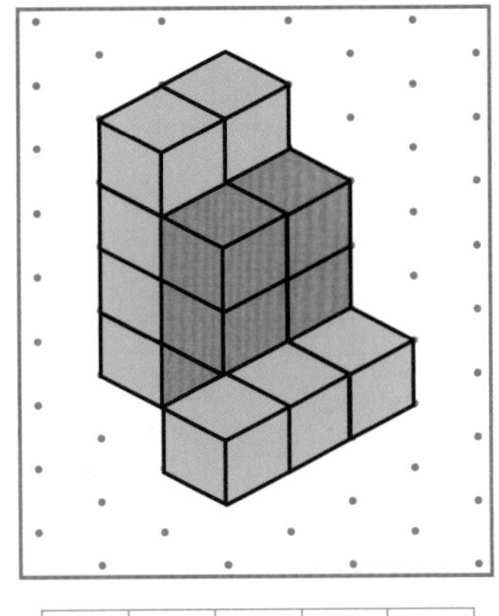

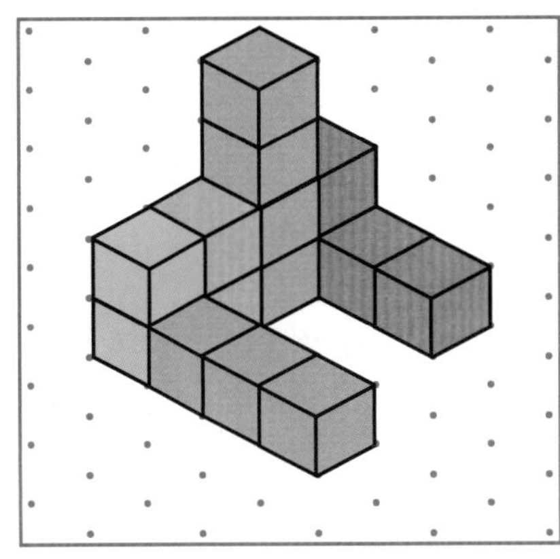

<보기>

	2	3	
	1	1	

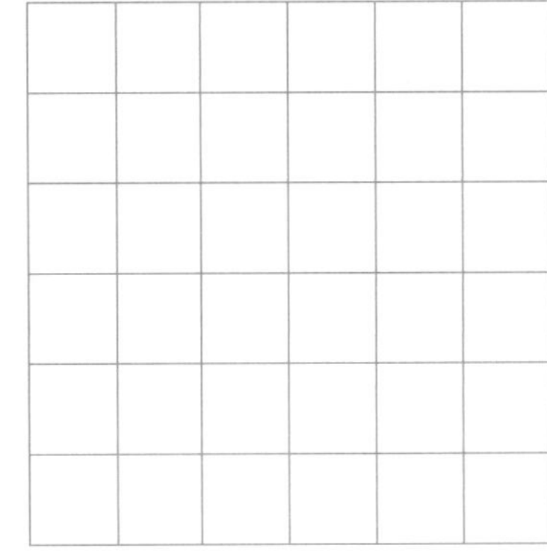

도형 이름 맞히기

인원 : 2명

놀이 방법

1. 순서를 정한 후, 한 사람은 입체도형을 마음속으로 선택하세요. 이때 이름을 입 밖으로 말하면 안 돼요.
2. 선택한 도형의 특성을 함께 놀이하는 사람에게 설명하세요.
3. 설명을 듣는 사람은 특성에 맞는 도형의 이름을 맞혀 보세요.
4. 역할을 바꿔 놀이를 계속하세요.

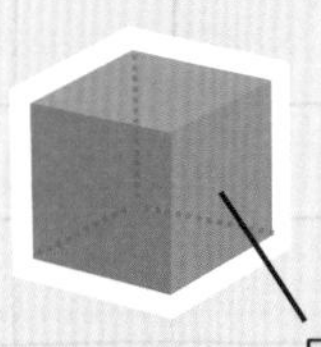

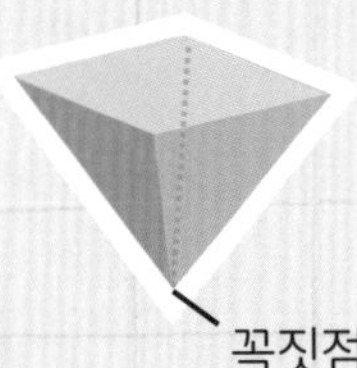

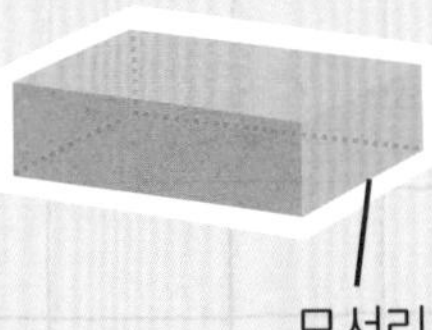

12 평면도형

평면도형은 직선, 곡선, 원, 다각형과 같이 길이나 폭만 있고 두께가 없는 도형을 말해요. 다각형이 아닌 평면도형에는 원, 직선, 곡선 등이 있고, 다각형인 평면도형에는 삼각형, 사각형 등이 있어요.

1. 제시된 색으로 평면도형을 칠해 보세요. 삼각형 ● 사각형 ● 오각형 ● 기타 도형 ●

2. 평면도형의 위치를 알파벳과 숫자로 나타내어 보세요.

6				
5				
4				
3				
2				
1				
	A	B	C	D

파랑 사각형	B4
빨강 삼각형	
노랑 사각형	
파랑 오각형	
빨강 육각형	
노랑 오각형	
파랑 삼각형	

3. 규칙에 따라 그림을 이어서 그려 보세요.

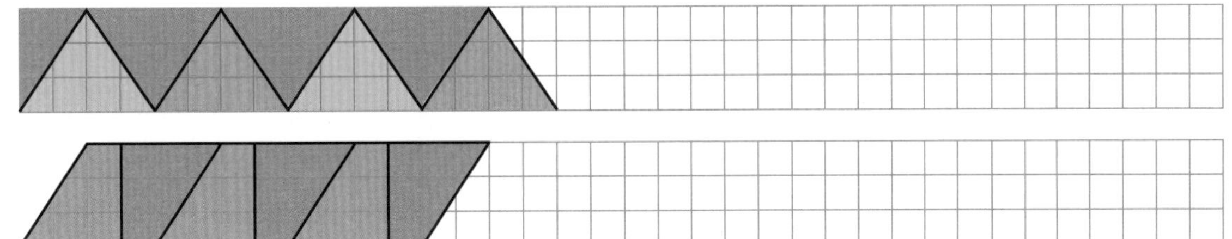

한 번 더 연습해요!

1. 다각형인 평면도형을 찾아 색칠해 보세요.

2. 계산해 보세요.

34 + 40 = ______

52 + 7 = ______

68 + 3 = ______

75 + 7 = ______

92 − 30 = ______

88 − 4 = ______

4. 같은 모양의 짝을 찾아 이어 보세요.

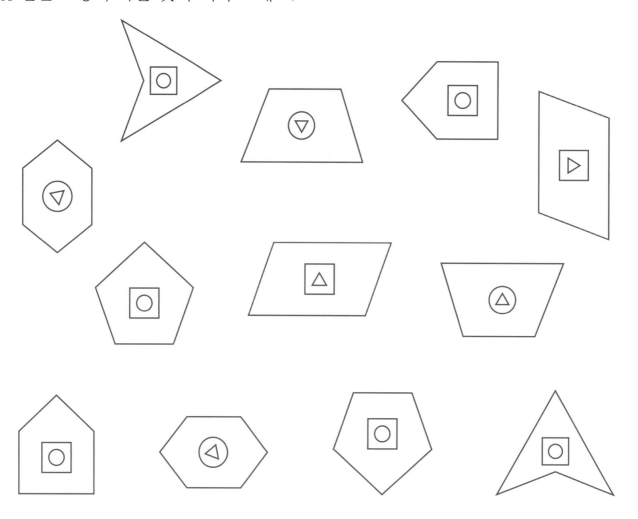

5. 2배만큼 모양을 그리고 수를 써 보세요.

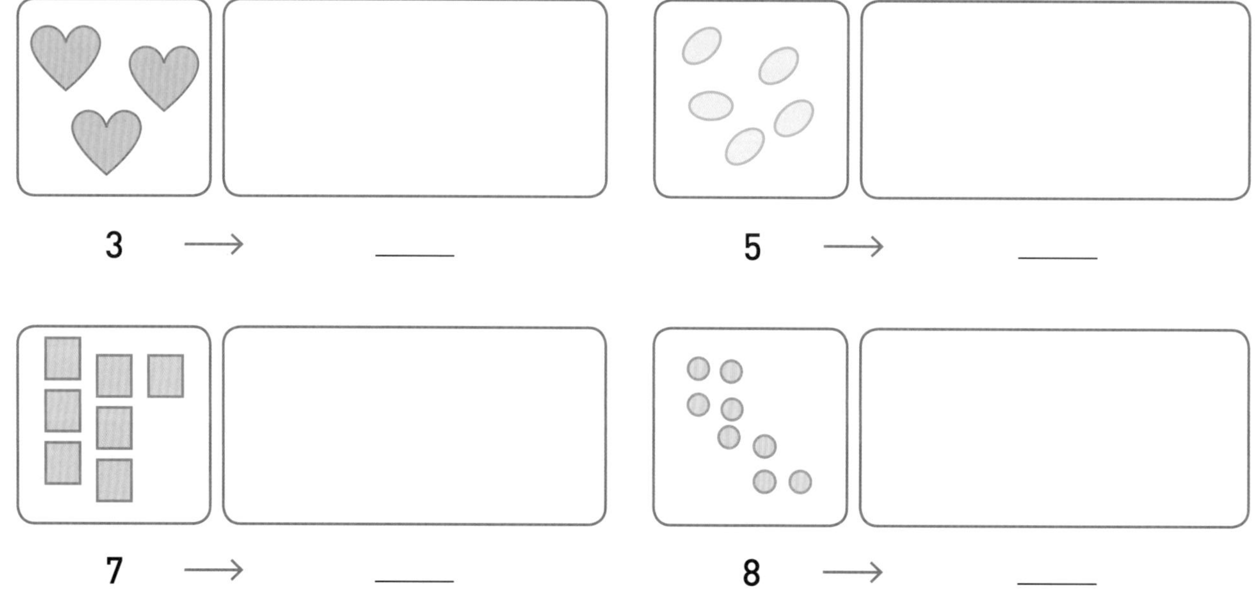

6. 그림이 들어간 식을 보고 그림의 값을 구해 보세요.

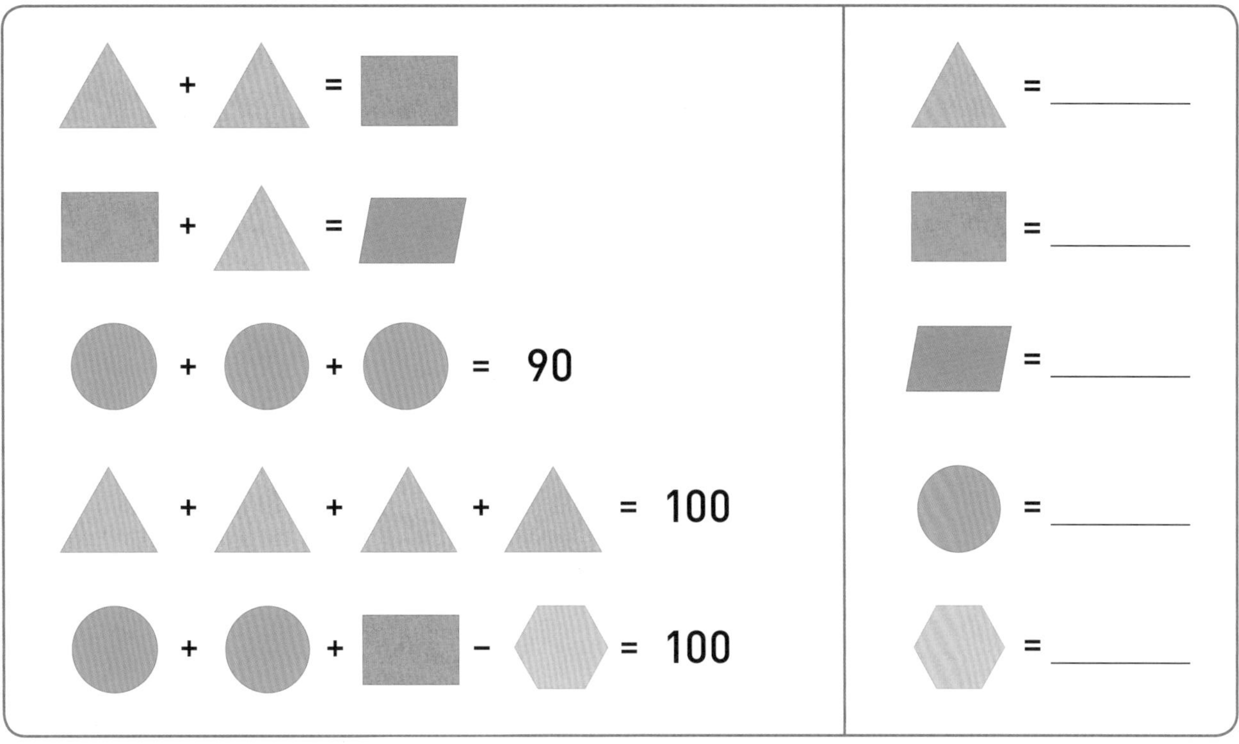

7. 평면도형의 꼭짓점 수는 모두 같아요. 가운데 수는 꼭짓점 수의 합과 같아요. 빈칸에 알맞은 수를 써 보세요.

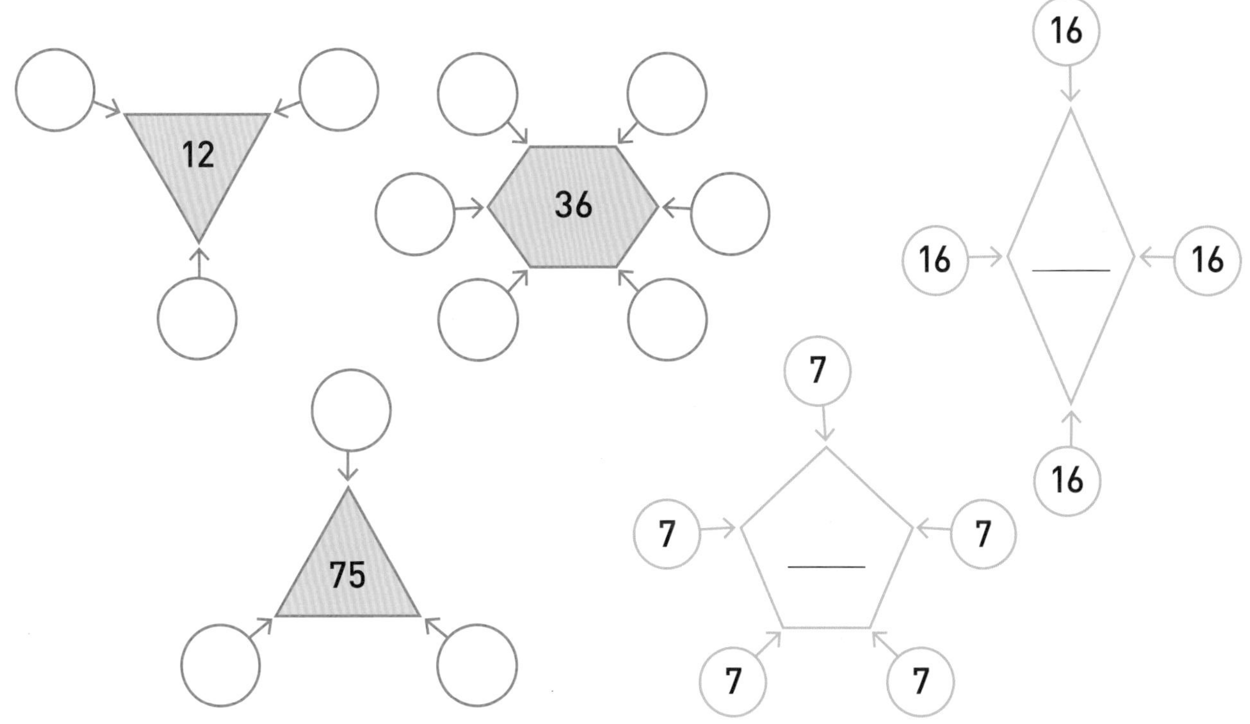

13 삼각형

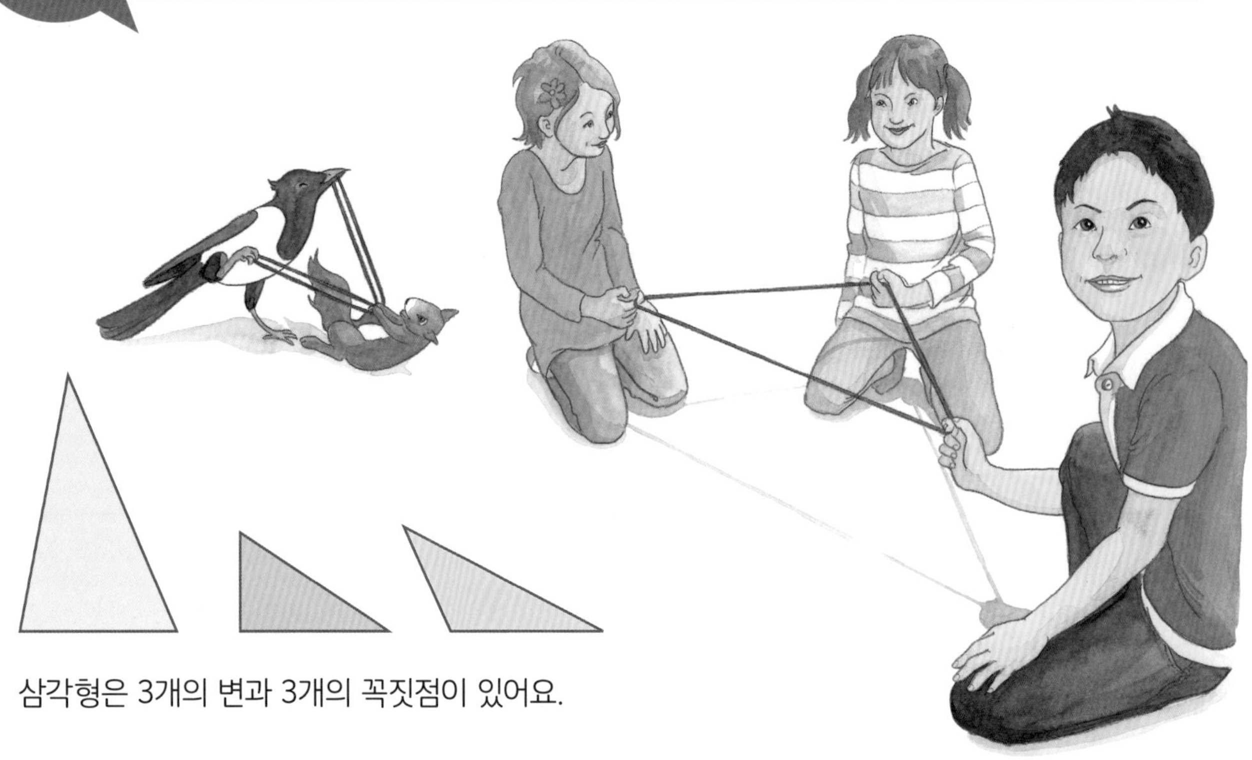

삼각형은 3개의 변과 3개의 꼭짓점이 있어요.

1. 3개의 꼭짓점을 연결하여 다양한 삼각형을 그려 보세요.

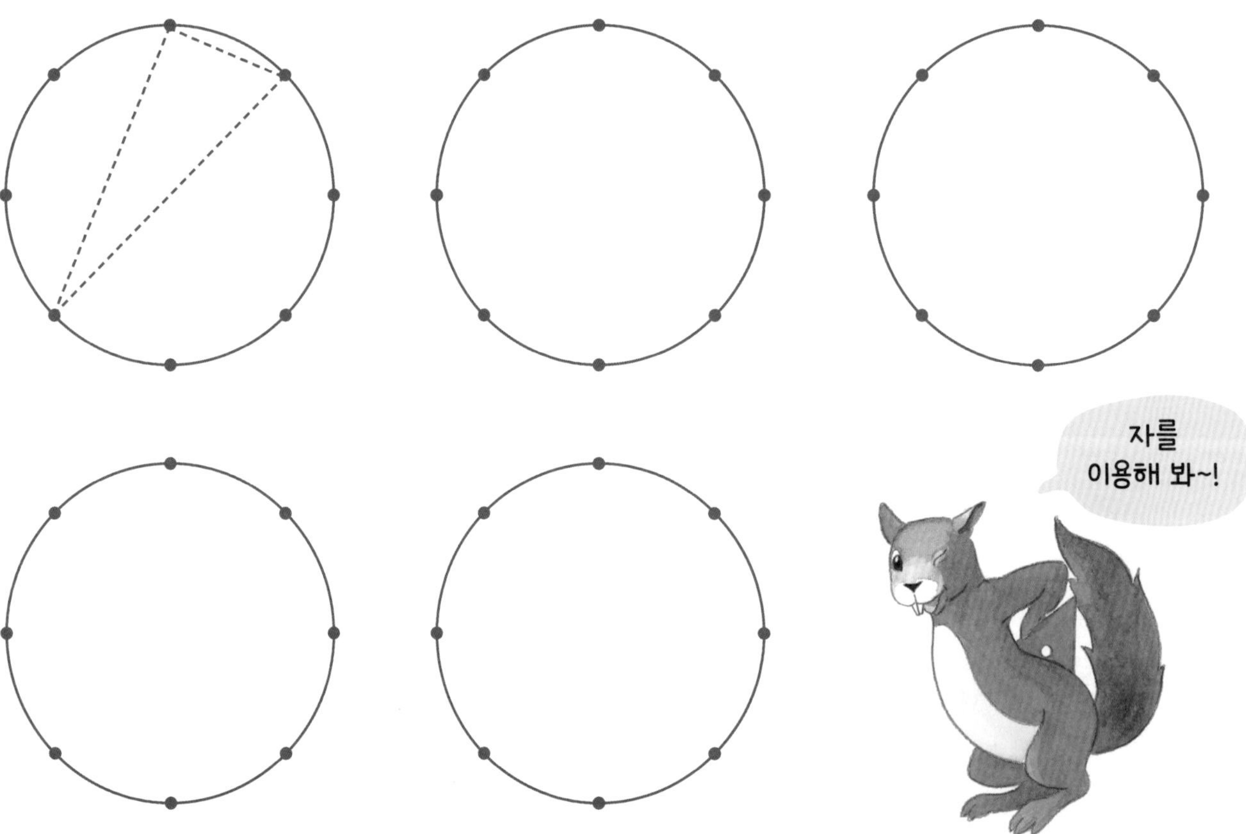

2. 자를 이용하여 사각형에 1개의 선을 그려 2개의 삼각형을 만들어 보세요. 다양한 색으로 삼각형에 색칠해 보세요.

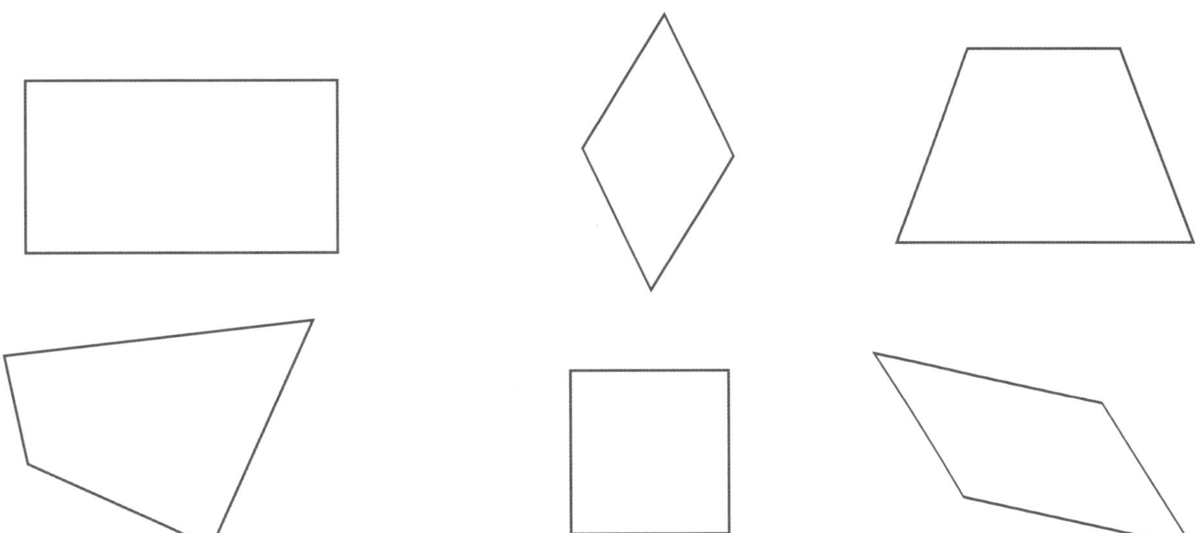

3. 규칙에 따라 알맞은 수를 써넣어 보세요.

0	3	6								30

한 번 더 연습해요!

1. 자를 이용해서 6가지의 다양한 삼각형을 그려 보세요.

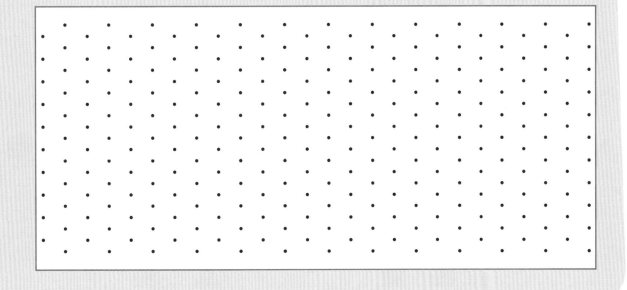

4. 도형 안에 선을 그어 작은 삼각형을 만든 후 개수를 써 보세요.

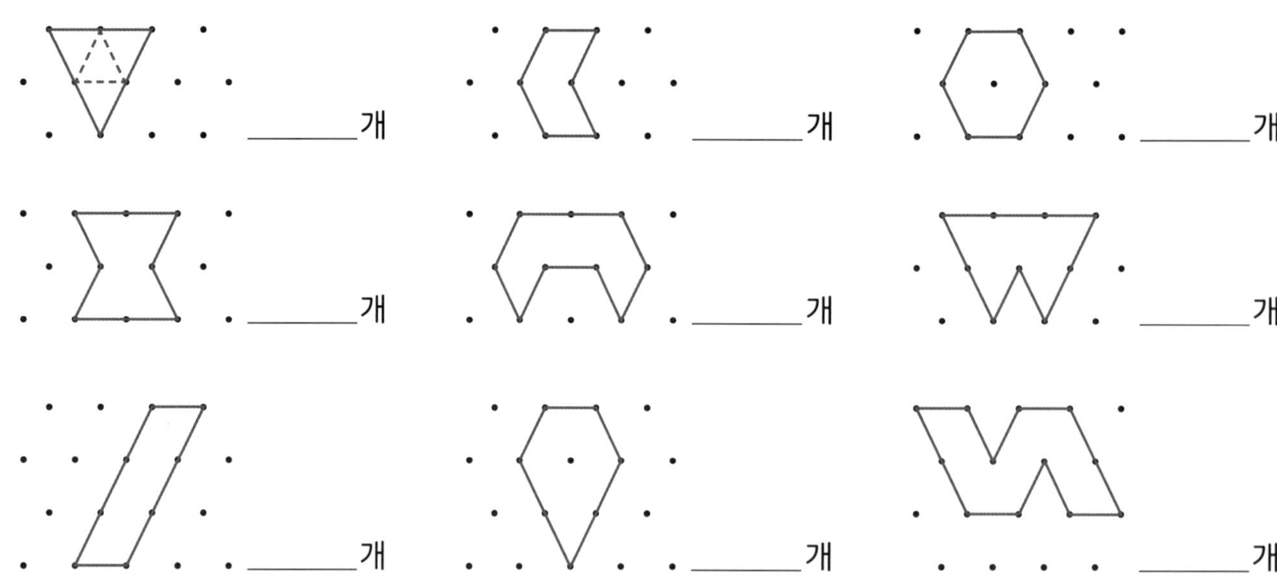

5. 같은 패턴을 찾아 ○표 해 보세요.

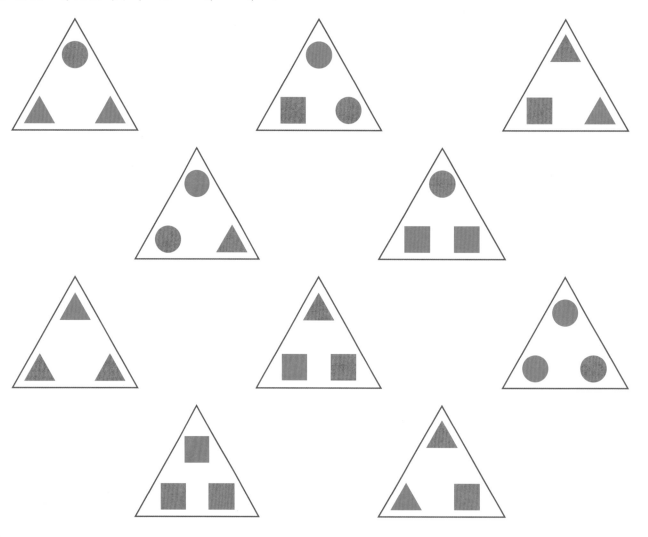

6. 왼쪽 그림을 오른쪽에 똑같이 그린 후 색칠해 보세요.

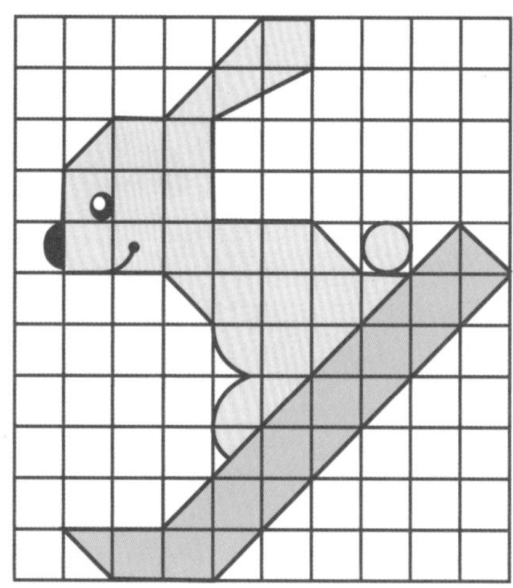

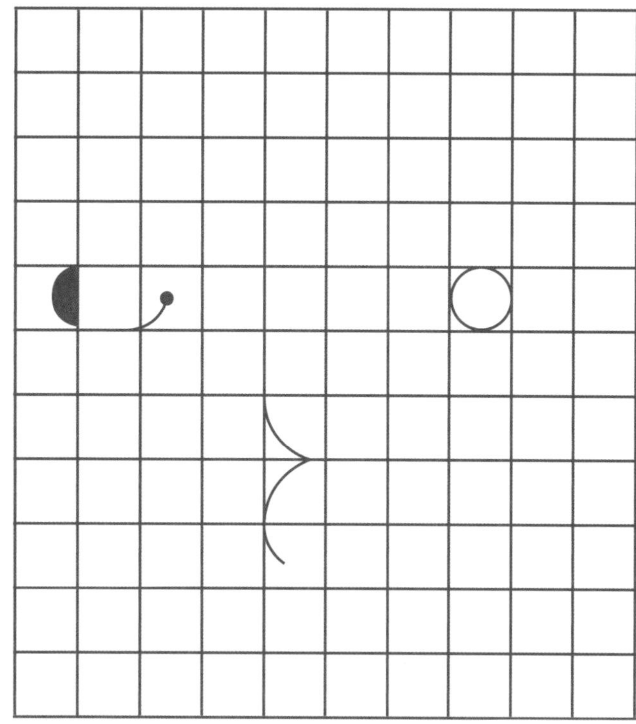

7. 규칙에 맞게 그려 보세요.

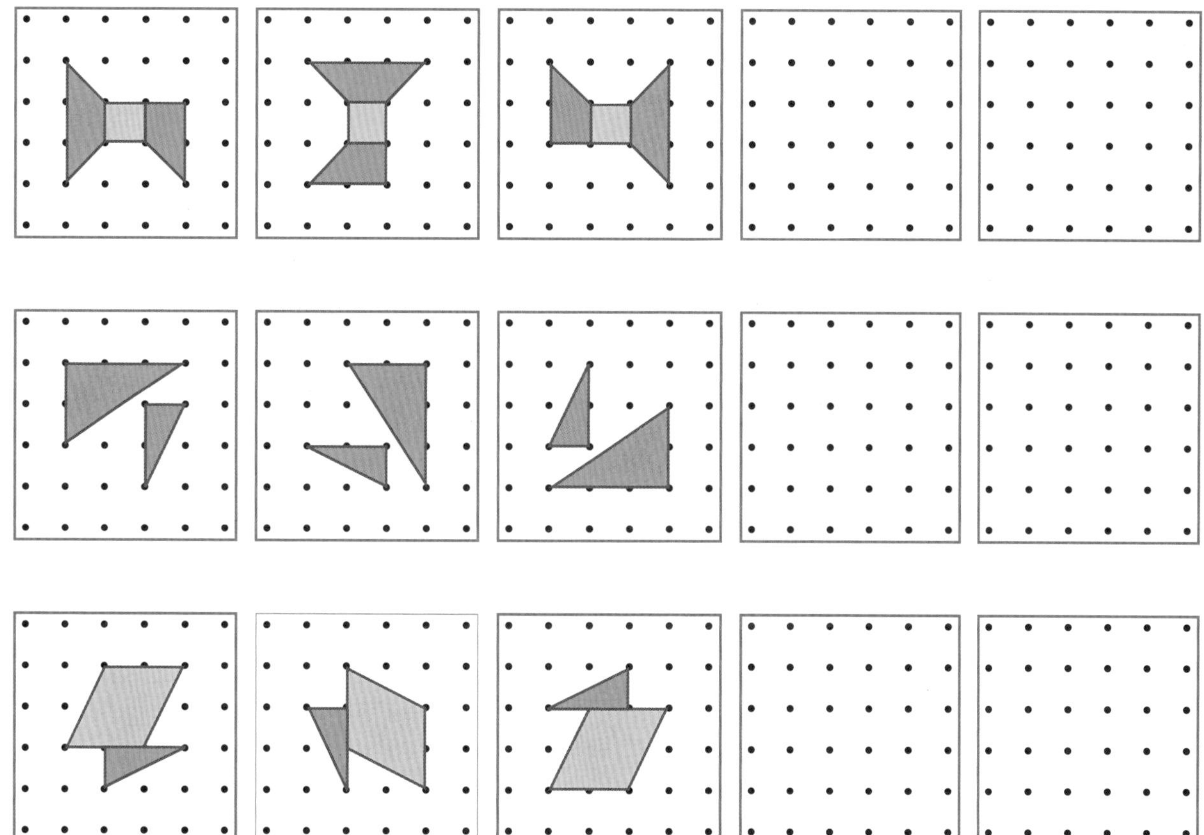

14 사각형

사각형은 4개의 변과 4개의 꼭짓점이 있어요.

1. 4개의 꼭짓점을 연결하여 다양한 사각형을 그려 보세요.

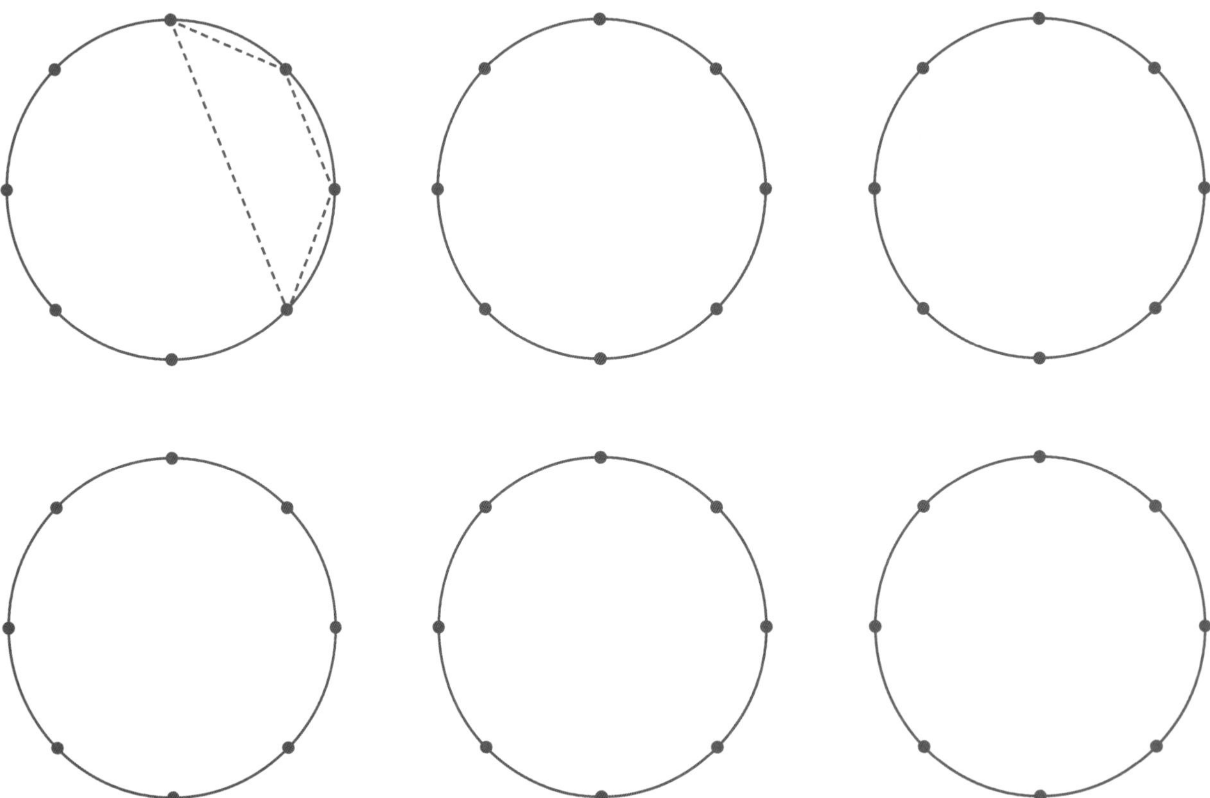

2. 삼각형에는 파란색을 사각형에는 빨간색을 칠해 보세요.

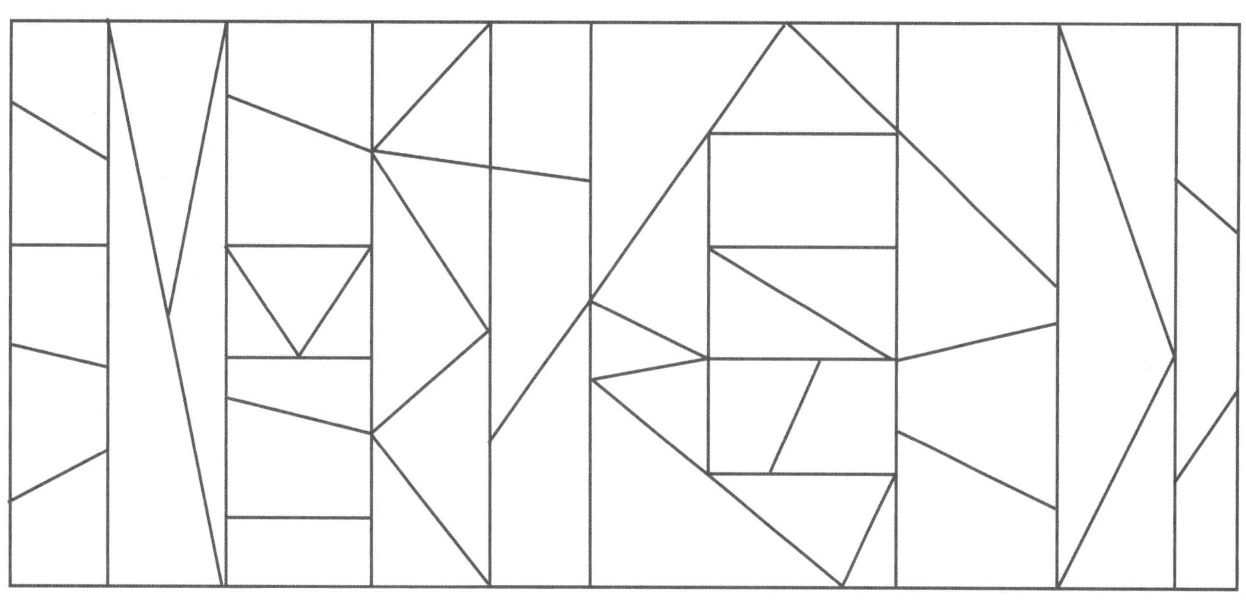

3. 규칙에 따라 알맞은 수를 써넣어 보세요.

0	4	8								40

한 번 더 연습해요!

1. 자를 이용해서 6가지의 다양한 사각형을 그려 보세요.

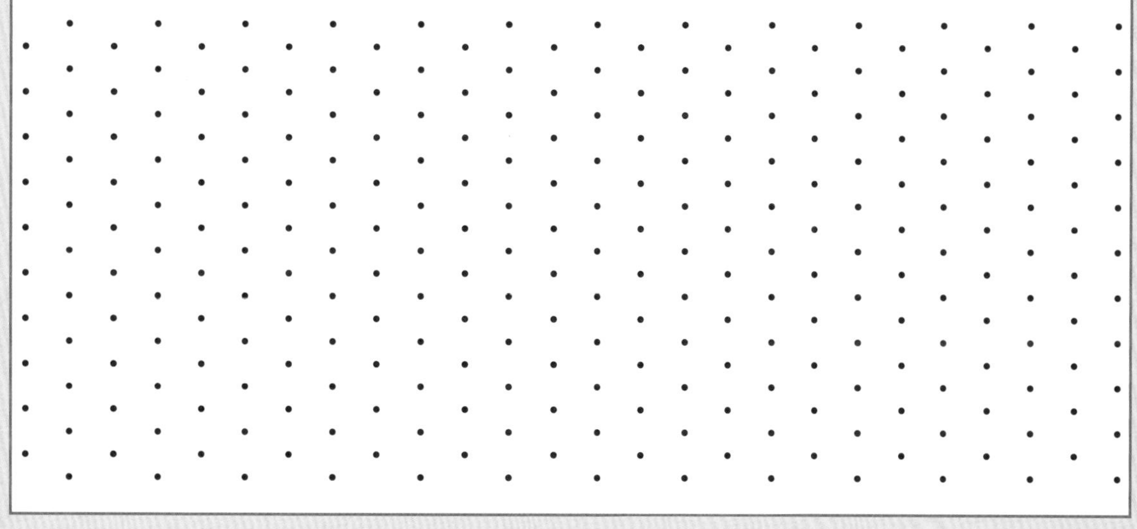

4. 수의 순서대로 사각형을 찾아 선을 이어 보세요.

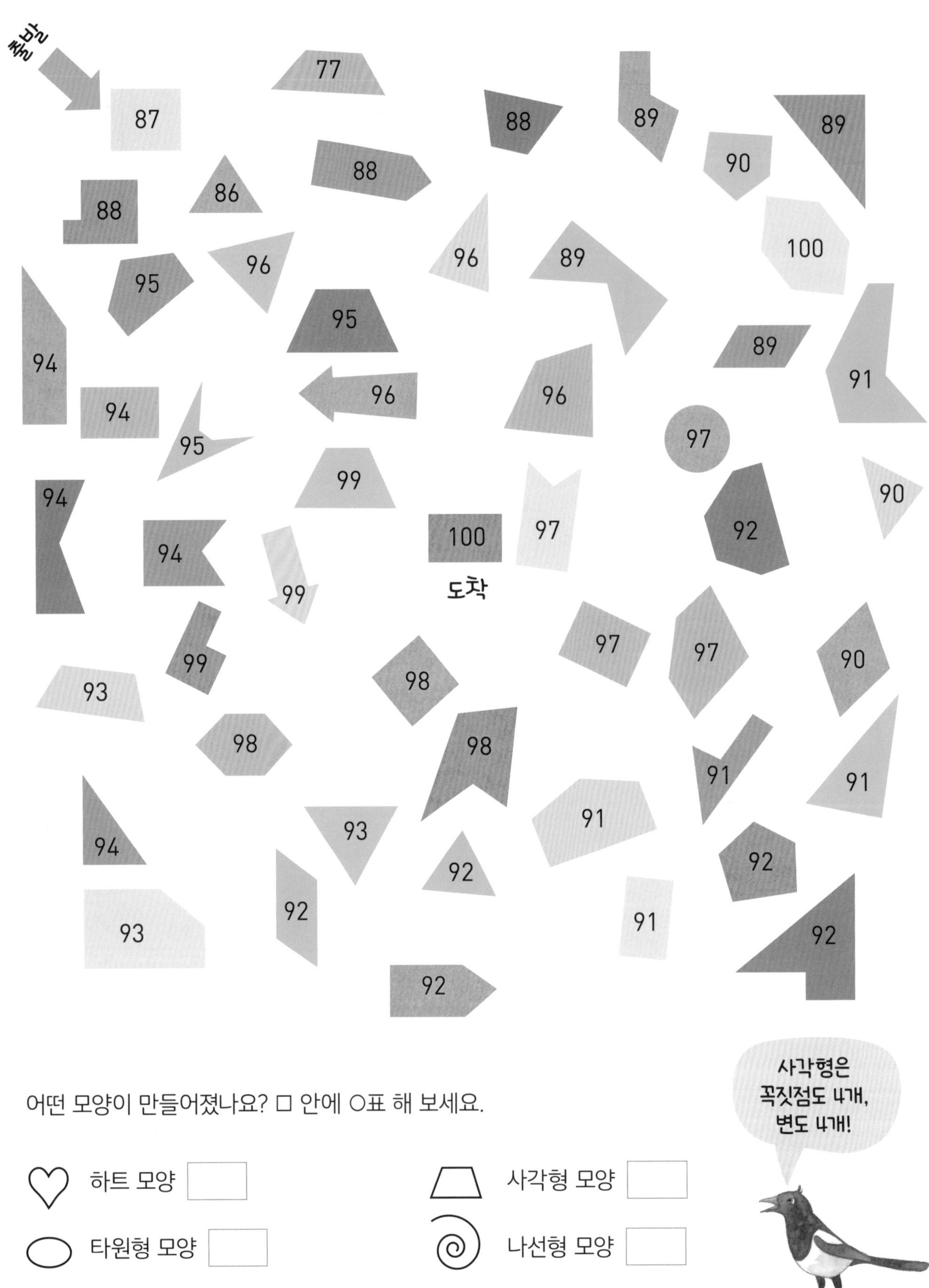

어떤 모양이 만들어졌나요? □ 안에 ○표 해 보세요.

하트 모양 □	사각형 모양 □
타원형 모양 □	나선형 모양 □

사각형은
꼭짓점도 4개,
변도 4개!

5. 자를 이용해 선을 그어 보세요.

❶ 선을 1개 그어 똑같은 모양의 사각형을 2개 만드세요.

❷ 선을 1개 그어 삼각형 1개와 사각형 1개를 만드세요.

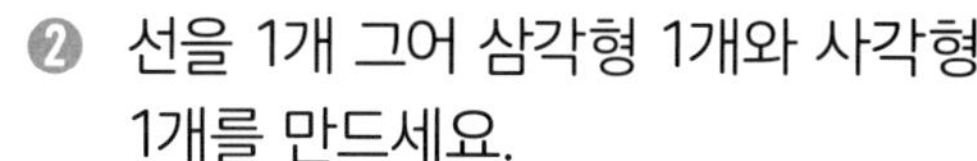

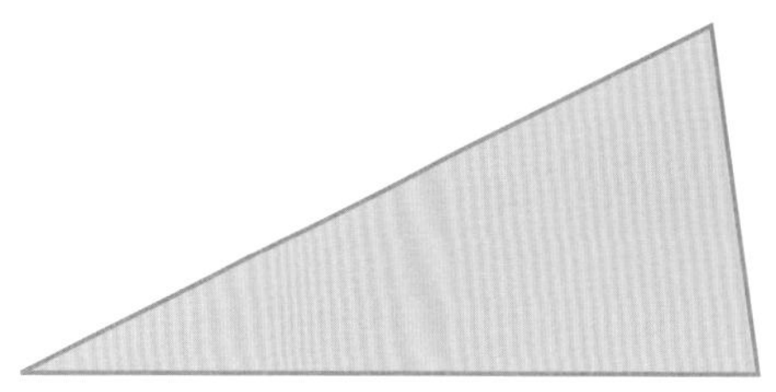

❸ 선을 1개 그어 똑같은 모양의 사각형을 2개 만드세요.

❹ 선을 3개 그어 삼각형 4개를 만드세요.

로켓을 출발시켜라!

인원 : 2명　　준비물 : 127쪽 활동지, 연필, 주사위

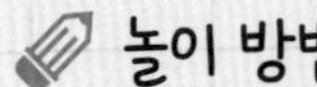 **놀이 방법**

1. 순서를 정한 후, 순서대로 주사위를 굴려요.
2. 주사위를 굴려 나온 수와 같은 수를 로켓 그림에서 찾아보세요.
   그리고 숫자가 쓰여진 모양과 같은 모양을 활동지 위에 그리세요.
   만약, 같은 수가 나와 이미 그린 그림이라면 다음 사람에게
   순서가 넘어가요.
3. 로켓 그림을 먼저 완성한 사람이 이겨요.

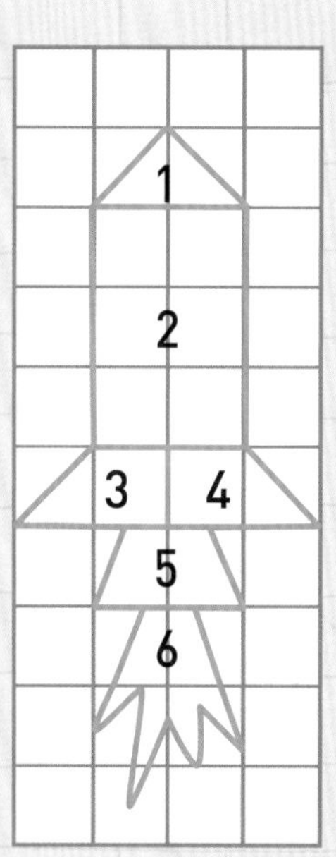

15 거울 놀이

서로 거울처럼 보이는 두 부분을 직선으로 나눌 수 있다면 그 모양을 선대칭이라고 해요.

1. 대칭이 되도록 색칠해 보세요.

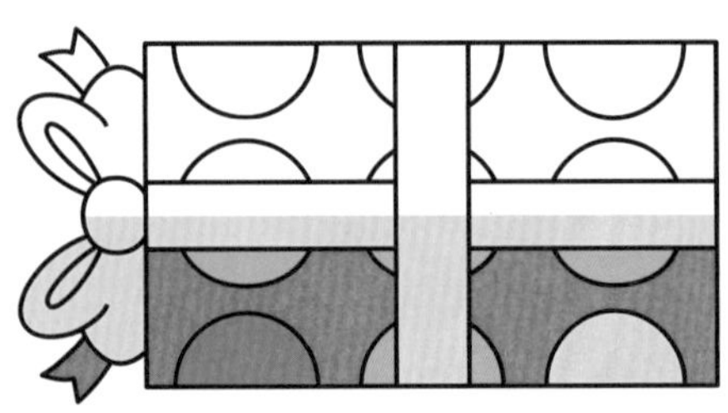

2. 선대칭이 되도록 그려 보세요.

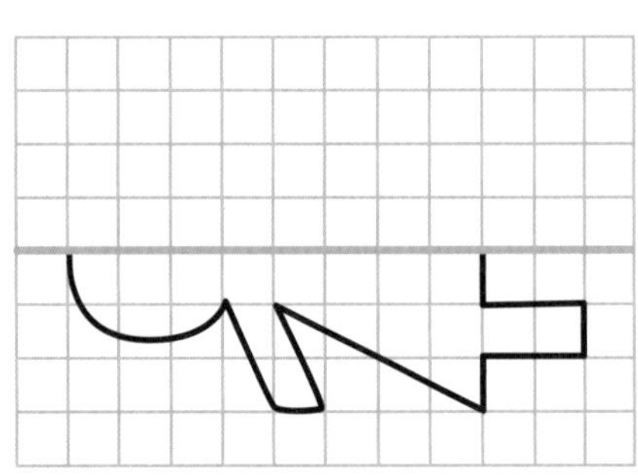

3. 거울 속 모양을 색칠해 보세요.

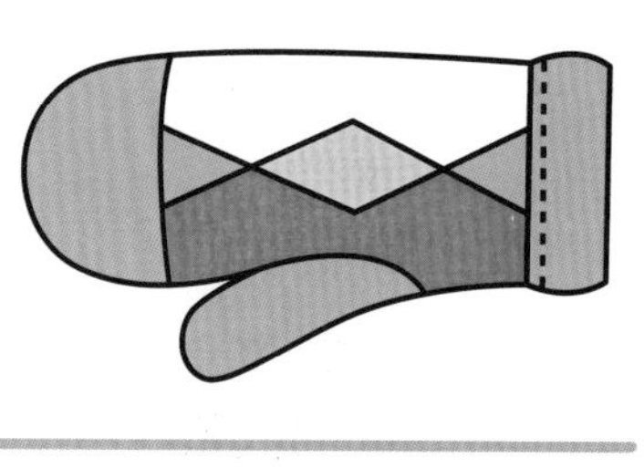

4. 거울 속 모양을 그려 보세요.

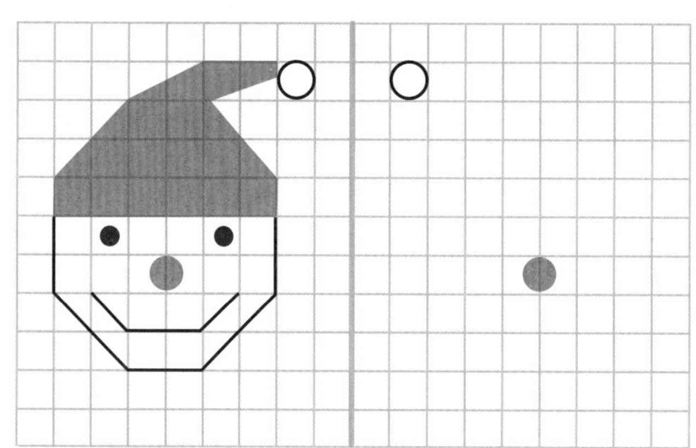
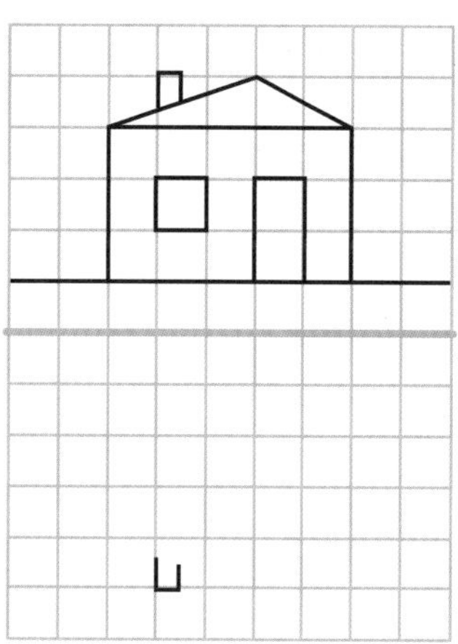

한 번 더 연습해요!

1. 선대칭이 되도록 그려 보세요.

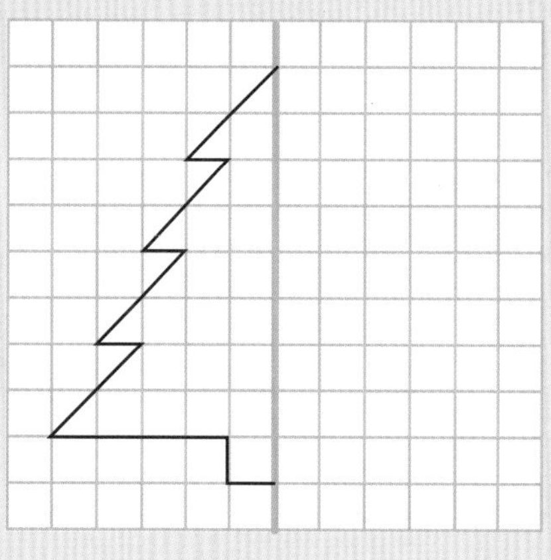

2. 계산해 보세요.

45 + 4 = ______

29 + 5 = ______

36 + 6 = ______

67 + 8 = ______

58 − 3 = ______

32 − 4 = ______

5. 대칭이 되도록 색칠해 보세요.

6. 거울 속에 비친 글자를 써 보세요. 어떤 영어 단어가 나타날까요?

APPLE　　CAT

__________ | HORSE

__________ | SCHOOL

BOOKSHELF

7. 선대칭이 되도록 그려 보세요.

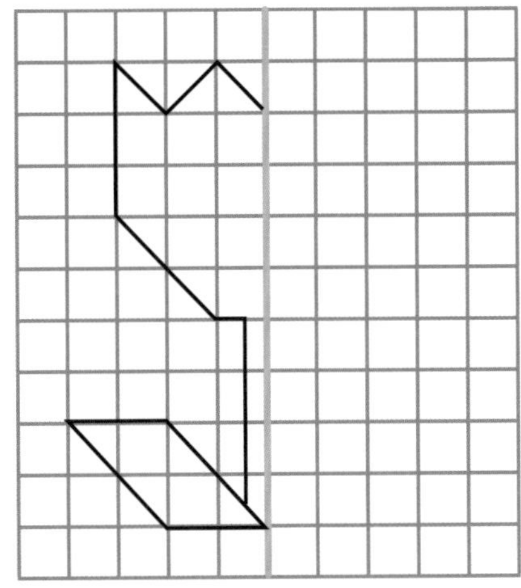

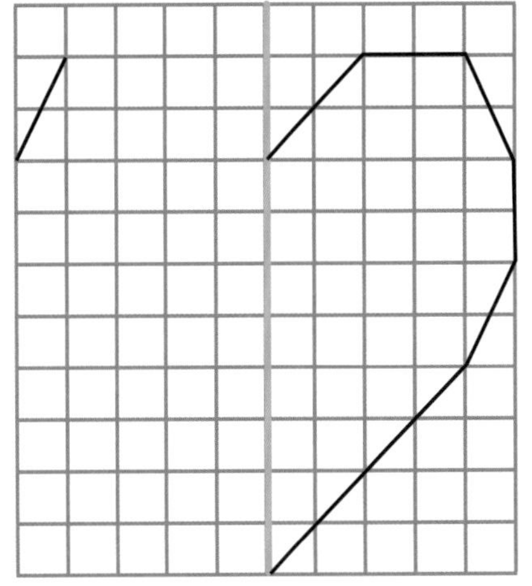

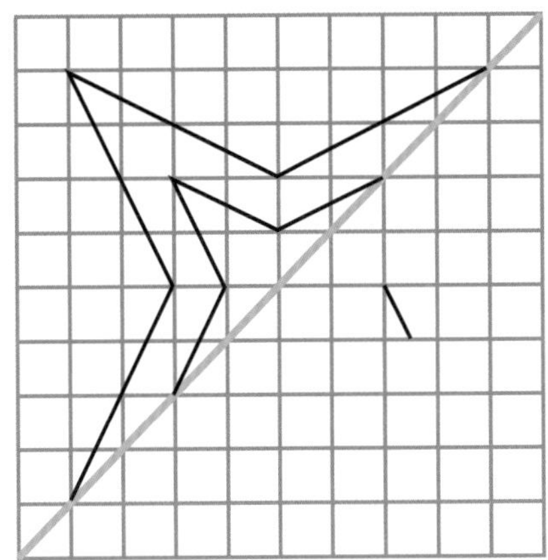

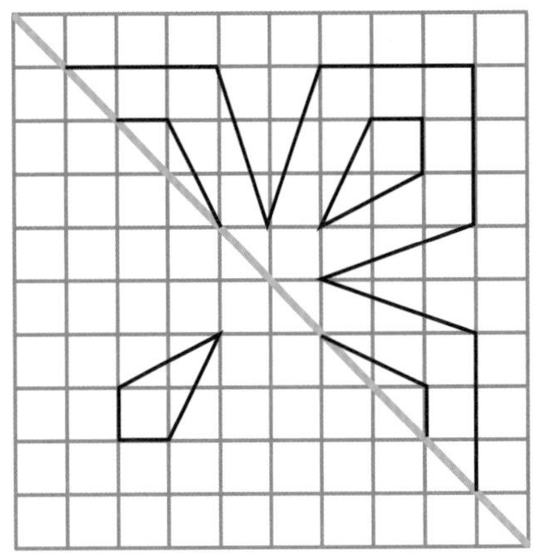

8. 주어진 그림의 거울 속 모양을 그려 보세요. 가장 가까운 거울부터 찾아서 그려 보세요. 빨간 선이 거울이에요.

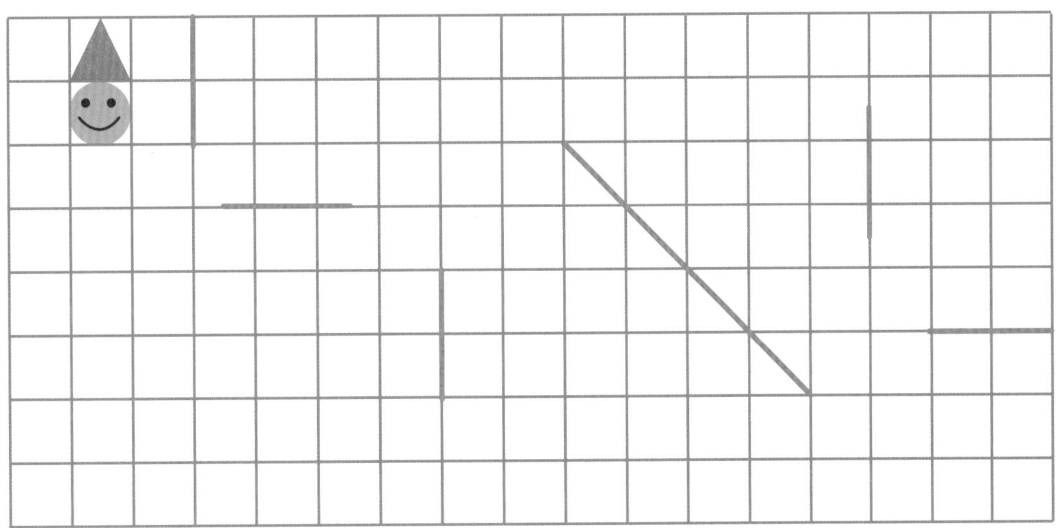

16 프로그래밍

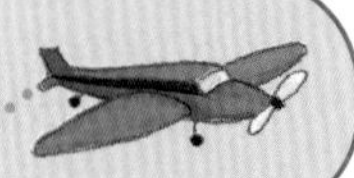

1. 아래 지시에 따라 로봇을 움직여 보세요. 지나간 길은 □ 안에 X표 해 보세요.

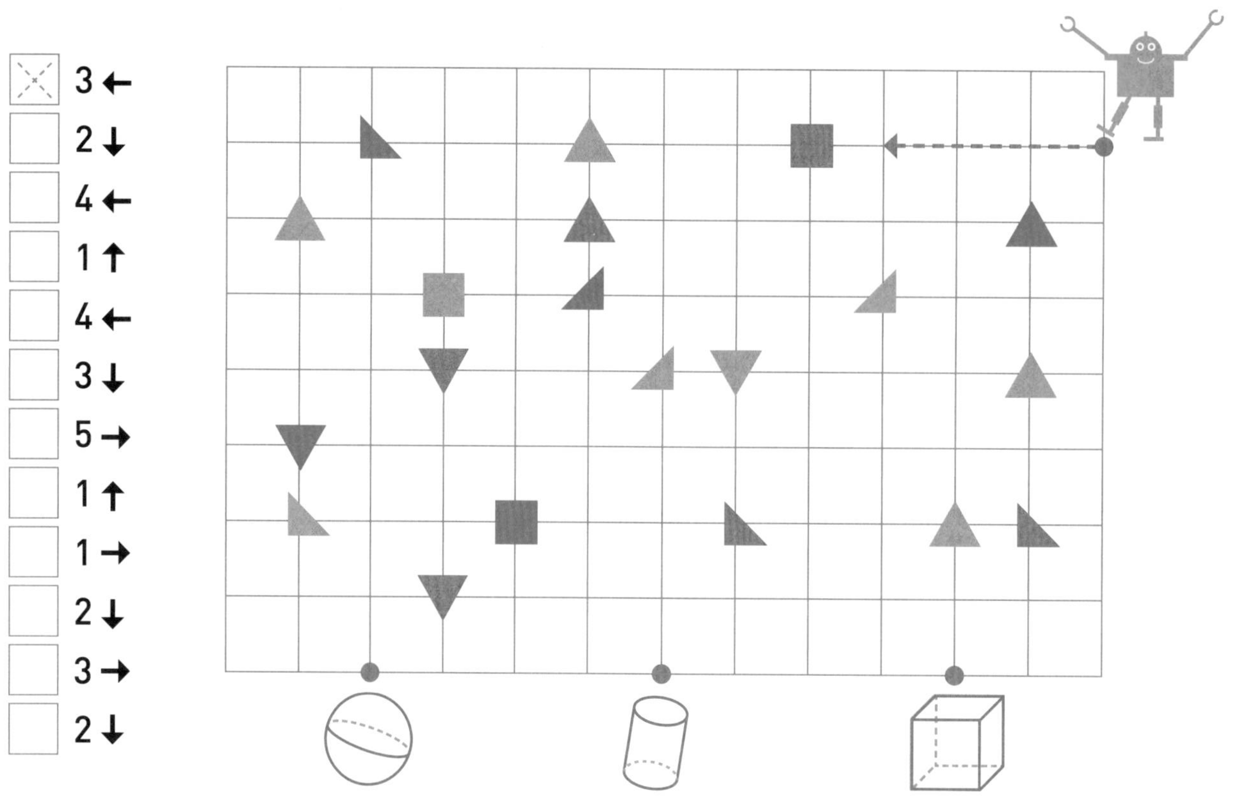

2. 아래 설명을 읽고 빈칸을 채워 보세요.

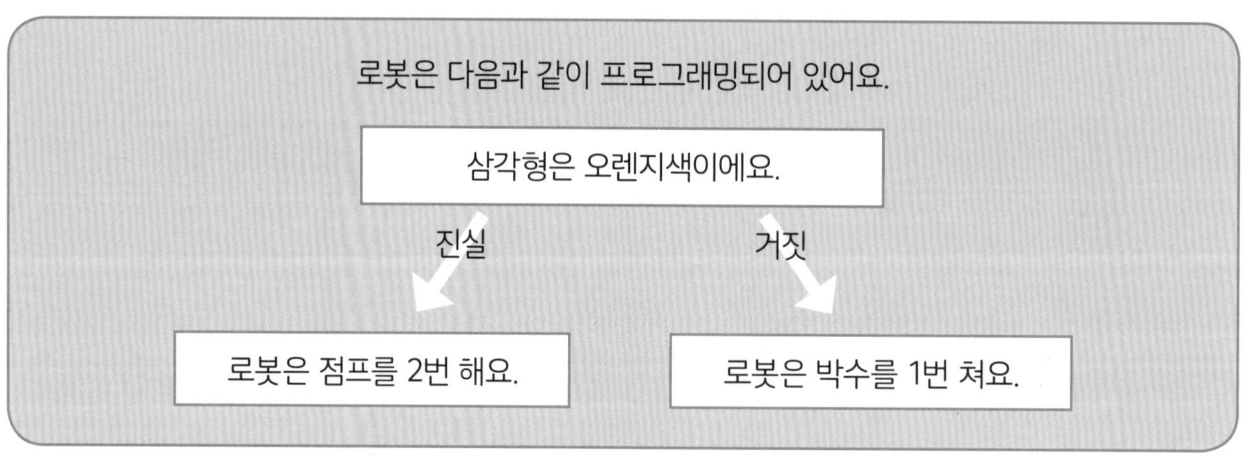

로봇은 다음과 같이 프로그래밍되어 있어요.
삼각형은 오렌지색이에요.
진실
거짓
로봇은 점프를 2번 해요.
로봇은 박수를 1번 쳐요.

- 로봇은 로봇의 길을 따라 점프를 ________번 했어요.
- 로봇은 로봇의 길을 따라 박수를 ________번 쳤어요.
- 로봇은 마침내 ________를 찾았어요.

3. 아래 설명을 읽고 맞는 곳에 ○표 해 보세요.

- 가방에는 사각형보다 삼각형이 더 많이 들어 있어요.

  진실 ☐ 거짓 ☐
- 가장 큰 모양은 오각형이에요.

  진실 ☐ 거짓 ☐
- 가장 작은 모양은 삼각형이에요.

  진실 ☐ 거짓 ☐

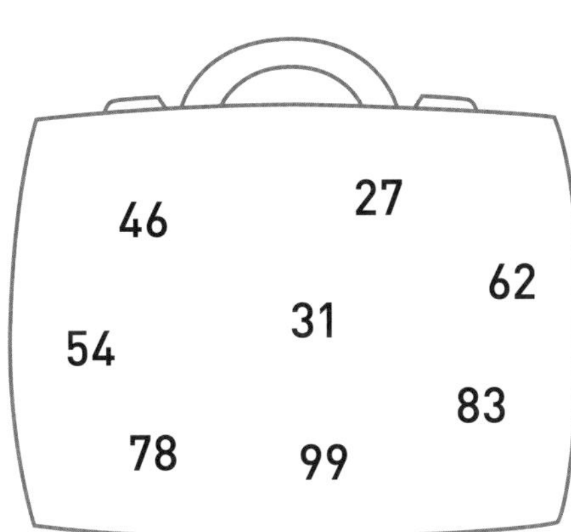

- 가방에는 홀수와 짝수의 수가 같아요.

  진실 ☐ 거짓 ☐
- 가장 큰 수는 홀수예요.

  진실 ☐ 거짓 ☐
- 가장 큰 수에서 가장 작은 수를 뺀 값은 73과 같아요.

  진실 ☐ 거짓 ☐

한 번 더 연습해요!

1. 아래 설명을 읽고 맞는 곳에 ○표 해 보세요.

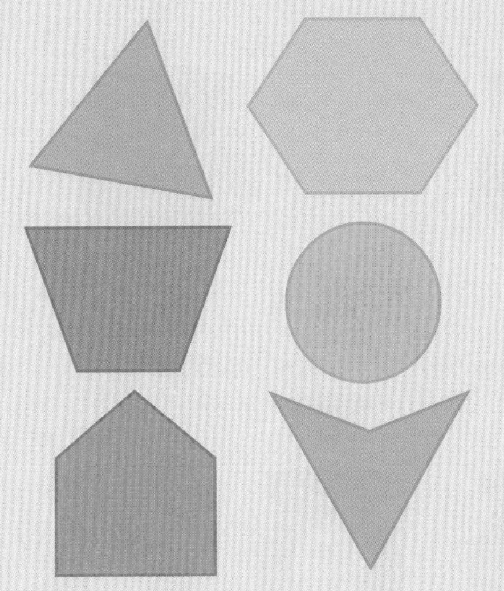

- 사각형은 오각형 위에 있어요.

  진실 ☐ 거짓 ☐
- 삼각형은 육각형의 오른쪽에 있어요.

  진실 ☐ 거짓 ☐
- 원은 육각형과 삼각형 사이에 있어요.

  진실 ☐ 거짓 ☐
- 오각형은 사각형의 왼쪽에 있어요.

  진실 ☐ 거짓 ☐

4. 도형들이 어느 주머니로 떨어질까요? 각 주머니에 알맞은 문자를 써 보세요.

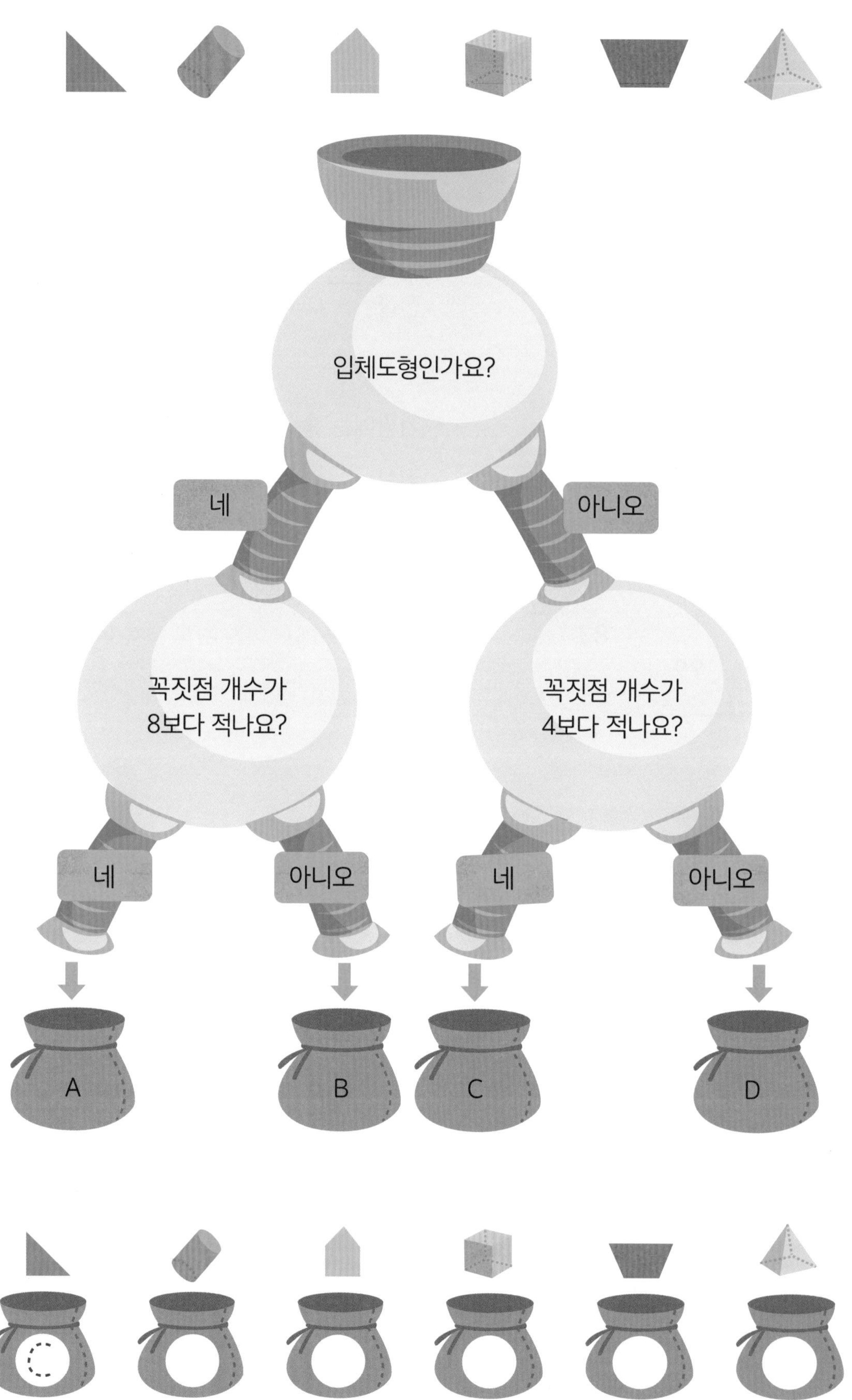

5. 암호를 풀어 보세요. 어떤 영어 문장이 완성되었나요?

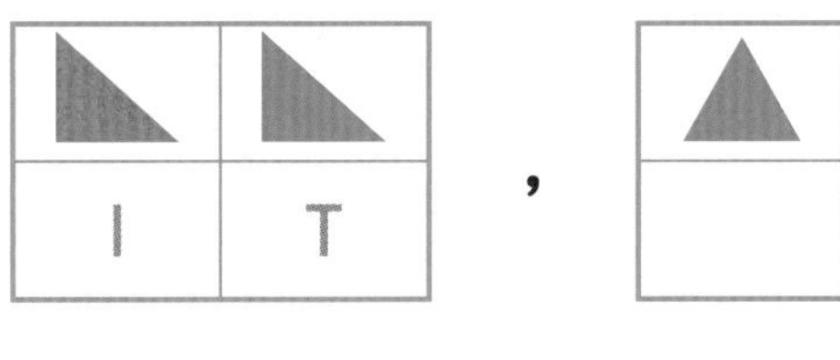

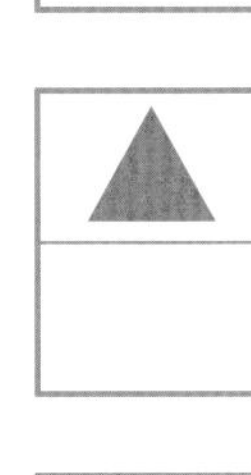

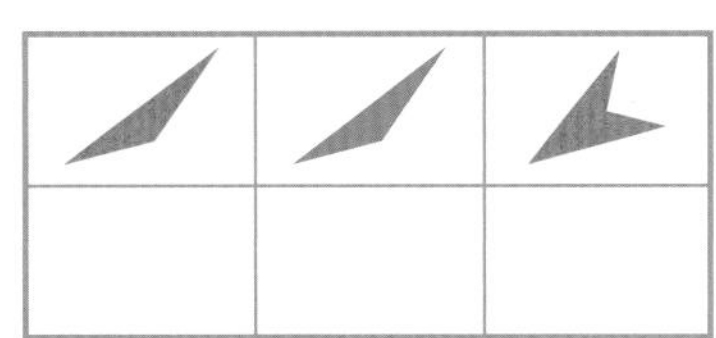

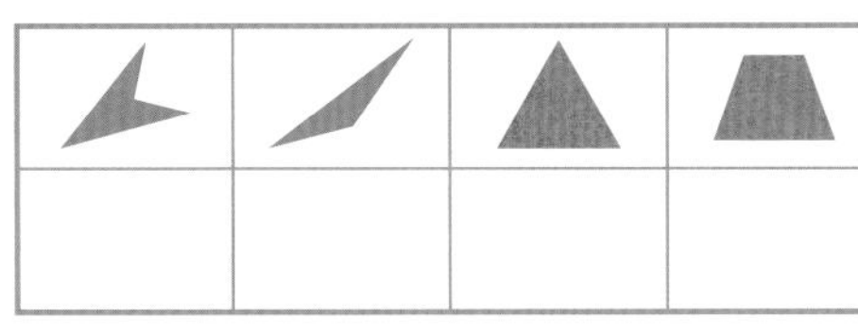

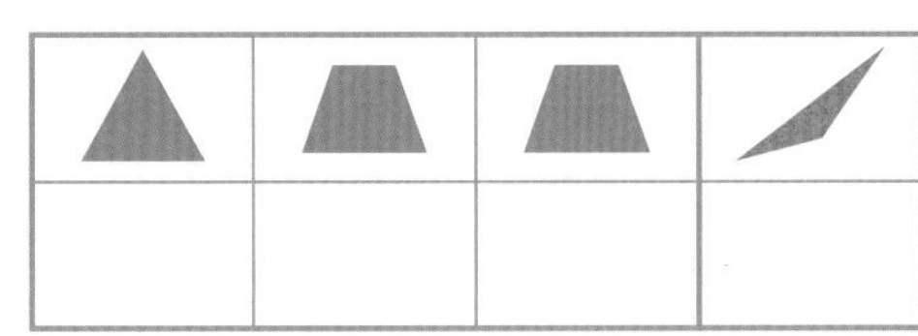

6. 식과 답을 쓰고 알맞은 답에 ○표 해 보세요.

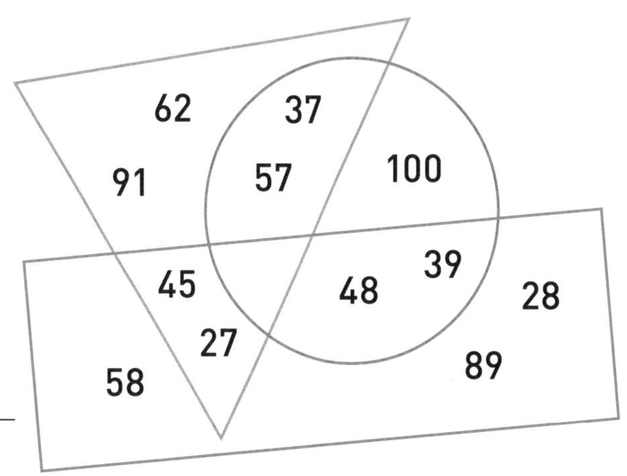

아래 조건에 맞는 두 수의 합을 구해 보세요.

❶ 두 수는 삼각형과 사각형 안에 들어 있어요.

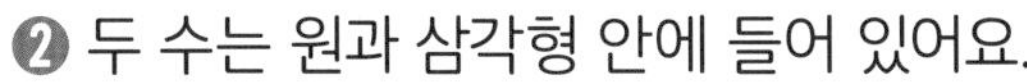

❷ 두 수는 원과 삼각형 안에 들어 있어요.

❸ 두 수는 사각형과 원 안에 들어 있어요.

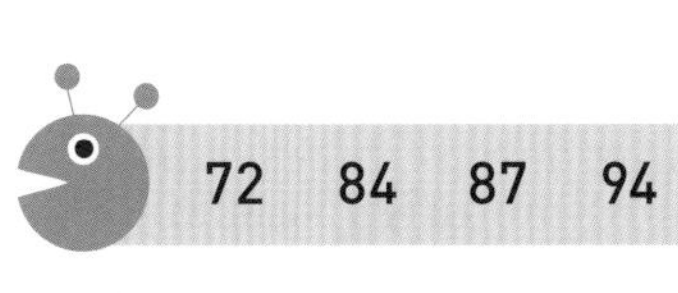

실력을 평가해 봐요!

____월 ____일 ____요일

1. 도형의 이름을 찾아 ○표 해 보세요.

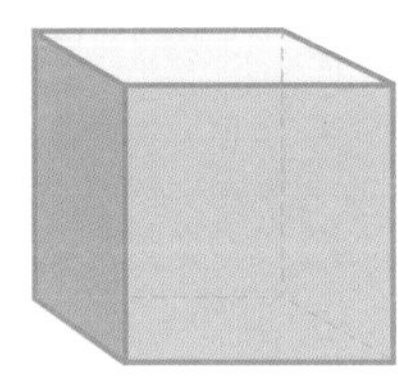

☐ 사각형
☐ 정육면체
☐ 정사면체

☐ 오각형
☐ 원
☐ 사각형

☐ 육각형
☐ 정사면체
☐ 오각형

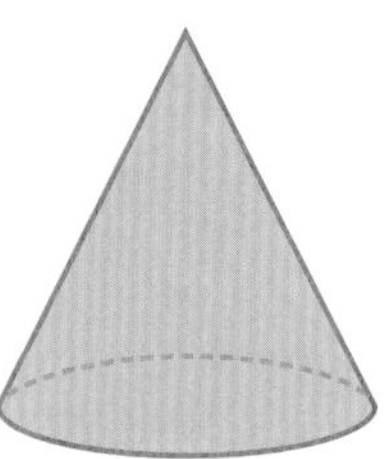

☐ 원뿔
☐ 원기둥
☐ 원

☐ 원뿔
☐ 원기둥
☐ 삼각형

☐ 원기둥
☐ 원
☐ 타원형

2. 계산해 보세요.

7 × 2 = ______	42 + 6 = ______	97 − 7 = ______
4 × 2 = ______	71 + 8 = ______	58 − 5 = ______
9 × 2 = ______	38 + 5 = ______	43 − 4 = ______
3 × 5 = ______	5 + 6 = ______	54 − 7 = ______
7 × 5 = ______	75 + 8 = ______	86 − 9 = ______
0 × 5 = ______	87 + 9 = ______	92 − 4 = ______

3. 자를 이용해서 그려 보세요.

삼각형

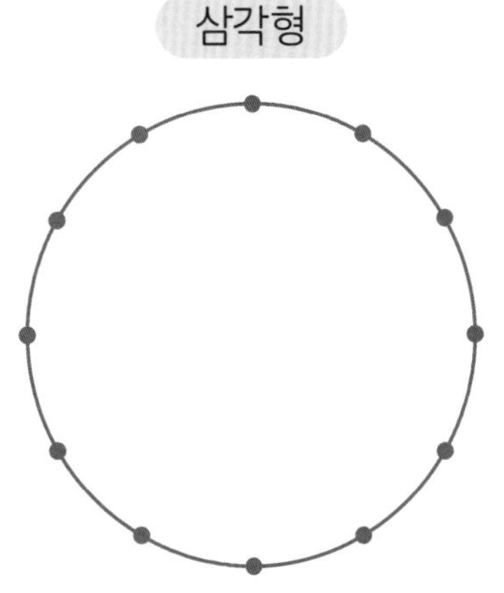

사각형

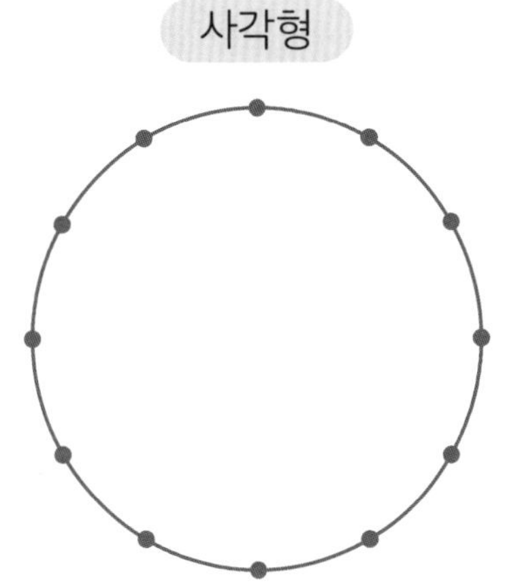

오각형

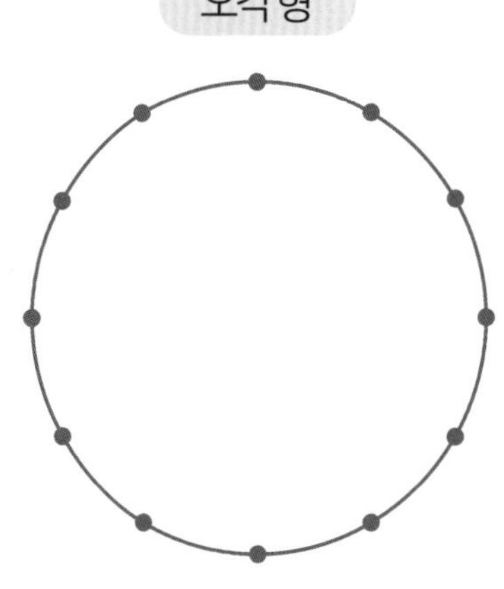

4. 거울 속 모양을 색칠해 보세요.

5. 거울 속 모양을 그려 보세요.

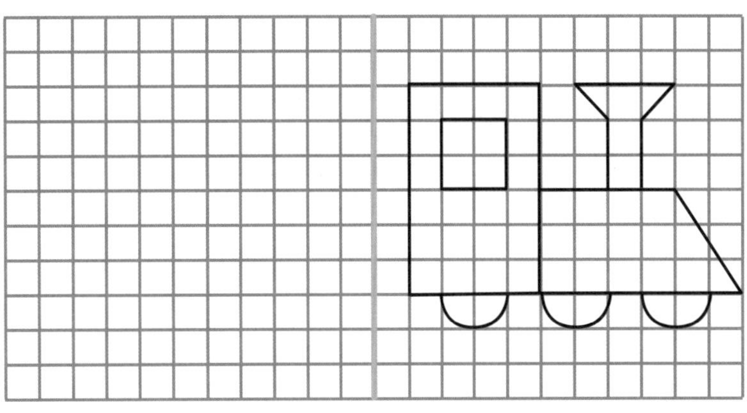

6. 설명을 읽고 식과 답을 써 보세요.

알렉은 정사면체를 2개 가지고 있어요. 정사면체 2개의 모서리는 모두 몇 개인가요?

정답 :

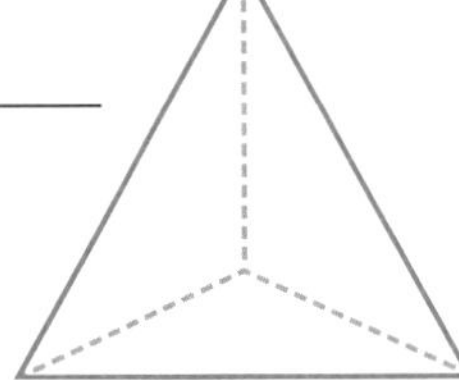

실력이 자란 만큼 별을 색칠하세요.

 정말 잘했어요.

 꽤 잘했어요.

 계속 노력할게요.

단원 평가

1 선대칭이 되도록 색칠해 보세요.

2 선대칭이 되도록 그려 보세요.

3

❶ 자를 이용해서 3단 순서대로 선을 이어 보세요.

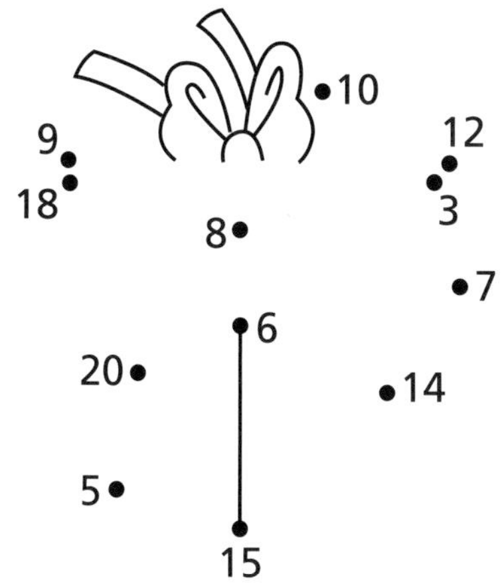

❷ 자를 이용해서 4단 순서대로 선을 이어 보세요.

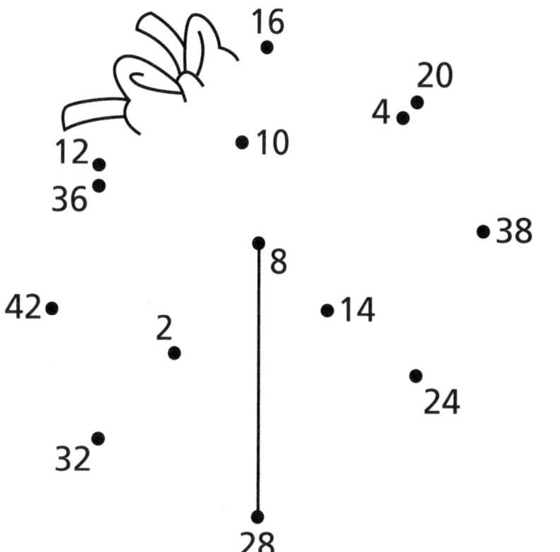

4 ★★★

그림이 들어간 식을 보고 그림의 값을 구해 보세요.

	×		=			= ________
4	×		=			= ________
8	×	5	=		 	= ________
	×	20	=			= ________
	×	20	=		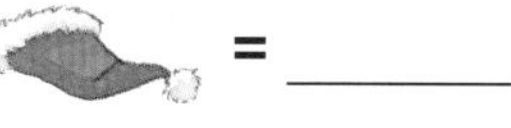	= ________

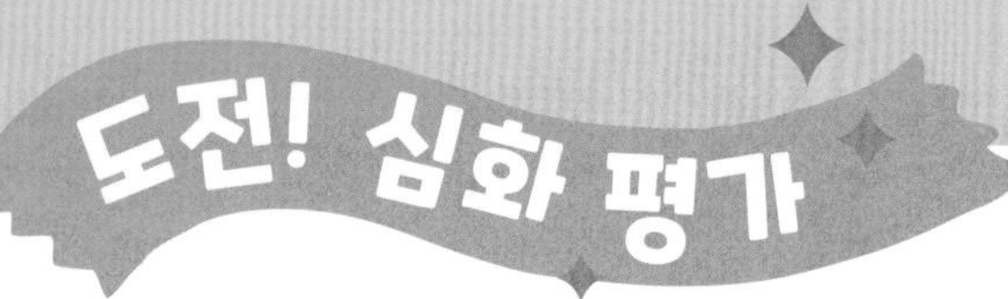

1. 계산을 한 후, 정답에 해당하는 알파벳을 찾아 써넣어 보세요.

9 × 2 = ____ ☐
3 × 10 = ____ ☐
10 × 6 = ____ ☐
4 × 5 = ____ ☐

6 × 5 = ____ ☐
7 × 10 = ____ ☐

10 × 10 = ____ ☐
3 × 5 = ____ ☐

8 × 2 = ____ ☐
9 × 5 = ____ ☐
2 × 9 = ____ ☐

10 × 3 = ____ ☐
5 × 3 = ____ ☐
5 × 5 = ____ ☐
2 × 10 = ____ ☐
3 × 5 = ____ ☐
7 × 2 = ____ ☐
5 × 6 = ____ ☐
2 × 8 = ____ ☐
5 × 3 = ____ ☐

14	15	16	18	20	25	30	45	60	70	100
T	N	O	D	E	V	I	L	C	S	A

2. 각각의 입체도형의 꼭짓점 수를 세어 해당하는 칸에 알파벳을 써넣어 보세요.

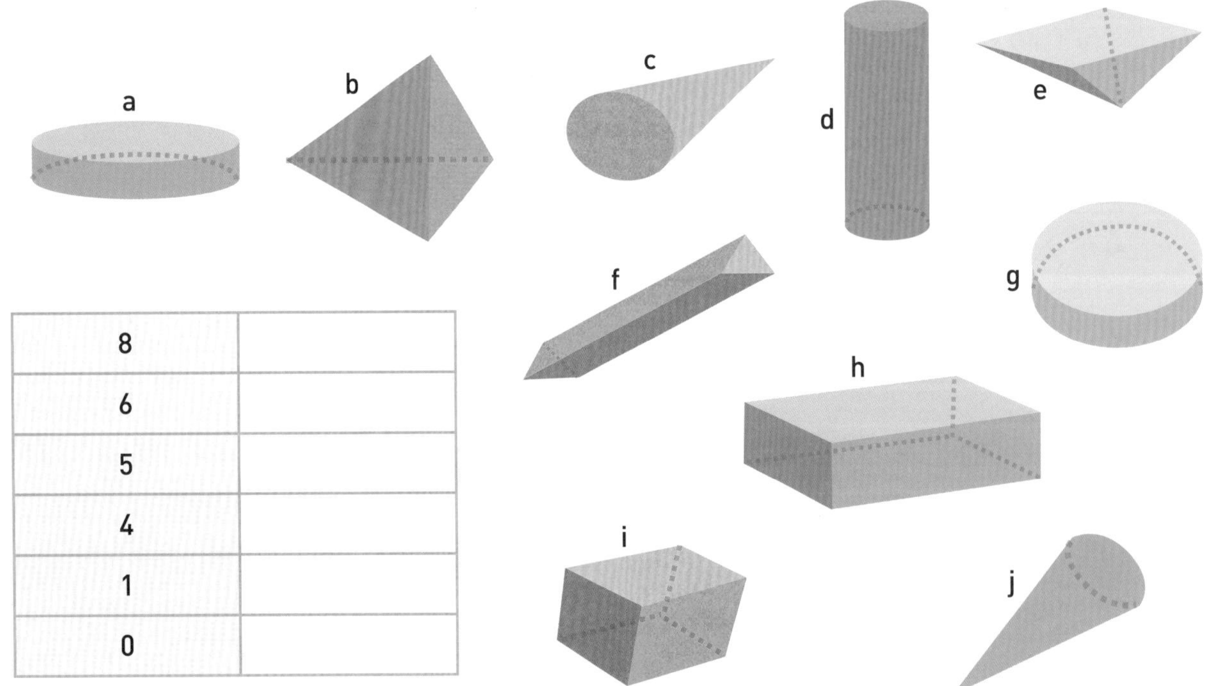

8	
6	
5	
4	
1	
0	

3. 왼쪽 전개도를 접어서 나올 수 있는 정육면체를 찾아 □ 안에 ○표를 하세요.

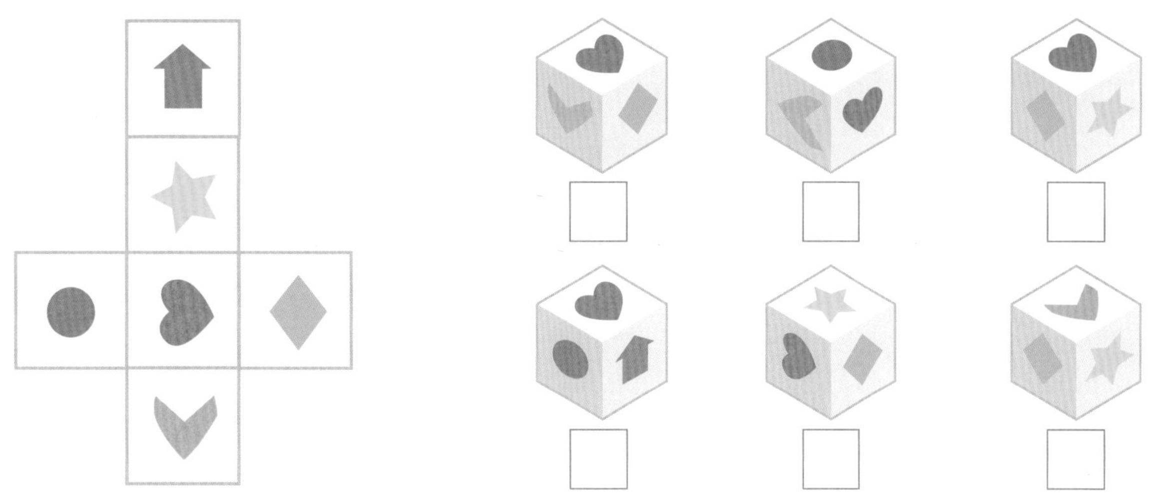

4. 자를 이용해서 똑같이 그려 보세요.

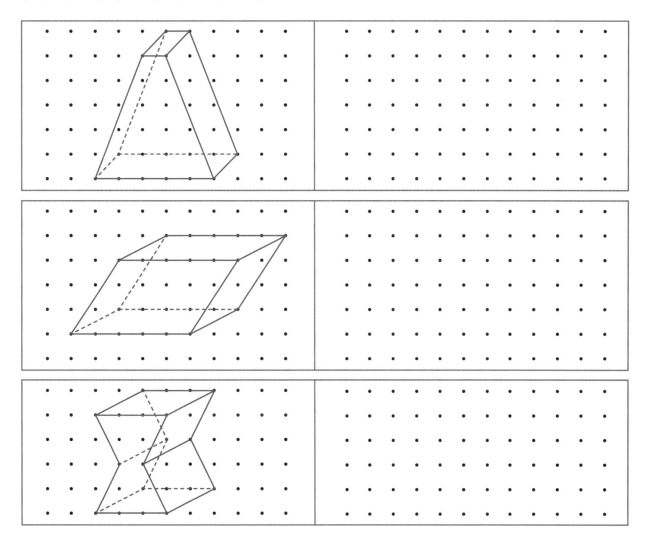

5. 거울 속 모양을 그리고 색칠해 보세요.

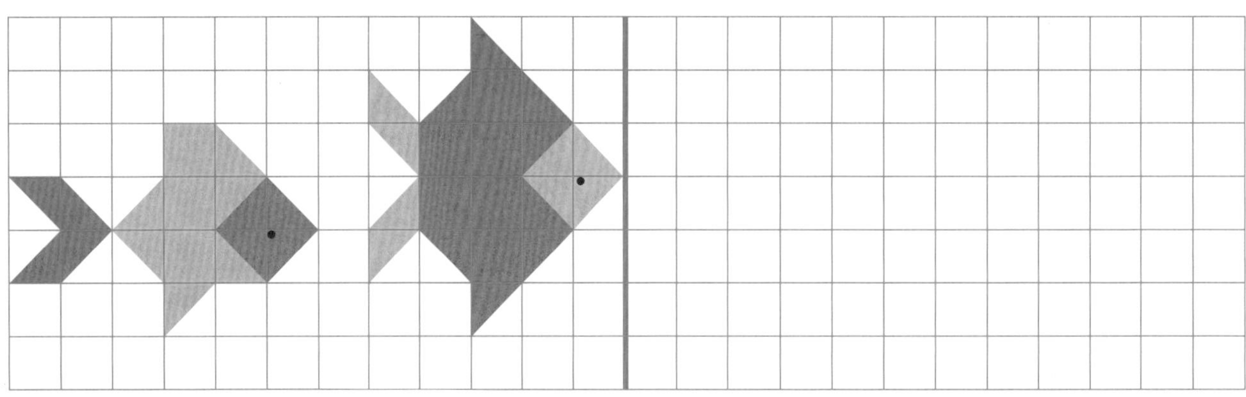

6. 아래 글을 읽고 문제를 풀어 보세요.

❶ 조니는 모눈종이에 정사각형 47개를 그린 후 소피아에게 거울 속 모양을 그려 달라고 했어요. 조니와 소피아가 그린 정사각형의 수는 모두 몇 개인가요?

정답 : ______________________

❷ 올리비아는 모눈종이에 정사각형을 여러 개 그렸는데 에이미가 거울에 비친 그 그림을 따라 그렸어요. 올리비아와 에이미가 그린 정사각형의 수는 모두 78개였어요. 올리비아가 그린 정사각형의 수는 몇 개인가요?

정답 : ______________________

7. 평면도형의 꼭짓점은 모두 같은 수예요. 가운데 수는 꼭짓점 수의 합과 같아요. 빈칸에 알맞은 수를 채워 보세요.

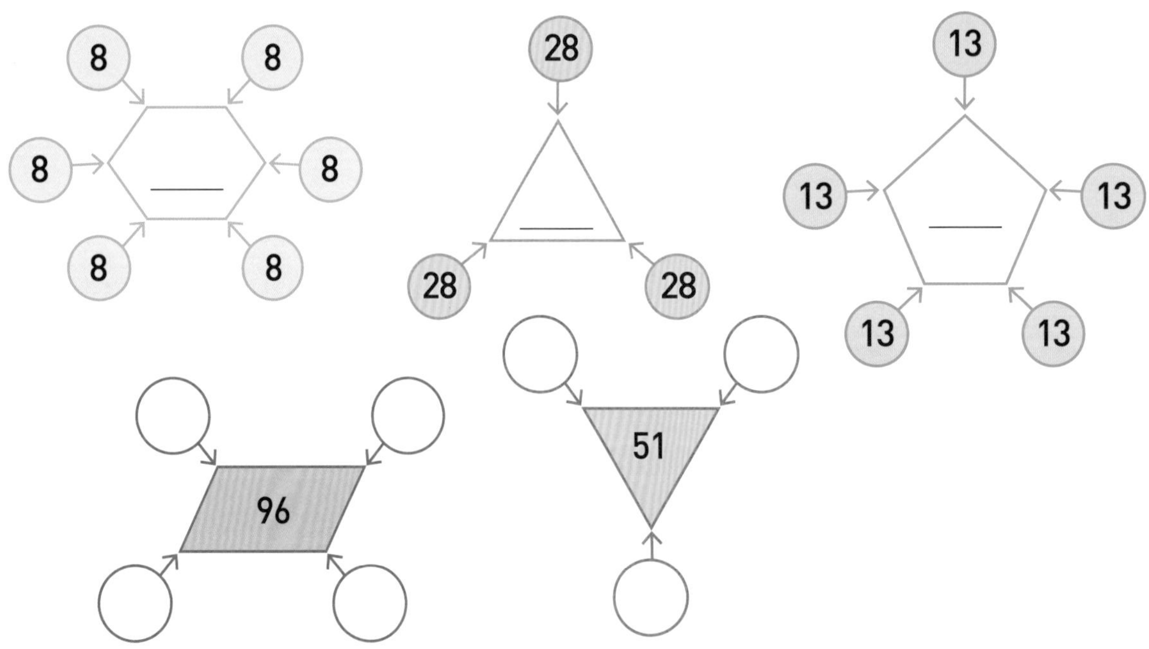

8. 모눈 칸을 색칠하여 네 개의 정사각형을 이용해서 가능한 다양한 종류의 모양을 만들어 보세요. 예시처럼 사각형의 꼭짓점끼리는 닿으면 안 돼요.

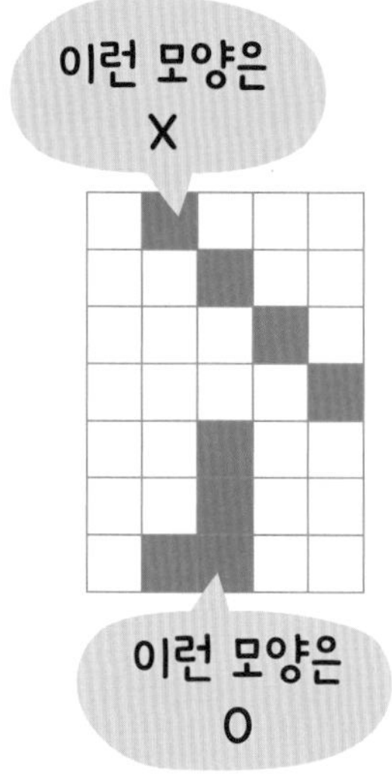

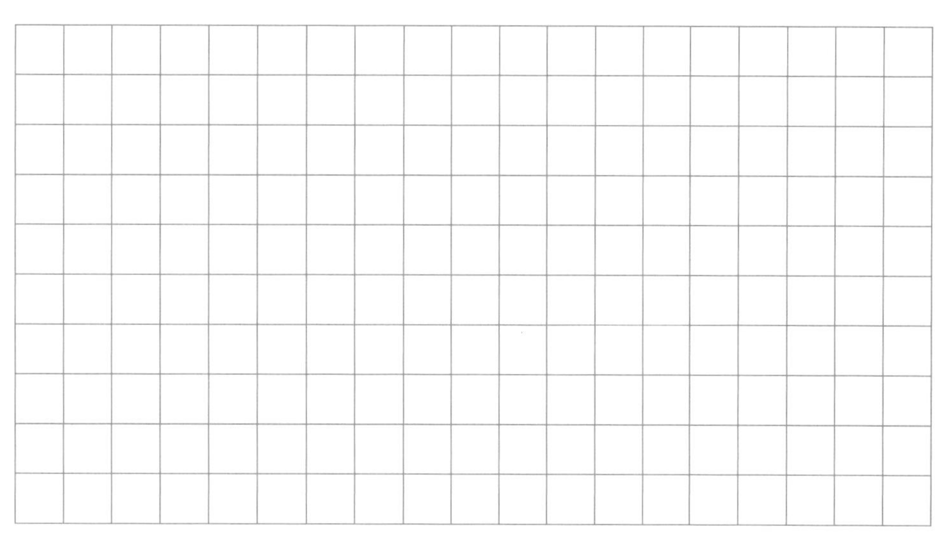

4개의 정사각형으로 만들 수 있는 모양은 7가지가 있어요. 몇 개를 만들었나요? ___________

9. 설명을 읽고 초콜릿의 주인이 누구인지 알아맞혀 보세요.

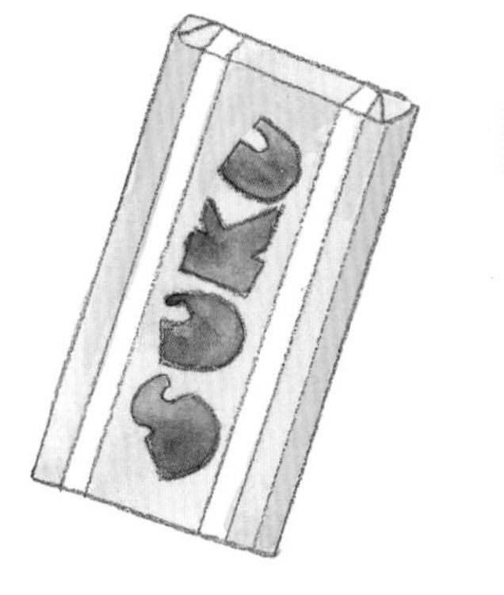

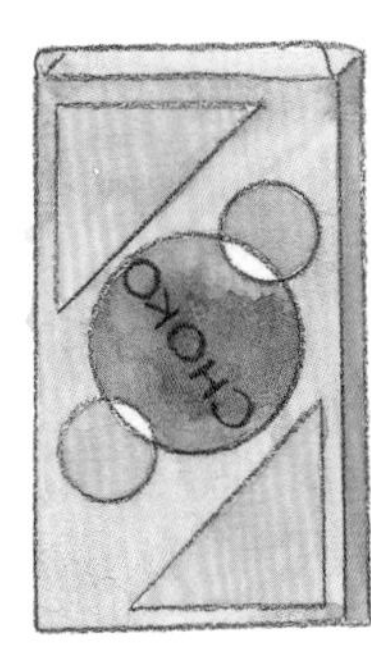

_____________ _____________ _____________ _____________ _____________

- 할리의 초콜릿에는 원이 없어요.
- 오티스의 초콜릿에는 엘사의 초콜릿보다 삼각형이 1개 더 있어요.
- 레오의 초콜릿에는 원이 2개보다 더 많아요.
- 쉘리의 초콜릿에는 오티스의 초콜릿과 같은 수의 원이 있어요.
- 엘사의 초콜릿에는 어떤 원이나 삼각형도 없어요.

버섯 바구니

인원 : 2명
준비물 : 주사위 2개, 2가지 색의 색연필

 놀이 방법

1. 가위바위보로 순서를 정해 돌아가면서 주사위 2개를 굴려요.
2. 주사위를 던져 나온 눈의 합을 구한 후, 그 합을 □에 넣었을 때 바구니에 담긴 버섯의 수와 같은 게 있는지 찾으세요.
3. 곱셈식에 대한 답이 바구니에 적힌 수와 같다면 각자 정한 색깔의 색연필로 바구니를 색칠하세요.
4. 주사위 눈의 합을 넣어 곱셈식을 만들었을 때 바구니에 적힌 수와 같은 답이 없다면 차례는 다음 사람에게 넘어가요.
5. 가장 많은 바구니를 색칠한 사람이 이겨요.

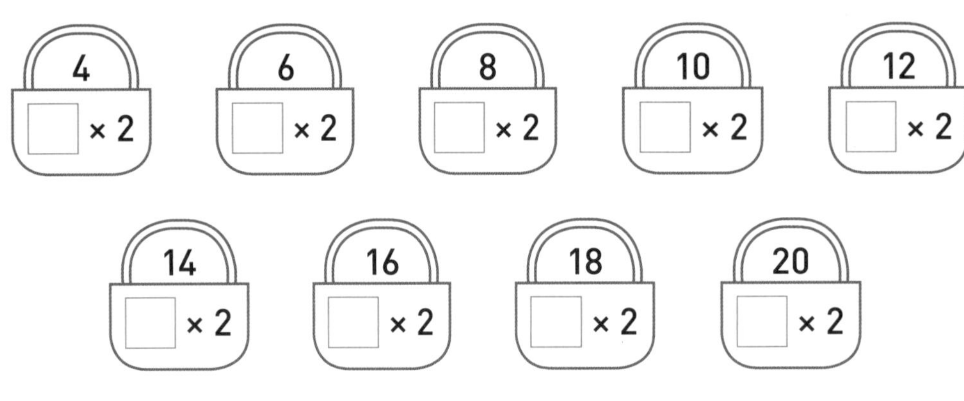

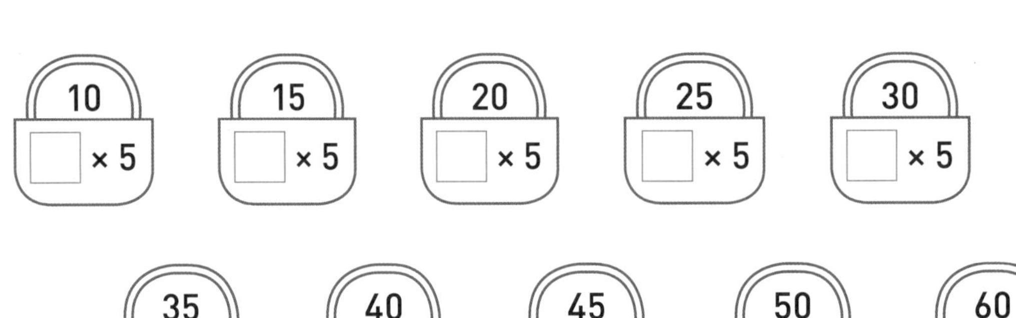

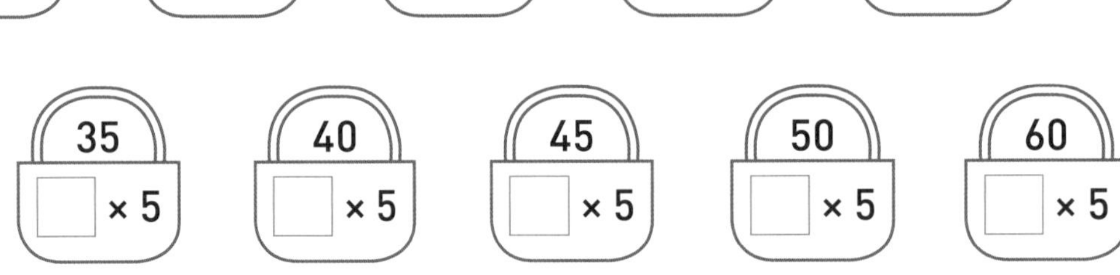

129쪽에 있는 활동지를 이용해서 놀이를 반복해서 할 수 있어요.

꽈배기 놀이

인원 : 2명
준비물 : 주사위 2개, 131쪽 활동지

놀이 방법

1. 한 명은 교재를, 다른 한 명은 교재 뒤에 있는 활동지를 잘라서 사용하세요.
2. 가위바위보로 순서를 정한 후 이긴 사람이 주사위 2개를 굴려요. 주사위 2개 중 1개라도 5가 나오면 첫 번째 문제를 해결하고 정답이면 꽈배기에 색을 칠한 후 순서가 바뀌어요. 5가 안 나와도 순서가 바뀌어요.
3. 단, 꽈배기의 꼬임 수에 맞게 5를 넣어 덧셈식을 만들고, 덧셈식과 관계된 곱셈식도 만들어야 해요.
4. 문제를 풀지 못하면 꽈배기에 색칠할 수 없고 순서가 바뀌어요.
5. 모든 꽈배기를 먼저 색칠한 사람이 이겨요.

____ + ____ = ____

____ × 5 = ____

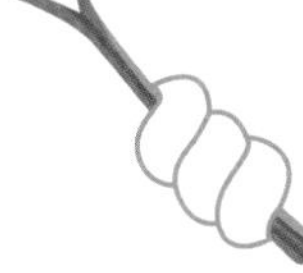

____ + ____ + ____ = ____

____ × 5 = ____

____ + ____ + ____ + ____ = ____

____ × 5 = ____

____ + ____ + ____ + ____ + ____ = ____

____ × 5 = ____

한 번 더 연습해요!

1. 계산해 보세요.

4 + 4 + 4 = ____	4 × 2 = ____	____ × 2 = 12
6 + 6 + 6 = ____	8 × 2 = ____	____ × 2 = 18
3 + 3 + 3 = ____	4 × 5 = ____	____ × 5 = 25

똑같이 나누기 놀이1

인원 : 2명
준비물 : 바둑알 24개, 종이 6장

❶ 바둑알(또는 블록) 24개를 2장의 종이에 똑같이 나누어 놓아 보세요. 바둑알이나 블록이 없다면 동전으로 해도 돼요.

한 장의 종이에 몇 개의 바둑알을 놓을 수 있나요?

정답 : 개

❷ 바둑알 24개를 3장의 종이에 똑같이 나누어 놓아 보세요.

한 장의 종이에 몇 개의 바둑알을 놓을 수 있나요?

정답 : 개

❸ 바둑알 24개를 4장의 종이에 똑같이 나누어 놓아 보세요.

한 장의 종이에 몇 개의 바둑알을 놓을 수 있나요?

정답 : 개

❹ 바둑알 24개를 6장의 종이에 똑같이 나누어 놓아 보세요.

한 장의 종이에 몇 개의 바둑알을 놓을 수 있나요?

정답 : 개

똑같이 나누기 놀이2

파이를 똑같이 나누려고 해요. 그림을 이용해서 답을 구해 보세요.

❶ 파이가 몇 개 있나요? _______개

토끼 한 마리당 받게 되는 파이는 몇 개인가요? _______개

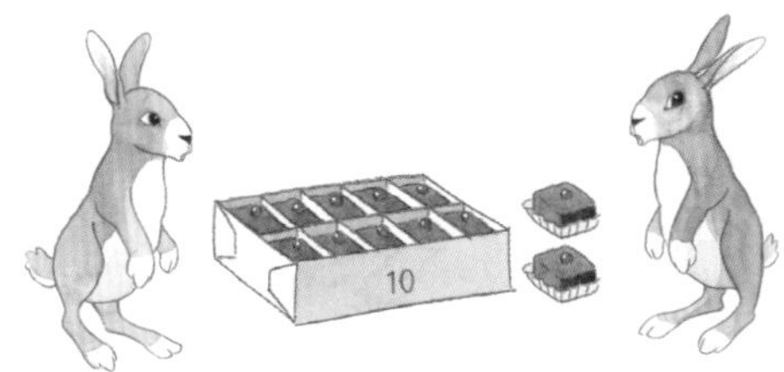

❷ 파이가 몇 개 있나요? _______개

토끼 한 마리당 받게 되는 파이는 몇 개인가요? _______개

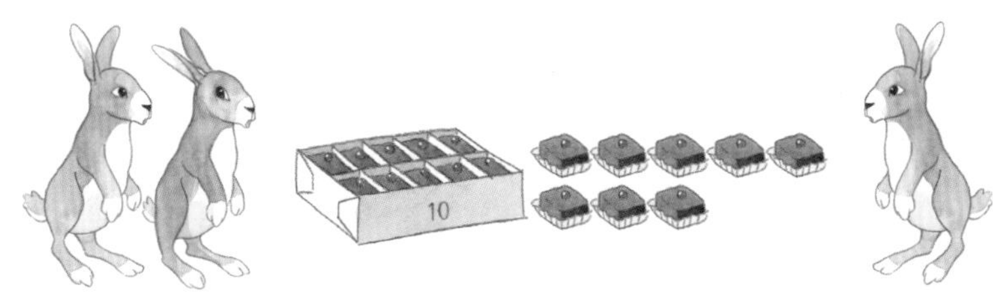

❸ 파이가 몇 개 있나요? _______개

토끼 한 마리당 받게 되는 파이는 몇 개인가요? _______개

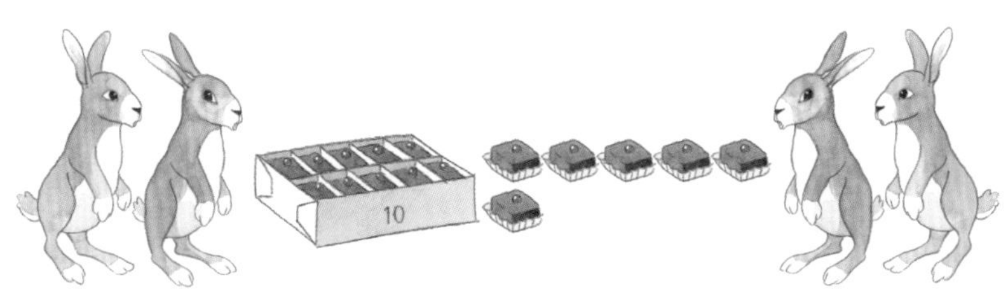

한 번 더 연습해요!

1. 파이가 몇 개 있나요?

_______________개

돼지 한 마리당 받게 되는 파이는 몇 개인가요?

_______________개

2. 계산해 보세요.

8 × 2 = _______

4 × 2 = _______

3 × 2 = _______

5 × 5 = _______

7 × 5 = _______

케이크 가게놀이

인원 : 2명　준비물 : 분수 케이크

딸기 케이크

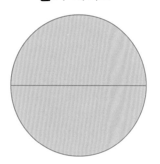

키위 케이크

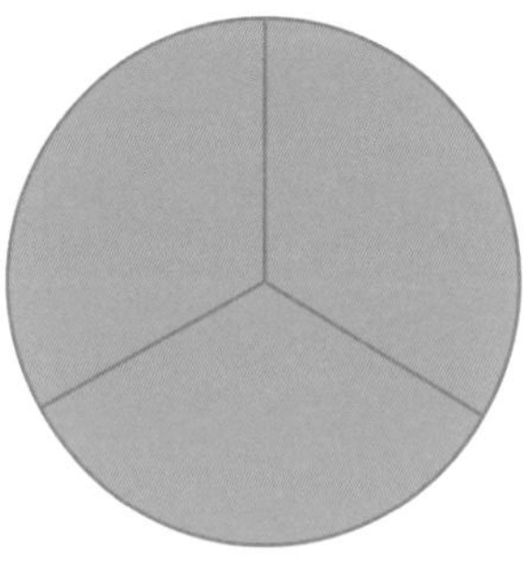

레몬 케이크

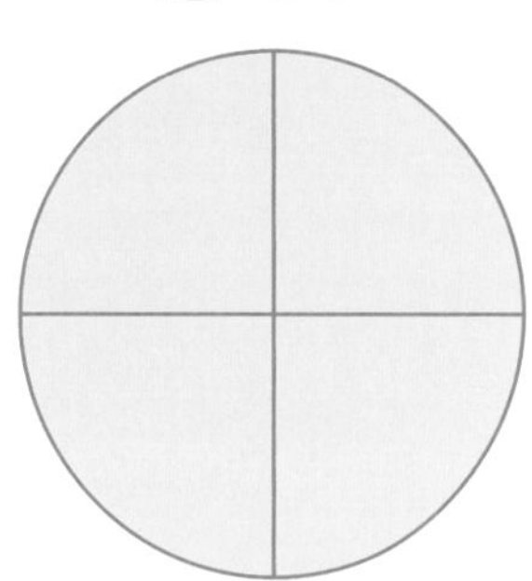

블루베리 케이크

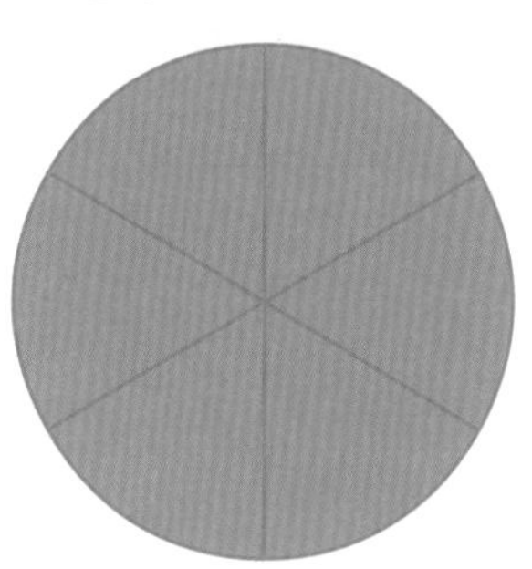

- 각 케이크당 아래 질문에 답해 보세요.
  케이크를 몇 조각으로 나누었나요?
  1조각은 케이크 전체에서 얼마를 차지하나요?

- 각 케이크에서 1조각을 가져와 크기를 비교해 보세요.
  어떤 케이크의 조각이 가장 작은가요? ______________
  어떤 케이크의 조각이 가장 큰가요? ______________

- 레몬 케이크 2조각과 딸기 케이크 1조각을 비교해 보세요.
  알아낸 것은 무엇인가요? ______________

- 블루베리 케이크 2조각과 키위 케이크 1조각을 비교해 보세요.
  알아낸 것은 무엇인가요? ______________

1권에 있는 놀이 카드를 이용하세요.

피자 가게놀이

인원 : 2명 준비물 : 주사위

이름 :

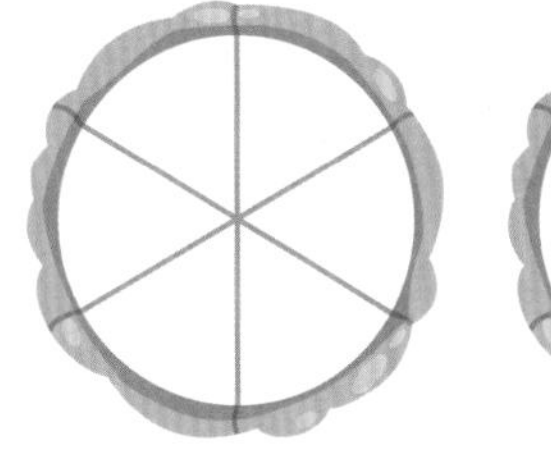
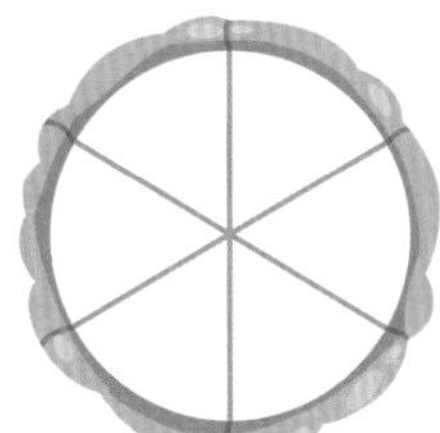
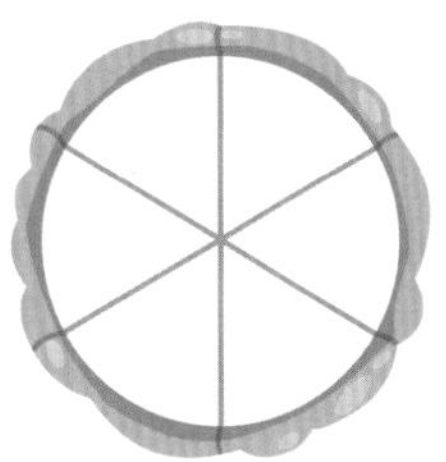

놀이 방법

1. 순서를 정해 차례대로 주사위를 굴린 후 주사위 눈의 수만큼 피자 조각을 색칠하세요.
2. 피자 조각의 총 개수인 18개를 넘기 전에 가능한 한 많은 조각을 색칠해야 해요.
3. 더 많은 피자 조각을 색칠한 사람이 이겨요. 단, 마지막 판에 나온 주사위 눈의 수가 남아 있는 피자 조각 수보다 크면 져요.

이름 :

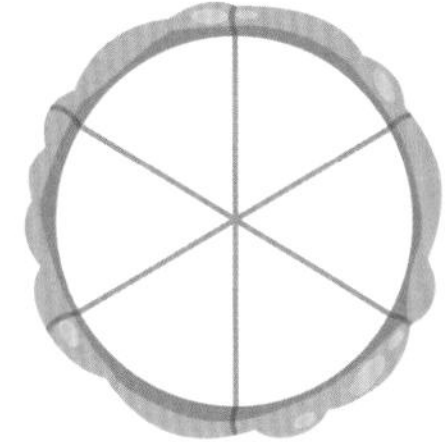
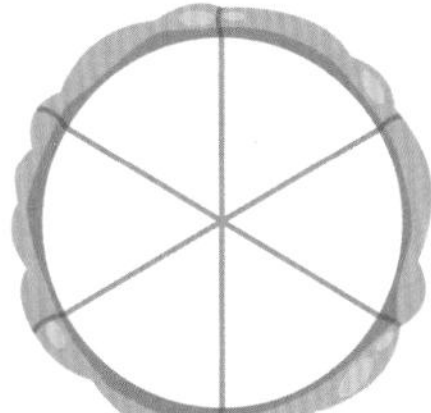
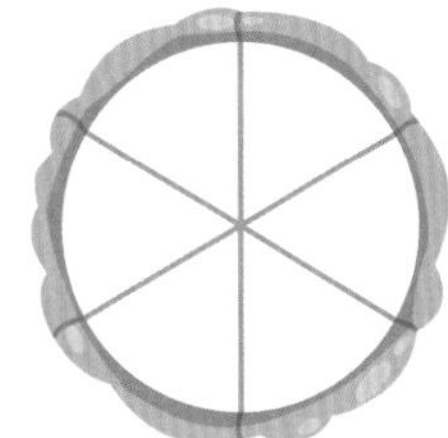

누가 이길까?

한 번 더 연습해요!

1. 몇 등분으로 나뉘었나요?

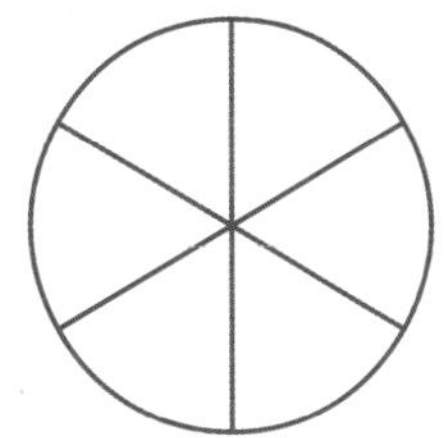

______ ______

2. 계산해 보세요.

5 × 5 = ______

8 × 5 = ______

1 × 2 = ______

8 × 2 = ______

0 × 10 = ______

입체도형 만들기

인원 : 2명 준비물 : 정육면체와 정사면체 전개도

- 정육면체를 만들어요.

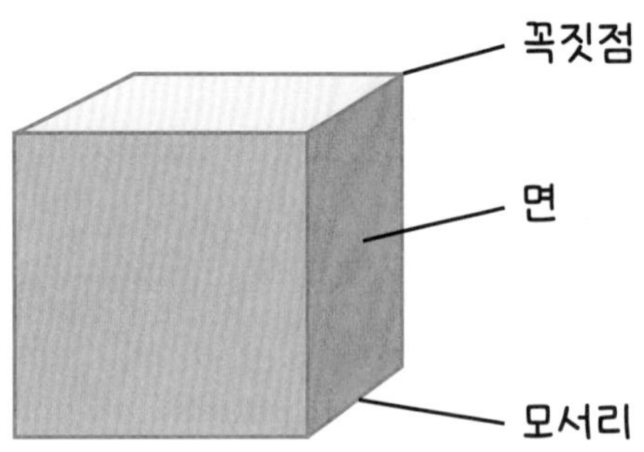

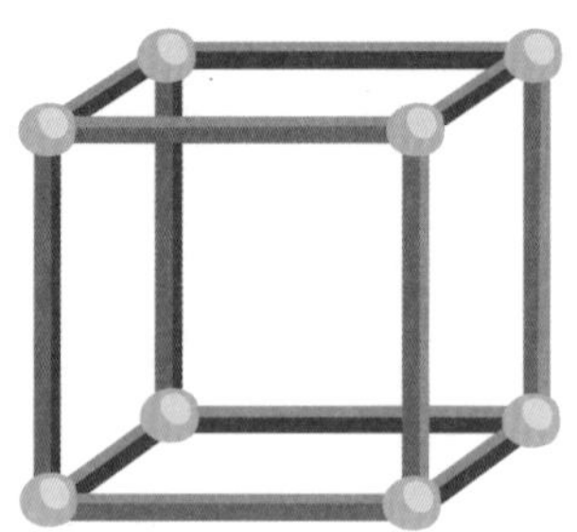

- 정사면체를 만들어요.

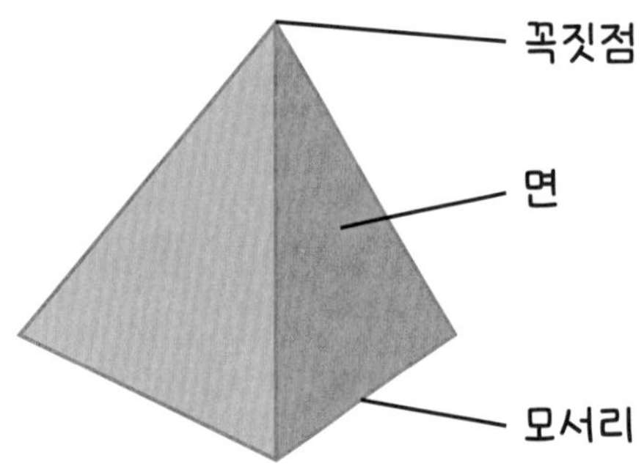

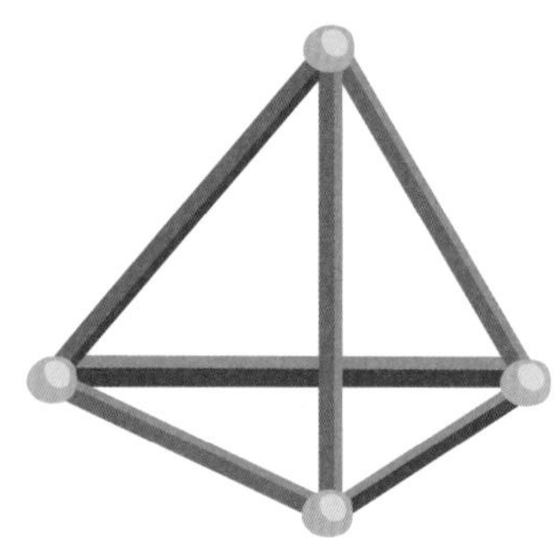

4개의 평면 삼각형으로 둘러쌓인 입체도형을 사면체라고 하고, 사면체의 각 삼각면이 같으면 정사면체라고 해요.

1권에 있는 놀이 카드를 이용하세요.

- 도형의 특성을 탐구한 후 표를 채워 보세요.

	꼭짓점의 수	면의 수	모서리의 수
정육면체			
정사면체			

10의 보수를 찾아라

- 자를 넓게 잡으세요.
- 선을 그을 때는 자가 움직이지 않게 누르세요.
- 10의 보수끼리 이어 보세요.

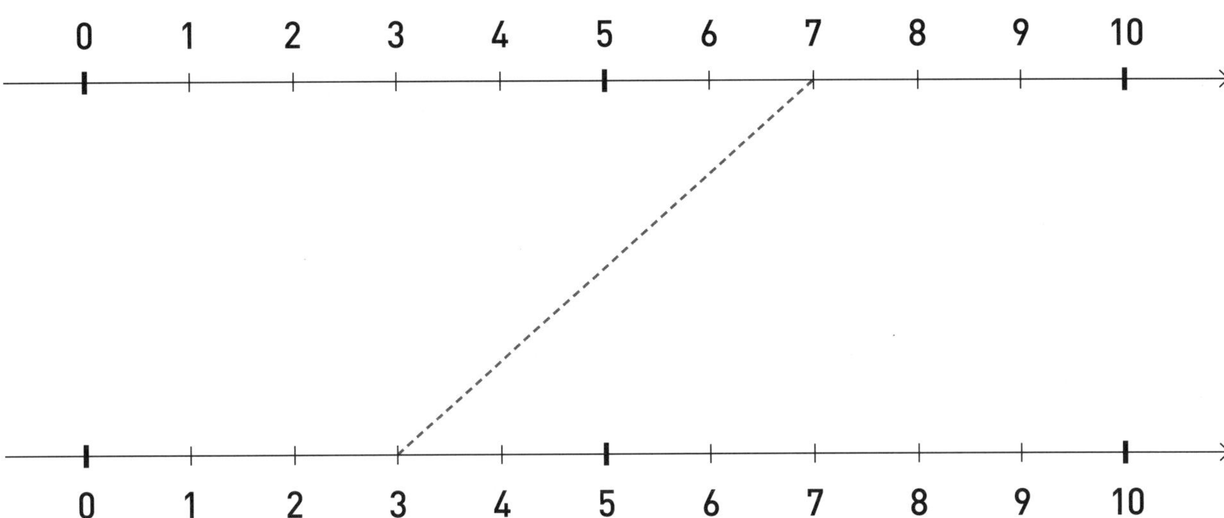

한 번 더 연습해요!

1. 식과 답을 써 보세요.

엠마는 2개의 정육면체를 가지고 있어요.

- 2개의 정육면체에는 면이 모두 몇 개 있나요?

____

- 2개의 정육면체에는 꼭짓점이 모두 몇 개 있나요?

____

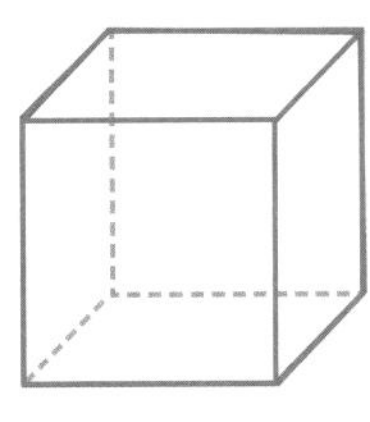

2. 계산해 보세요.

4 × 2 = ______

3 × 5 = ______

7 × 2 = ______

6 × 5 = ______

3 × 2 = ______

____ 월 ____ 일 ____ 요일

로봇과 프로그래머

❶ 로봇이 옷걸이에서 모자를 가져와 프로그래머에게 씌워 주고 미소 지으며 끝내는 프로그래밍 지시 사항을 작성해 보세요.

- 웃어요.
- 모자를 가져와요.
- 옷걸이로 가세요.
- 모자를 씌워 주세요.
- 프로그래머에게 걸어가세요.

시작 → [ ] → [ ] → [ ] → [ ] → [ ] → 끝

❷ 로봇이 연필을 가져와 깎은 후, 연필의 날카로운 정도를 확인하기 위해 '안녕!'이라는 글자를 쓰고, 그것을 보여 주는 프로그래밍 지시 사항을 작성해 보세요.

- 안녕!이라고 글씨를 써요.
- 연필을 뾰족하게 깎아요.
- 연필을 가져오세요.
- 글씨 쓴 것을 보여 줘요.
- 연필이 뾰족하게 되었어요.

시작 → [ ] → [ ] → [ ] (거짓 → 두 번째 칸으로) → 진실 → [ ] → [ ] → 끝

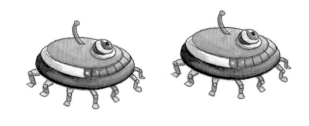

나만의 프로그래밍 만들기

나만의 프로그래밍 지시 사항을 만들어 보세요.

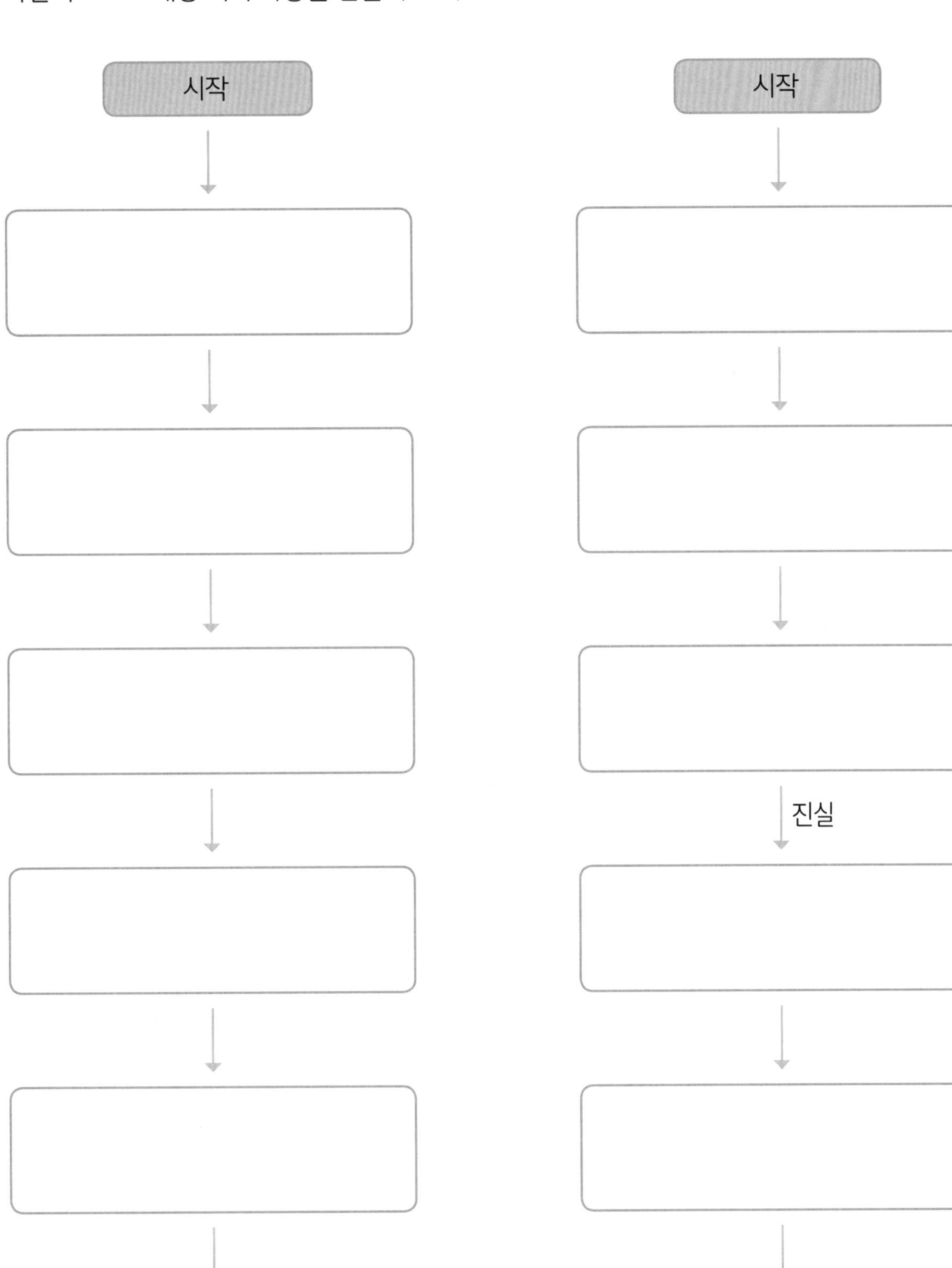

____ 월 ____ 일 ____ 요일

코드 만들기

인어 공주는 조개껍데기로 가도록 프로그래밍 되어 있어요.
화살표와 숫자를 이용해서 코드를 만들어 보세요.

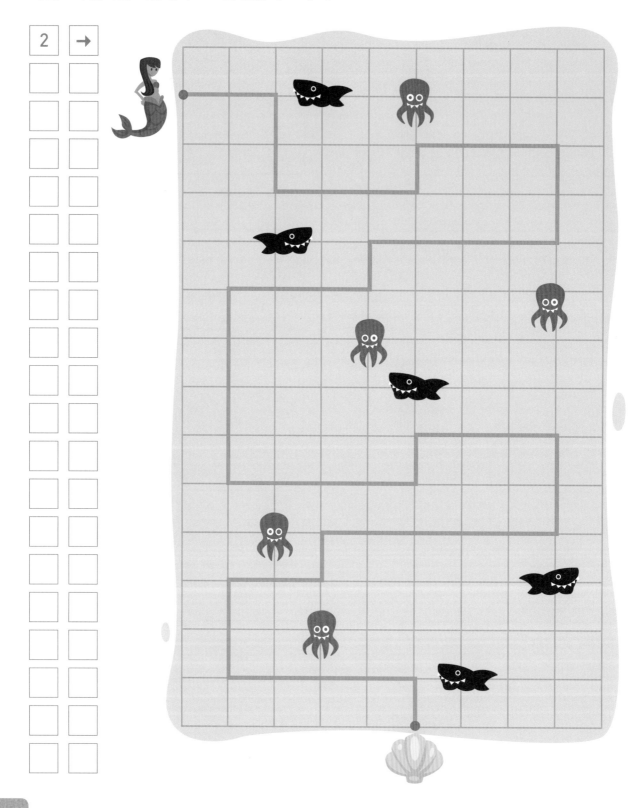

2	→

나만의 코드 만들기

해적은 보물 상자로 가도록 프로그래밍 되어 있어요. 해적은 14번 이상은 회전할 수 없어요. 길을 그리고 코드를 만들어 보세요.

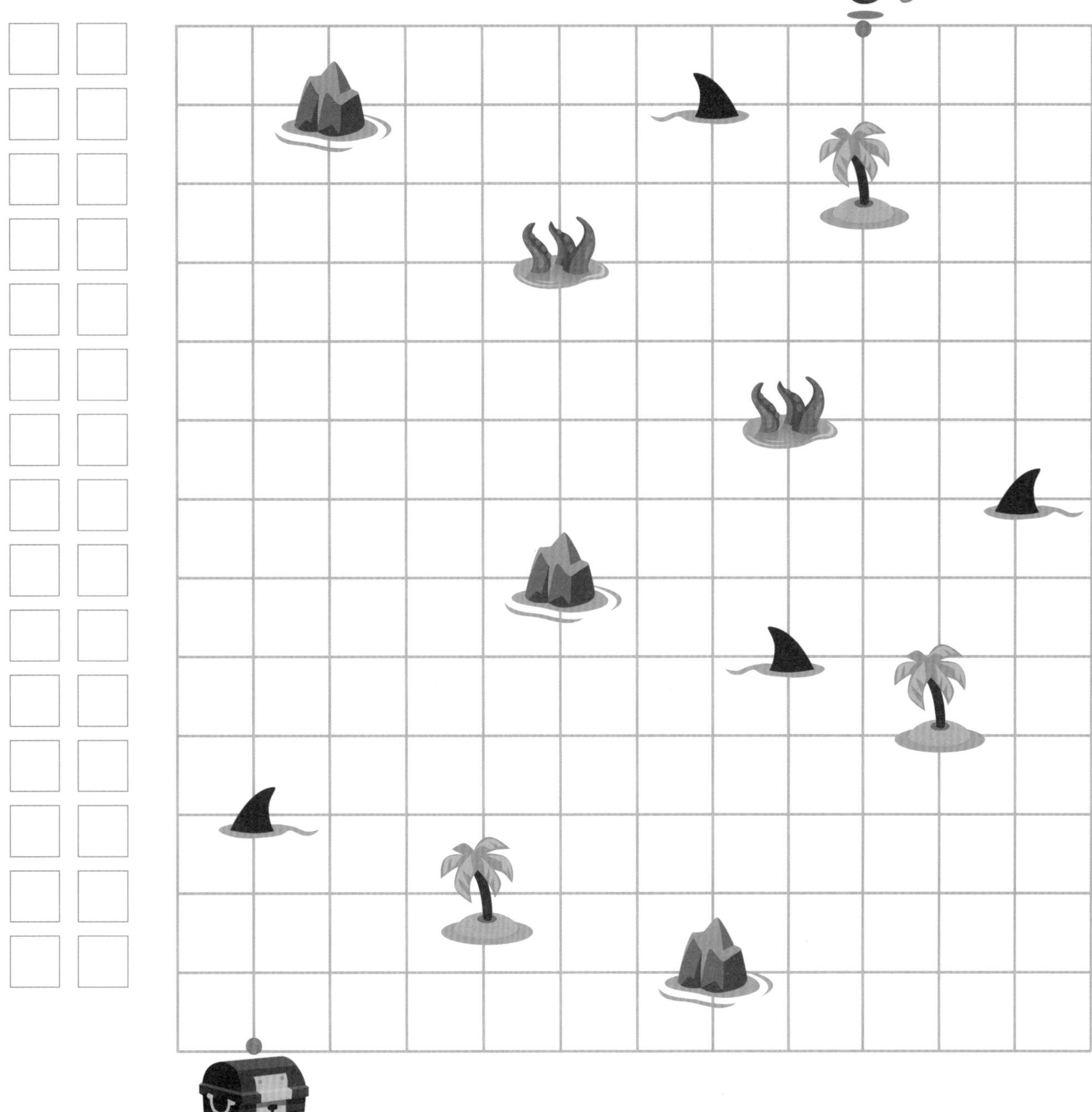

____월 ____일 ____요일

똑같이 나누기 1

1. 4등분을 하려고 해요.

❶ $\frac{2}{4}$를 색칠해 보세요.

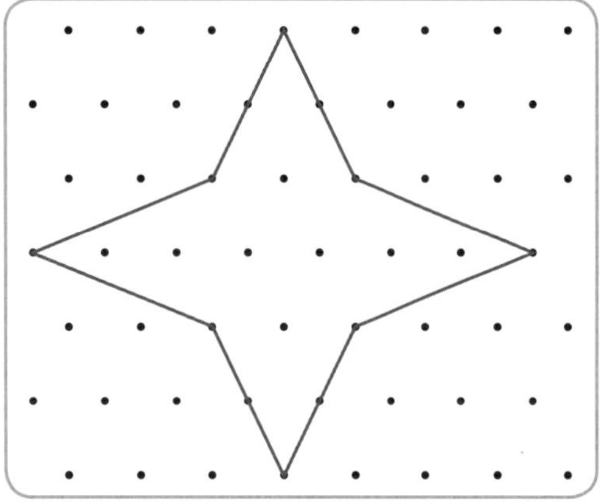

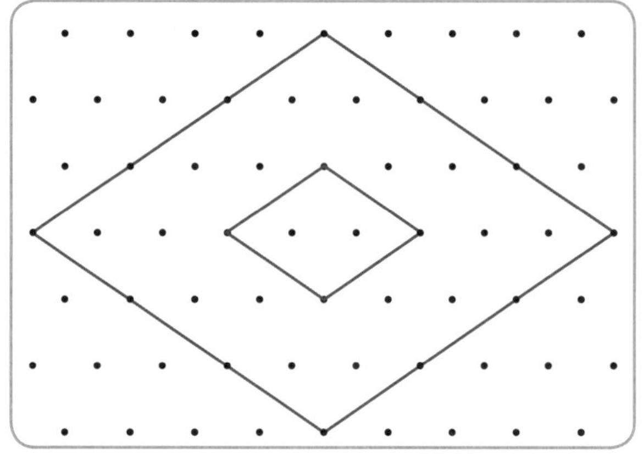

❷ $\frac{3}{4}$을 색칠해 보세요.

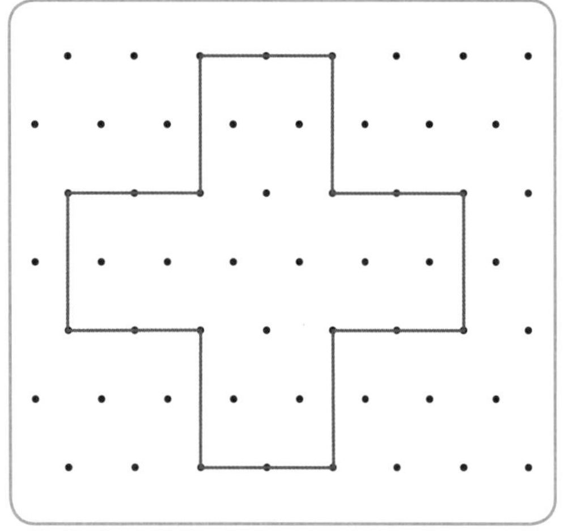

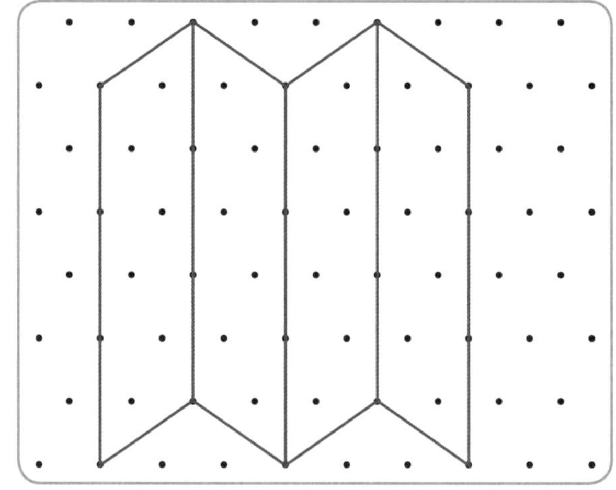

2. 3등분을 한 후, $\frac{1}{3}$을 색칠해 보세요.

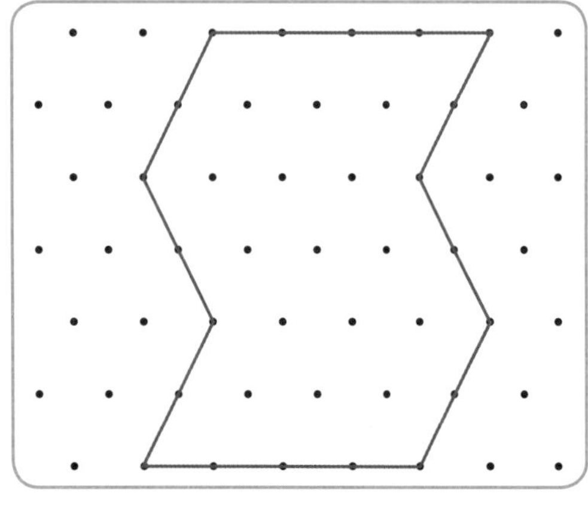

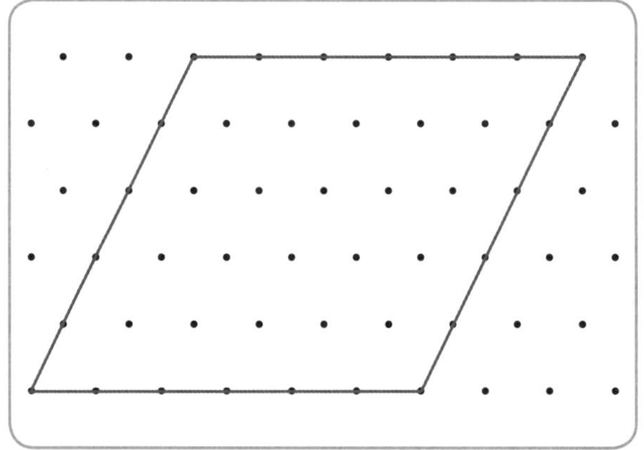

똑같이 나누기 2

1. 제시된 만큼 똑같이 나눌 수 있도록 모양을 그려 보세요.

❶ 2등분 하세요.

❷ 3등분 하세요.

❸ 4등분 하세요.

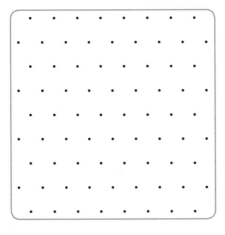

____월 ____일 ____요일

선대칭 그리기 1

1. 선대칭이 되도록 그리고 색칠해 보세요.

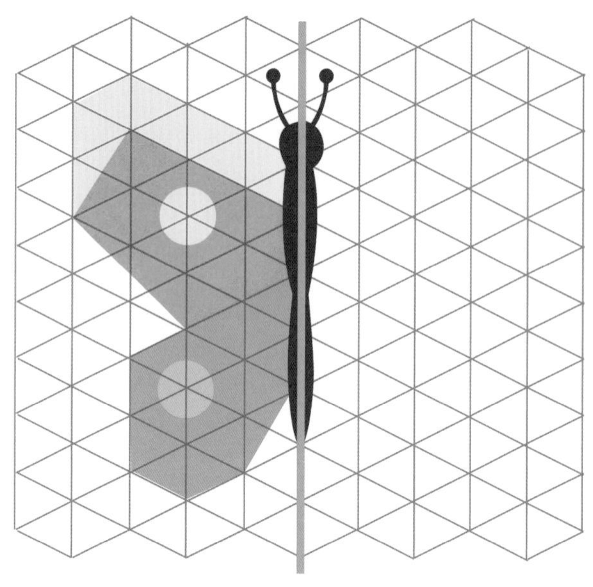

2. 거울 속 모양을 그려 보세요.

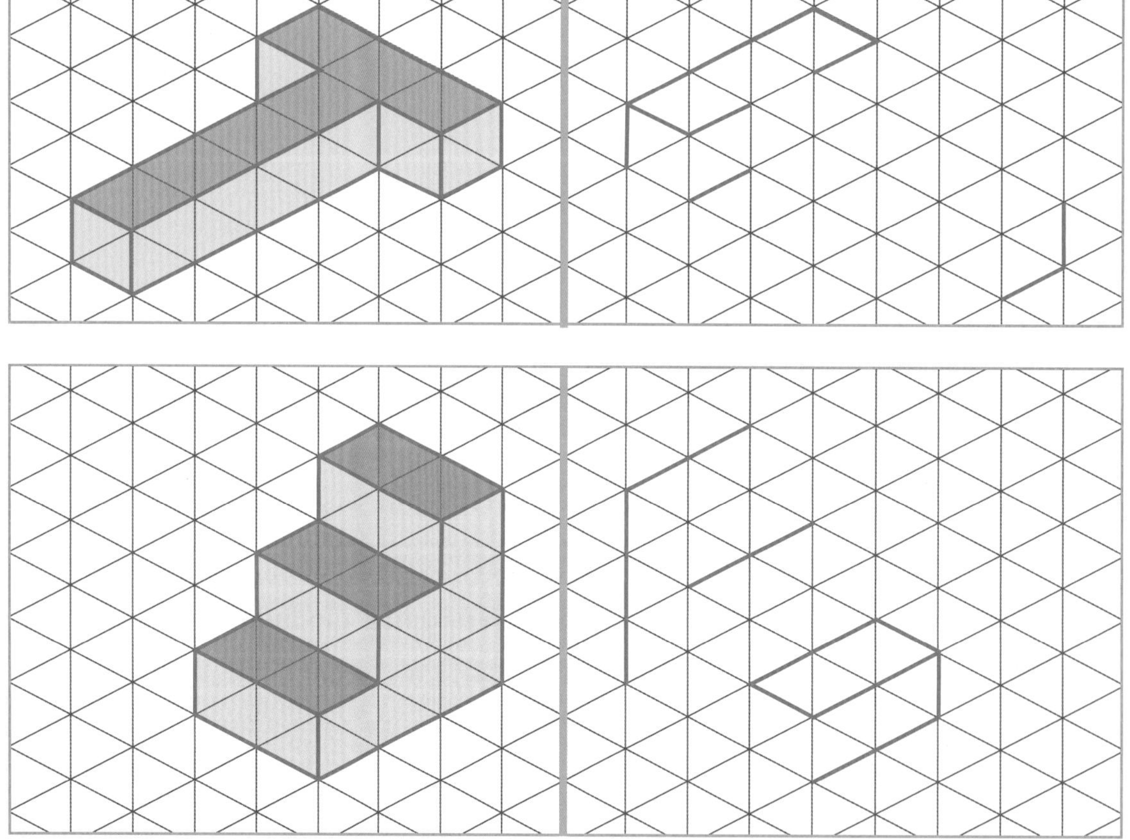

선대칭 그리기 2

1. 선대칭 된 모양을 그려 보세요.

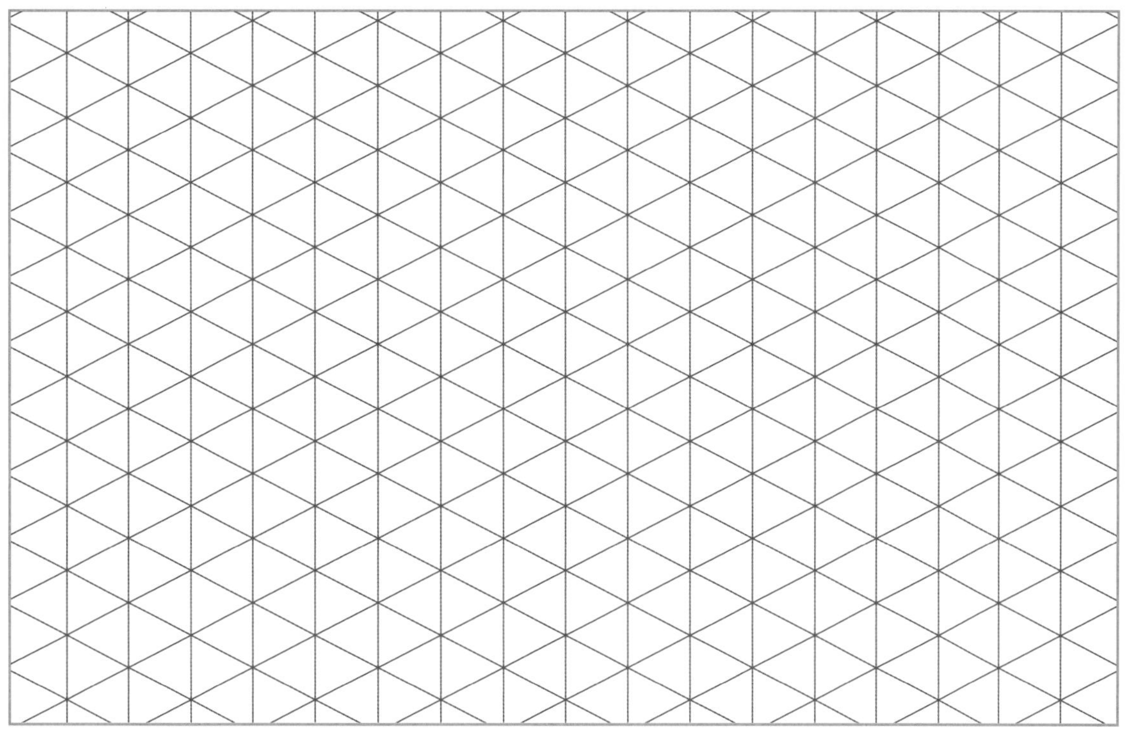

2. 모양을 그린 후 거울 속 모양도 그려 보세요.

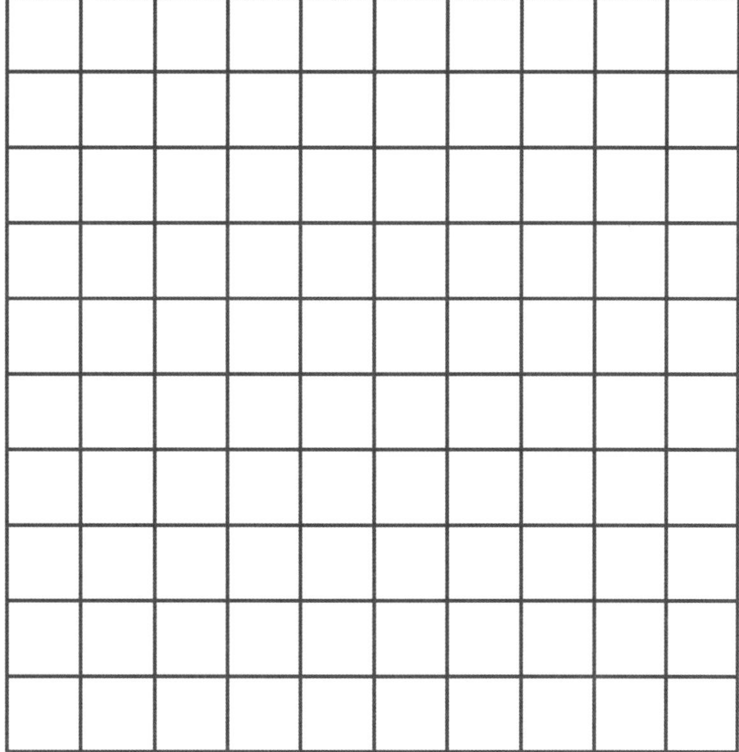

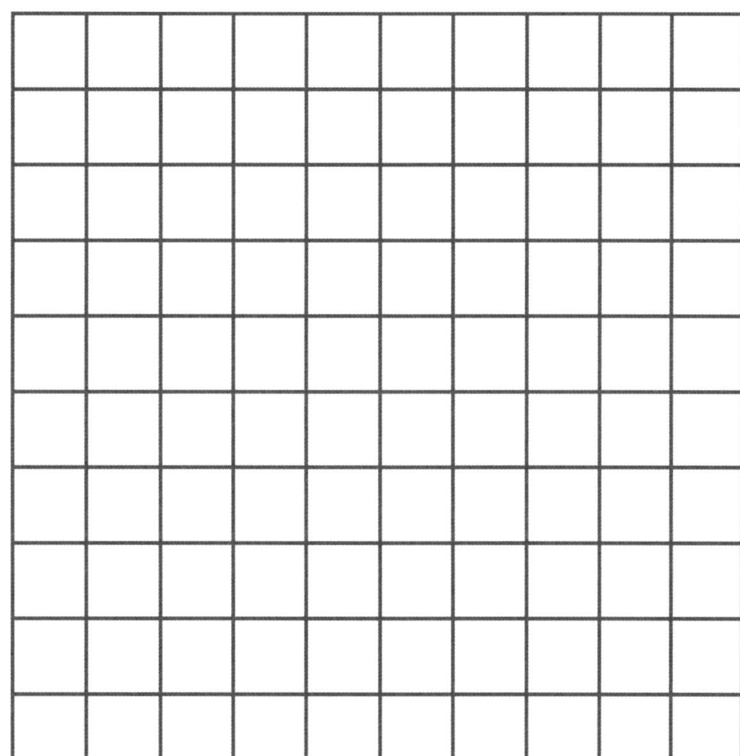

4
× 2
6
× 2
8
× 2
10
× 2
12
× 2
14
× 2
16
× 2
18
× 2
20
× 2
24
× 2
10
× 5
15
× 5
20
× 5
25
× 5
30
× 5
35
× 5
40
× 5
45
× 5
50
× 5

4
× 2
6
× 2
8
× 2
10
× 2
12
× 2
14
× 2
16
× 2
18
× 2
20
× 2
24
× 2
10
× 5
15
× 5
20
× 5
25
× 5
30
× 5
35
× 5
40
× 5
45
× 5
50
× 5

____ + ____ = ____

____ × 5 = ____

____ + ____ + ____ = ____

____ × 5 = ____

____ + ____ + ____ + ____ = ____

____ × 5 = ____

____ + ____ + ____ + ____ + ____ = ____

____ × 5 = ____

____ + ____ = ____

____ × 5 = ____

____ + ____ + ____ = ____

____ × 5 = ____

____ + ____ + ____ + ____ = ____

____ × 5 = ____

____ + ____ + ____ + ____ + ____ = ____

____ × 5 = ____

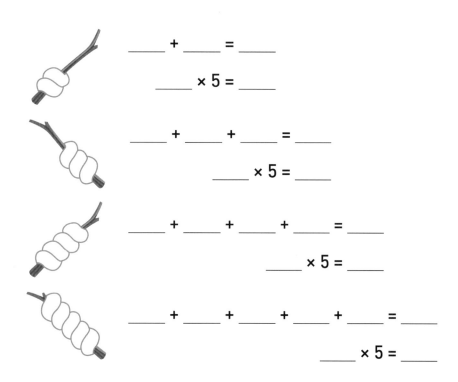

핀란드 2학년 수학 교과서 2-1

정답과 해설

1권

12-13쪽

1 덧셈과 뺄셈

덧셈 8 + 5 = 13 (더해지는 수, 더하는 수, 합)
뺄셈 12 - 3 = 9 (빼어지는 수, 빼는 수, 차)

1. 10을 만들어 보세요.

7+3, 8+2, 4+6, 3+7, 0+10, 2+8, 1+9, 10+0, 9+1, 5+5, 6+4

2. 계산해 보세요.

6+4+1 = 11	11-1-3 = 7	12+4 = 16
8+2+4 = 14	13-3-8 = 2	15+3 = 18
7+3+2 = 12	15-5-4 = 6	17-6 = 11
1+6+9 = 16	17-7-6 = 4	19-5 = 14

12

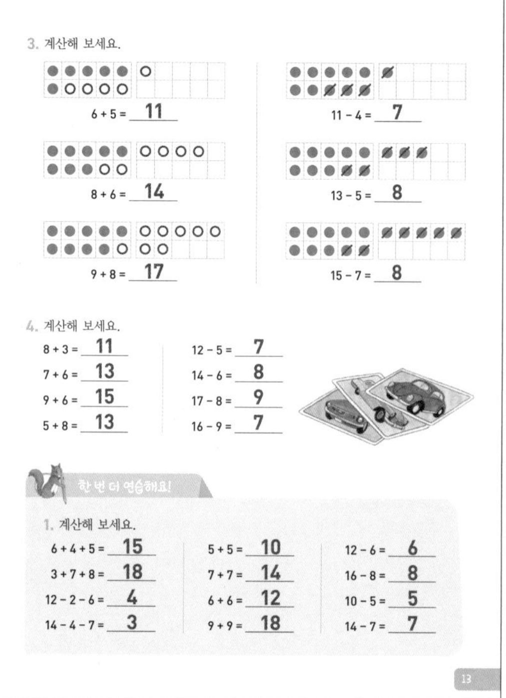

3. 계산해 보세요.

6+5 = 11	11-4 = 7
8+6 = 14	13-5 = 8
9+8 = 17	15-7 = 8

4. 계산해 보세요.

8+3 = 11	12-5 = 7
7+6 = 13	14-6 = 8
9+6 = 15	17-8 = 9
5+8 = 13	16-9 = 7

한 번 더 연습해요!

1. 계산해 보세요.

6+4+5 = 15	5+5 = 10	12-6 = 6
3+7+8 = 18	7+7 = 14	16-8 = 8
12-2-6 = 4	6+6 = 12	10-5 = 5
14-4-7 = 3	9+9 = 18	14-7 = 7

13

그림을 보며 아이에게 질문해 보세요.

- 모자 쓴 남자아이 앞 탁자 위에 카드가 몇 장 있니? **8장**
- 모자 쓴 남자아이가 손에 들고 있는 카드는 몇 장이니? **5장**
- 모자 쓴 남자아이가 갖고 있는 카드는 모두 몇 장이니? **8+5=13**
- 8+5=13을 쉽게 계산하는 방법에는 어떤 게 있을까? **8+2+3=13 또는 5+5+3=13**
- 10을 만들어 계산하면 어떤 점이 좋을까? **10을 만들면 계산하기가 편해요.**

14-15쪽

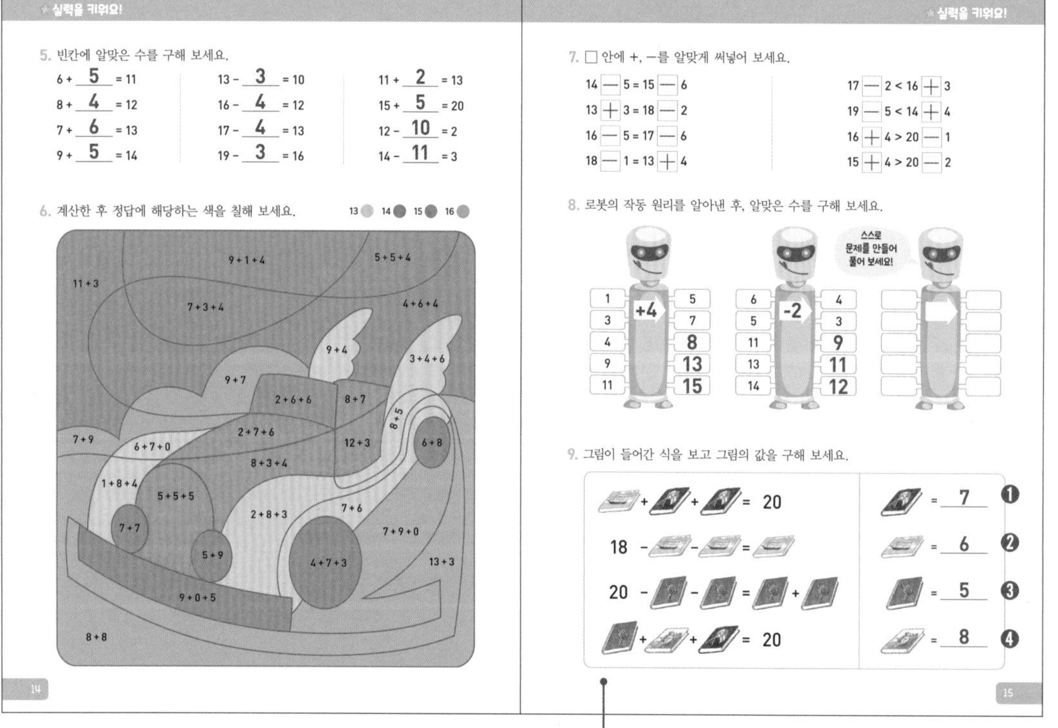

실력을 키워요!

5. 빈칸에 알맞은 수를 구해 보세요.

6 + 5 = 11	13 - 3 = 10	11 + 2 = 13
8 + 4 = 12	16 - 4 = 12	15 + 5 = 20
7 + 6 = 13	17 - 4 = 13	12 - 10 = 2
9 + 5 = 14	19 - 3 = 16	14 - 11 = 3

6. 계산한 후 정답에 해당하는 색을 칠해 보세요. (13, 14, 15, 16)

14

실력을 키워요!

7. □ 안에 +, -를 알맞게 써넣어 보세요.

14 - 5 = 15 - 6	17 - 2 < 16 + 3
13 + 3 = 18 - 2	19 - 5 < 14 + 4
16 - 5 = 17 - 6	16 + 4 > 20 - 1
18 - 1 = 13 + 4	15 + 4 > 20 - 2

8. 로봇의 작동 원리를 알아낸 후, 알맞은 수를 구해 보세요.

+4		-2	
1	5	6	4
3	7	5	3
4	8	11	9
9	13	13	11
11	15	14	12

9. 그림이 들어간 식을 보고 그림의 값을 구해 보세요.

▭ + ▭ + ▭ = 20	▭ = 7 ❶
18 - ▭ - ▭ = ▭	▭ = 6 ❷
20 - ▭ - ▭ = ▭ + ▭	▭ = 5 ❸
▭ + ▭ + ▭ = 20	▭ = 8 ❹

15

1학년의 1+□=5에서 □ 값을 구하는 문제와 같은 원리입니다. 그림이 가장 적게 들어간 식부터 해결해요. 핀란드 수학 교과서에는 이 유형과 비슷한 창의 문제가 많이 있는 것이 특징이라고 할 수 있어요.

부모님 가이드 | 14쪽

아이와 함께 계산 놀이를 해 보세요. 책 뒤에 있는 숫자 카드와 +, - 카드를 이용해서 할 수 있어요. 엄마가 덧셈값 13이라고 말하면 아이는 숫자 카드와 더하기 부호를 이용해 8+5, 10+3 등 합이 13인 식을 만듭니다.

❷ 18 - ▭ - ▭ = ▭
18을 3등분하여 가르기 하면 6이므로, ▭ = 6

❸ 20 - ▭ - ▭ = ▭ + ▭
20을 4등분하여 가르기 하면 5이므로, ▭ = 5

❶ ▭ + ▭ + ▭ = 20
6 + ▭ + ▭ = 20,
▭ + ▭ = 14, ▭ = 7

❹ ▭ + ▭ + ▭ = 20
5 + ▭ + 7 = 20,
▭ + 12 = 20, ▭ = 8

16-17쪽

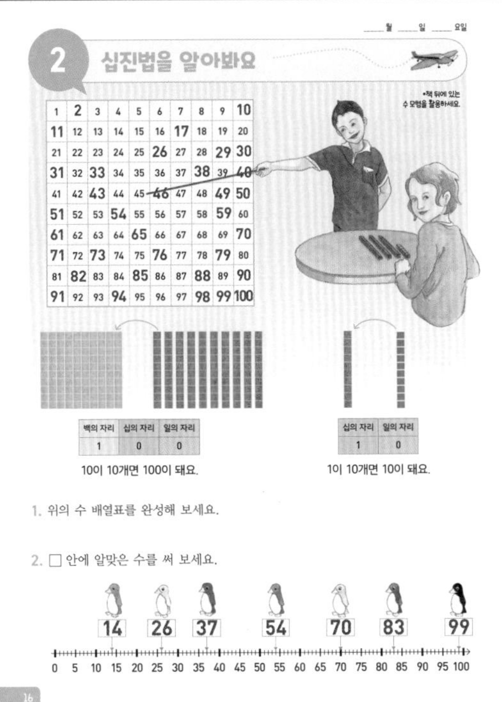

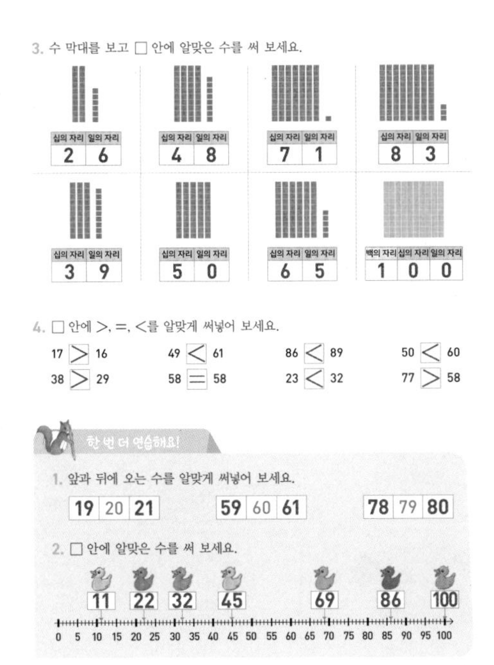

부모님 가이드 | 16쪽

그림을 보며 아이에게 질문해 보세요.

- 수 배열표에서 35를 찾아봐.
- 35보다 2 큰 수는 뭘까? 37
- 35보다 2 작은 수는 뭘까? 33
- 어떤 방법으로 2 큰 수나 2 작은 수를 찾았니?
  2 작은 수는 35에서 왼쪽으로 2칸, 2 큰 수는 35에서 오른쪽으로 2칸 움직여서 찾았어요.

부모님 가이드 | 17쪽 3번

책 뒤에 있는 수 모형 카드를 이용해 수를 표현해 보세요. 엄마가 "36"이라고 말하면, 아이는 수 모형 카드에서 십 모형 3개와 일 모형 6개를 이용해 36을 만듭니다.

18-19쪽

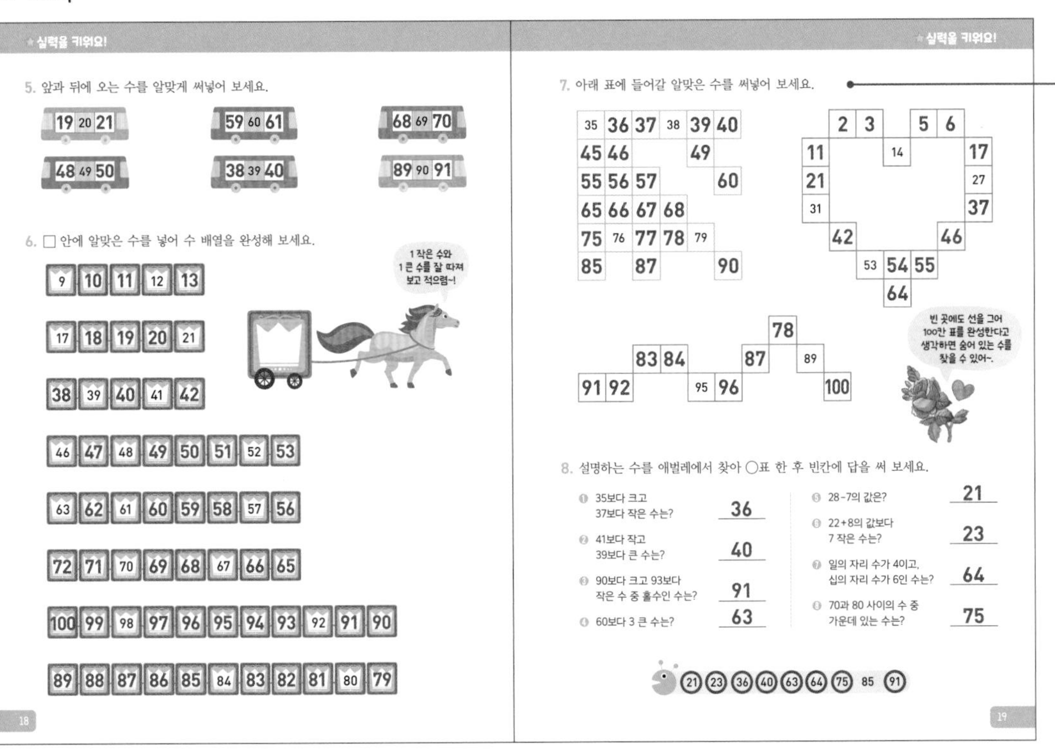

오른쪽으로는 1씩 커지고 왼쪽으로는 1씩 작아지는 규칙과, 위쪽으로는 10씩 작아지고 아래쪽으로는 10씩 커지는 규칙을 생각하며 수 배열표의 빈칸을 채워 보세요.
위의 규칙을 이용해도 문제를 풀기 어려울 때는 100까지 수 배열표를 그린 후 수의 규칙을 찾으면 쉽게 답을 찾을 수 있어요. 또는 사라진 수 배열표에 선을 그어 답을 찾아도 좋아요.

20-21쪽

___월 ___일 ___요일

3 10000원은 1000원이 10개

500원 1000원 5000원 10000원

• 책 뒤에 있는 모형 돈을 활용하세요.

1. 지갑에 돈이 얼마나 들어 있나요?
돈을 모두 합쳐 10000원인 지갑을 찾아 지갑에 달린 곰에 색칠해 보세요.

8000원	10000원	9000원
10000원	7000원	10000원

20

2. 스티커를 사는 데 얼마를 썼나요? 식을 쓰고 답을 써 보세요.

① 엠마는 하트 스티커를 2개 샀어요.
200 + 200 = 400
정답 : 400원

② 사라는 하트 스티커와 차 스티커를 각각 1개씩 샀어요.
200 + 700 = 900
정답 : 900원

③ 알렉은 축구 스티커를 2개 샀어요.
400 + 400 = 800
정답 : 800원

④ 미나는 차 스티커와 곰 스티커를 각각 1개씩 샀어요.
700 + 300 = 1000
정답 : 1000원

한 번 더 연습해요!

1. 지갑에는 얼마나 들어 있나요?

1000원	10000원	1000원

2. 계산해 보세요.

20 + 70 = 90	50 − 20 = 30	100 − 50 = 50
50 + 40 = 90	40 − 30 = 10	80 − 20 = 60
10 + 90 = 100	70 − 50 = 20	90 − 40 = 50

21

부모님 가이드 | 20쪽

그림을 보며 아이에게 질문해 보세요.
- 지폐는 어떤 종류가 있니? **1000원, 5000원, 10000원**
- 1000원과 5000원으로 각각 10000원을 만들어 봐. **1000원 10개, 5000원 2개**
- 500원으로 1000원을 만들어 봐. **500원 2개**
- 500원으로 10000원을 만들어 봐. **500원 20개**

부모님 가이드 | 21쪽

핀란드 수학 교과서에서는 5센트, 10센트, 20센트, 50센트를 다룹니다. 100센트는 1유로와 같습니다. 그러나 한국에서는 센트나 유로를 사용하지 않고, 원화를 사용하여 화폐 단위가 다릅니다. 유로는 유럽 연합의 통용 화폐이지요. 따라서 한국에서 사용하는 100원, 500원, 1000원, 5000원, 10000원으로 덧셈을 배울 수 있도록 했습니다. 2학년 1학기 교과 과정에서는 세 자리 수를 배우지만 아이들에게도 익숙한 돈 단위이기에 무리 없이 학습할 수 있을 것입니다.

22-23쪽

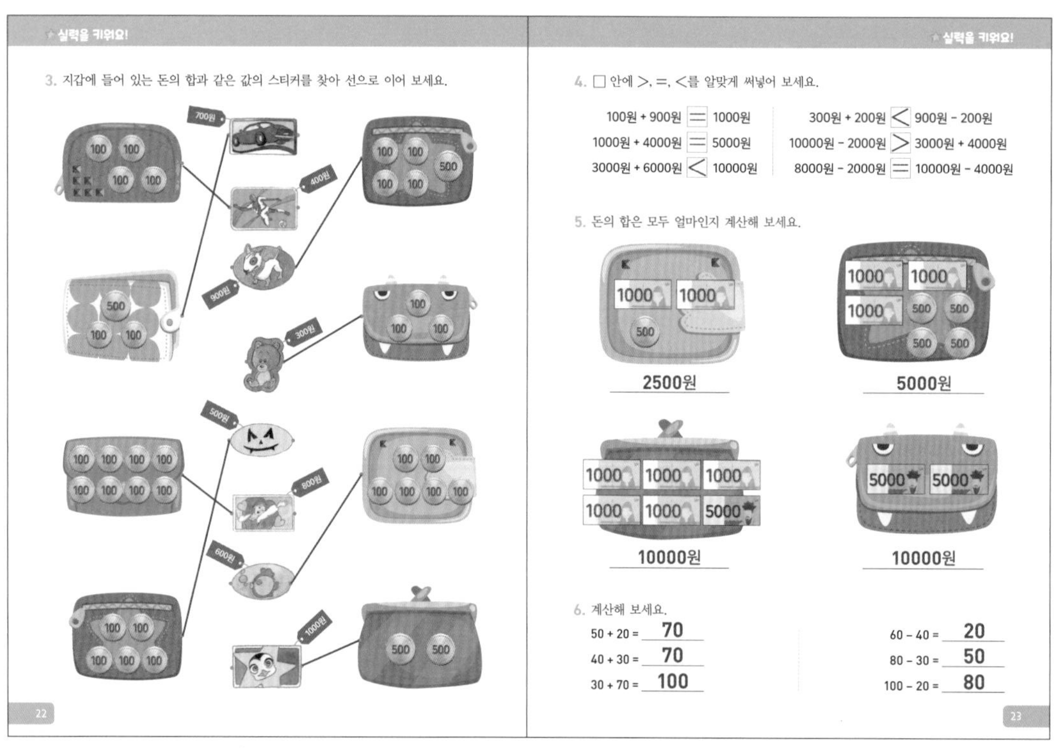

실력을 키워요!

3. 지갑에 들어 있는 돈의 합과 같은 값의 스티커를 찾아 선으로 이어 보세요.

22

실력을 키워요!

4. □ 안에 >, =, <를 알맞게 써넣어 보세요.

100원 + 900원 = 1000원	300원 + 200원 < 900원 − 200원
1000원 + 4000원 = 5000원	10000원 − 2000원 > 3000원 + 4000원
3000원 + 6000원 < 10000원	8000원 − 2000원 = 10000원 − 4000원

5. 돈의 합은 모두 얼마인지 계산해 보세요.

2500원	5000원
10000원	10000원

6. 계산해 보세요.

50 + 20 = 70	60 − 40 = 20
40 + 30 = 70	80 − 30 = 50
30 + 70 = 100	100 − 20 = 80

23

24-25쪽

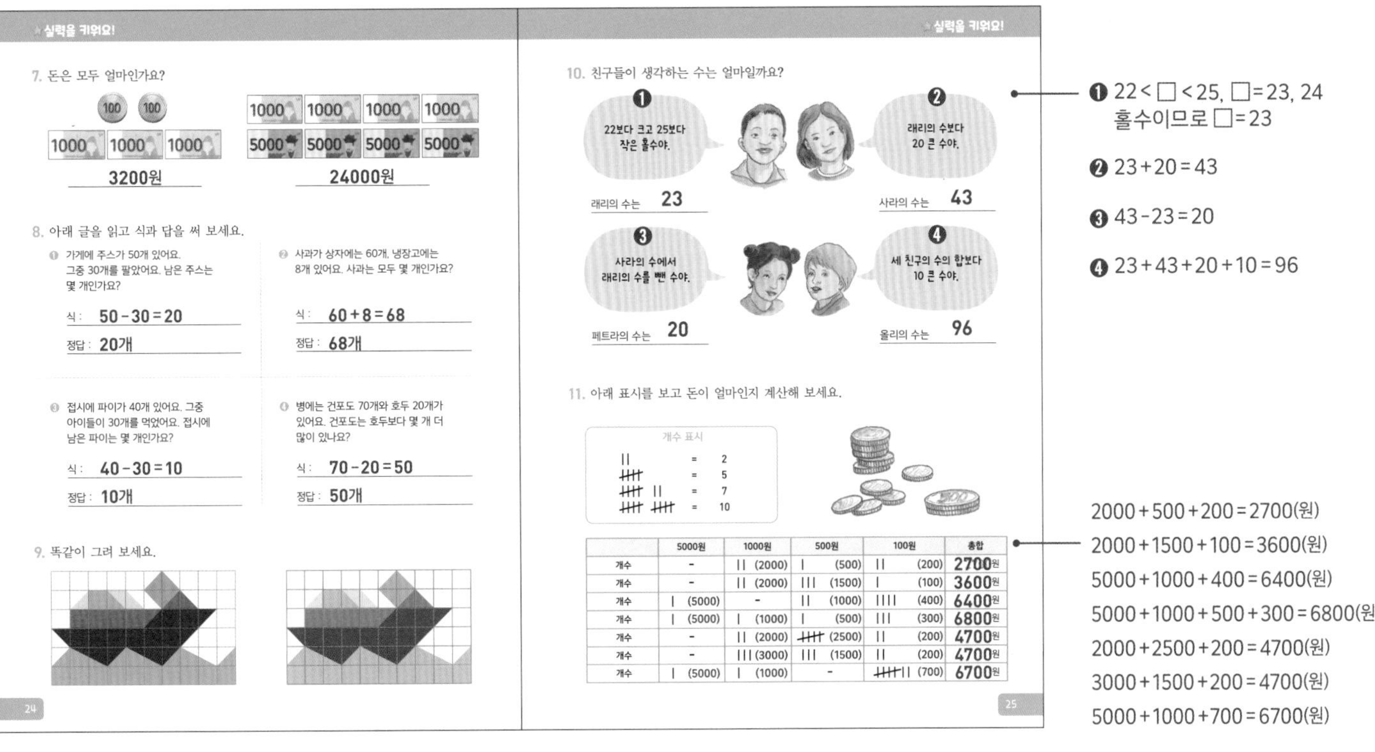

실력을 키워요!

7. 돈은 모두 얼마인가요?

100 100 1000 1000 1000 — 3200원

1000 1000 1000 1000 5000 5000 5000 5000 — 24000원

8. 아래 글을 읽고 식과 답을 써 보세요.

① 가게에 주스가 50개 있어요. 그중 30개를 팔았어요. 남은 주스는 몇 개인가요?
식: 50 - 30 = 20
정답: 20개

② 사과가 상자에는 60개, 냉장고에는 8개 있어요. 사과는 모두 몇 개인가요?
식: 60 + 8 = 68
정답: 68개

③ 접시에 파이가 40개 있어요. 그중 아이들이 30개를 먹었어요. 접시에 남은 파이는 몇 개인가요?
식: 40 - 30 = 10
정답: 10개

④ 병에는 건포도 70개와 호두 20개가 있어요. 건포도는 호두보다 몇 개 더 많이 있나요?
식: 70 - 20 = 50
정답: 50개

9. 똑같이 그려 보세요.

24

실력을 키워요!

10. 친구들이 생각하는 수는 얼마일까요?

① 22보다 크고 25보다 작은 홀수야.
② 래리의 수보다 20 큰 수야.
래리의 수는 23
사라의 수는 43
③ 사라의 수에서 래리의 수를 뺀 수야.
④ 세 친구의 수의 합보다 10 큰 수야.
페트라의 수는 20
올리의 수는 96

11. 아래 표시를 보고 돈이 얼마인지 계산해 보세요.

개수 표시
II = 2
卌 = 5
卌 II = 7
卌 卌 = 10

	5000원	1000원	500원	100원	총합
개수	-	II (2000)	I (500)	II (200)	2700원
개수	-	II (2000)	III (1500)	I (100)	3600원
개수	I (5000)	-	II (1000)	IIII (400)	6400원
개수	I (5000)	I (1000)	I (500)	III (300)	6800원
개수	-	II (2000)	卌 (2500)	II (200)	4700원
개수	-	III (3000)	III (1500)	II (200)	4700원
개수	I (5000)	I (1000)	-	卌II (700)	6700원

25

① 22 < □ < 25, □ = 23, 24
홀수이므로 □ = 23

② 23 + 20 = 43

③ 43 - 23 = 20

④ 23 + 43 + 20 + 10 = 96

2000 + 500 + 200 = 2700(원)
2000 + 1500 + 100 = 3600(원)
5000 + 1000 + 400 = 6400(원)
5000 + 1000 + 500 + 300 = 6800(원)
2000 + 2500 + 200 = 4700(원)
3000 + 1500 + 200 = 4700(원)
5000 + 1000 + 700 = 6700(원)

26-27쪽

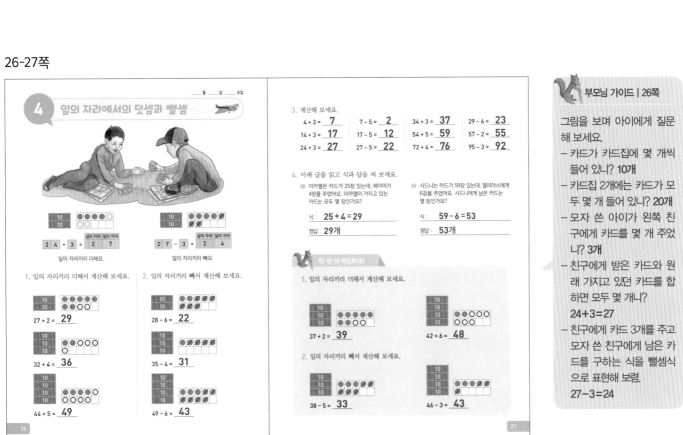

___월 ___일 ___요일

4 일의 자리에서의 덧셈과 뺄셈

24 + 3 = 27 (십의 자리 2, 일의 자리 7)
일의 자리끼리 더해요.

27 - 3 = 24 (십의 자리 2, 일의 자리 4)
일의 자리끼리 빼요.

1. 일의 자리끼리 더해서 계산해 보세요.

27 + 2 = 29
32 + 4 = 36
44 + 5 = 49

2. 일의 자리끼리 빼서 계산해 보세요.

28 - 6 = 22
35 - 4 = 31
49 - 6 = 43

26

3. 계산해 보세요.

4 + 3 = 7	7 - 5 = 2	34 + 3 = 37	29 - 6 = 23
14 + 3 = 17	17 - 5 = 12	54 + 5 = 59	57 - 2 = 55
24 + 3 = 27	27 - 5 = 22	72 + 4 = 76	95 - 3 = 92

4. 아래 글을 읽고 식과 답을 써 보세요.

① 미카엘은 카드가 25장 있는데, 제이미가 4장을 주었어요. 미카엘이 가지고 있는 카드는 모두 몇 장인가요?
식: 25 + 4 = 29
정답: 29개

② 시드니는 카드가 59장 있는데, 엘리아스에게 6장을 주었어요. 시드니에게 남은 카드는 몇 장인가요?
식: 59 - 6 = 53
정답: 53개

한 번 더 연습해요!

1. 일의 자리끼리 더해서 계산해 보세요.

37 + 2 = 39
42 + 6 = 48

2. 일의 자리끼리 빼서 계산해 보세요.

38 - 5 = 33
46 - 3 = 43

27

부모님 가이드 | 26쪽

그림을 보며 아이에게 질문해 보세요.
- 카드가 카드집에 몇 개씩 들어 있니? 10개
- 카드집 2개에는 카드가 모두 몇 개 들어 있니? 20개
- 모자 쓴 아이가 왼쪽 친구에게 카드를 몇 개 주었니? 3개
- 친구에게 받은 카드와 원래 가지고 있던 카드를 합하면 모두 몇 개니? 24+3=27
- 친구에게 카드 3개를 주고 모자 쓴 친구에게 남은 카드를 구하는 식을 뺄셈식으로 표현해 보렴. 27−3=24

28-29쪽

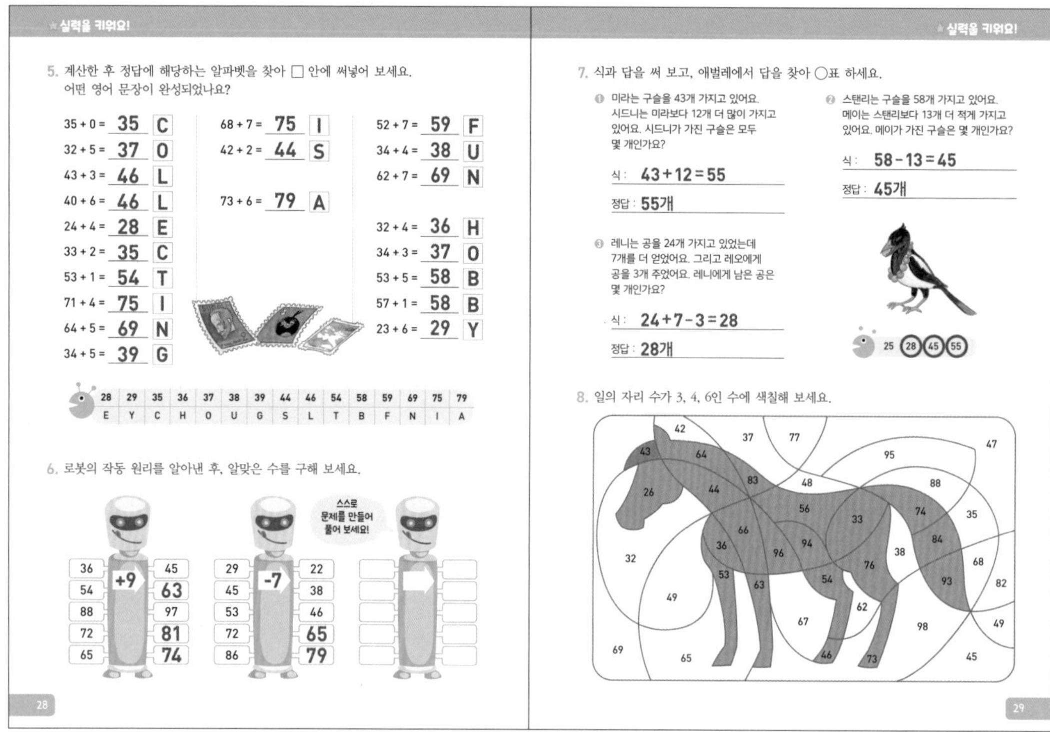

28쪽 5번

COLLECTING IS A FUN HOBBY.
(수집은 재미있는 취미이다.)

30-31쪽

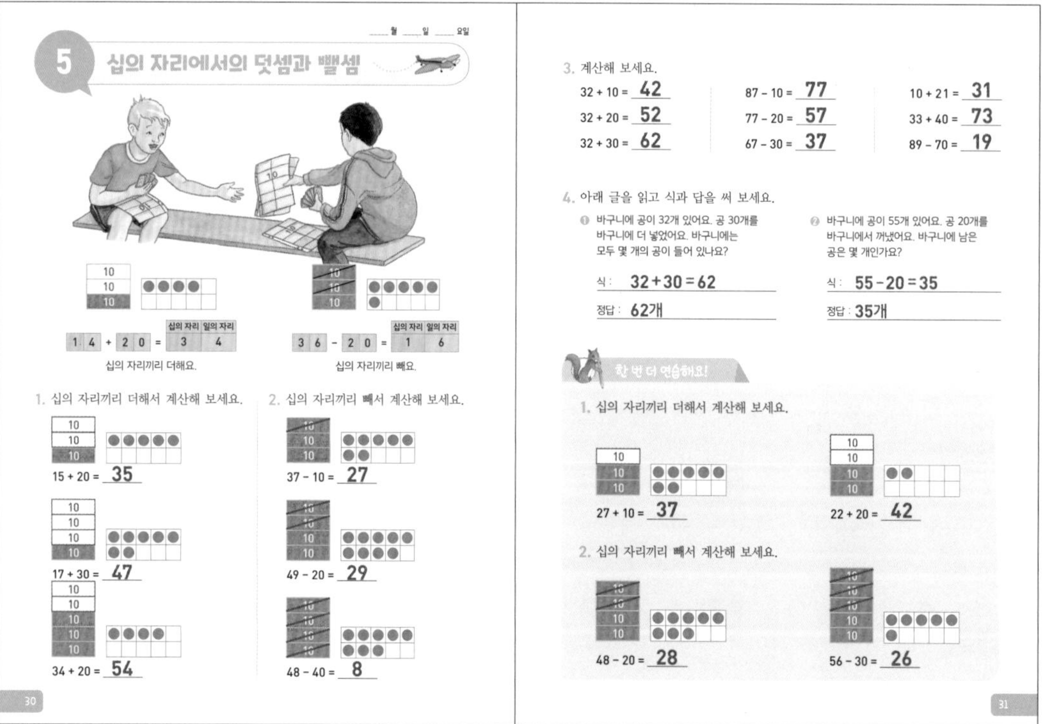

부모님 가이드 | 30쪽

그림을 보며 아이에게 질문해 보세요.

- 왼쪽에 있는 친구는 카드를 몇 개 가지고 있니? 14개
- 오른쪽에 있는 친구는 왼쪽 친구에게 카드를 몇 개 건네고 있니? 20개
- 왼쪽 친구가 갖게 되는 전체 카드 수를 덧셈식으로 나타내 보렴. 14+20=34
- 위 덧셈식을 어떻게 하면 쉽게 계산할 수 있을까? **십의 자리끼리 더해서 구해요. 일의 자리 수는 그대로예요.**
- 오른쪽 친구가 원래 가지고 있던 카드는 몇 개였니? 36개
- 친구에게 주고 남은 카드 수를 뺄셈식으로 나타내 보렴. 36-20=16
- 위 뺄셈식을 어떻게 하면 쉽게 계산할 수 있을까? **십의 자리끼리 빼서 구해요. 일의 자리 수는 그대로예요.**

32-33쪽

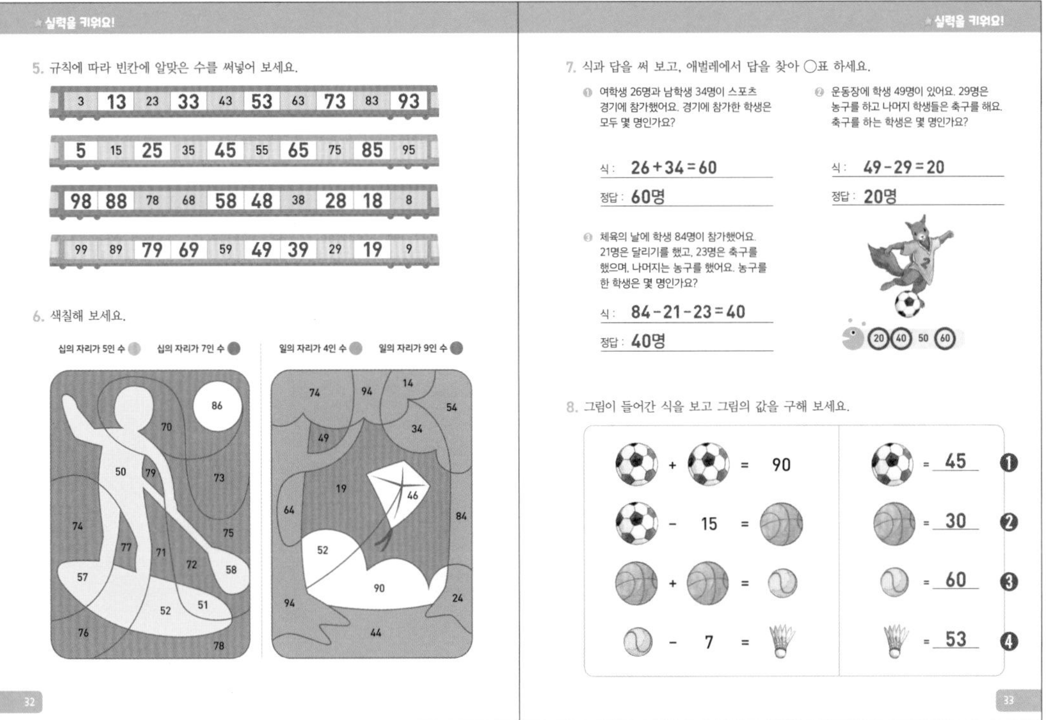

❶ ⚽+⚽=90, 90을 똑같이 수 가르기를 하면 45, ⚽=45

❷ ⚽-15=🏀
45-15=30이므로 🏀=30

❸ 🏀+🏀=🎾
30+30=60이므로 🎾=60

❹ 🎾-7=🏸
60-7=53이므로 🏸=53

34-35쪽

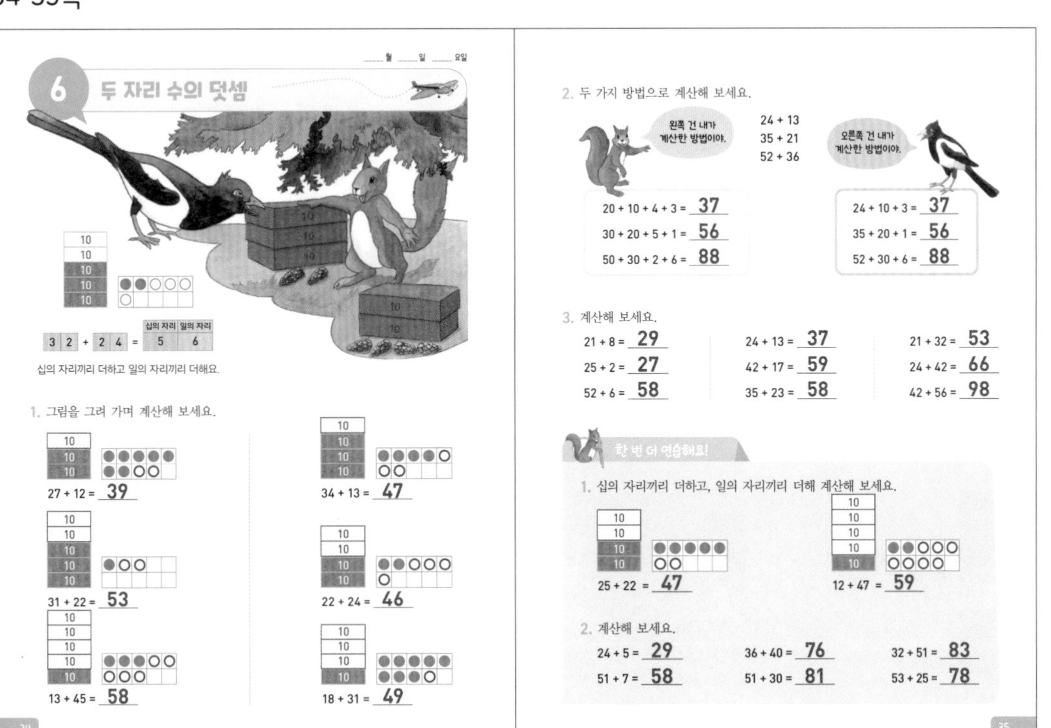

부모님 가이드 | 34쪽

그림을 보며 아이에게 질문해 보세요.

- 한 상자당 몇 개의 솔방울이 들어 있니? **10개**
- 상자 3개에 들어 있는 솔방울은 모두 몇 개니? **30개**
- 30개 상자 앞에 낱개 솔방울이 몇 개 있니? **2개**
- 다람쥐 오른쪽에는 솔방울이 몇 개 있니? **24개**
- 다람쥐가 갖고 있는 솔방울을 모두 구하는 덧셈식을 만들어 보렴. **32+24=56**
- 위 덧셈식을 어떻게 하면 쉽게 계산할 수 있을까? **일의 자리는 일의 자리끼리, 십의 자리는 십의 자리끼리 더해요.**

정답

36-37쪽

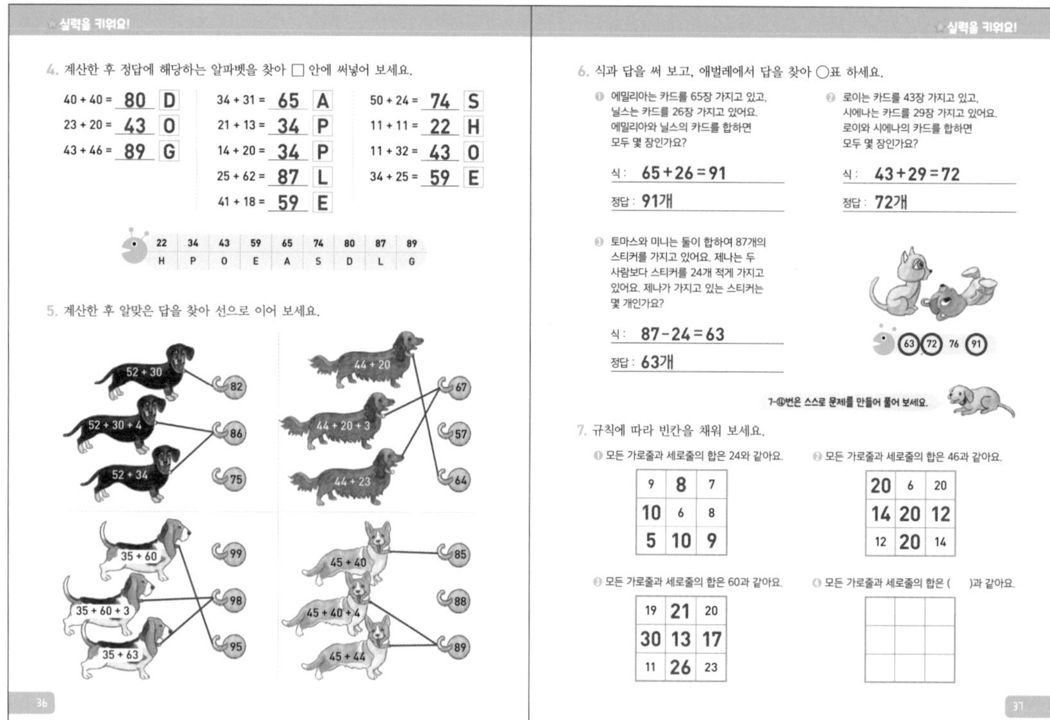

실력을 키워요!

4. 계산한 후 정답에 해당하는 알파벳을 찾아 □ 안에 써넣어 보세요.

40 + 40 = 80 D
23 + 20 = 43 O
43 + 46 = 89 G

34 + 31 = 65 A
21 + 13 = 34 P
14 + 20 = 34 P
25 + 62 = 87 L
41 + 18 = 59 E

50 + 24 = 74 S
11 + 11 = 22 H
11 + 32 = 43 O
34 + 25 = 59 E

22	34	43	59	65	74	80	87	89
H	P	O	E	A	S	D	L	G

5. 계산한 후 알맞은 답을 찾아 선으로 이어 보세요.

52 + 30, 52 + 30 + 4, 52 + 34 / 82, 86, 75

44 + 20, 44 + 20 + 3, 44 + 23 / 67, 57, 64

35 + 60, 35 + 60 + 3, 35 + 63 / 99, 98, 95

45 + 40, 45 + 40 + 4, 45 + 44 / 85, 88, 89

36

실력을 키워요!

6. 식과 답을 써 보고, 애벌레에서 답을 찾아 ○표 하세요.

① 에밀리아는 카드를 65장 가지고 있고, 닐스는 카드를 26장 가지고 있어요. 에밀리아와 닐스의 카드를 합하면 모두 몇 장인가요?

식: 65 + 26 = 91

정답: 91개

② 로이는 카드를 43장 가지고 있고, 시에나는 카드를 29장 가지고 있어요. 로이와 시에나의 카드를 합하면 모두 몇 장인가요?

식: 43 + 29 = 72

정답: 72개

③ 토마스와 미나는 둘이 합하여 87개의 스티커를 가지고 있어요. 제나는 두 사람보다 스티커를 24개 적게 가지고 있어요. 제나가 가지고 있는 스티커는 몇 개인가요?

식: 87 - 24 = 63

정답: 63개

63 72 76 91

7-④번은 스스로 문제를 만들어 풀어 보세요.

7. 규칙에 따라 빈칸을 채워 보세요.

① 모든 가로줄과 세로줄의 합은 24와 같아요.

9	8	7
10	6	8
5	10	9

② 모든 가로줄과 세로줄의 합은 46과 같아요.

20	6	20
14	20	12
12	20	14

③ 모든 가로줄과 세로줄의 합은 60과 같아요.

19	21	20
30	13	17
11	26	23

④ 모든 가로줄과 세로줄의 합은 (　　)과 같아요.

37

38-39쪽

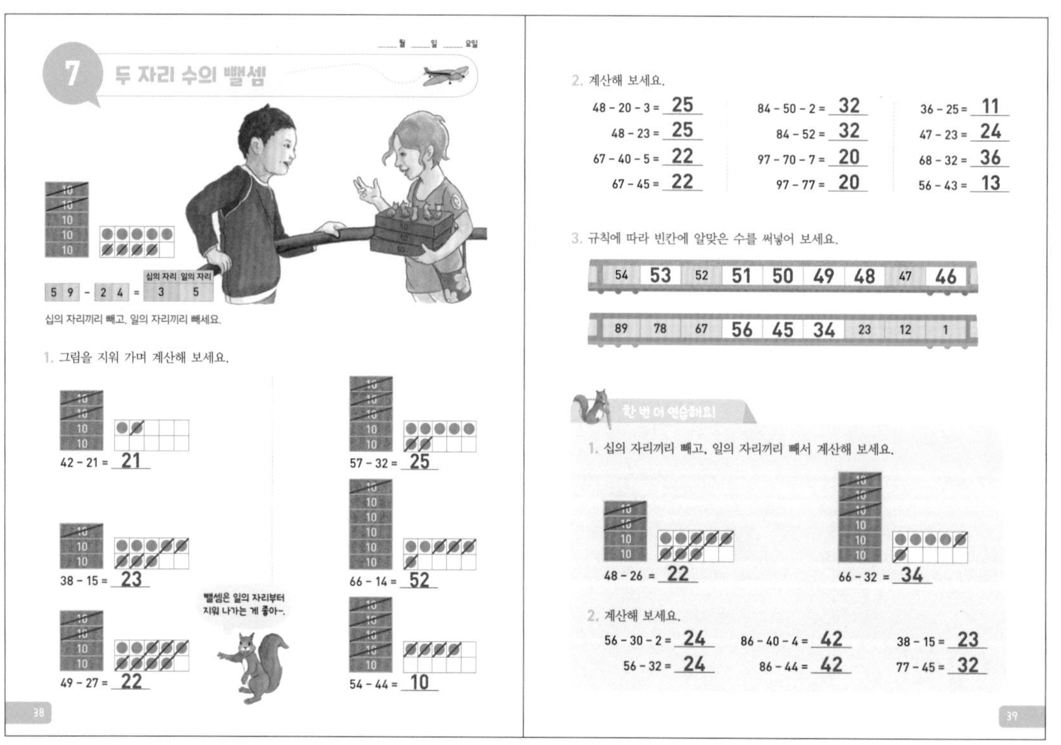

___월 ___일 ___요일

7 두 자리 수의 뺄셈

59 - 24 = 3 5 (십의 자리, 일의 자리)

십의 자리끼리 빼고, 일의 자리끼리 빼세요.

1. 그림을 지워 가며 계산해 보세요.

42 - 21 = 21

57 - 32 = 25

38 - 15 = 23

66 - 14 = 52

49 - 27 = 22

54 - 44 = 10

뺄셈은 일의 자리부터 지워 나가는 게 좋아~.

38

2. 계산해 보세요.

48 - 20 - 3 = 25
48 - 23 = 25
67 - 40 - 5 = 22
67 - 45 = 22

84 - 50 - 2 = 32
84 - 52 = 32
97 - 70 - 7 = 20
97 - 77 = 20

36 - 25 = 11
47 - 23 = 24
68 - 32 = 36
56 - 43 = 13

3. 규칙에 따라 빈칸에 알맞은 수를 써넣어 보세요.

54	53	52	51	50	49	48	47	46
89	78	67	56	45	34	23	12	1

한 번 더 연습해요!

1. 십의 자리끼리 빼고, 일의 자리끼리 빼서 계산해 보세요.

48 - 26 = 22

66 - 32 = 34

2. 계산해 보세요.

56 - 30 - 2 = 24
56 - 32 = 24

86 - 40 - 4 = 42
86 - 44 = 42

38 - 15 = 23
77 - 45 = 32

39

부모님 가이드 | 38쪽

받아내림이 없어서 십의 자리부터 빼도 무방하나 받아내림이 있는 문제에서는 일의 자리부터 빼야 하므로 처음부터 일의 자리부터 빼는 습관을 키워 주세요.

40-41쪽

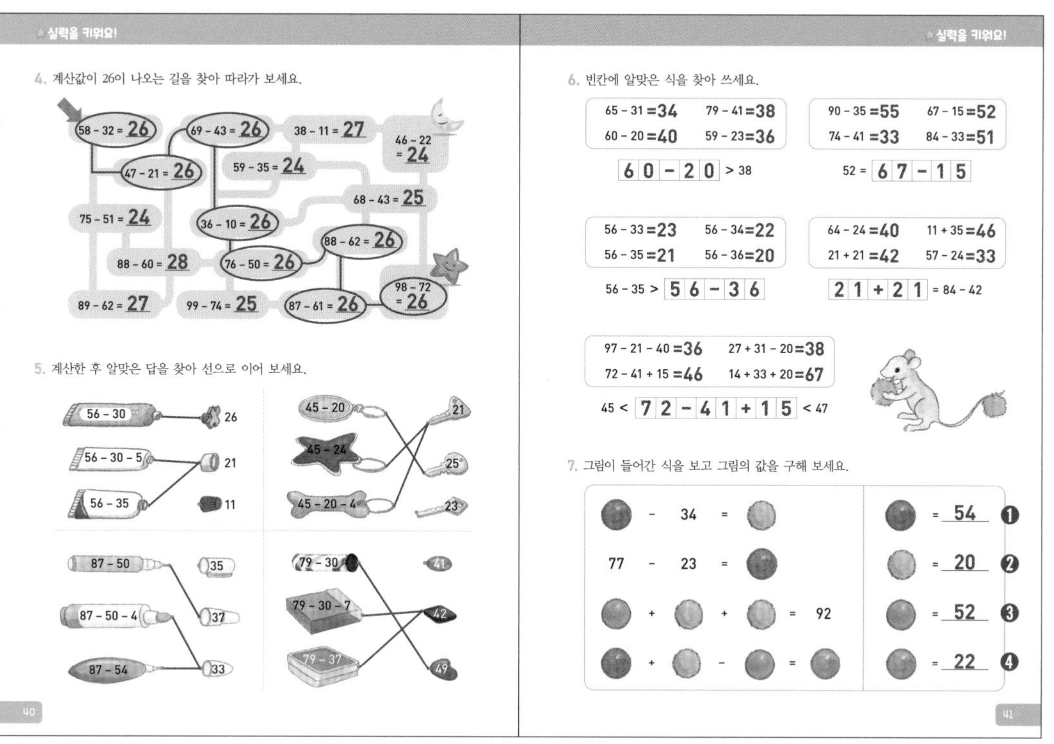

실력을 키워요!

4. 계산값이 26이 나오는 길을 찾아 따라가 보세요.

58 - 32 = 26, 47 - 21 = 26, 69 - 43 = 26, 36 - 10 = 26, 88 - 62 = 26, 76 - 50 = 26, 87 - 61 = 26, 98 - 72 = 26
38 - 11 = 27, 59 - 35 = 24, 46 - 22 = 24, 68 - 43 = 25, 75 - 51 = 24, 88 - 60 = 28, 89 - 62 = 27, 99 - 74 = 25

5. 계산한 후 알맞은 답을 찾아 선으로 이어 보세요.

56 - 30 — 26
56 - 30 - 5 — 21
56 - 35 — 21
45 - 20 — 25
45 - 24 — 21
45 - 20 - 4 — 21
87 - 50 — 37
87 - 50 - 4 — 33
87 - 54 — 33
79 - 30 — 49
79 - 30 - 7 — 42
79 - 37 — 42

6. 빈칸에 알맞은 식을 찾아 쓰세요.

65 - 31 = 34, 79 - 41 = 38, 60 - 20 = 40, 59 - 23 = 36
60 - 20 > 38

90 - 35 = 55, 67 - 15 = 52, 74 - 41 = 33, 84 - 33 = 51
52 = 67 - 15

56 - 33 = 23, 56 - 34 = 22, 56 - 35 = 21, 56 - 36 = 20
56 - 35 > 56 - 36

64 - 24 = 40, 11 + 35 = 46, 21 + 21 = 42, 57 - 24 = 33
21 + 21 = 84 - 42

97 - 21 - 40 = 36, 27 + 31 - 20 = 38, 72 - 41 + 15 = 46, 14 + 33 + 20 = 67
45 < 72 - 41 + 15 < 47

7. 그림이 들어간 식을 보고 그림의 값을 구해 보세요.

● - 34 = ●
77 - 23 = ●
● + ● + ● = 92
● + ● - ● = ●

❶ ● = 54
❷ ● = 20
❸ ● = 52
❹ ● = 22

40 41

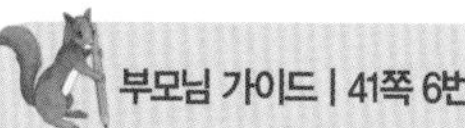

부모님 가이드 | 41쪽 6번

아이에게 수 퀴즈를 내 보세요.
- 어떤 수에 5를 더하면 45가 나올까? **40**
- 40보다 크고 60보다 작은 수인데, 그 수에서 3을 빼면 50이 나오는 수는 뭘까? **53**
- 70보다 작고, 50보다 큰 수인데, 그 수에서 7을 빼면 60이 나오는 수는 뭘까? **67**

수가 가장 많이 나오는 식부터 해결해요.

❶ 77 - 23 = 54, ● = 54

❷ ● - 34 = ●
54 - 34 = 20, ● = 20

❸ ● + ● + ● = 92
● + 20 + 20 = 92
● + 40 = 92, ● = 52

❹ ● + ● - ● = ●
54 + 20 - 52 = 22, ● = 22

42-43쪽

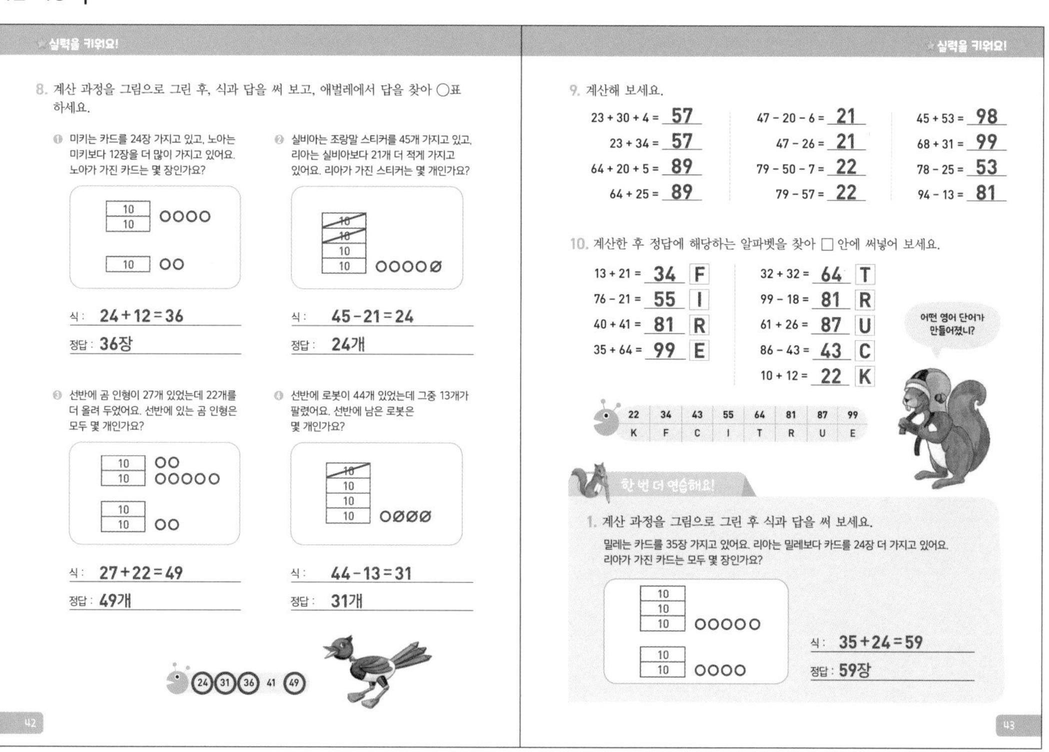

실력을 키워요!

8. 계산 과정을 그림으로 그린 후, 식과 답을 써 보고, 애벌레에서 답을 찾아 ○표 하세요.

❶ 미키는 카드를 24장 가지고 있고, 노아는 미키보다 12장을 더 많이 가지고 있어요. 노아가 가진 카드는 몇 장인가요?
식: 24 + 12 = 36
정답: 36장

❷ 실비아는 조랑말 스티커를 45개 가지고 있고, 리아는 실비아보다 21개 더 적게 가지고 있어요. 리아가 가진 스티커는 몇 개인가요?
식: 45 - 21 = 24
정답: 24개

❸ 선반에 곰 인형이 27개 있었는데 22개를 더 올려 두었어요. 선반에 있는 곰 인형은 모두 몇 개인가요?
식: 27 + 22 = 49
정답: 49개

❹ 선반에 로봇이 44개 있었는데 그중 13개가 팔렸어요. 선반에 남은 로봇은 몇 개인가요?
식: 44 - 13 = 31
정답: 31개

24 31 36 41 49

9. 계산해 보세요.

23 + 30 + 4 = 57	47 - 20 - 6 = 21	45 + 53 = 98
23 + 34 = 57	47 - 26 = 21	68 + 31 = 99
64 + 20 + 5 = 89	79 - 50 - 7 = 22	78 - 25 = 53
64 + 25 = 89	79 - 57 = 22	94 - 13 = 81

10. 계산한 후 정답에 해당하는 알파벳을 찾아 □ 안에 써넣어 보세요.

13 + 21 = 34 F
76 - 21 = 55 I
40 + 41 = 81 R
35 + 64 = 99 E

32 + 32 = 64 T
99 - 18 = 81 R
61 + 26 = 87 U
86 - 43 = 43 C
10 + 12 = 22 K

어떤 영어 단어가 만들어졌니?

22	34	43	55	64	81	87	99
K	F	C	I	T	R	U	E

한 번 더 연습해요!

1. 계산 과정을 그림으로 그린 후 식과 답을 써 보세요.
밀레는 카드를 35장 가지고 있어요. 리아는 밀레보다 카드를 24장 더 가지고 있어요. 리아가 가진 카드는 모두 몇 장인가요?
식: 35 + 24 = 59
정답: 59장

42 43

44-45쪽

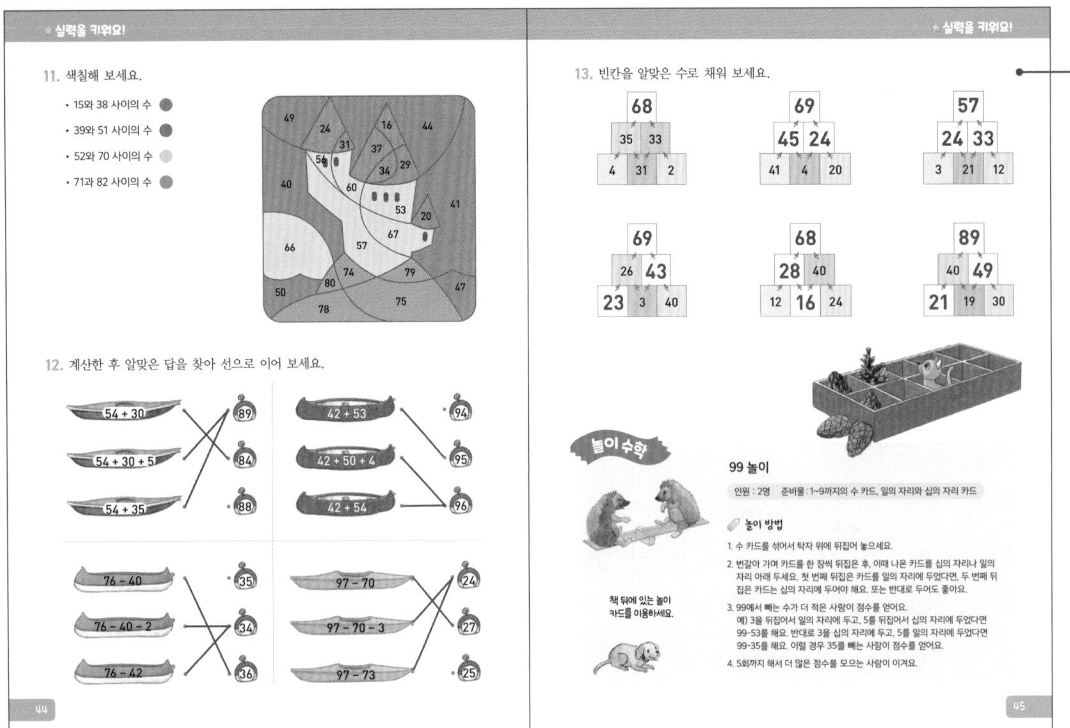

아래 네모 두 칸을 더한 값이 위 칸 네모 값이에요.

46-47쪽

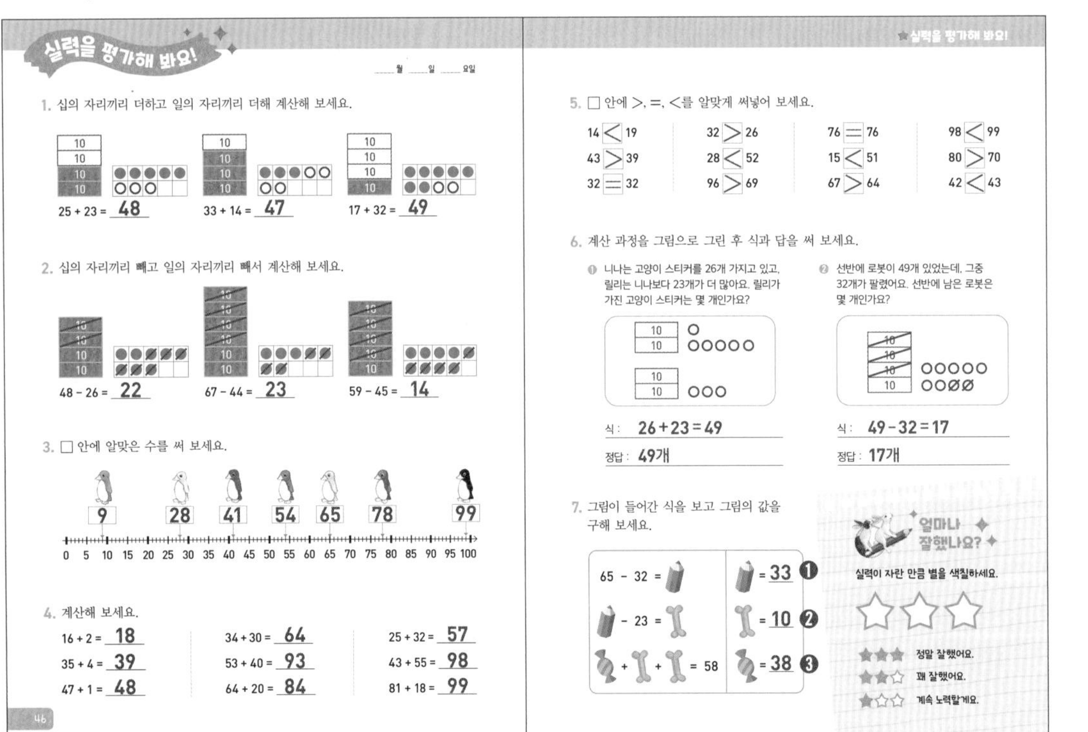

❶ 65-32=33, (연필)=33

❷ (연필)-23=(뼈), 33-23=10
(뼈)=10

❸ (사탕)+(뼈)+(뼈)=58
(사탕)+10+10=58
(사탕)+20=58, (사탕)=38

48-49쪽

단원 평가
1 십의 자리 수가 5보다 큰 수에 색칠해 보세요.
2 규칙에 따라 빈칸에 알맞은 수를 써넣어 보세요.
3 아래 표에 들어갈 알맞은 수를 써넣어 보세요.
4 빈칸을 알맞은 수로 채워 보세요. 단, 가로와 세로로 연속된 3칸의 합은 50이 되어야 해요.
5 똑같은 수로 양쪽으로 수 가르기를 해 보세요.
48
49

부모님 가이드 | 48쪽 1번

십의 자리가 5인 수는 50. 그러므로 십의 자리가 6, 7, 8, 9인 수를 찾아 색칠하면 돼요.

부모님 가이드 | 48쪽 3번

오른쪽으로는 1씩 커지고 왼쪽으로는 1씩 작아지는 규칙과, 위쪽으로는 10씩 작아지고 아래쪽으로는 10씩 커지는 규칙을 생각하며 수 배열표의 빈칸을 채워 보세요. 위의 규칙을 이용해도 문제를 풀기 어려울 때는 100까지 수 배열표를 그린 후 수의 규칙을 찾으면 쉽게 답을 찾을 수 있어요. 또는 사라진 수 배열표에 선을 그어 답을 찾아도 좋아요.

50-51쪽

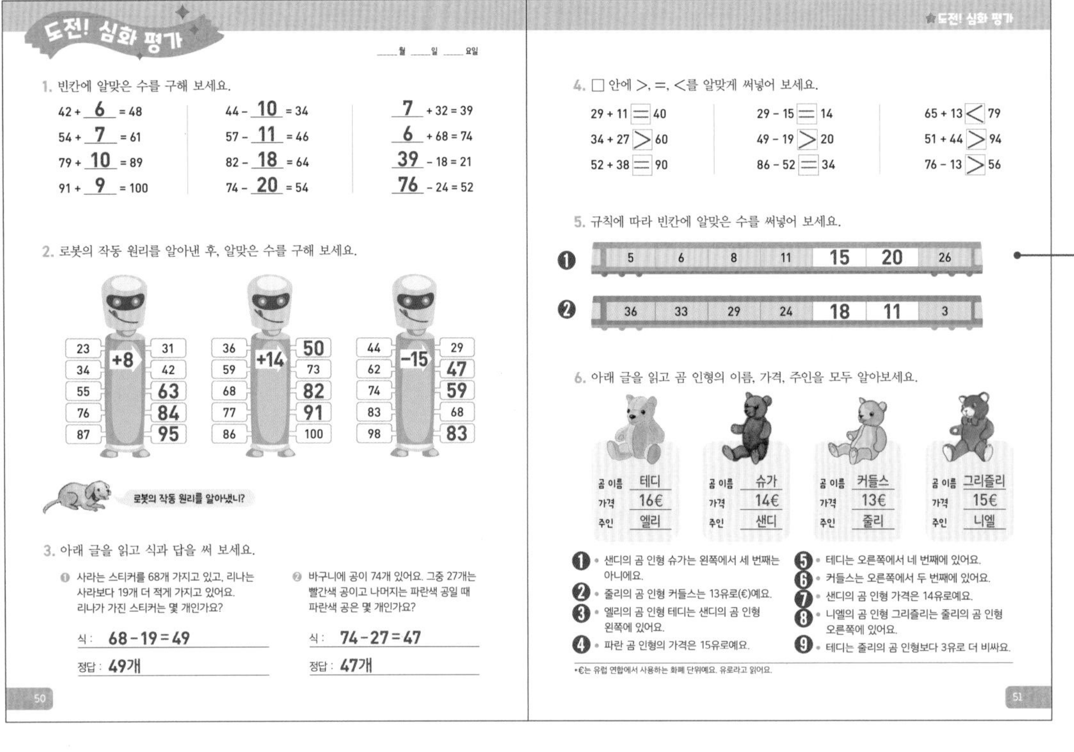

도전! 심화 평가

___월 ___일 ___요일

1. 빈칸에 알맞은 수를 구해 보세요.

42 + **6** = 48	44 - **10** = 34	**7** + 32 = 39
54 + **7** = 61	57 - **11** = 46	**6** + 68 = 74
79 + **10** = 89	82 - **18** = 64	**39** - 18 = 21
91 + **9** = 100	74 - **20** = 54	**76** - 24 = 52

2. 로봇의 작동 원리를 알아낸 후, 알맞은 수를 구해 보세요.

+8		+14		-15	
23	31	36	**50**	44	29
34	42	59	73	62	**47**
55	**63**	68	**82**	74	**59**
76	**84**	77	**91**	83	68
87	**95**	86	100	98	**83**

로봇의 작동 원리를 알아냈니?

3. 아래 글을 읽고 식과 답을 써 보세요.

① 사라는 스티커를 68개 가지고 있고, 리나는 사라보다 19개 더 적게 가지고 있어요. 리나가 가진 스티커는 몇 개인가요?

식: **68 - 19 = 49**

정답: **49개**

② 바구니에 공이 74개 있어요. 그중 27개는 빨간색 공이고 나머지는 파란색 공일 때 파란색 공은 몇 개인가요?

식: **74 - 27 = 47**

정답: **47개**

50

도전! 심화 평가

4. □ 안에 >, =, <를 알맞게 써넣어 보세요.

29 + 11 **=** 40	29 - 15 **=** 14	65 + 13 **<** 79
34 + 27 **>** 60	49 - 19 **>** 20	51 + 44 **>** 94
52 + 38 **=** 90	86 - 52 **=** 34	76 - 13 **>** 56

5. 규칙에 따라 빈칸에 알맞은 수를 써넣어 보세요.

❶ 5, 6, 8, 11, **15**, **20**, 26

❷ 36, 33, 29, 24, **18**, **11**, 3

6. 아래 글을 읽고 곰 인형의 이름, 가격, 주인을 모두 알아보세요.

곰 이름 **테디**	곰 이름 **슈가**	곰 이름 **커들스**	곰 이름 **그리즐리**
가격 **16€**	가격 **14€**	가격 **13€**	가격 **15€**
주인 **엘리**	주인 **샌디**	주인 **줄리**	주인 **니엘**

❶ 샌디의 곰 인형 슈가는 왼쪽에서 세 번째는 아니에요.
❷ 줄리의 곰 인형 커들스는 13유로(€)예요.
❸ 엘리의 곰 인형 테디는 샌디의 곰 인형 왼쪽에 있어요.
❹ 파란 곰 인형의 가격은 15유로예요.
❺ 테디는 오른쪽에서 네 번째에 있어요.
❻ 커들스는 오른쪽에서 두 번째에 있어요.
❼ 샌디의 곰 인형 가격은 14유로예요.
❽ 니엘의 곰 인형 그리즐리는 줄리의 곰 인형 오른쪽에 있어요.
❾ 테디는 줄리의 곰 인형보다 3유로 더 비싸요.

*€는 유럽 연합에서 사용하는 화폐 단위예요. 유로라고 읽어요.

51

❶ 오른쪽으로 갈수록 두 수의 차가 1, 2, 3…씩 커지고 수는 커지고 있어요.

❷ 오른쪽으로 갈수록 두 수의 차가 3, 4, 5…씩 커지고 수는 작아지고 있어요.

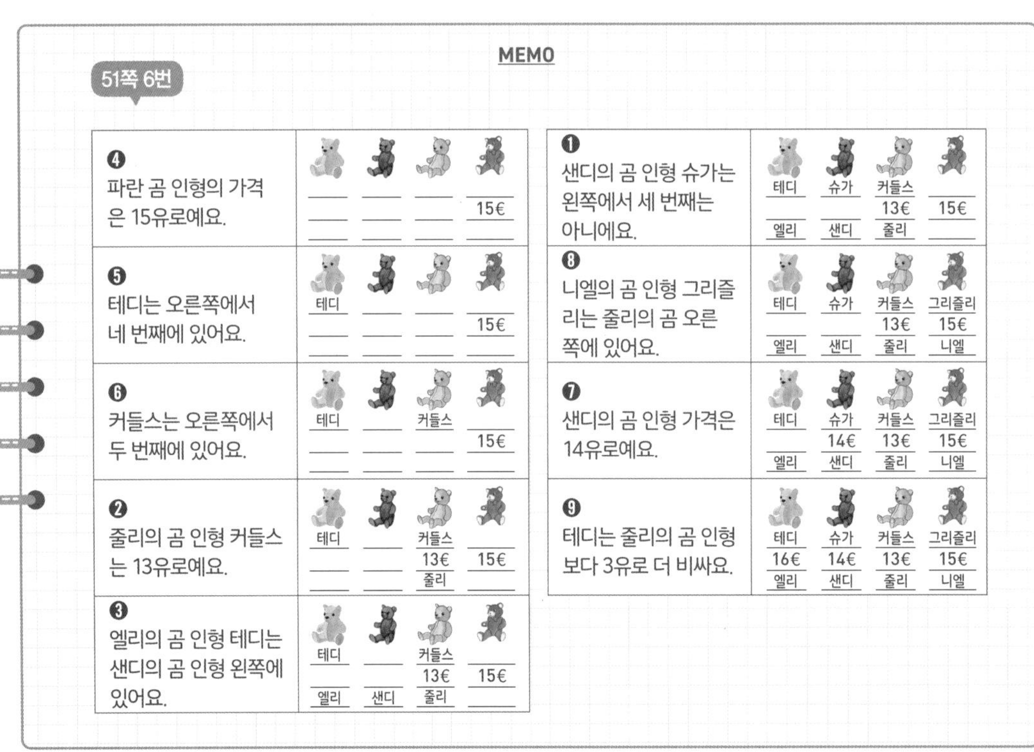

MEMO

51쪽 6번

단서	1	2	3	4
❹ 파란 곰 인형의 가격은 15유로예요.				15€
❺ 테디는 오른쪽에서 네 번째에 있어요.	테디			15€
❻ 커들스는 오른쪽에서 두 번째에 있어요.	테디		커들스	15€
❷ 줄리의 곰 인형 커들스는 13유로예요.	테디		커들스 13€ 줄리	15€
❸ 엘리의 곰 인형 테디는 샌디의 곰 인형 왼쪽에 있어요.	테디 엘리	샌디	커들스 13€ 줄리	15€
❶ 샌디의 곰 인형 슈가는 왼쪽에서 세 번째는 아니에요.	테디 엘리	슈가 샌디	커들스 13€ 줄리	15€
❽ 니엘의 곰 인형 그리즐리는 줄리의 곰 오른쪽에 있어요.	테디 엘리	슈가 샌디	커들스 13€ 줄리	그리즐리 15€ 니엘
❼ 샌디의 곰 인형 가격은 14유로예요.	테디 엘리	슈가 14€ 샌디	커들스 13€ 줄리	그리즐리 15€ 니엘
❾ 테디는 줄리의 곰 인형보다 3유로 더 비싸요.	테디 16€ 엘리	슈가 14€ 샌디	커들스 13€ 줄리	그리즐리 15€ 니엘

52-53쪽

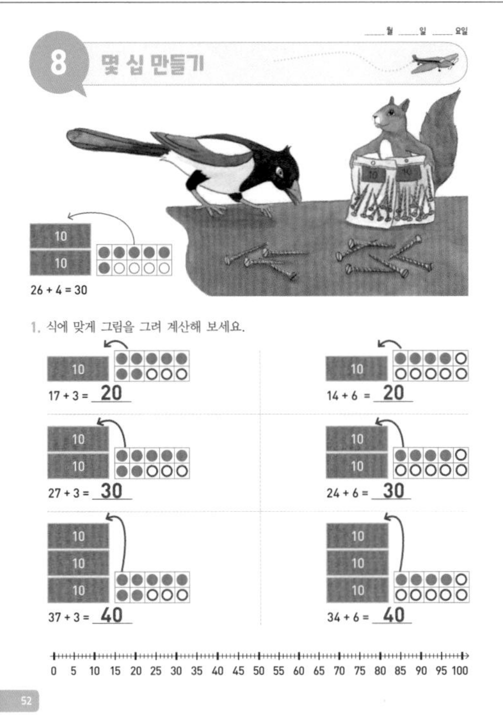

___월 ___일 ___요일

8 몇 십 만들기

26 + 4 = 30

1. 식에 맞게 그림을 그려 계산해 보세요.

17 + 3 = 20　　14 + 6 = 20

27 + 3 = 30　　24 + 6 = 30

37 + 3 = 40　　34 + 6 = 40

0 5 10 15 20 25 30 35 40 45 50 55 60 65 70 75 80 85 90 95 100

52

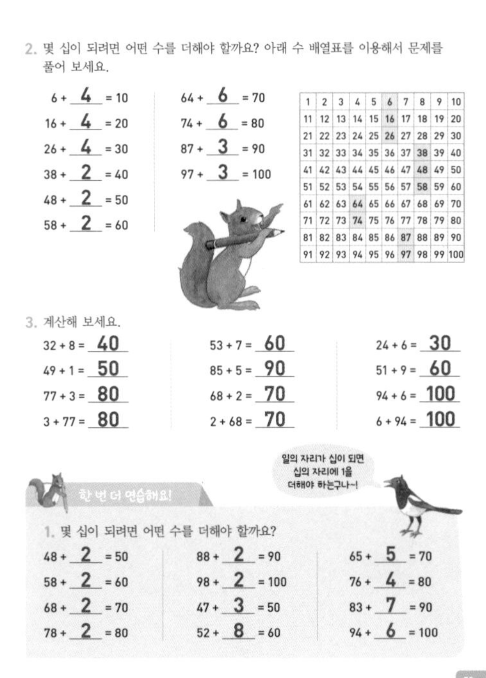

2. 몇 십이 되려면 어떤 수를 더해야 할까요? 아래 수 배열표를 이용해서 문제를 풀어 보세요.

6 + 4 = 10　　64 + 6 = 70
16 + 4 = 20　　74 + 6 = 80
26 + 4 = 30　　87 + 3 = 90
38 + 2 = 40　　97 + 3 = 100
48 + 2 = 50
58 + 2 = 60

1	2	3	4	5	6	7	8	9	10
11	12	13	14	15	16	17	18	19	20
21	22	23	24	25	26	27	28	29	30
31	32	33	34	35	36	37	38	39	40
41	42	43	44	45	46	47	48	49	50
51	52	53	54	55	56	57	58	59	60
61	62	63	64	65	66	67	68	69	70
71	72	73	74	75	76	77	78	79	80
81	82	83	84	85	86	87	88	89	90
91	92	93	94	95	96	97	98	99	100

3. 계산해 보세요.

32 + 8 = 40　　53 + 7 = 60　　24 + 6 = 30
49 + 1 = 50　　85 + 5 = 90　　51 + 9 = 60
77 + 3 = 80　　68 + 2 = 70　　94 + 6 = 100
3 + 77 = 80　　2 + 68 = 70　　6 + 94 = 100

일의 자리가 십이 되면 십의 자리에 1을 더해야 하는구나~!

한 번 더 연습해요!

1. 몇 십이 되려면 어떤 수를 더해야 할까요?

48 + 2 = 50　　88 + 2 = 90　　65 + 5 = 70
58 + 2 = 60　　98 + 2 = 100　　76 + 4 = 80
68 + 2 = 70　　47 + 3 = 50　　83 + 7 = 90
78 + 2 = 80　　52 + 8 = 60　　94 + 6 = 100

53

부모님 가이드 | 52쪽

그림을 보며 아이에게 질문해 보세요.

- 비닐봉지 1개 안에 회색 나사못이 몇 개씩 들어 있니? **10개**
- 비닐봉지 2개에 회색 나사못이 몇 개 있니? **20개**
- 탁자 위에는 회색 나사못이 몇 개 있니? **6개**
- 회색 나사못은 전부 몇 개니? **20+6=26(개)**
- 황색 나사못 4개를 더하면 나사못은 모두 몇 개일까? **26+4=30(개)**

54-55쪽

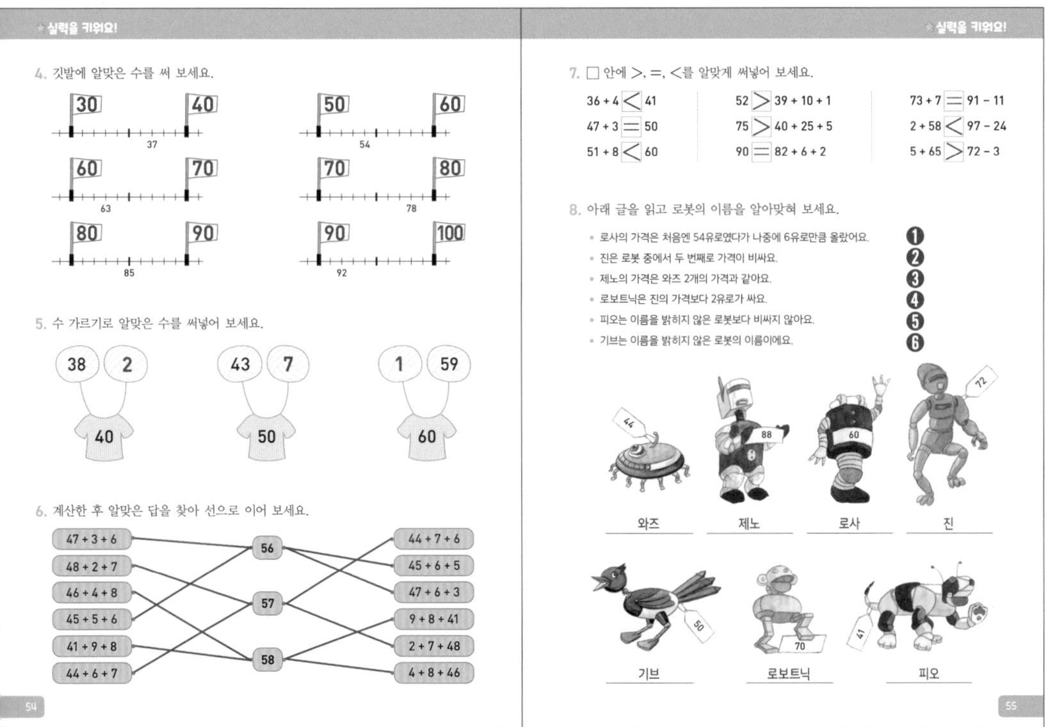

실력을 키워요!

4. 깃발에 알맞은 수를 써 보세요.

30, 40 (37)　　50, 60 (54)
60, 70 (63)　　70, 80 (78)
80, 90 (85)　　90, 100 (92)

5. 수 가르기로 알맞은 수를 써넣어 보세요.

38, 2 → 40　　43, 7 → 50　　1, 59 → 60

6. 계산한 후 알맞은 답을 찾아 선으로 이어 보세요.

47 + 3 + 6, 48 + 2 + 7, 46 + 4 + 8, 45 + 5 + 6, 41 + 9 + 8, 44 + 6 + 7

56, 57, 58

44 + 7 + 6, 45 + 6 + 5, 47 + 6 + 3, 9 + 8 + 41, 2 + 7 + 48, 4 + 8 + 46

54

실력을 키워요!

7. □ 안에 >, =, <를 알맞게 써넣어 보세요.

36 + 4 < 41　　52 > 39 + 10 + 1　　73 + 7 = 91 − 11
47 + 3 = 50　　75 > 40 + 25 + 5　　2 + 58 < 97 − 24
51 + 8 < 60　　90 = 82 + 6 + 2　　5 + 65 > 72 − 3

8. 아래 글을 읽고 로봇의 이름을 알아맞혀 보세요.

- 로사의 가격은 처음엔 54유로였다가 나중에 6유로만큼 올랐어요. ❶
- 진은 로봇 중에서 두 번째로 가격이 비싸요. ❷
- 제노의 가격은 와즈 2개의 가격과 같아요. ❸
- 로보트닉은 진의 가격보다 2유로가 싸요. ❹
- 피오는 이름을 밝히지 않은 로봇보다 비싸지 않아요. ❺
- 기브는 이름을 밝히지 않은 로봇의 이름이에요. ❻

와즈 (44)　제노 (88)　로사 (60)　진 (72)

기브 (50)　로보트닉 (70)　피오 (41)

55

55쪽 8번

❶ 로사의 가격은 처음엔 54유로였다가 나중에 6유로를 올렸어요. **54+6=60, 로사는 60**

❷ 진은 로봇 중에서 두 번째로 가격이 비싸요.
41<44<50<60<70<72<88 진은 72

❸ 제노의 가격은 와즈 2개의 가격과 같아요. **가격 차이가 2배 나는 것은 88과 44, 제노는 88, 와즈는 44**

❹ 로보트닉은 진의 가격보다 2유로가 싸요. **진은 72이므로 72−2=70, 로보트닉은 70**

❺❻ 피오는 이름을 밝히지 않은 로봇보다 비싸지 않으며, 기브는 이름을 밝히지 않은 로봇의 이름이에요.
50유로와 41유로 2개 남았는데, 41유로가 더 싼 가격이므로 피오는 41, 기브는 50

56-57쪽

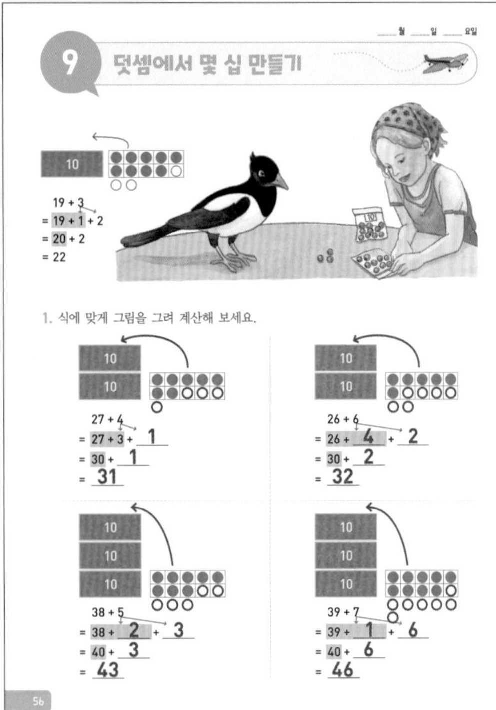
___월 ___일 ___요일

9 덧셈에서 몇 십 만들기

10

19 + 3
= 19 + 1 + 2
= 20 + 2
= 22

1. 식에 맞게 그림을 그려 계산해 보세요.

27 + 4
= 27 + 3 + 1
= 30 + 1
= 31

26 + 6
= 26 + 4 + 2
= 30 + 2
= 32

38 + 5
= 38 + 2 + 3
= 40 + 3
= 43

39 + 7
= 39 + 1 + 6
= 40 + 6
= 46

56

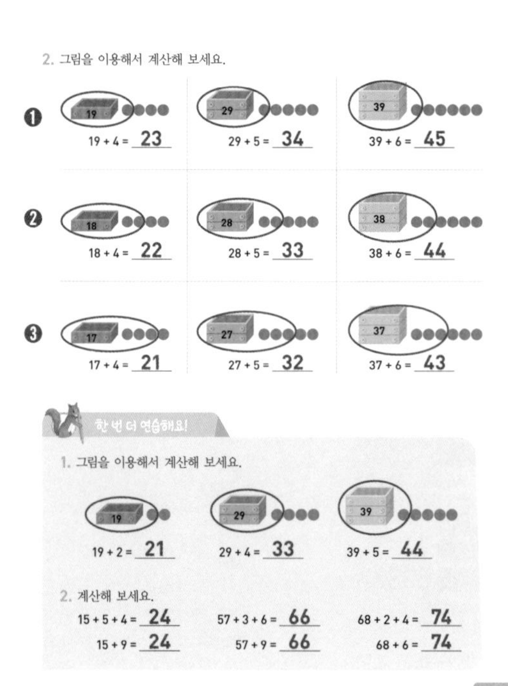
2. 그림을 이용해서 계산해 보세요.

❶ 19 + 4 = 23 / 29 + 5 = 34 / 39 + 6 = 45

❷ 18 + 4 = 22 / 28 + 5 = 33 / 38 + 6 = 44

❸ 17 + 4 = 21 / 27 + 5 = 32 / 37 + 6 = 43

한 번 더 연습해요!

1. 그림을 이용해서 계산해 보세요.

19 + 2 = 21 / 29 + 4 = 33 / 39 + 5 = 44

2. 계산해 보세요.

15 + 5 + 4 = 24 / 57 + 3 + 6 = 66 / 68 + 2 + 4 = 74

15 + 9 = 24 / 57 + 9 = 66 / 68 + 6 = 74

57

부모님 가이드 | 56쪽

그림을 보며 아이에게 질문해 보세요.

- 입구가 닫힌 비닐봉지 안에는 구슬이 몇 개 있니? **10개**
- 여자아이가 손에 쥐고 있는 비닐봉지 안에는 구슬이 몇 개 있니? **9개**
- 비닐봉지 안에 든 구슬은 모두 몇 개니? **19개**
- 비닐봉지 바깥에는 구슬이 몇 개니? **3개**
- 구슬은 전부 몇 개니? **19+3=22**

57쪽 2번

❶ 19+1+3=23 / 29+1+4=34 / 39+1+5=45

❷ 18+2+2=22 / 28+2+3=33 / 38+2+4=44

❸ 17+3+1=21 / 27+3+2=32 / 37+3+3=43

한 번 더 연습해요! 1번

19+1+1=21 / 29+1+3=33 / 39+1+4=44

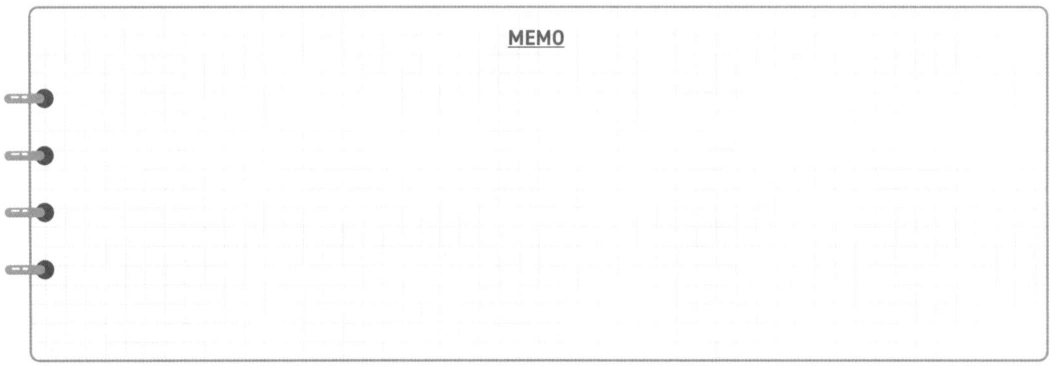

58-59쪽

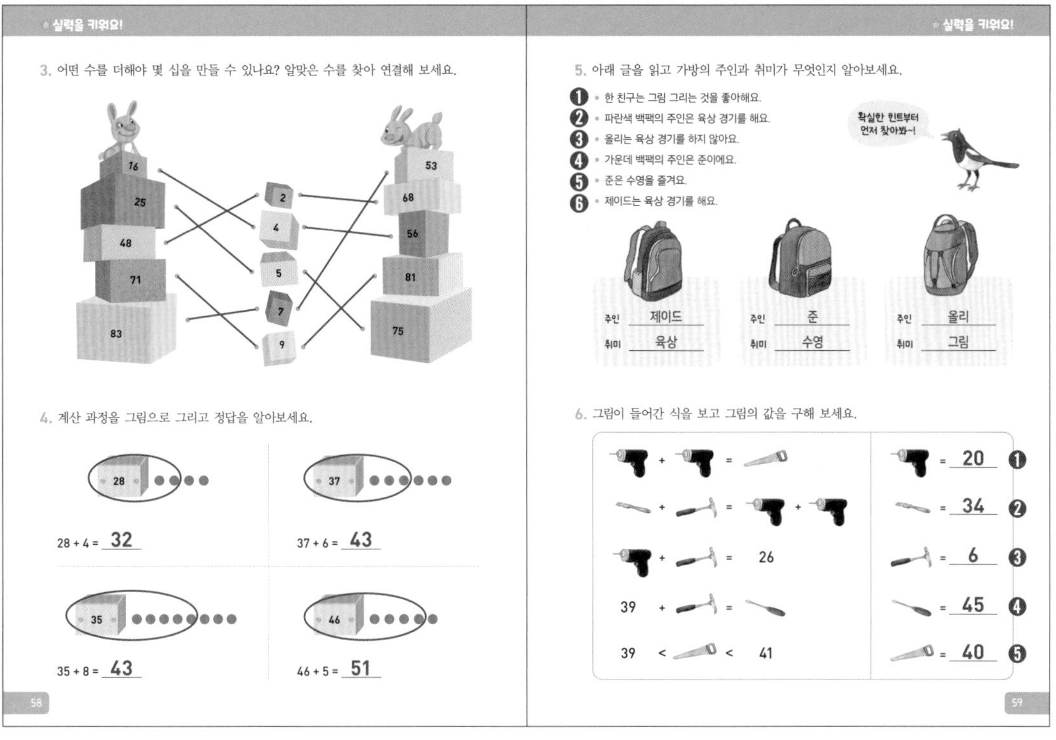

실력을 키워요!

3. 어떤 수를 더해야 몇 십을 만들 수 있나요? 알맞은 수를 찾아 연결해 보세요.

16, 25, 48, 71, 83 / 2, 4, 5, 7, 9 / 53, 68, 56, 81, 75

4. 계산 과정을 그림으로 그리고 정답을 알아보세요.

28 + 4 = 32

37 + 6 = 43

35 + 8 = 43

46 + 5 = 51

58

실력을 키워요!

5. 아래 글을 읽고 가방의 주인과 취미가 무엇인지 알아보세요.

1. 한 친구는 그림 그리는 것을 좋아해요.
2. 파란색 백팩의 주인은 육상 경기를 해요.
3. 올리는 육상 경기를 하지 않아요.
4. 가운데 백팩의 주인은 준이에요.
5. 준은 수영을 즐겨요.
6. 제이드는 육상 경기를 해요.

확실한 힌트부터 먼저 찾아봐~!

주인	제이드	준	올리
취미	육상	수영	그림

6. 그림이 들어간 식을 보고 그림의 값을 구해 보세요.

+ =
+ = +
+ = 26
39 + =
39 < < 41

= 20 ❶
= 34 ❷
= 6 ❸
= 45 ❹
= 40 ❺

59

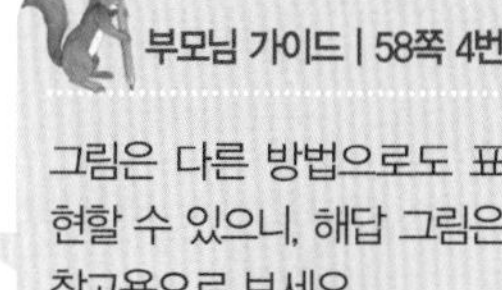

부모님 가이드 | 58쪽 4번

그림은 다른 방법으로도 표현할 수 있으니, 해답 그림은 참고용으로 보세요.

59쪽 5번

❷ 파란색 백팩의 주인은 육상 경기를 한다고 했으니 파란색 백팩의 취미에 육상이라고 써요.
❹ 가운데 백팩의 주인은 준이라고 써요.
❺ 준은 수영을 즐기니 가운데 백팩의 취미에 수영을 써요.
❻ 제이드는 육상 경기를 하니 파란색 백팩 주인은 제이드라고 써요.
❶ 한 친구는 그림 그리는 것을 좋아해요. 남은 이름은 올리이며, 마지막 가방 주인이고, 취미는 그림이네요.

59쪽 6번

❺ 가장 확실한 식은 39 < < 41이므로 =40

❶ + = , + =40, =20

❸ + =26, 20+ =26, =6

❹ 39+ = , 39+6= , =45

❷ + = + , +6=40, =34

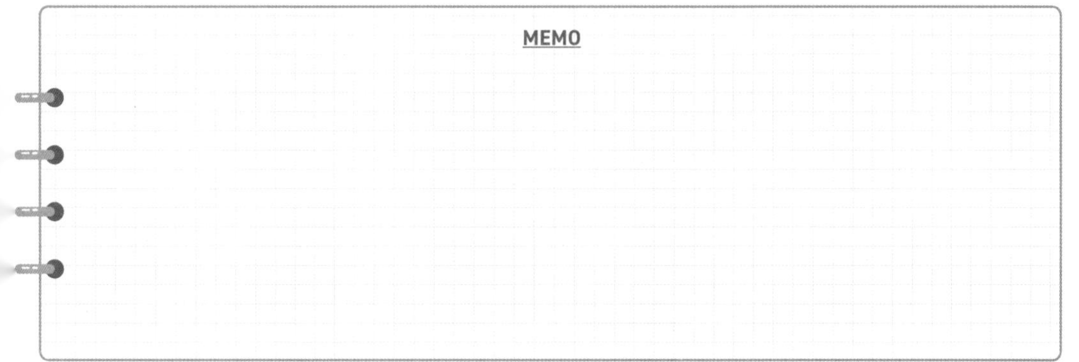

MEMO

60-61쪽

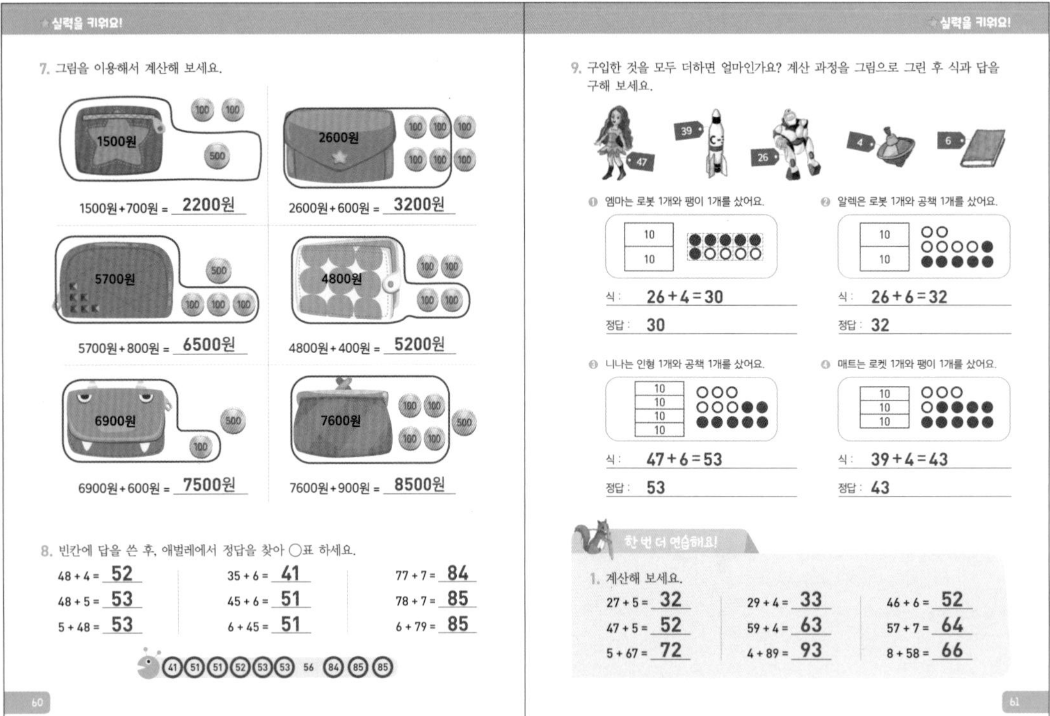

실력을 키워요!

7. 그림을 이용해서 계산해 보세요.

1500원+700원 = 2200원

2600원+600원 = 3200원

5700원+800원 = 6500원

4800원+400원 = 5200원

6900원+600원 = 7500원

7600원+900원 = 8500원

8. 빈칸에 답을 쓴 후, 애벌레에서 정답을 찾아 ○표 하세요.

48 + 4 = 52	35 + 6 = 41	77 + 7 = 84
48 + 5 = 53	45 + 6 = 51	78 + 7 = 85
5 + 48 = 53	6 + 45 = 51	6 + 79 = 85

41 51 51 52 53 53 56 84 85 85

60

실력을 키워요!

9. 구입한 것을 모두 더하면 얼마인가요? 계산 과정을 그림으로 그린 후 식과 답을 구해 보세요.

47 39 26 4 6

❶ 엠마는 로봇 1개와 팽이 1개를 샀어요.

식 : 26 + 4 = 30

정답 : 30

❷ 알렉은 로봇 1개와 공책 1개를 샀어요.

식 : 26 + 6 = 32

정답 : 32

❸ 니나는 인형 1개와 공책 1개를 샀어요.

식 : 47 + 6 = 53

정답 : 53

❹ 매트는 로켓 1개와 팽이 1개를 샀어요.

식 : 39 + 4 = 43

정답 : 43

한 번 더 연습해요!

1. 계산해 보세요.

27 + 5 = 32	29 + 4 = 33	46 + 6 = 52
47 + 5 = 52	59 + 4 = 63	57 + 7 = 64
5 + 67 = 72	4 + 89 = 93	8 + 58 = 66

61

62-63쪽

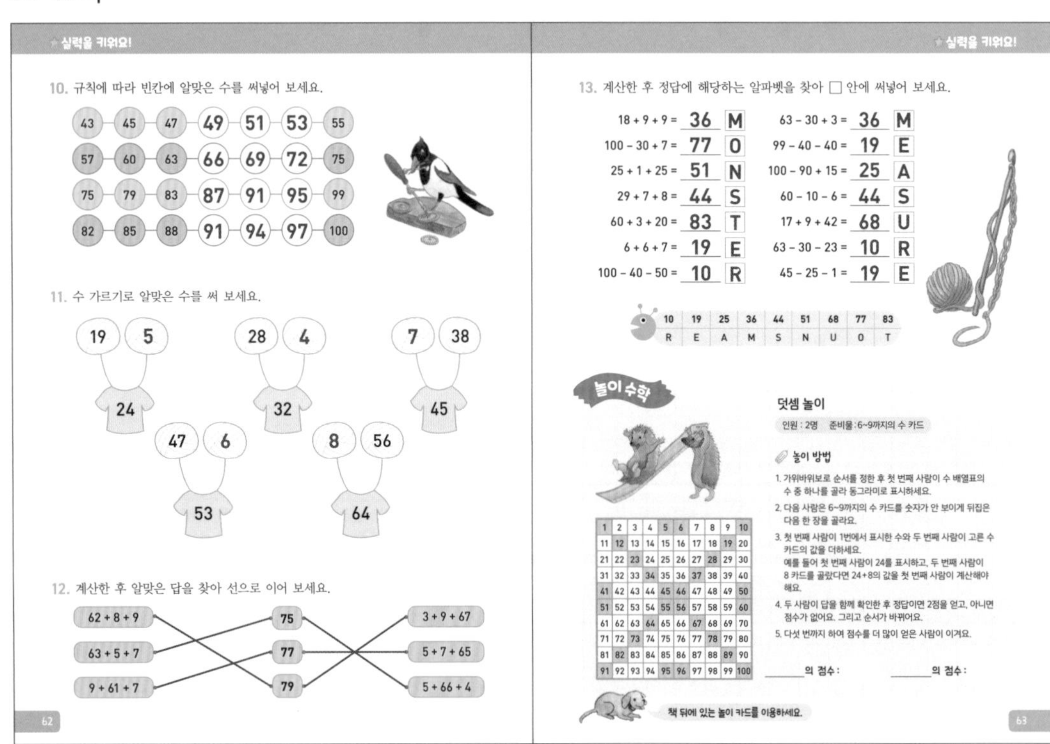

실력을 키워요!

10. 규칙에 따라 빈칸에 알맞은 수를 써넣어 보세요.

43 - 45 - 47 - 49 - 51 - 53 - 55

57 - 60 - 63 - 66 - 69 - 72 - 75

75 - 79 - 83 - 87 - 91 - 95 - 99

82 - 85 - 88 - 91 - 94 - 97 - 100

11. 수 가르기로 알맞은 수를 써 보세요.

24: 19, 5

32: 28, 4

45: 7, 38

53: 47, 6

64: 8, 56

12. 계산한 후 알맞은 답을 찾아 선으로 이어 보세요.

62 + 8 + 9 — 79

63 + 5 + 7 — 75

9 + 61 + 7 — 77

75 — 3 + 9 + 67

77 — 5 + 66 + 4

79 — 5 + 7 + 65

62

실력을 키워요!

13. 계산한 후 정답에 해당하는 알파벳을 찾아 □ 안에 써넣어 보세요.

18 + 9 + 9 = 36	M	63 - 30 + 3 = 36	M
100 - 30 + 7 = 77	O	99 - 40 - 40 = 19	E
25 + 1 + 25 = 51	N	100 - 90 + 15 = 25	A
29 + 7 + 8 = 44	S	60 - 10 - 6 = 44	S
60 + 3 + 20 = 83	T	17 + 9 + 42 = 68	U
6 + 6 + 7 = 19	E	63 - 30 - 23 = 10	R
100 - 40 - 50 = 10	R	45 - 25 - 1 = 19	E

10	19	25	36	44	51	68	77	83
R	E	A	M	S	N	U	O	T

놀이 수학

덧셈 놀이

인원 : 2명 준비물 : 6~9까지의 수 카드

놀이 방법

1. 가위바위보로 순서를 정한 후 첫 번째 사람이 수 배열표의 수 중 하나를 골라 동그라미로 표시하세요.
2. 다음 사람은 6~9까지의 수 카드를 숫자가 안 보이게 뒤집은 다음 한 장을 골라요.
3. 첫 번째 사람이 1번에서 표시한 수와 두 번째 사람이 고른 수 카드의 값을 더하세요. 예를 들어 첫 번째 사람이 24를 표시하고, 두 번째 사람이 8 카드를 골랐다면 24+8의 값을 첫 번째 사람이 계산해야 해요.
4. 두 사람이 답을 함께 확인한 후 정답이면 2점을 얻고, 아니면 점수가 없어요. 그리고 순서가 바뀌어요.
5. 다섯 번째까지 하여 점수를 더 많이 얻은 사람이 이겨요.

1	2	3	4	5	6	7	8	9	10
11	12	13	14	15	16	17	18	19	20
21	22	23	24	25	26	27	28	29	30
31	32	33	34	35	36	37	38	39	40
41	42	43	44	45	46	47	48	49	50
51	52	53	54	55	56	57	58	59	60
61	62	63	64	65	66	67	68	69	70
71	72	73	74	75	76	77	78	79	80
81	82	83	84	85	86	87	88	89	90
91	92	93	94	95	96	97	98	99	100

_____의 점수 : _____의 점수 :

책 뒤에 있는 놀이 카드를 이용하세요.

63

64-65쪽

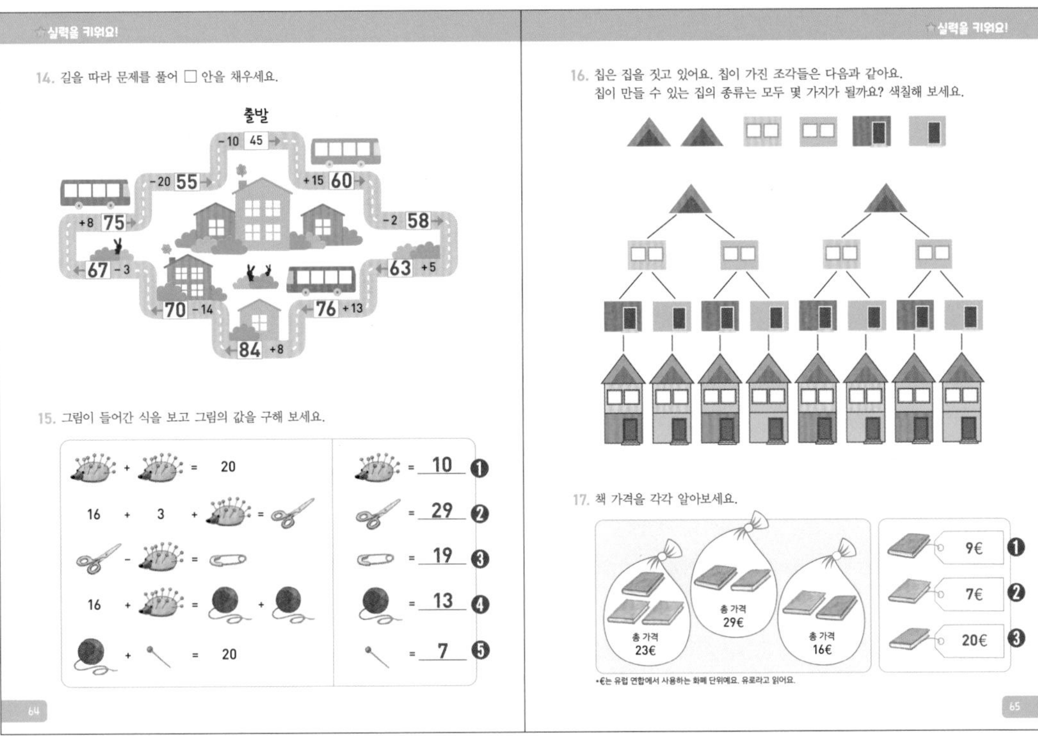
실력을 키워요!

14. 길을 따라 문제를 풀어 □ 안을 채우세요.

15. 그림이 들어간 식을 보고 그림의 값을 구해 보세요.

+ = 20 | = 10 ❶
16 + 3 + = | = 29 ❷
- = | = 19 ❸
16 + = + | = 13 ❹
+ = 20 | = 7 ❺

64

실력을 키워요!

16. 칩은 집을 짓고 있어요. 칩이 가진 조각들은 다음과 같아요. 칩이 만들 수 있는 집의 종류는 모두 몇 가지가 될까요? 색칠해 보세요.

17. 책 가격을 각각 알아보세요.

*€는 유럽 연합에서 사용하는 화폐 단위예요. 유로라고 읽어요.

65

64쪽 15번

❶ + = 20, = 10

❷ 16 + 3 + =
19 + 10 = , = 29

❸ - =
29 - 10 = 19, = 19

❹ 16 + = +
16 + 10 = + , = 13

❺ + = 20
13 + = 20, = 7

65쪽 17번

❷ 는 16이므로 23 - 16 = 7
= 7

❶ = 16, 7 + = 16
= 9

❸ = 29
9 + = 29, = 20

66-67쪽

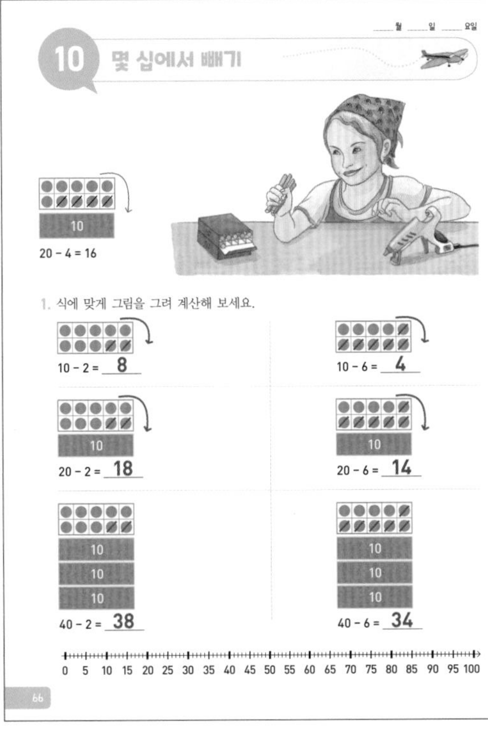
___월 ___일 ___요일

10 몇 십에서 빼기

1. 식에 맞게 그림을 그려 계산해 보세요.

10 - 2 = 8 | 10 - 6 = 4
20 - 2 = 18 | 20 - 6 = 14
40 - 2 = 38 | 40 - 6 = 34

66

2. 계산해 보세요.

30 - 5 = 25	50 - 7 = 43
40 - 5 = 35	60 - 7 = 53
80 - 5 = 75	70 - 7 = 63
60 - 3 = 57	80 - 9 = 71
70 - 3 = 67	90 - 9 = 81
80 - 3 = 77	100 - 9 = 91

3. 알맞은 수를 구해 보세요.

10 - 4 = 6
20 - 4 = 16
30 - 4 = 26
40 - 4 = 36
60 - 4 = 56
90 - 4 = 86

4. 그림을 보고 식과 답을 써 보세요.

❶ 알렉은 2000원을 가지고 있어요. 알렉은 열쇠 고리를 1개 샀어요. 알렉에게 남은 돈은 얼마인가요?

식: 2000원 - 1300원 = 700원
정답: 700원

❷ 엠마는 3000원을 가지고 있어요. 엠마는 목걸이를 1개 샀어요. 엠마에게 남은 돈은 얼마인가요?

식: 3000원 - 1600원 = 1400원
정답: 1400원

빼어지는 수가 빼는 수보다 작을 경우 윗자리에서 10을 빌려 와서 빼야 해~!

한 번 더 연습해요!

1. 계산해 보세요.

20 - 3 = 17	50 - 4 = 46	60 - 8 = 52
40 - 3 = 37	70 - 4 = 66	80 - 8 = 72

67

부모님 가이드 | 66쪽

그림을 보며 아이에게 질문해 보세요.
- 상자 하나에 글루스틱이 몇 개 들어 있니? 10개
- 상자 2개에 들어 있는 글루스틱은 모두 몇 개니? 20개
- 여자 아이는 글루스틱 몇 개를 손에 들고 있니? 4개
- 뚜껑을 연 상자에 글루스틱이 몇 개 남아 있니? 6개
- 글루스틱 20개 중 4개를 꺼냈을 때 남은 글루스틱 개수를 뺄셈식으로 나타내 보렴. 20-4=16

68-69쪽

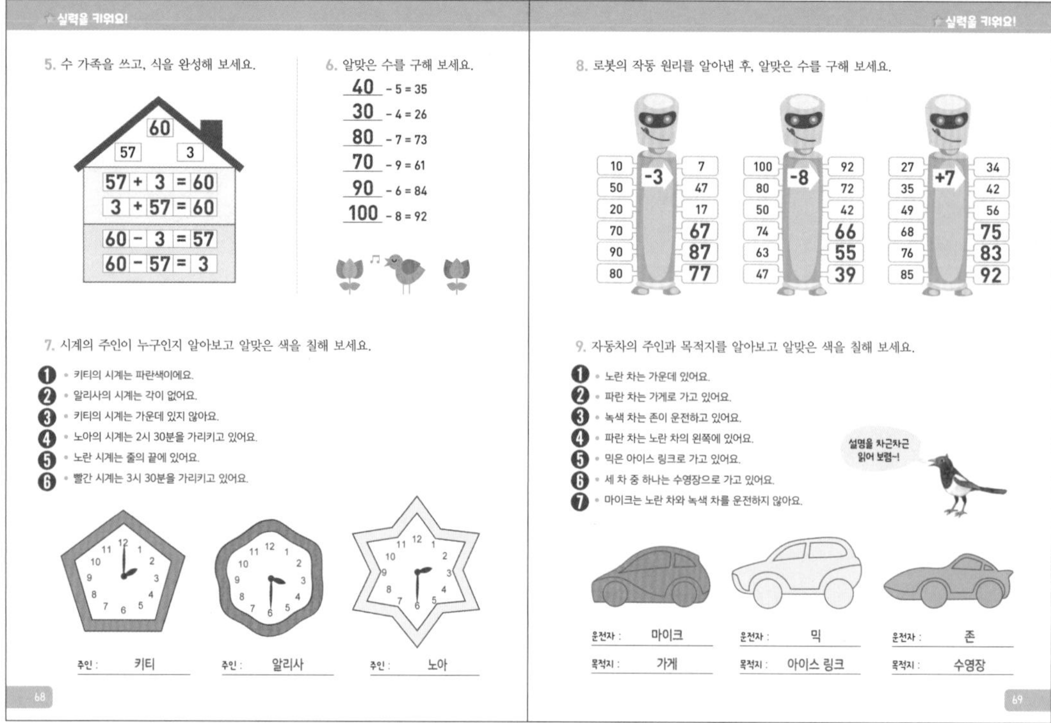

실력을 키워요!

5. 수 가족을 쓰고, 식을 완성해 보세요.

60, 57, 3

57 + 3 = 60
3 + 57 = 60
60 - 3 = 57
60 - 57 = 3

6. 알맞은 수를 구해 보세요.

40 - 5 = 35
30 - 4 = 26
80 - 7 = 73
70 - 9 = 61
90 - 6 = 84
100 - 8 = 92

7. 시계의 주인이 누구인지 알아보고 알맞은 색을 칠해 보세요.

❶ 키티의 시계는 파란색이에요.
❷ 알리사의 시계는 각이 없어요.
❸ 키티의 시계는 가운데 있지 않아요.
❹ 노아의 시계는 2시 30분을 가리키고 있어요.
❺ 노란 시계는 줄의 끝에 있어요.
❻ 빨간 시계는 3시 30분을 가리키고 있어요.

주인 : 키티　주인 : 알리사　주인 : 노아

68

실력을 키워요!

8. 로봇의 작동 원리를 알아낸 후, 알맞은 수를 구해 보세요.

-3		-8		+7	
10	7	100	92	27	34
50	47	80	72	35	42
20	17	50	42	49	56
70	67	74	66	68	75
90	87	63	55	76	83
80	77	47	39	85	92

9. 자동차의 주인과 목적지를 알아보고 알맞은 색을 칠해 보세요.

❶ 노란 차는 가운데 있어요.
❷ 파란 차는 가게로 가고 있어요.
❸ 녹색 차는 존이 운전하고 있어요.
❹ 파란 차는 노란 차의 왼쪽에 있어요.
❺ 믹은 아이스 링크로 가고 있어요.
❻ 세 차 중 하나는 수영장으로 가고 있어요.
❼ 마이크는 노란 차와 녹색 차를 운전하지 않아요.

설명을 차근차근 읽어 보렴~!

운전자 : 마이크　목적지 : 가게
운전자 : 믹　목적지 : 아이스 링크
운전자 : 존　목적지 : 수영장

69

68쪽 7번

❷ 알리사의 시계는 각이 없으니 가운데 시계에 알리사라고 써요.
❹ 노아의 시계는 2시 30분을 가리키고 있으니 별 모양 시계에 노아라고 써요.
❸ 키티의 시계는 가운데 있지 않으니, 맨 앞에 있는 오각형 시계에 키티라고 써요.
❶ 키티의 시계에 파란색을 칠해요.
❻ 빨간 시계는 3시 30분을 가리키고 있으니 가운데 시계에 빨간색을 칠해요.
❺ 노란 시계는 맨 끝에 있으니 별 모양 노아의 시계에 노란색을 칠해요.

69쪽 9번

❶ 가운데 차에 노란색을 칠해요.
❹ 노란 차의 왼쪽에 있는 차에 파란색을 칠해요.
❸ 녹색 차는 존이 운전하고 있으니 마지막 차는 녹색을 칠하고 운전자는 존이라고 써요.
❼ 마이크는 노란 차와 녹색 차를 운전하지 않으니 파란 차 운전자는 마이크라고 써요.
❺ 남은 노란 차 운전자는 믹이라고 쓰고, 목적지는 아이스 링크라고 써요.
❷ 파란 차 목적지에 가게라고 써요.
❻ 마지막 남은 존의 차 목적지는 수영장이라고 써요.

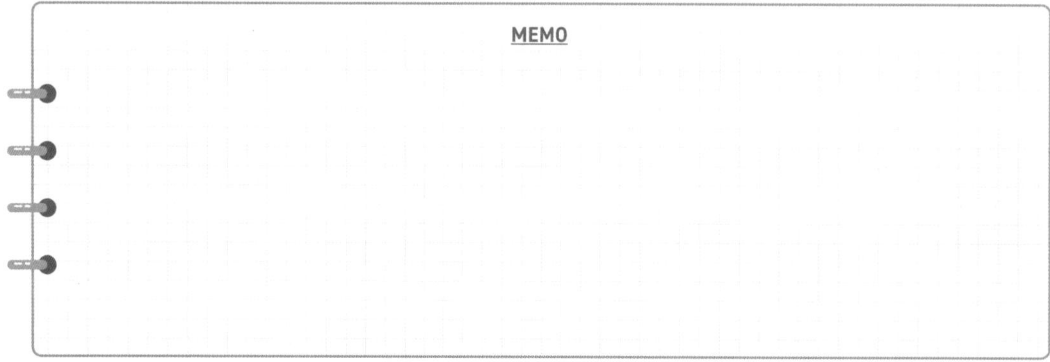

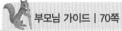

70-71쪽

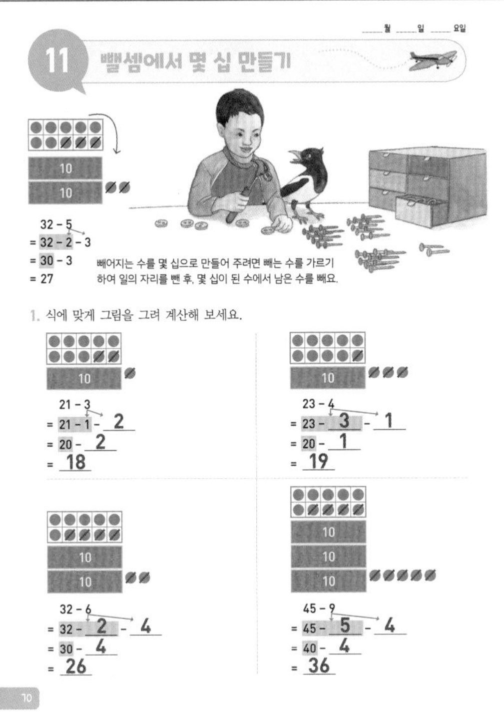

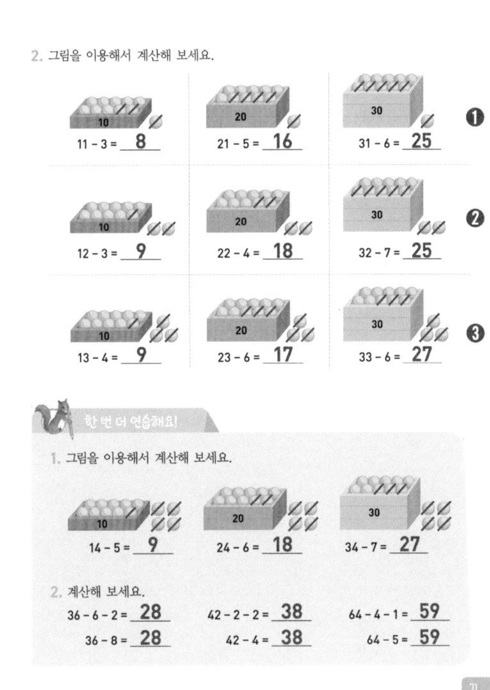

그림을 보며 아이에게 질문해 보세요.
- 못이 한 무더기에 10개씩 있어. 3무더기가 있다면 못이 몇 개니? **30개**
- 탁자 위에 못이 전부 몇 개 있니? **32개**
- 노란 단추는 몇 개 있어? **5개**
- 단추를 고정하기 위해 못을 5개 사용한다면 남는 못은 몇 개니? 뺄셈식으로 나타내 봐. **32−5=27**

71쪽 2번

❶ 11-1-2=8 / 21-1-4=16 / 31-1-5=25

❷ 12-2-1=9 / 22-2-2=18 / 32-2-5=25

❸ 13-3-1=9 / 23-3-3=17 / 33-3-3=27

72-73쪽

71-20=51 / 63-4=59 / 64-6=58 / 70-4=66 / 71-3=68
90-20=70 / 83-10=73 / 85-6=79 / 91-4=87 / 90-5=85

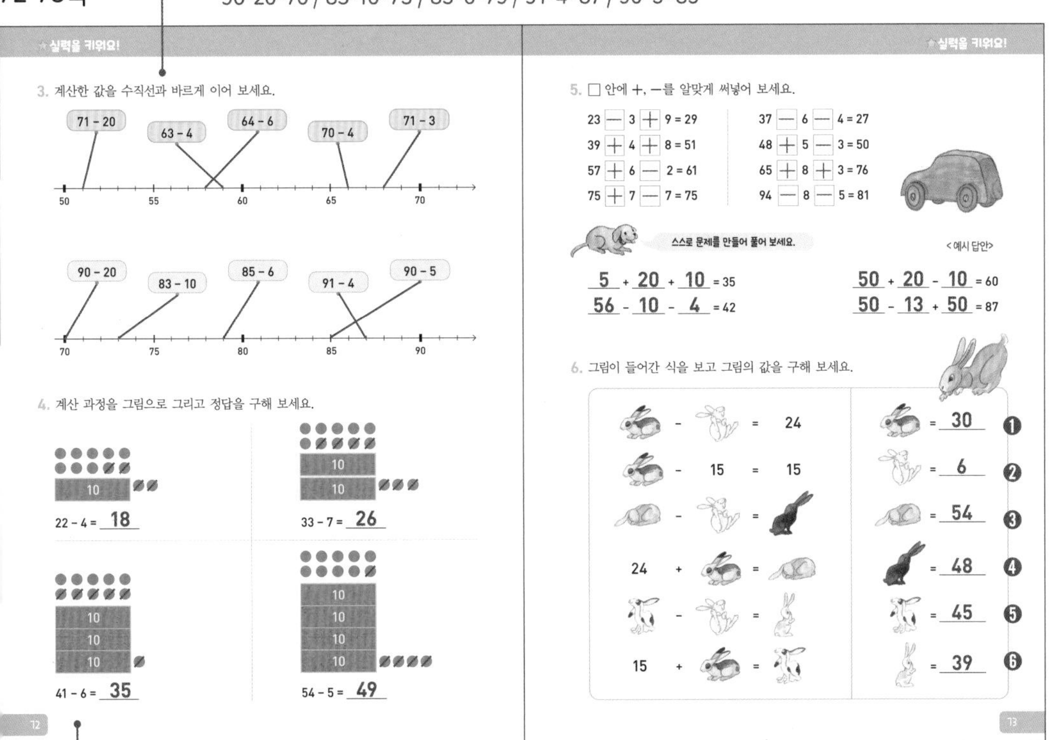

다양한 방식으로 그림을 표현할 수 있어요.

73쪽 6번

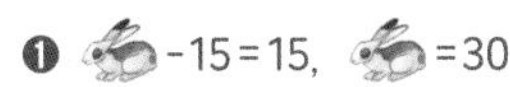

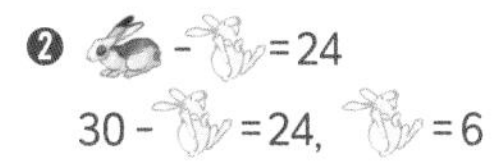

❸ 24+ (그림) = (그림)
24+30= (그림), (그림) =54

❹ (그림) − (그림) = (그림)
54−6= (그림), (그림) =48

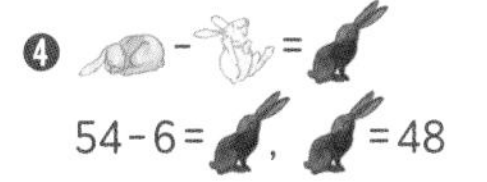

❺ 15+ (그림) = (그림)
15+30= (그림), (그림) =45

❻ (그림) − (그림) = (그림)
45−6= (그림), (그림) =39

정답

74-75쪽

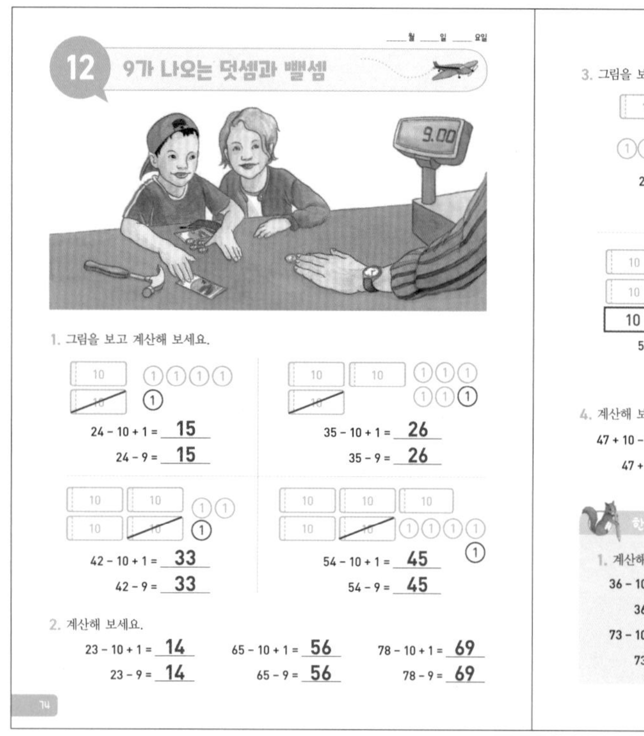

___월 ___일 ___요일

12 9가 나오는 덧셈과 뺄셈

1. 그림을 보고 계산해 보세요.

24 - 10 + 1 = 15
24 - 9 = 15

35 - 10 + 1 = 26
35 - 9 = 26

42 - 10 + 1 = 33
42 - 9 = 33

54 - 10 + 1 = 45
54 - 9 = 45

2. 계산해 보세요.

23 - 10 + 1 = 14
23 - 9 = 14

65 - 10 + 1 = 56
65 - 9 = 56

78 - 10 + 1 = 69
78 - 9 = 69

74

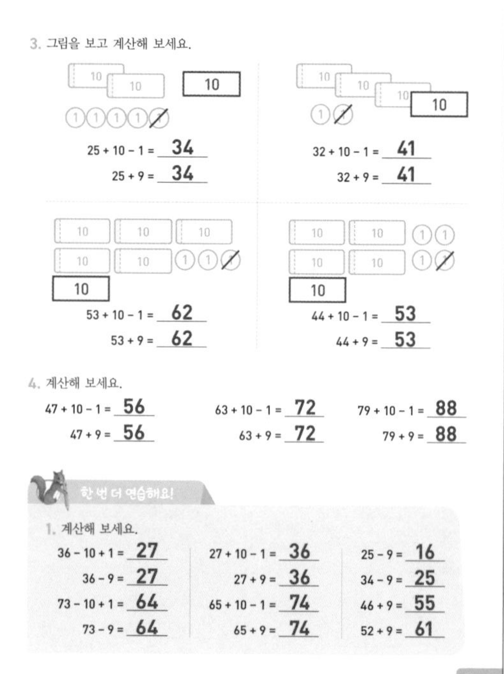

3. 그림을 보고 계산해 보세요.

25 + 10 - 1 = 34
25 + 9 = 34

32 + 10 - 1 = 41
32 + 9 = 41

53 + 10 - 1 = 62
53 + 9 = 62

44 + 10 - 1 = 53
44 + 9 = 53

4. 계산해 보세요.

47 + 10 - 1 = 56
47 + 9 = 56

63 + 10 - 1 = 72
63 + 9 = 72

79 + 10 - 1 = 88
79 + 9 = 88

한 번 더 연습해요!

1. 계산해 보세요.

36 - 10 + 1 = 27
36 - 9 = 27
73 - 10 + 1 = 64
73 - 9 = 64

27 + 10 - 1 = 36
27 + 9 = 36
65 + 10 - 1 = 74
65 + 9 = 74

25 - 9 = 16
34 - 9 = 25
46 + 9 = 55
52 + 9 = 61

75

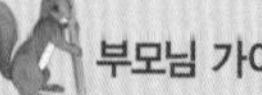

부모님 가이드 | 74쪽

9는 10-1과 같은 수랍니다. 더하기와 빼기를 할 때 원래의 수를 고무줄처럼 마음대로 늘였다 줄였다 하면서 조작하는 연습을 하면 더하기와 빼기를 잘할 수 있어요.

76-77쪽

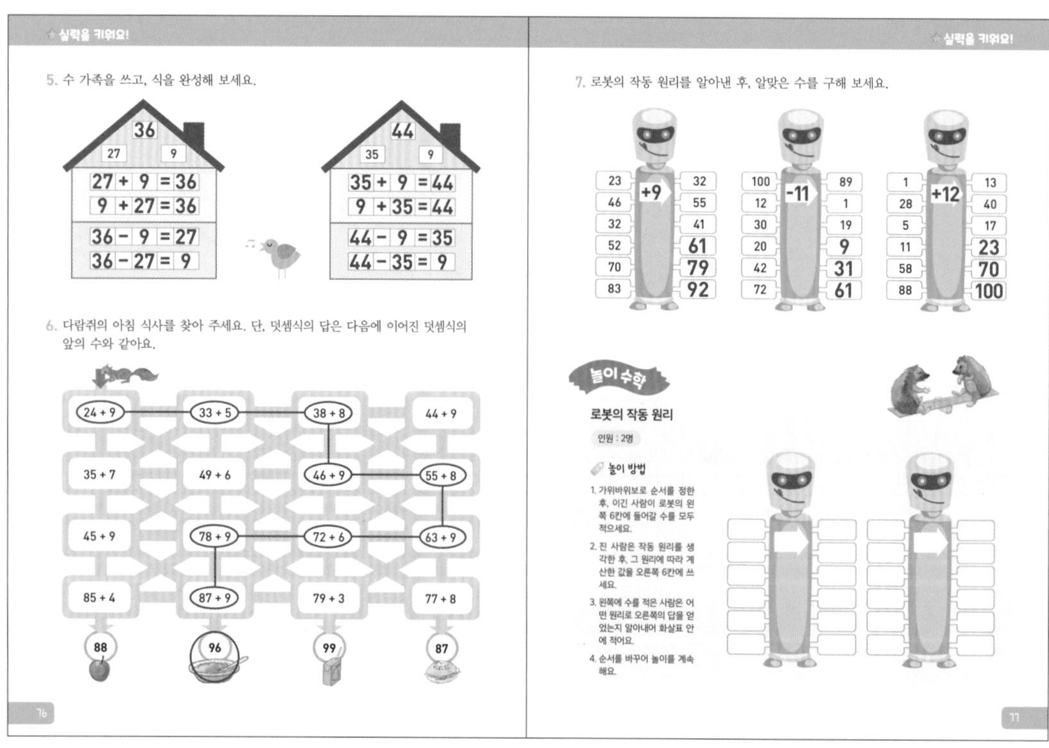

실력을 키워요!

5. 수 가족을 쓰고, 식을 완성해 보세요.

36 / 27, 9
27 + 9 = 36
9 + 27 = 36
36 - 9 = 27
36 - 27 = 9

44 / 35, 9
35 + 9 = 44
9 + 35 = 44
44 - 9 = 35
44 - 35 = 9

6. 다람쥐의 아침 식사를 찾아 주세요. 단, 덧셈식의 답은 다음에 이어진 덧셈식의 앞의 수와 같아요.

24 + 9	33 + 5	38 + 8	44 + 9
35 + 7	49 + 6	46 + 9	55 + 8
45 + 9	78 + 9	72 + 6	63 + 9
85 + 4	87 + 9	79 + 3	77 + 8
88	96	99	87

77

실력을 키워요!

7. 로봇의 작동 원리를 알아낸 후, 알맞은 수를 구해 보세요.

+9		-11		+12	
23	32	100	89	1	13
46	55	12	1	28	40
32	41	30	19	5	17
52	61	20	9	11	23
70	79	42	31	58	70
83	92	72	61	88	100

놀이 수학

로봇의 작동 원리

인원 : 2명

놀이 방법

1. 가위바위보로 순서를 정한 후, 이긴 사람이 로봇의 왼쪽 6칸에 들어갈 수를 모두 적으세요.
2. 진 사람은 작동 원리를 생각한 후, 그 원리에 따라 계산한 값을 오른쪽 6칸에 쓰세요.
3. 왼쪽에 수를 적은 사람은 어떤 원리로 오른쪽의 답을 얻었는지 알아내어 화살표 안에 적어요.
4. 순서를 바꾸어 놀이를 계속해요.

77

78-79쪽

실력을 키워요!

8. 아래 글을 읽고 식과 답을 써 보세요.

① 노란 단추 35개와 녹색 단추 7개가 책상 위에 있어요. 단추는 모두 몇 개인가요?
식: 35+7=42
정답: 42개

② 오스카는 단추를 30개 가지고 있고, 사라는 단추를 9개 가지고 있어요. 사라는 오스카보다 단추를 몇 개 더 적게 가지고 있나요?
식: 30-9=21
정답: 21개

③ 공구함에 못이 63개 있어요. 그중 7개는 짧고 나머지는 길어요. 공구함에 있는 긴 못은 몇 개인가요?
식: 63-7=56
정답: 56개

④ 책상 위에 달 스티커가 64개 있어요. 별 스티커는 달 스티커보다 8개가 더 많아요. 별 스티커는 몇 개인가요?
식: 64+8=72
정답: 72개

⑤ 노란 바구니에 공이 47개 있어요. 파란 바구니에는 노란 바구니보다 공이 9개 더 많아요. 파란 바구니에 든 공은 몇 개인가요?
식: 47+9=56
정답: 56개

⑥ 36개가 한 세트인 크레파스가 있어요. 그중 9개가 책상 위에 있어요. 크레파스 케이스 안에는 몇 개의 크레파스가 있나요?
식: 36-9=27
정답: 27개

실력을 키워요!

9. 계산한 후 정답에 해당하는 알파벳을 찾아 □ 안에 써넣어 보세요.

60 + 27 = 87 F	30 + 61 = 91 H	48 + 9 = 57 T
93 - 9 = 84 A	77 + 7 = 84 A	21 + 42 = 63 I
91 - 20 = 71 B	20 + 70 = 90 M	86 - 10 = 76 R
50 + 26 = 76 R	85 + 5 = 90 M	69 - 9 = 60 E
55 + 8 = 63 I	51 + 9 = 60 E	
99 - 2 = 97 C	68 + 8 = 76 R	

57	60	63	71	76	84	87	90	91	97
T	E	I	B	R	A	F	M	H	C

10. 규칙에 따라 빈칸에 알맞은 수를 써넣어 보세요.

76 — 73 — 70 — 67 — 64 — 61 — 58

76 — 72 — 68 — 64 — 60 — 56 — 52

한 번 더 연습해요!

1. 설명을 읽고 식과 답을 써 보세요.
별 스티커가 27개 있어요. 달 스티커는 별 스티커보다 9개 더 많아요. 달 스티커는 몇 개인가요?
식: 27+9=36
정답: 36개

2. 계산해 보세요.
93 - 6 = 87
65 - 8 = 57
50 - 9 = 41
43 - 7 = 36
59 + 9 = 68

부모님 가이드 | 81쪽 15번

두 자리수 덧셈을 쉽게 하기 위해 수를 십의 자리와 일의 자리로 쪼개는 연습을 시켜 보세요. 이를 테면 38+15의 경우, 38+10+5=48+5=53 또는 38+15=30+10+8+5=40+8+5=53으로 쪼개어 두 자리수 덧셈을 연습합니다.

80-81쪽

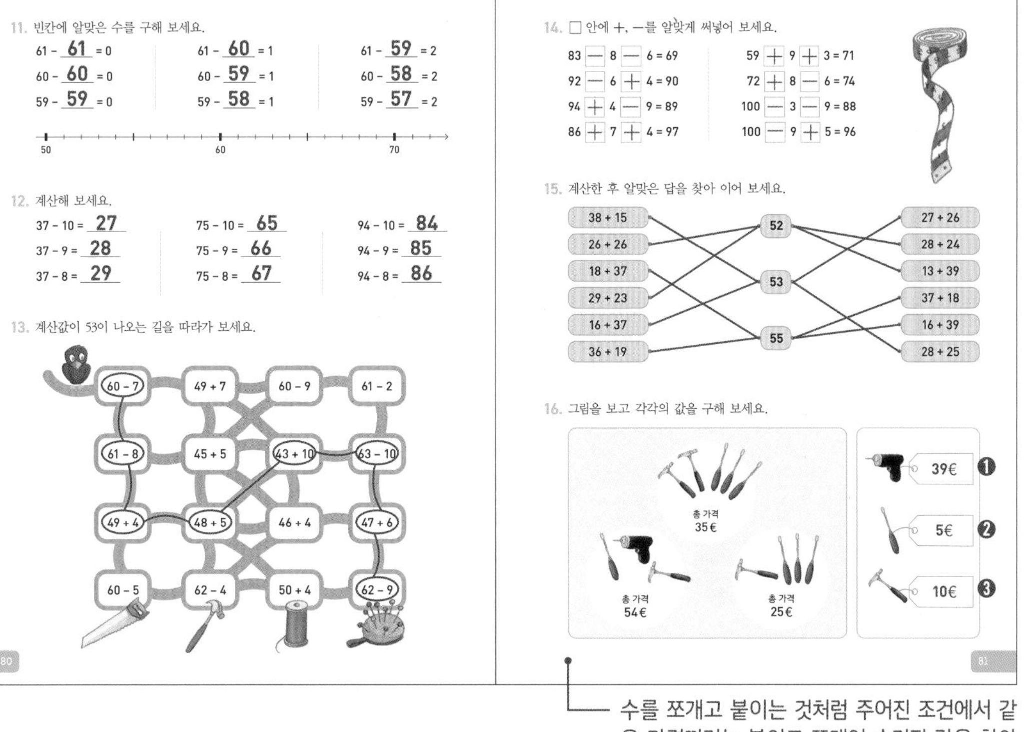

실력을 키워요!

11. 빈칸에 알맞은 수를 구해 보세요.

61 - 61 = 0	61 - 60 = 1	61 - 59 = 2
60 - 60 = 0	60 - 59 = 1	60 - 58 = 2
59 - 59 = 0	59 - 58 = 1	59 - 57 = 2

50 60 70

12. 계산해 보세요.

37 - 10 = 27	75 - 10 = 65	94 - 10 = 84
37 - 9 = 28	75 - 9 = 66	94 - 9 = 85
37 - 8 = 29	75 - 8 = 67	94 - 8 = 86

13. 계산값이 53이 나오는 길을 따라가 보세요.

60 - 7	49 + 7	60 - 9	61 - 2
61 - 8	45 + 5	43 + 10	63 - 10
49 + 4	48 + 5	46 + 4	47 + 6
60 - 5	62 - 4	50 + 4	62 - 9

80

실력을 키워요!

14. □ 안에 +, −를 알맞게 써넣어 보세요.

83 − 8 − 6 = 69	59 + 9 + 3 = 71
92 − 6 + 4 = 90	72 + 8 − 6 = 74
94 + 4 − 9 = 89	100 − 3 − 9 = 88
86 + 7 + 4 = 97	100 − 9 + 5 = 96

15. 계산한 후 알맞은 답을 찾아 이어 보세요.

38 + 15, 26 + 26, 18 + 37, 29 + 23, 16 + 37, 36 + 19

52, 53, 55

27 + 26, 28 + 24, 13 + 39, 37 + 18, 16 + 39, 28 + 25

16. 그림을 보고 각각의 값을 구해 보세요.

총 가격 35€

총 가격 54€

총 가격 25€

❶ 39€
❷ 5€
❸ 10€

81

81쪽 16번

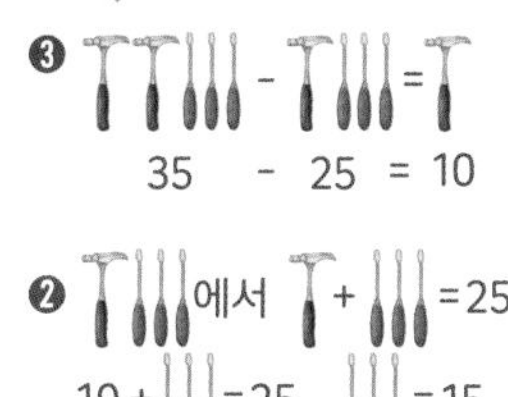

❸ 35 - 25 = 10

❷ 에서 + =25

10 + =25, =15

=5

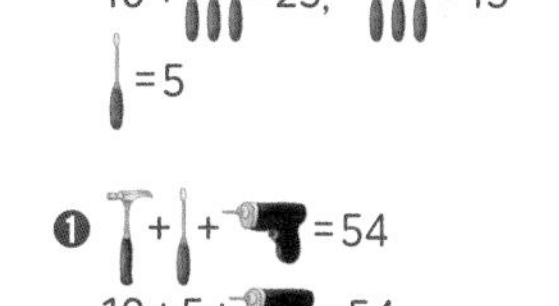

❶ + + =54

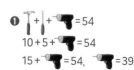

10+5+ =54

15+ =54, =39

수를 쪼개고 붙이는 것처럼 주어진 조건에서 같은 가격끼리는 붙이고 쪼개어 숨겨진 값을 찾아가는 원리 문제랍니다.

82-83쪽

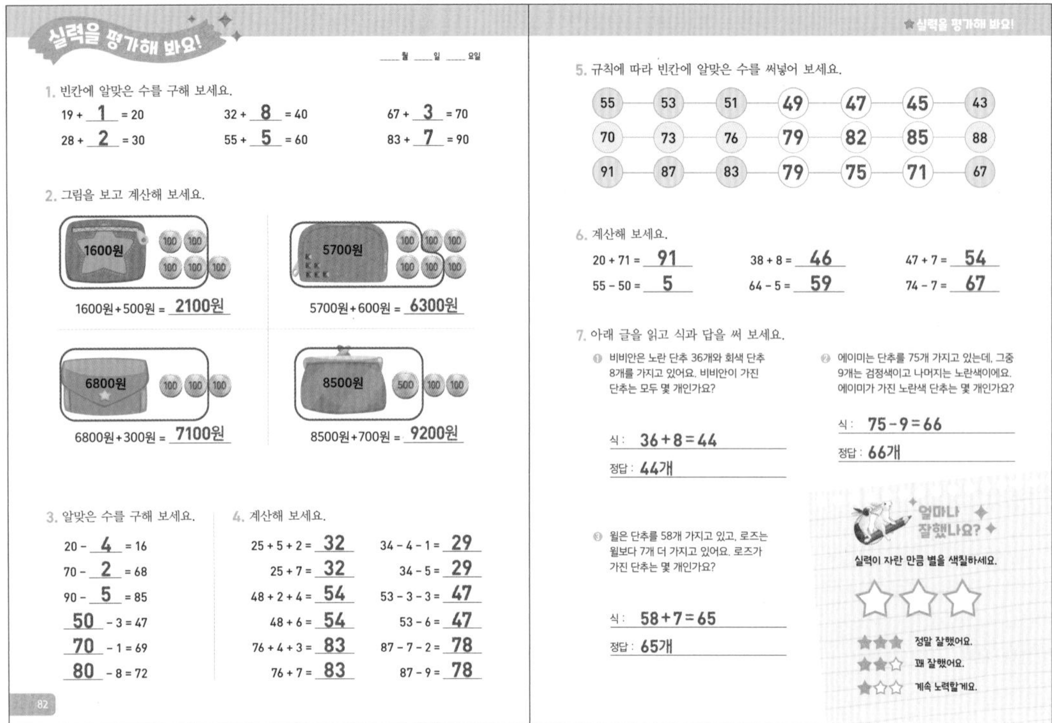

실력을 평가해 봐요!

___월 ___일 ___요일

1. 빈칸에 알맞은 수를 구해 보세요.

19 + 1 = 20　　32 + 8 = 40　　67 + 3 = 70

28 + 2 = 30　　55 + 5 = 60　　83 + 7 = 90

2. 그림을 보고 계산해 보세요.

1600원+500원 = 2100원　　5700원+600원 = 6300원

6800원+300원 = 7100원　　8500원+700원 = 9200원

3. 알맞은 수를 구해 보세요.

20 - 4 = 16
70 - 2 = 68
90 - 5 = 85
50 - 3 = 47
70 - 1 = 69
80 - 8 = 72

4. 계산해 보세요.

25 + 5 + 2 = 32　　34 - 4 - 1 = 29
25 + 7 = 32　　34 - 5 = 29
48 + 2 + 4 = 54　　53 - 3 - 3 = 47
48 + 6 = 54　　53 - 6 = 47
76 + 4 + 3 = 83　　87 - 7 - 2 = 78
76 + 7 = 83　　87 - 9 = 78

82

실력을 평가해 봐요!

5. 규칙에 따라 빈칸에 알맞은 수를 써넣어 보세요.

55 - 53 - 51 - 49 - 47 - 45 - 43
70 - 73 - 76 - 79 - 82 - 85 - 88
91 - 87 - 83 - 79 - 75 - 71 - 67

6. 계산해 보세요.

20 + 71 = 91　　38 + 8 = 46　　47 + 7 = 54
55 - 50 = 5　　64 - 5 = 59　　74 - 7 = 67

7. 아래 글을 읽고 식과 답을 써 보세요.

① 비비안은 노란 단추 36개와 회색 단추 8개를 가지고 있어요. 비비안이 가진 단추는 모두 몇 개인가요?

식: 36+8=44
정답: 44개

② 에이미는 단추를 75개 가지고 있는데, 그중 9개는 검정색이고 나머지는 노란색이에요. 에이미가 가진 노란색 단추는 몇 개인가요?

식: 75-9=66
정답: 66개

③ 윌은 단추를 58개 가지고 있고, 로즈는 윌보다 7개 더 가지고 있어요. 로즈가 가진 단추는 몇 개인가요?

식: 58+7=65
정답: 65개

얼마나 잘했나요?
실력이 자란 만큼 별을 색칠하세요.
★★★ 정말 잘했어요.
★★☆ 꽤 잘했어요.
★☆☆ 계속 노력할게요.

84-85쪽

단원 평가

1 빈칸에 알맞은 수를 구해 보세요.

12 + 8 = 20
35 + 5 = 40
58 + 2 = 60
60 - 7 = 53
80 - 4 = 76

2 로봇의 작동 원리를 알아낸 후, 알맞은 수를 구해 보세요.

+6	
8	14
16	22
24	30
59	65
77	83

-7	
15	8
21	14
33	26
52	45
94	87

3 규칙에 따라 빈칸에 알맞은 수를 써넣어 보세요.

24 - 22 - 20 - 18 - 16 - 14 - 12
32 - 36 - 40 - 44 - 48 - 52 - 56
33 - 30 - 27 - 24 - 21 - 18 - 15
94 - 91 - 88 - 85 - 82 - 79 - 76

4 노란 공의 값은 얼마인지 구해 보세요.

총 가격 21€　　총 가격 33€　　6€

●● + ●● = 21 + ●● =
●● = 12
● = 6

5 계산해 보세요.

65 - 30 - 7 = 28　　27 + 14 = 41
83 - 40 - 4 = 39　　59 + 33 = 92
91 - 60 - 5 = 26　　48 + 45 = 93

84

86-87쪽

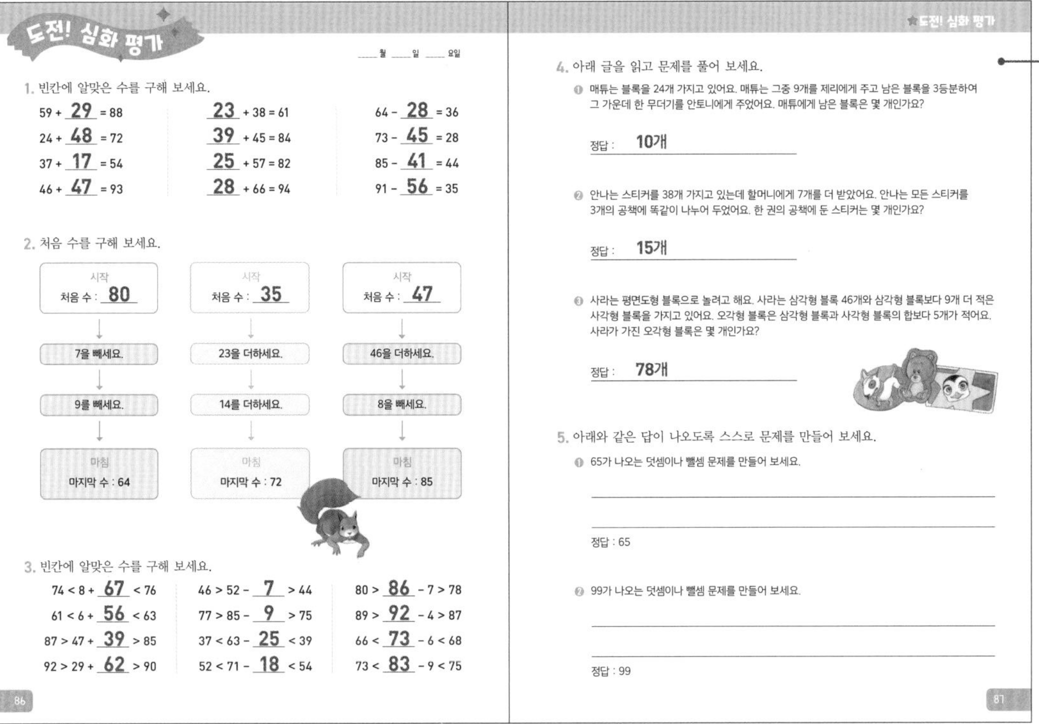

도전! 심화 평가 ____월 ____일 ____요일

1. 빈칸에 알맞은 수를 구해 보세요.

59 + **29** = 88	**23** + 38 = 61	64 - **28** = 36
24 + **48** = 72	**39** + 45 = 84	73 - **45** = 28
37 + **17** = 54	**25** + 57 = 82	85 - **41** = 44
46 + **47** = 93	**28** + 66 = 94	91 - **56** = 35

2. 처음 수를 구해 보세요.

시작 처음 수 : **80**	시작 처음 수 : **35**	시작 처음 수 : **47**
7을 빼세요.	23을 더하세요.	46을 더하세요.
9를 빼세요.	14를 더하세요.	8을 빼세요.
마침 마지막 수 : 64	마침 마지막 수 : 72	마침 마지막 수 : 85

3. 빈칸에 알맞은 수를 구해 보세요.

74 < 8 + **67** < 76	46 > 52 - **7** > 44	80 > **86** - 7 > 78
61 < 6 + **56** < 63	77 > 85 - **9** > 75	89 > **92** - 4 > 87
87 > 47 + **39** > 85	37 < 63 - **25** < 39	66 < **73** - 6 < 68
92 > 29 + **62** > 90	52 < 71 - **18** < 54	73 < **83** - 9 < 75

86

★도전! 심화 평가

4. 아래 글을 읽고 문제를 풀어 보세요.

❶ 매튜는 블록을 24개 가지고 있어요. 매튜는 그중 9개를 제리에게 주고 남은 블록을 3등분하여 그 가운데 한 무더기를 안토니에게 주었어요. 매튜에게 남은 블록은 몇 개인가요?

정답 : **10개**

❷ 안나는 스티커를 38개 가지고 있는데 할머니에게 7개를 더 받았어요. 안나는 모든 스티커를 3개의 공책에 똑같이 나누어 두었어요. 한 권의 공책에 둔 스티커는 몇 개인가요?

정답 : **15개**

❸ 사라는 평면도형 블록으로 놀려고 해요. 사라는 삼각형 블록 46개와 삼각형 블록보다 9개 더 적은 사각형 블록을 가지고 있어요. 오각형 블록은 삼각형 블록과 사각형 블록의 합보다 5개가 적어요. 사라가 가진 오각형 블록은 몇 개인가요?

정답 : **78개**

5. 아래와 같은 답이 나오도록 스스로 문제를 만들어 보세요.

❶ 65가 나오는 덧셈이나 뺄셈 문제를 만들어 보세요.

정답 : 65

❷ 99가 나오는 덧셈이나 뺄셈 문제를 만들어 보세요.

정답 : 99

87

❶ 24-9=15, 15를 3개로 가르기 하면 5이므로 15-5=10(개)

❷ 38+7=45, 45를 3개로 가르기 하면 15(개)

❸ 사각형 블록의 수 46-9=37(개), 오각형 블록의 수 46+37-5=78(개)

86쪽 2번

마지막 수부터 거꾸로 셈을 해 나가면 처음 수를 구할 수 있어요. 이때 더했다면 빼 주고, 뺐다면 더해 줘야 합니다.
64+9+7=80
72-14-23=35
85+8-46=47

86쪽 3번

74<75<76이므로 8+□=75, □=67
61<62<63이므로 6+□=62, □=56
87>86>85이므로 47+□=86, □=39
92>91>90이므로 29+□=91, □=62
46>45>44이므로 52-□=45, □=7
77>76>75이므로 85-□=76, □=9
37<38<39이므로 63-□=38, □=25
52<53<54이므로 71-□=53, □=18
80>79>78이므로 □-7=79, □=86
89>88>87이므로 □-4=88, □=92
66<67<68이므로 □-6=67, □=73
73<74<75이므로 □-9=74, □=83

87쪽 5번

<예시 답안>
가희는 30개의 스티커를 모았고, 나희는 가희보다 5개를 더 모았어요. 두 사람의 스티커를 모두 합하면 몇 개인가요?
식 : 30+30+5=65 답 : 65

<예시 답안>
가희는 80개의 하트를 만들었고, 나희는 가희보다 61개 적게 만들었어요. 가희와 나희 두 사람이 만든 하트의 수는 몇 개인가요?
식 : 80-61=19, 80+19=99 답 : 99

90-91쪽

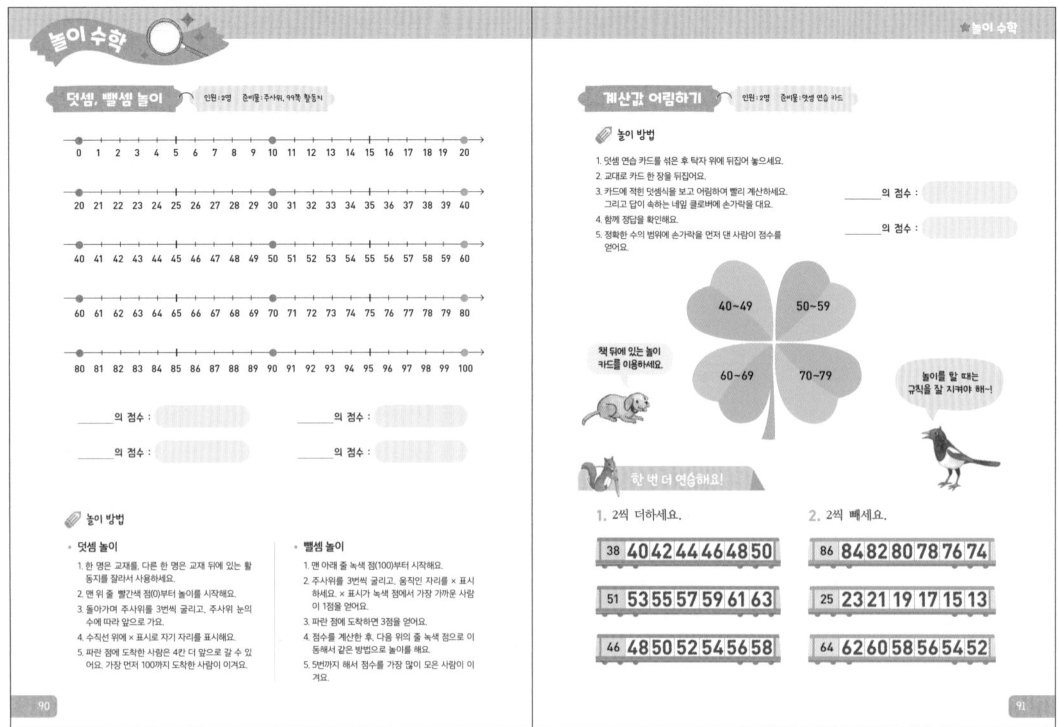

놀이 수학

덧셈, 뺄셈 놀이 인원 : 2명 준비물 : 주사위, 99쪽 활동지

0 1 2 3 4 5 6 7 8 9 10 11 12 13 14 15 16 17 18 19 20

20 21 22 23 24 25 26 27 28 29 30 31 32 33 34 35 36 37 38 39 40

40 41 42 43 44 45 46 47 48 49 50 51 52 53 54 55 56 57 58 59 60

60 61 62 63 64 65 66 67 68 69 70 71 72 73 74 75 76 77 78 79 80

80 81 82 83 84 85 86 87 88 89 90 91 92 93 94 95 96 97 98 99 100

_____의 점수 :　　　_____의 점수 :

_____의 점수 :　　　_____의 점수 :

놀이 방법

• 덧셈 놀이

1. 한 명은 교재를, 다른 한 명은 교재 뒤에 있는 활동지를 잘라서 사용하세요.
2. 맨 위 줄 빨간색 점(0)부터 놀이를 시작해요.
3. 돌아가며 주사위를 3번씩 굴리고, 주사위 눈의 수에 따라 앞으로 가요.
4. 수직선 위에 × 표시로 자기 자리를 표시해요.
5. 파란 점에 도착한 사람은 4칸 더 앞으로 갈 수 있어요. 가장 먼저 100까지 도착한 사람이 이겨요.

• 뺄셈 놀이

1. 맨 아래 줄 녹색 점(100)부터 시작해요.
2. 주사위를 3번씩 굴리고, 움직인 자리를 × 표시하세요. × 표시가 녹색 점에서 가장 가까운 사람이 1점을 얻어요.
3. 파란 점에 도착하면 3점을 얻어요.
4. 점수를 계산한 후, 다음 위의 줄 녹색 점으로 이동해서 같은 방법으로 놀이를 해요.
5. 5번까지 해서 점수를 가장 많이 모은 사람이 이겨요.

90

★놀이 수학

계산값 어림하기 인원 : 2명 준비물 : 덧셈 연습 카드

놀이 방법

1. 덧셈 연습 카드를 섞은 후 탁자 위에 뒤집어 놓으세요.
2. 교대로 카드 한 장을 뒤집어요.
3. 카드에 적힌 덧셈식을 보고 어림하여 빨리 계산하세요. 그리고 답이 속하는 네잎 클로버에 손가락을 대요.
4. 함께 정답을 확인해요.
5. 정확한 수의 범위에 손가락을 먼저 댄 사람이 점수를 얻어요.

_____의 점수 :

_____의 점수 :

40~49　50~59

60~69　70~79

책 뒤에 있는 놀이 카드를 이용하세요.

놀이를 할 때는 규칙을 잘 지켜야 해~!

한 번 더 연습해요!

1. 2씩 더하세요.

38 40 42 44 46 48 50

51 53 55 57 59 61 63

46 48 50 52 54 56 58

2. 2씩 빼세요.

86 84 82 80 78 76 74

25 23 21 19 17 15 13

64 62 60 58 56 54 52

91

94-95쪽

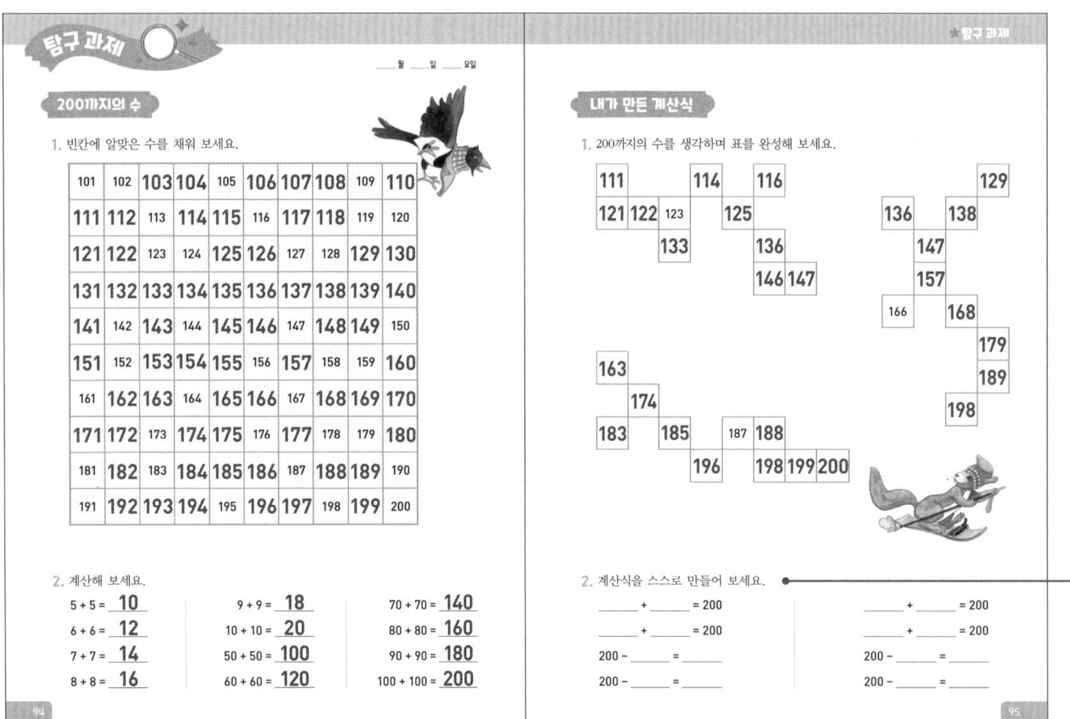

탐구 과제

___월 ___일 ___요일

200까지의 수

1. 빈칸에 알맞은 수를 채워 보세요.

101	102	103	104	105	106	107	108	109	110
111	112	113	114	115	116	117	118	119	120
121	122	123	124	125	126	127	128	129	130
131	132	133	134	135	136	137	138	139	140
141	142	143	144	145	146	147	148	149	150
151	152	153	154	155	156	157	158	159	160
161	162	163	164	165	166	167	168	169	170
171	172	173	174	175	176	177	178	179	180
181	182	183	184	185	186	187	188	189	190
191	192	193	194	195	196	197	198	199	200

2. 계산해 보세요.

5 + 5 = 10　　9 + 9 = 18　　70 + 70 = 140

6 + 6 = 12　　10 + 10 = 20　　80 + 80 = 160

7 + 7 = 14　　50 + 50 = 100　　90 + 90 = 180

8 + 8 = 16　　60 + 60 = 120　　100 + 100 = 200

94

★탐구 과제

내가 만든 계산식

1. 200까지의 수를 생각하며 표를 완성해 보세요.

111　114　116　129

121 122 123　125　136　138

133　136　147

146 147　157

166　168

179

163

189

174

198

183　185　187 188

196　198 199 200

2. 계산식을 스스로 만들어 보세요.

___ + ___ = 200　　___ + ___ = 200

___ + ___ = 200　　___ + ___ = 200

200 − ___ = ___　　200 − ___ = ___

200 − ___ = ___　　200 − ___ = ___

95

부모님 가이드 | 95쪽 1번

200까지의 수 배열표 규칙은 100까지의 수 배열표와 마찬가지로 오른쪽으로는 1씩 커지고 왼쪽으로는 1씩 작아져요.
위쪽으로는 10씩 작아지고 아래쪽으로는 10씩 커집니다. 이에 맞추어 수의 순서대로 수를 채우면 됩니다.

식과 답이 맞도록 마음대로 수를 넣어 보세요.
<예시 답안>
100+100=200
30+170=200
200-100=100
200-170=30
5+195=200
50+150=200
200-195=5
200-150=50

핀란드 2학년 수학 교과서 2-1

정답과 해설

2권

12-13쪽

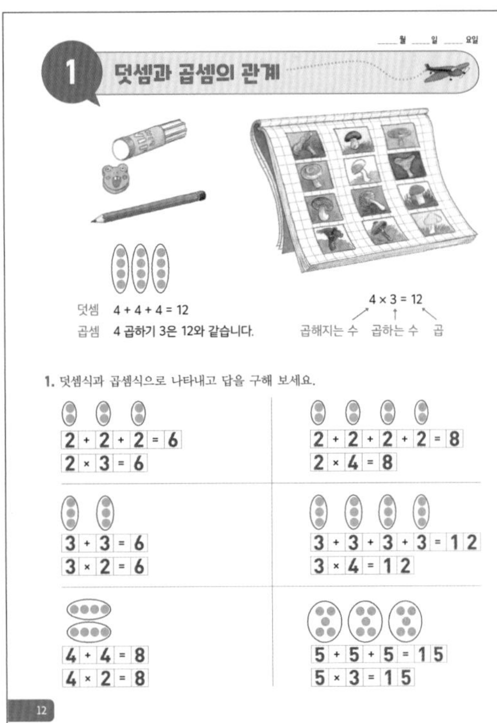

___월 ___일 ___요일

1 덧셈과 곱셈의 관계

덧셈 4 + 4 + 4 = 12

곱셈 4 곱하기 3은 12와 같습니다.

4 × 3 = 12

곱해지는 수 곱하는 수 곱

1. 덧셈식과 곱셈식으로 나타내고 답을 구해 보세요.

2 + 2 + 2 = 6
2 × 3 = 6

2 + 2 + 2 + 2 = 8
2 × 4 = 8

3 + 3 = 6
3 × 2 = 6

3 + 3 + 3 + 3 = 12
3 × 4 = 12

4 + 4 = 8
4 × 2 = 8

5 + 5 + 5 = 15
5 × 3 = 15

12

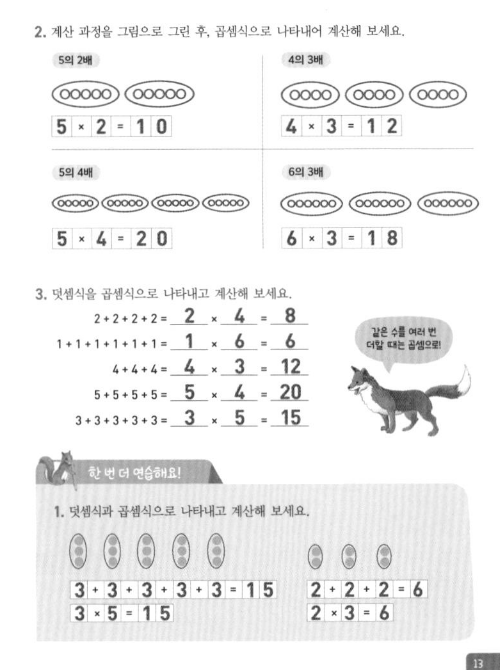

2. 계산 과정을 그림으로 그린 후, 곱셈식으로 나타내어 계산해 보세요.

5의 2배
5 × 2 = 10

4의 3배
4 × 3 = 12

5의 4배
5 × 4 = 20

6의 3배
6 × 3 = 18

3. 덧셈식을 곱셈식으로 나타내고 계산해 보세요.

2 + 2 + 2 + 2 = 2 × 4 = 8

1 + 1 + 1 + 1 + 1 + 1 = 1 × 6 = 6

4 + 4 + 4 = 4 × 3 = 12

5 + 5 + 5 + 5 = 5 × 4 = 20

3 + 3 + 3 + 3 + 3 = 3 × 5 = 15

한 번 더 연습해요!

1. 덧셈식과 곱셈식으로 나타내고 계산해 보세요.

3 + 3 + 3 + 3 + 3 = 15
3 × 5 = 15

2 + 2 + 2 = 6
2 × 3 = 6

13

부모님 가이드 | 12쪽

그림을 보며 아이에게 질문해 보세요.

- 공책에 버섯 그림이 몇 개 있니? **12개**
- 세로줄에 버섯 그림이 몇 개씩 있니? **4개**
- 가로줄에 버섯 그림이 몇 개씩 있니? **3개**
- 버섯의 개수를 덧셈식으로 나타내 보렴. **4+4+4=12**
- 덧셈식에 4가 몇 번 나왔니? **3번**
- 덧셈식을 곱셈식으로 바꿔 보렴. **4×3=12**

14-15쪽

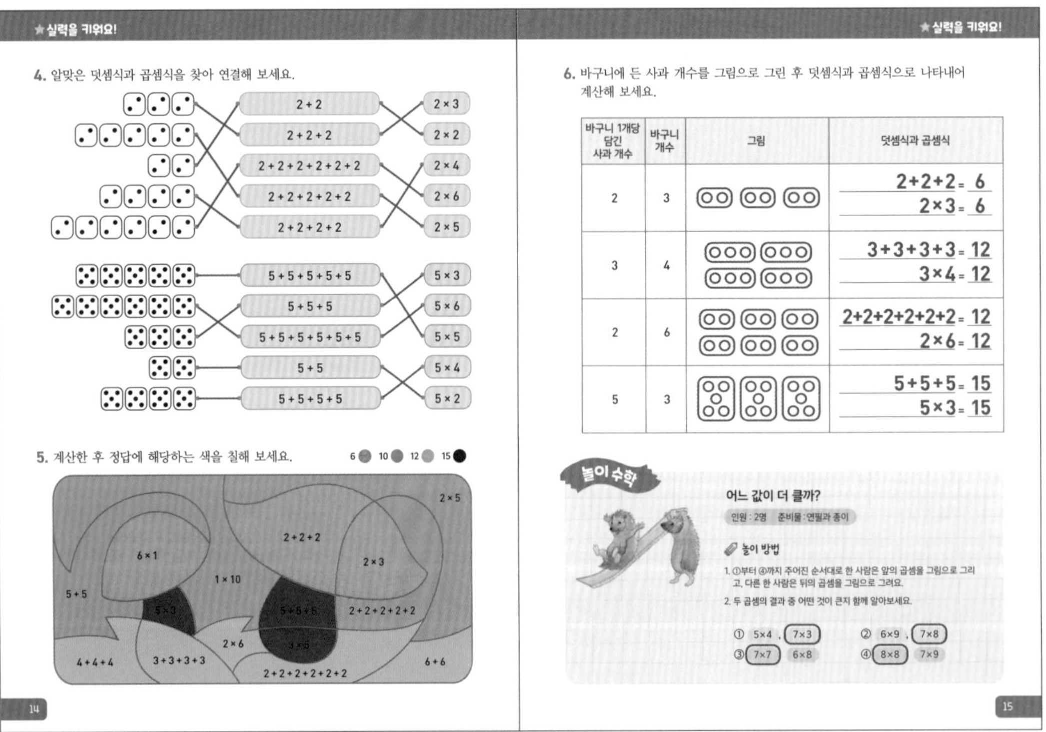

★실력을 키워요!

4. 알맞은 덧셈식과 곱셈식을 찾아 연결해 보세요.

2 + 2 — 2 × 3
2 + 2 + 2 — 2 × 2
2 + 2 + 2 + 2 + 2 + 2 — 2 × 4
2 + 2 + 2 + 2 + 2 — 2 × 6
2 + 2 + 2 + 2 — 2 × 5

5 + 5 + 5 + 5 + 5 — 5 × 3
5 + 5 + 5 — 5 × 6
5 + 5 + 5 + 5 + 5 + 5 — 5 × 5
5 + 5 — 5 × 4
5 + 5 + 5 + 5 — 5 × 2

5. 계산한 후 정답에 해당하는 색을 칠해 보세요. 6 10 12 15

14

★실력을 키워요!

6. 바구니에 든 사과 개수를 그림으로 그린 후 덧셈식과 곱셈식으로 나타내어 계산해 보세요.

바구니 1개당 담긴 사과 개수	바구니 개수	그림	덧셈식과 곱셈식
2	3		2+2+2=6 2×3=6
3	4		3+3+3+3=12 3×4=12
2	6		2+2+2+2+2+2=12 2×6=12
5	3		5+5+5=15 5×3=15

놀이 수학

어느 값이 더 클까?

인원 : 2명 준비물 : 연필과 종이

놀이 방법

1. ①부터 ④까지 주어진 순서대로 한 사람은 앞의 곱셈을 그림으로 그리고, 다른 한 사람은 뒤의 곱셈을 그림으로 그려요.
2. 두 곱셈의 결과 중 어떤 것이 큰지 함께 알아보세요.

① 5×4 , 7×3
② 6×9 , 7×8
③ 7×7 , 6×8
④ 8×8 , 7×9

15

16-17쪽

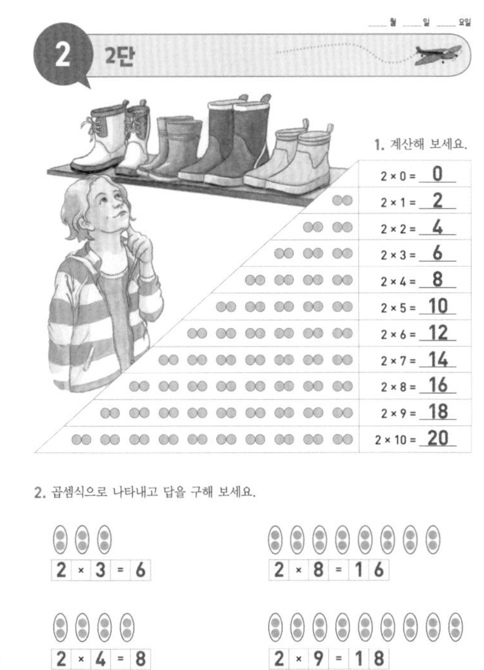

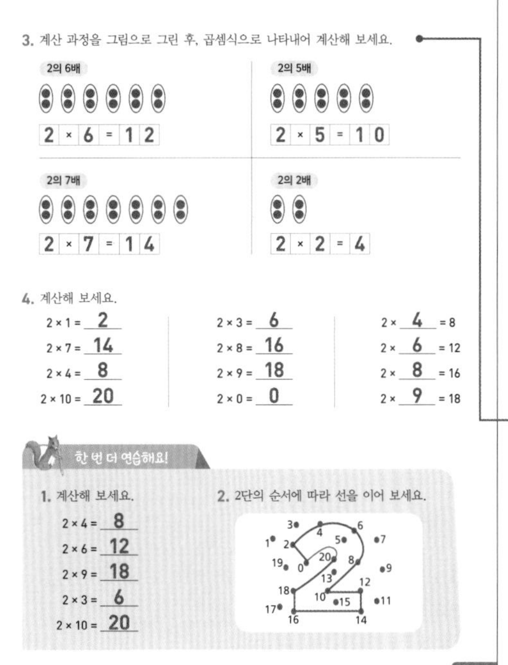

그림을 보며 아이에게 질문해 보세요.
- 장화가 몇 개 있니? 8개
- 장화가 몇 켤레 있니? 4켤레
- 1켤레는 몇 개로 구성된 거니? 2개
- 장화 수를 세는 걸 곱셈식으로 나타내 보렴. 2×4=8

공책에 그림을 그리며 2단을 깨치게 해 주세요.

2×1=2 2×2=4

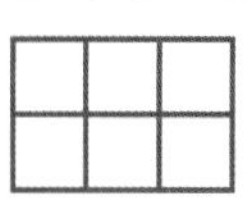

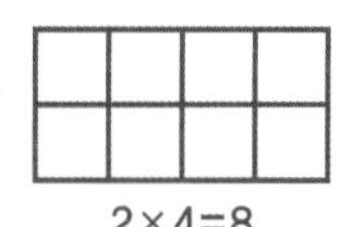

2×3=6 2×4=8

18-19쪽

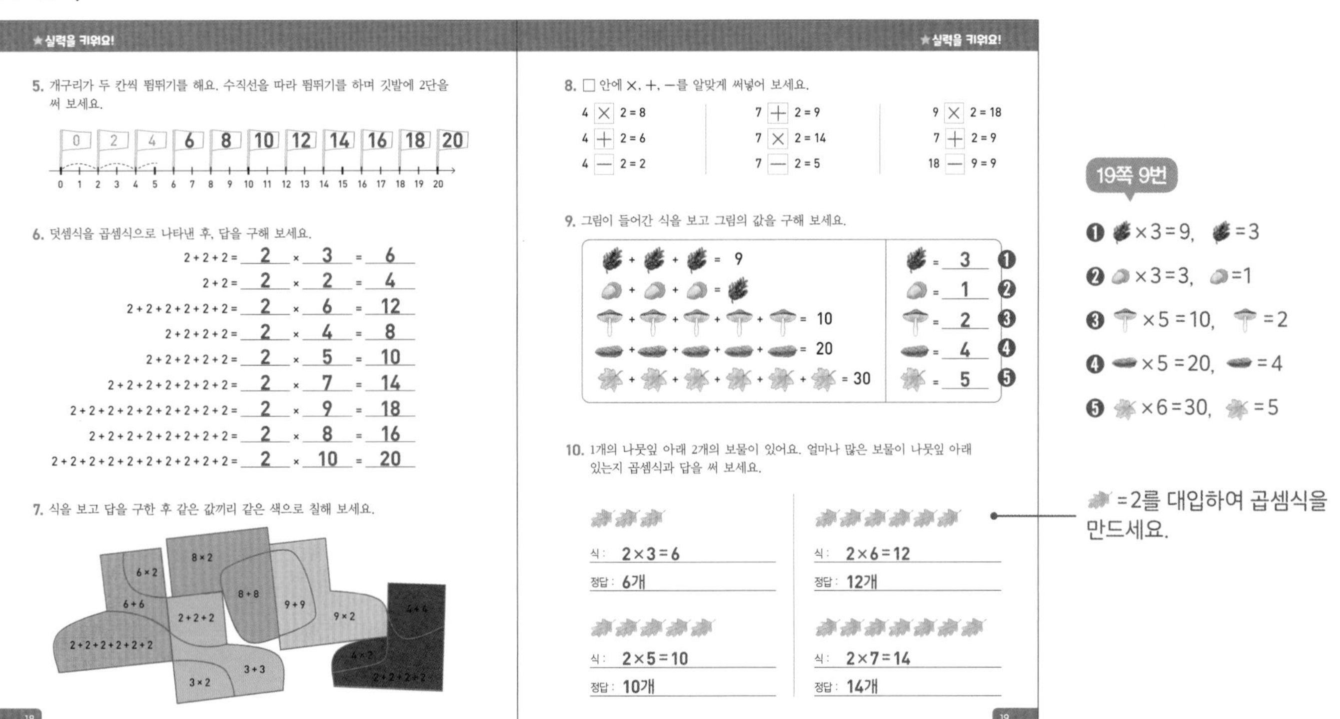

19쪽 9번

❶ 🌰×3=9, 🌰=3

❷ ×3=3, =1

❸ ×5=10, =2

❹ ×5=20, =4

❺ ×6=30, =5

=2를 대입하여 곱셈식을 만드세요.

20-21쪽

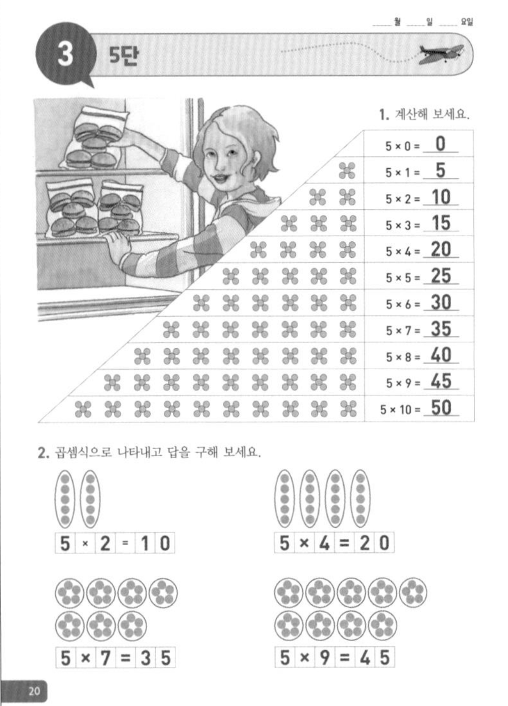

3 5단
1. 계산해 보세요.
5 × 0 = 0
5 × 1 = 5
5 × 2 = 10
5 × 3 = 15
5 × 4 = 20
5 × 5 = 25
5 × 6 = 30
5 × 7 = 35
5 × 8 = 40
5 × 9 = 45
5 × 10 = 50
2. 곱셈식으로 나타내고 답을 구해 보세요.
5 × 2 = 1 0
5 × 4 = 2 0
5 × 7 = 3 5
5 × 9 = 4 5
20

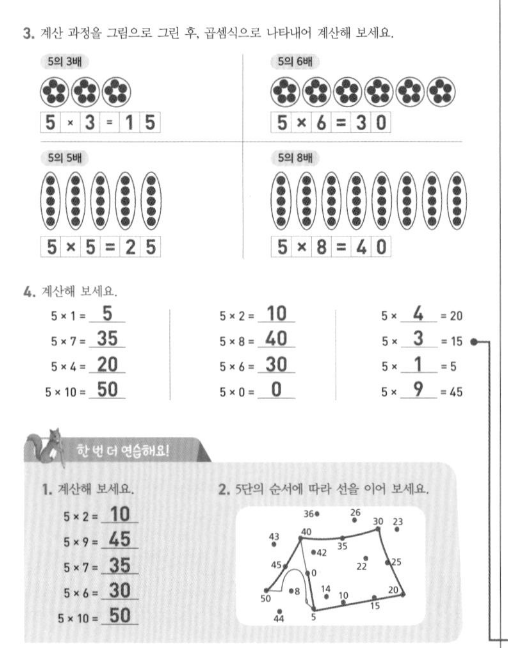

3. 계산 과정을 그림으로 그린 후, 곱셈식으로 나타내어 계산해 보세요.
5의 3배
5 × 3 = 1 5
5의 6배
5 × 6 = 3 0
5의 5배
5 × 5 = 2 5
5의 8배
5 × 8 = 4 0
4. 계산해 보세요.
5 × 1 = 5
5 × 7 = 35
5 × 4 = 20
5 × 10 = 50
5 × 2 = 10
5 × 8 = 40
5 × 6 = 30
5 × 0 = 0
5 × 4 = 20
5 × 3 = 15
5 × 1 = 5
5 × 9 = 45
한 번 더 연습해요!
1. 계산해 보세요.
5 × 2 = 10
5 × 9 = 45
5 × 7 = 35
5 × 6 = 30
5 × 10 = 50
2. 5단의 순서에 따라 선을 이어 보세요.
21

부모님 가이드 | 20쪽

그림을 보며 아이에게 질문해 보세요.

- 비닐 팩 1개에 샌드위치가 몇 개씩 들어 있니? **5개**
- 비닐 팩 1개에 든 샌드위치 수를 곱셈식으로 나타내 보렴. **5×1=5**
- 비닐 팩 2개에 샌드위치가 몇 개 들어 있니? **10개**
- 비닐 팩 2개에 든 샌드위치 수를 곱셈식으로 나타내 보렴. **5×2=10**
- 비닐 팩 3개에 샌드위치가 몇 개 들어 있니? **15개**
- 비닐 팩 3개에 든 샌드위치 수를 곱셈식으로 나타내 보렴. **5×3=15**

어떤 수에 0을 곱하면 항상 0이 나온다는 걸 알려 주세요.

22-23쪽

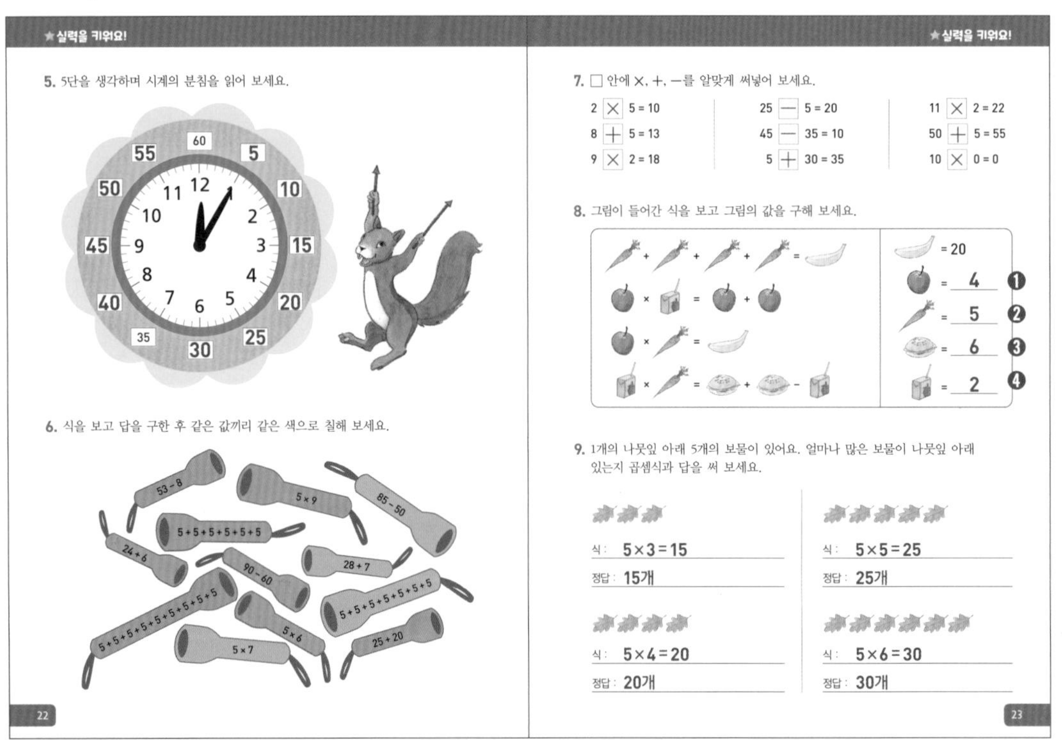

실력을 키워요!
5. 5단을 생각하며 시계의 분침을 읽어 보세요.
60 5 10 15 20 25 30 35 40 45 50 55
6. 식을 보고 답을 구한 후 같은 값끼리 같은 색으로 칠해 보세요.
53 - 8
5 × 9
85 - 50
5+5+5+5+5+5
24 + 6
90 - 60
28 + 7
5+5+5+5+5+5+5+5+5
5+5+5+5+5+5+5
5 × 6
5 × 7
25 + 20
22
실력을 키워요!
7. □ 안에 ×, +, −를 알맞게 써넣어 보세요.
2 × 5 = 10
8 + 5 = 13
9 × 2 = 18
25 − 5 = 20
45 − 35 = 10
5 + 30 = 35
11 × 2 = 22
50 + 5 = 55
10 × 0 = 0
8. 그림이 들어간 식을 보고 그림의 값을 구해 보세요.
= 20
= 4
= 5
= 6
= 2
9. 1개의 나뭇잎 아래 5개의 보물이 있어요. 얼마나 많은 보물이 나뭇잎 아래 있는지 곱셈식과 답을 써 보세요.
식: 5×3=15
정답: 15개
식: 5×5=25
정답: 25개
식: 5×4=20
정답: 20개
식: 5×6=30
정답: 30개
23

부모님 가이드 | 22쪽 5번

시계 분침은 5씩 뛰어 세기 하는 5단과 같아요. 5단을 연습하며 시계 분침 보는 법도 함께 익혀 주세요.

23쪽 8번

❷ [바나나] = 20이므로,
[당근] × 4 = 20, [당근] = 5

❶ [사과] × [당근] = [바나나], [사과] × 5 = 20,
[사과] = 4

❹ [사과] × [주스] = [사과] + [사과]
4 × [주스] = 4 + 4, [주스] = 2

❸ [주스] × [당근] = [만두] + [만두] − [주스]
2 × 5 = [만두] + [만두] − 2
[만두] + [만두] − 2 = 10
[만두] + [만두] = 12, [만두] = 6

24-25쪽

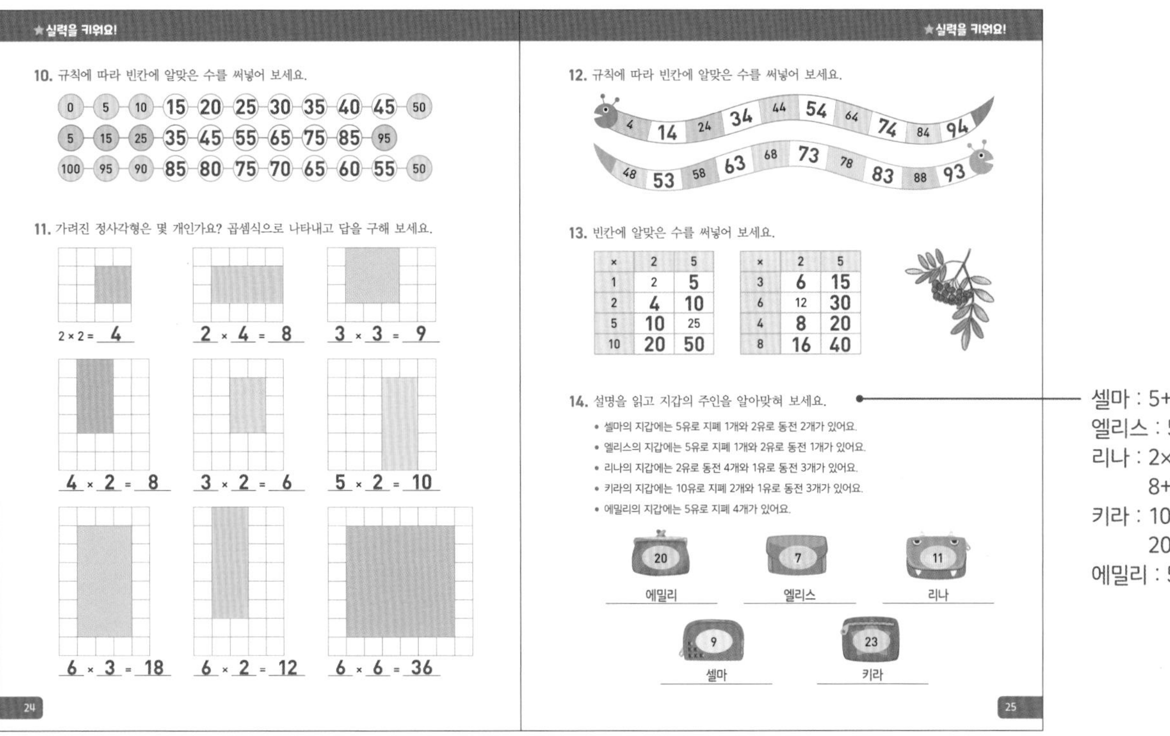

셀마 : 5+2×2=9
엘리스 : 5+2=7
리나 : 2×4=8, 1×3=3,
8+3=11
키라 : 10×2=20, 1×3=3,
20+3=23
에밀리 : 5×4=20

26-27쪽

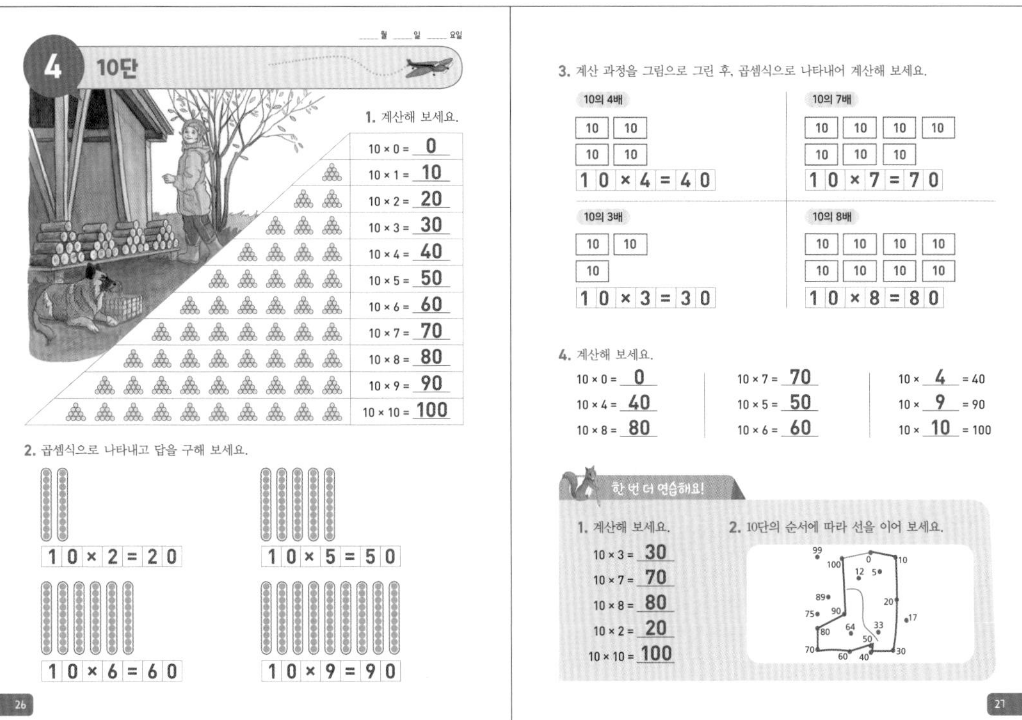

부모님 가이드 | 26쪽 1번

그림을 보며 아이에게 질문해 보세요.

- 1개의 더미에 몇 개의 통나무가 있니? **10개**
- 2개의 더미에 몇 개의 통나무가 있니? **20개**
- 곱셈식을 이용해 2개의 더미에 있는 통나무 수를 구해 보렴. **10×2=20**
- 4개의 더미에는 몇 개의 통나무가 있는지 곱셈식을 이용해서 구해 보렴. **10×4=40**
- 60개의 통나무는 몇 개의 더미로 쌓을 수 있겠니? **6개**
- 100개의 통나무는 몇 개의 더미로 쌓을 수 있겠니? **10개**
- 10단의 결괏값의 마지막 수를 잘 관찰해 보렴. 어떤 규칙을 찾을 수 있니? **0으로 끝나요.**

28-29쪽

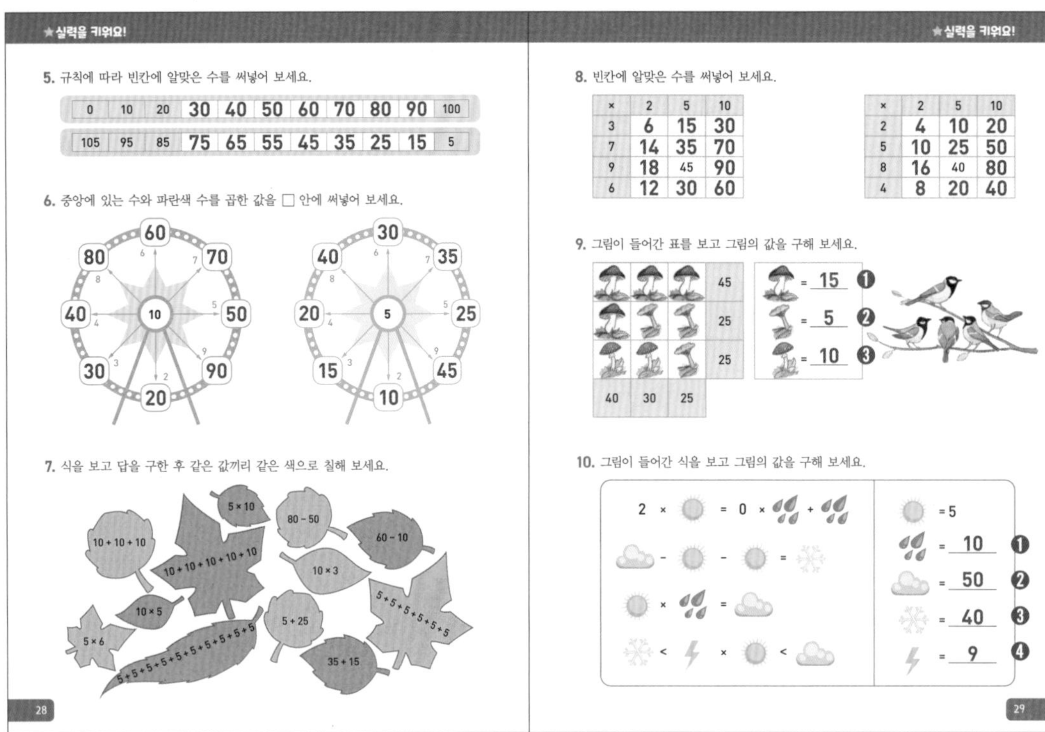

★실력을 키워요!

5. 규칙에 따라 빈칸에 알맞은 수를 써넣어 보세요.

0	10	20	30	40	50	60	70	80	90	100
105	95	85	75	65	55	45	35	25	15	5

6. 중앙에 있는 수와 파란색 수를 곱한 값을 □ 안에 써넣어 보세요.

7. 식을 보고 답을 구한 후 같은 값끼리 같은 색으로 칠해 보세요.

28

★실력을 키워요!

8. 빈칸에 알맞은 수를 써넣어 보세요.

×	2	5	10
3	6	15	30
7	14	35	70
9	18	45	90
6	12	30	60

×	2	5	10
2	4	10	20
5	10	25	50
8	16	40	80
4	8	20	40

9. 그림이 들어간 표를 보고 그림의 값을 구해 보세요.

🍄	🍄	🍄	45
🍄	🍄	🍄	25
🍄	🍄	🍄	25
40	30	25	

🍄 = 15 ❶
🍄 = 5 ❷
🍄 = 10 ❸

10. 그림이 들어간 식을 보고 그림의 값을 구해 보세요.

2 × ☀ = 0 × 💧 + 💧
☁ - ☀ - ☀ = ❄
☀ × 💧 = ☁
❄ < ⚡ × ☀ < ☁

☀ = 5
💧 = 10 ❶
☁ = 50 ❷
❄ = 40 ❸
⚡ = 9 ❹

29

29쪽 9번

❶ 3×🍄=45 🍄=15

❷ 15+2×🍄=25
2×🍄=10, 🍄=5

❸ 2×🍄+5=25
2×🍄=20, 🍄=10

29쪽 10번

❶ ☀=5이므로, 2×5=0×💧+💧
0+💧=10, 💧=10

❷ ☀×💧=☁, 5×10=50
☁=50

❸ ☁-☀-☀=❄, 50-5-5=4
❄=40

❹ ❄<⚡×☀<☁
40<⚡×5<50
5단에서 40과 50 사이에 있는 수는 45이므로,
⚡×5=45, ⚡=9

30-31쪽

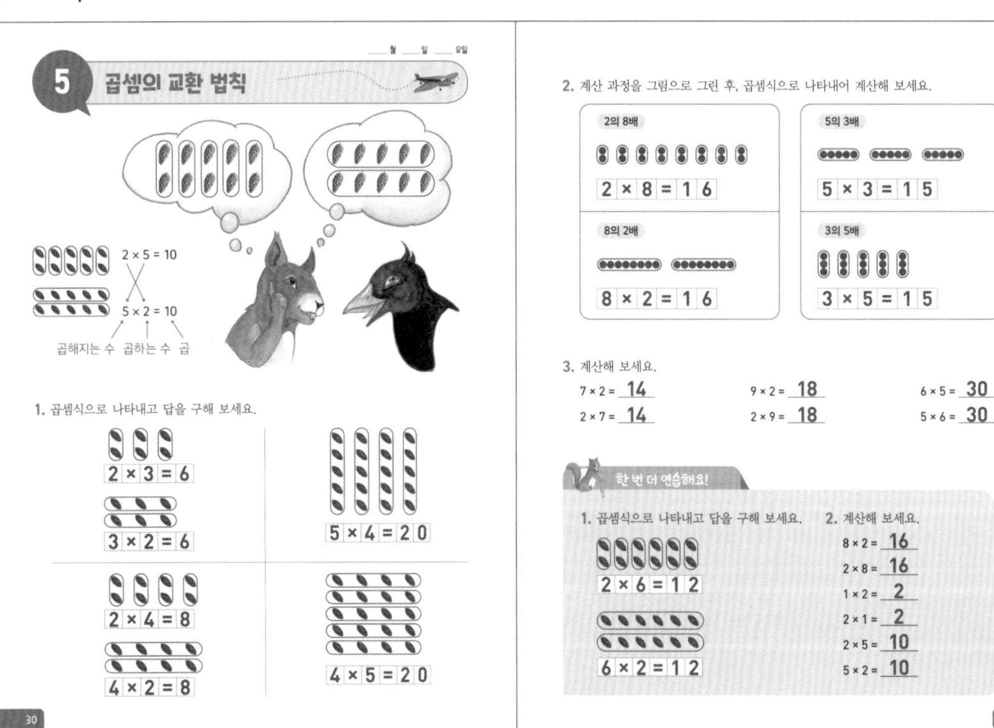

___월 ___일 ___요일

5 곱셈의 교환 법칙

2×5=10
5×2=10
곱해지는 수 곱하는 수 곱

1. 곱셈식으로 나타내고 답을 구해 보세요.

2×3=6
3×2=6
5×4=20
2×4=8
4×2=8
4×5=20

30

2. 계산 과정을 그림으로 그린 후, 곱셈식으로 나타내어 계산해 보세요.

2의 8배
2×8=16

5의 3배
5×3=15

8의 2배
8×2=16

3의 5배
3×5=15

3. 계산해 보세요.

7×2= 14
2×7= 14
9×2= 18
2×9= 18
6×5= 30
5×6= 30

한 번 더 연습해요!

1. 곱셈식으로 나타내고 답을 구해 보세요.

2×6=12
6×2=12

2. 계산해 보세요.

8×2= 16
2×8= 16
1×2= 2
2×1= 2
2×5= 10
5×2= 10

31

부모님 가이드 | 30쪽

그림을 보며 아이에게 질문해 보세요.

- 다람쥐의 왼쪽 말풍선 솔방울 개수는 몇 개니? **10개**
- 다람쥐는 솔방울을 몇 개씩 그룹으로 묶었니? **2개**
- 다람쥐가 생각한 것을 곱셈식으로 나타내 보렴. **2×5=10**
- 다람쥐의 오른쪽 말풍선 솔방울 개수는 몇 개니? **10개**
- 이번에는 솔방울을 몇 개씩 그룹으로 묶었니? **5개**
- 다람쥐가 생각한 것을 곱셈식으로 나타내 보렴. **5×2=10**
- 곱셈식에서 곱해지는 수와 곱하는 수의 위치가 바뀌면 어떤 일이 생기니? **결과값에는 변화가 없어요.**

32-33쪽

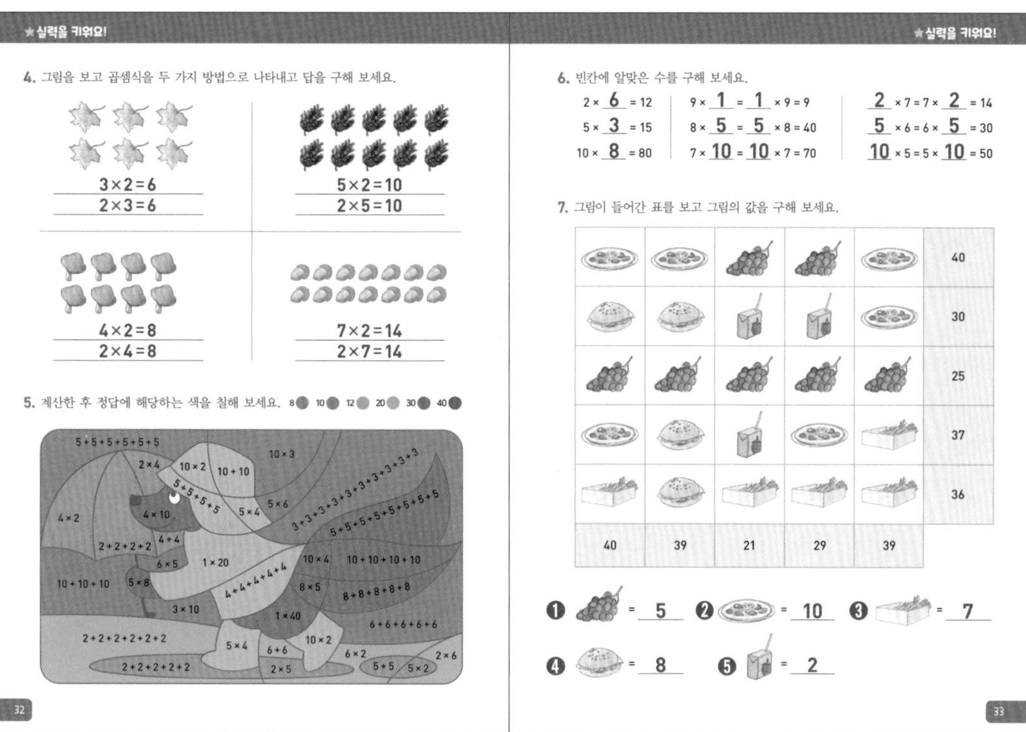

★실력을 키워요!

4. 그림을 보고 곱셈식을 두 가지 방법으로 나타내고 답을 구해 보세요.

3×2=6 2×3=6	5×2=10 2×5=10
4×2=8 2×4=8	7×2=14 2×7=14

5. 계산한 후 정답에 해당하는 색을 칠해 보세요. 8 10 12 20 30 40

6. 빈칸에 알맞은 수를 구해 보세요.

2×6=12, 5×3=15, 10×8=80

9×1=1×9=9, 8×5=5×8=40, 7×10=10×7=70

2×7=7×2=14, 5×6=6×5=30, 10×5=5×10=50

7. 그림이 들어간 표를 보고 그림의 값을 구해 보세요.

[피자]	[피자]	[포도]	[포도]	[피자]	40
[햄버거]	[햄버거]	[주스]	[주스]	[피자]	30
[포도]	[포도]	[포도]	[포도]	[포도]	25
[피자]	[햄버거]	[주스]	[피자]	[상자]	37
[상자]	[햄버거]	[상자]	[상자]	[상자]	36
40	39	21	29	39	

❶ [포도] = 5 ❷ [피자] = 10 ❸ [상자] = 7

❹ [햄버거] = 8 ❺ [주스] = 2

32 33

33쪽 7번

식이 가장 간단하게 나오는 그림을 찾아 값을 먼저 구해요.

❶ [포도][포도][포도][포도][포도] = 5×[포도] =25, [포도] =5

❷ [피자][피자][포도][포도][피자] =40

2×[포도] =10, 3×[피자] +10=40,

3×[피자]=30, [피자] =10

❸ [피자][피자][포도][상자][상자] =39

2×[피자] =20,

20+5+2×[상자] =39, 2×[상자] =14,

[상자] =7

❹ [상자][햄버거][상자][상자][상자] =36

4×[상자] + [햄버거] =36, 4×7+[햄버거] =36, [햄버거] =8

❺ [햄버거][햄버거][주스][주스][피자] =30

2×[햄버거] + [피자] +2×[주스] =30, 16+10+2×[주스] =30, 2×[주스] =4, [주스] =2

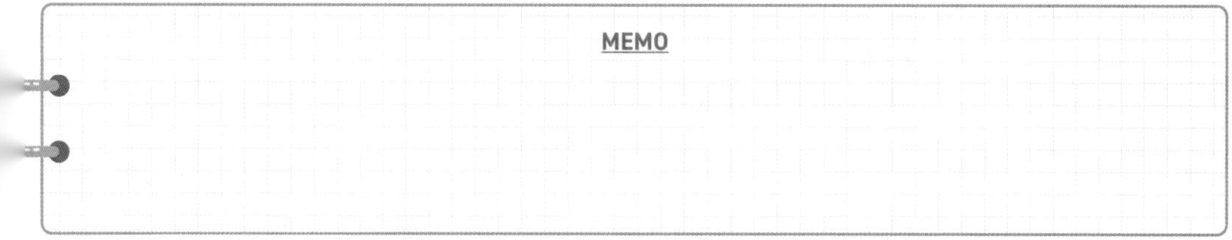

34-35쪽

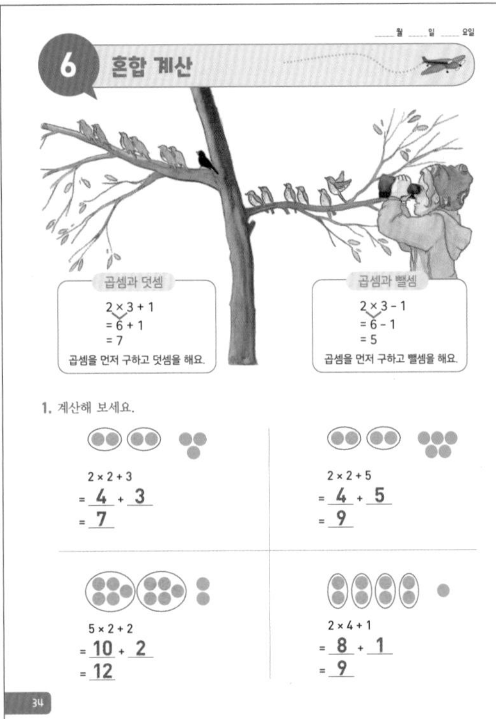

___월 ___일 ___요일

6 혼합 계산

1. 계산해 보세요.

2×2+3 = 4 + 3 = 7

2×2+5 = 4 + 5 = 9

5×2+2 = 10 + 2 = 12

2×4+1 = 8 + 1 = 9

34

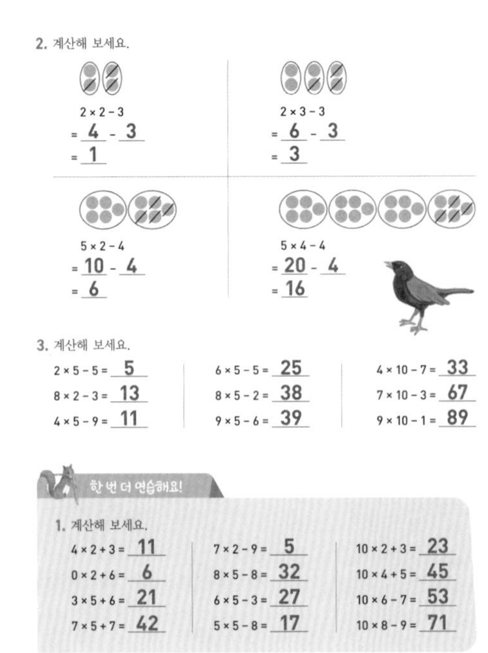

2. 계산해 보세요.

2×2−3 = 4 − 3 = 1

2×3−3 = 6 − 3 = 3

5×2−4 = 10 − 4 = 6

5×4−4 = 20 − 4 = 16

3. 계산해 보세요.

2×5−5= 5	6×5−5= 25	4×10−7= 33
8×2−3= 13	8×5−2= 38	7×10−3= 67
4×5−9= 11	9×5−6= 39	9×10−1= 89

한 번 더 연습해요!

1. 계산해 보세요.

4×2+3= 11	7×2−9= 5	10×2+3= 23
0×2+6= 6	8×5−8= 32	10×4+5= 45
3×5+6= 21	6×5−3= 27	10×6−7= 53
7×5+7= 42	5×5−8= 17	10×8−9= 71

35

부모님 가이드 | 34쪽

그림을 보며 아이에게 질문해 보세요.

- 왼쪽 나뭇가지에 갈색 새가 몇 마리 있니? **6마리**
- 두 마리씩 몇 개의 그룹으로 있니? **3개**
- 이걸 곱셈식으로 나타내 보렴. **2×3=6**
- 왼쪽 나뭇가지에 검은 새가 몇 마리 있니? **1마리**
- 갈색 새가 2마리씩 3그룹 있고, 검은 새가 1마리 있는 걸 식으로 나타내 보렴. **2×3+1=7**
- 계산식의 순서를 이야기해 보렴. **먼저 곱셈을 한 후, 그다음 덧셈을 했어요.**
- 오른쪽 가지에는 갈색 새가 몇 마리 있니? **6마리**
- 오른쪽 가지에 2마리씩 3그룹 있던 갈색 새 가운데 한 마리가 날아갔어. 이걸 식으로 나타내 보렴. **2×3−1=5**
- 계산식의 순서를 이야기해 보렴. **먼저 곱셈을 한 후, 그다음 뺄셈을 했어요.**

36-37쪽

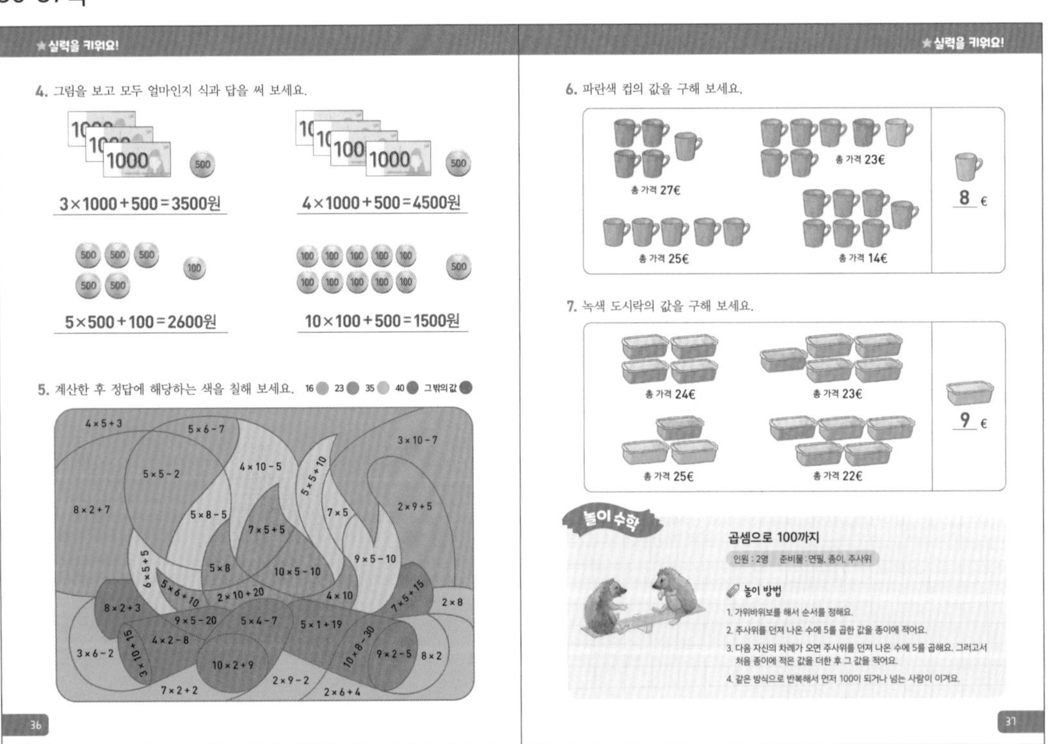

★실력을 키워요!

4. 그림을 보고 모두 얼마인지 식과 답을 써 보세요.

3×1000+500=3500원

4×1000+500=4500원

5×500+100=2600원

10×100+500=1500원

5. 계산한 후 정답에 해당하는 색을 칠해 보세요. 16 23 35 40 그 밖의 값

36

★실력을 키워요!

6. 파란색 컵의 값을 구해 보세요.

총 가격 27€ / 총 가격 23€ / 총 가격 25€ / 총 가격 14€

8 €

7. 녹색 도시락의 값을 구해 보세요.

총 가격 24€ / 총 가격 23€ / 총 가격 25€ / 총 가격 22€

9 €

놀이 수학

곱셈으로 100까지

인원 : 2명 준비물 : 연필, 종이, 주사위

놀이 방법

1. 가위바위보를 해서 순서를 정해요.
2. 주사위를 던져 나온 수에 5를 곱한 값을 종이에 적어요.
3. 다음 자신의 차례가 오면 주사위를 던져 나온 수에 5를 곱해요. 그리고서 처음 종이에 적은 값을 더한 후 그 값을 적어요.
4. 같은 방식으로 반복해서 먼저 100이 되거나 넘는 사람이 이겨요.

37

37쪽 6번

한 가지 색이 들어간 식부터 풀어

❶ ×7=14, =2

❷ ×3+ ×2=25
×3+4=25, ×3=21,

❸ ×4+ =27
×4+7=27, ×4=20,

❹ ×5+ + =23
10+5+ =23, =8

37쪽 7번

한 가지 색이 들어간 식부터 풀어

❶ ×4=24, =6

❷ + ×4=22
6+ ×4=22, ×4
=4

❸ + ×4=23
+4×4=23, =7

❹ + ×2=25
7+ ×2=25, ×2
=9

38-39쪽

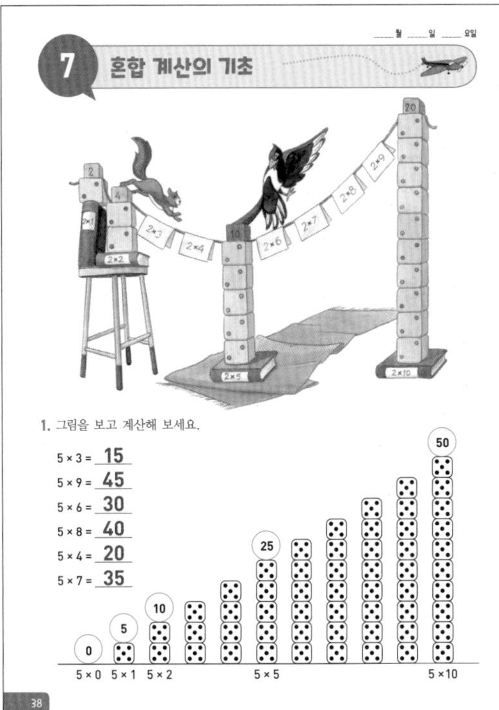

____월 ____일 ____요일

7 혼합 계산의 기초

1. 그림을 보고 계산해 보세요.

5 × 3 = 15
5 × 9 = 45
5 × 6 = 30
5 × 8 = 40
5 × 4 = 20
5 × 7 = 35

38

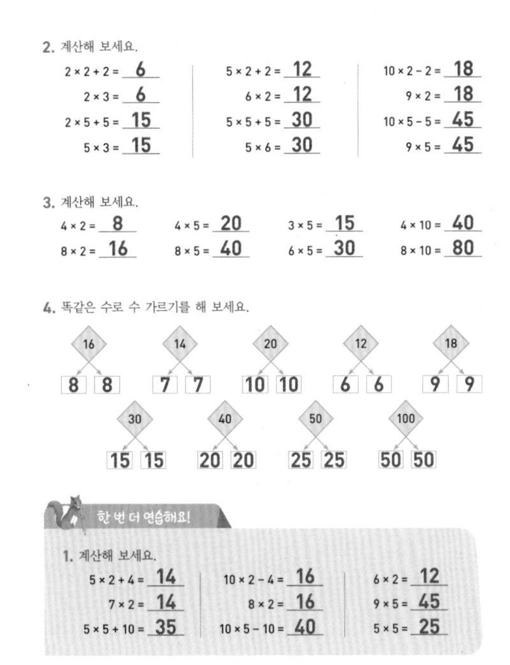

2. 계산해 보세요.

2 × 2 + 2 = 6	5 × 2 + 2 = 12	10 × 2 − 2 = 18
2 × 3 = 6	6 × 2 = 12	9 × 2 = 18
2 × 5 + 5 = 15	5 × 5 + 5 = 30	10 × 5 − 5 = 45
5 × 3 = 15	5 × 6 = 30	9 × 5 = 45

3. 계산해 보세요.

4 × 2 = 8	4 × 5 = 20	3 × 5 = 15	4 × 10 = 40
8 × 2 = 16	8 × 5 = 40	6 × 5 = 30	8 × 10 = 80

4. 똑같은 수로 수 가르기를 해 보세요.

16 → 8, 8
14 → 7, 7
20 → 10, 10
12 → 6, 6
18 → 9, 9
30 → 15, 15
40 → 20, 20
50 → 25, 25
100 → 50, 50

한 번 더 연습해요!

1. 계산해 보세요.

5 × 2 + 4 = 14	10 × 2 − 4 = 16	6 × 2 = 12
7 × 2 = 14	8 × 2 = 16	9 × 5 = 45
5 × 5 + 10 = 35	10 × 5 − 10 = 40	5 × 5 = 25

39

부모님 가이드 | 38쪽

그림을 보며 아이에게 질문해 보세요.

- 그림에서 몇 단의 곱셈이 보이니? **2단**
- 주사위 받침대 눈의 수를 순서대로 곱셈식으로 나타내 보렴. 2×1=2, 2×2=4, 2×5=10, 2×10=20
- 4에서 2는 얼마나 되니? **절반**
- 20에서 10은 얼마나 되니? **절반**

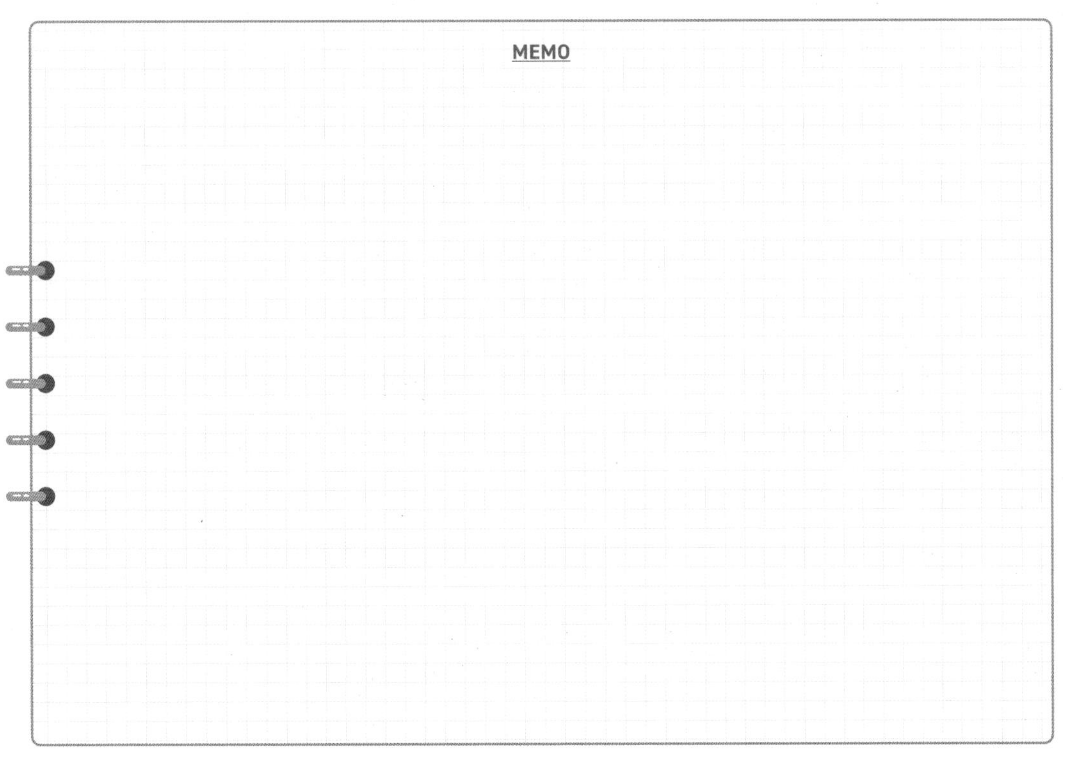

40-41쪽

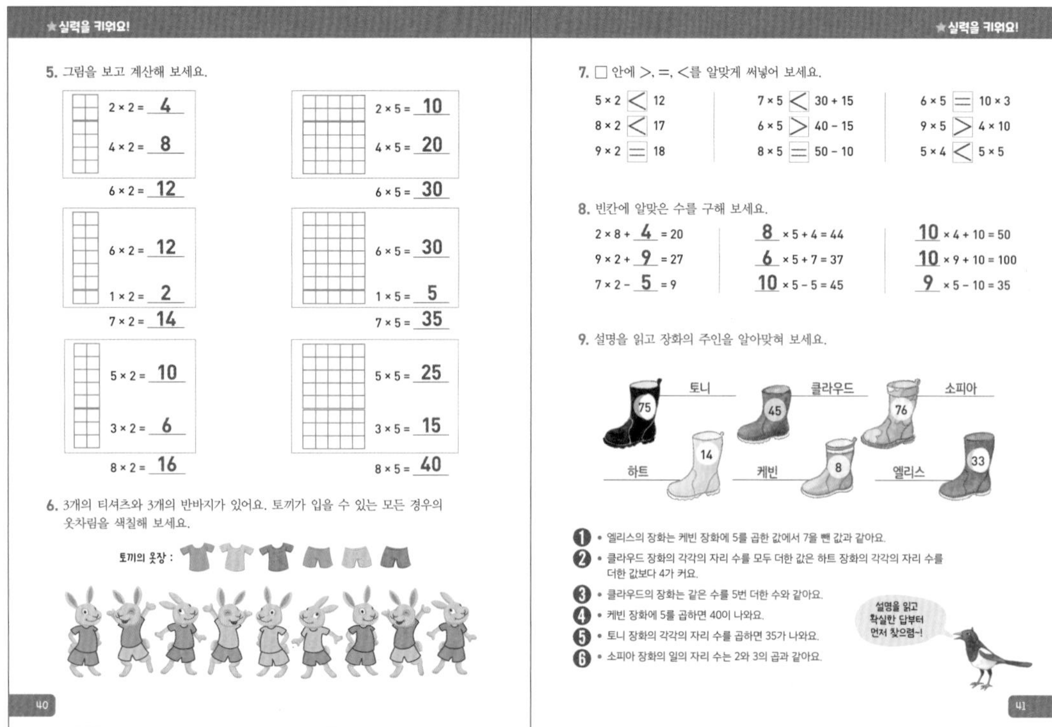

★실력을 키워요!

5. 그림을 보고 계산해 보세요.

2 × 2 = 4
4 × 2 = 8
6 × 2 = 12

2 × 5 = 10
4 × 5 = 20
6 × 5 = 30

6 × 2 = 12
1 × 2 = 2
7 × 2 = 14

6 × 5 = 30
1 × 5 = 5
7 × 5 = 35

5 × 2 = 10
3 × 2 = 6
8 × 2 = 16

5 × 5 = 25
3 × 5 = 15
8 × 5 = 40

6. 3개의 티셔츠와 3개의 반바지가 있어요. 토끼가 입을 수 있는 모든 경우의 옷차림을 색칠해 보세요.

토끼의 옷장 :

40

★실력을 키워요!

7. □ 안에 >, =, <를 알맞게 써넣어 보세요.

5 × 2 < 12	7 × 5 < 30 + 15	6 × 5 = 10 × 3
8 × 2 < 17	6 × 5 > 40 − 15	9 × 5 > 4 × 10
9 × 2 = 18	8 × 5 = 50 − 10	5 × 4 < 5 × 5

8. 빈칸에 알맞은 수를 구해 보세요.

2 × 8 + 4 = 20	8 × 5 + 4 = 44	10 × 4 + 10 = 50
9 × 2 + 9 = 27	6 × 5 + 7 = 37	10 × 9 + 10 = 100
7 × 2 − 5 = 9	10 × 5 − 5 = 45	9 × 5 − 10 = 35

9. 설명을 읽고 장화의 주인을 알아맞혀 보세요.

토니 75, 클라우드 45, 소피아 76, 하트 14, 케빈 8, 엘리스 33

❶ • 엘리스의 장화는 케빈 장화에 5를 곱한 값에서 7을 뺀 값과 같아요.
❷ • 클라우드 장화의 각각의 자리 수를 모두 더한 값은 하트 장화의 각각의 자리 수를 더한 값보다 4가 커요.
❸ • 클라우드의 장화는 같은 수를 5번 더한 수와 같아요.
❹ • 케빈 장화에 5를 곱하면 40이 나와요.
❺ • 토니 장화의 각각의 자리 수를 곱하면 35가 나와요.
❻ • 소피아 장화의 일의 자리 수는 2와 3의 곱과 같아요.

설명을 읽고 확실한 답부터 먼저 찾으렴~!

41

40쪽 6번

티셔츠 1개당 반바지 3가지를 입을 수 있으므로 3×3=9, 9가지 방법으로 입을 수 있어요.

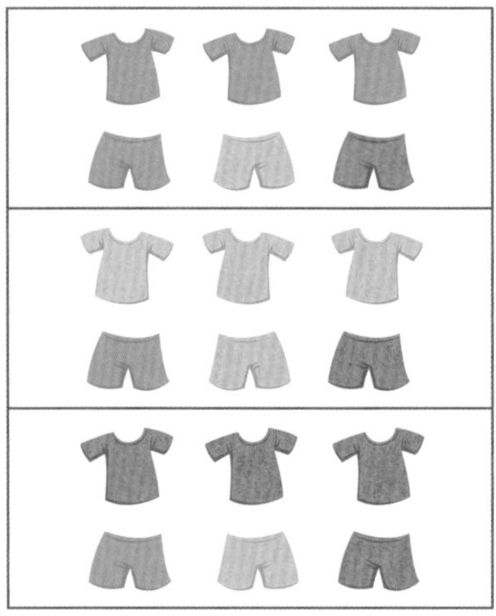

41쪽 9번

❹ 케빈 장화에 5를 곱하면 40이 나와요.
□×5=40, 케빈 장화=8

❶ 엘리스의 장화는 케빈 장화에 5를 곱한 값에서 7을 뺀 값과 같아요. 8×5-7=33, 엘리스 장화=33

❻ 소피아 장화의 일의 자리 수는 2와 3의 곱과 같아요.
2×3=6, 6이 들어간 부츠는 76이므로 소피아 장화=76

❺ 토니 장화의 각각의 자리 수를 곱하면 35가 나와요. 장화의 수 중 곱해서 35가 나오는 수는 75(7×5=35)이므로 토니 장화=75

❸ 클라우드 장화는 같은 수를 5번 더한 수이므로, 5의 몇 배인 수와 같아요. 5의 몇 배인 수에 맞는 수는 75와 45임. 75는 토니 장화이므로 클라우드 장화=45

❷ 클라우드 장화의 각각의 자리 수를 모두 더한 값은 하트 장화의 각각의 자리 수를 더한 값보다 4가 크므로, 클라우드 장화=45(4+5=9)이고, 9보다 4가 작은 수는 5이므로 하트 장화=14(1+4=5)

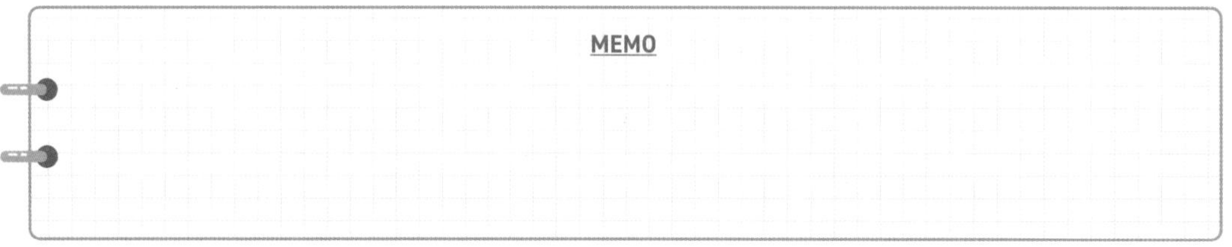

42-43쪽

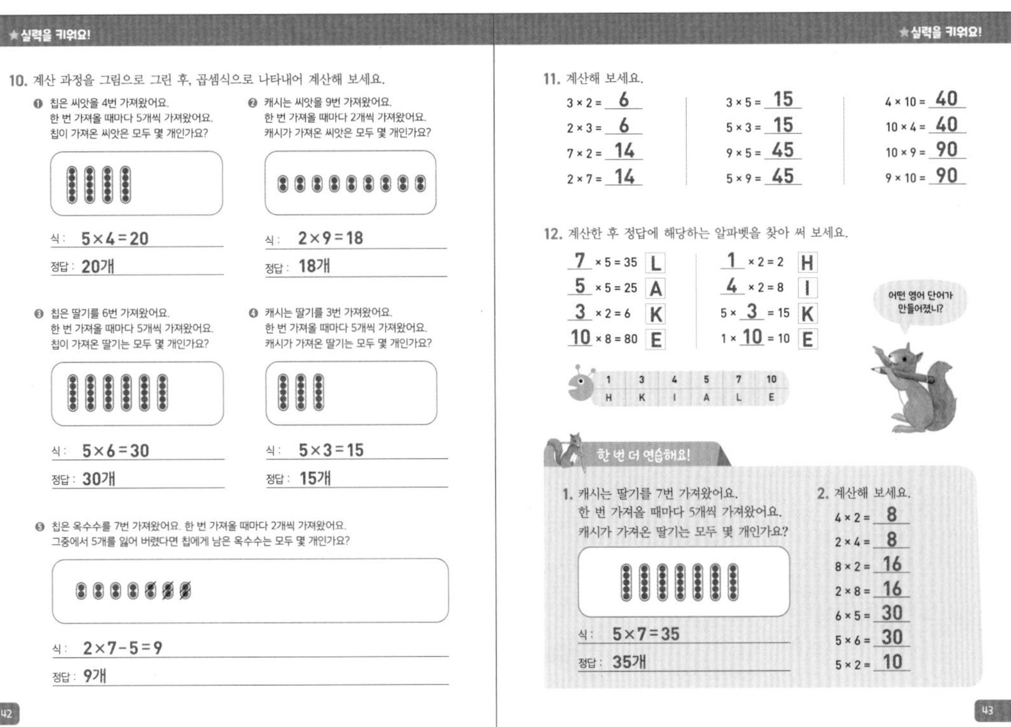

★실력을 키워요!

10. 계산 과정을 그림으로 그린 후, 곱셈식으로 나타내어 계산해 보세요.

❶ 칩은 씨앗을 4번 가져왔어요.
한 번 가져올 때마다 5개씩 가져왔어요.
칩이 가져온 씨앗은 모두 몇 개인가요?

식: 5×4=20
정답: 20개

❷ 캐시는 씨앗을 9번 가져왔어요.
한 번 가져올 때마다 2개씩 가져왔어요.
캐시가 가져온 씨앗은 모두 몇 개인가요?

식: 2×9=18
정답: 18개

❸ 칩은 딸기를 6번 가져왔어요.
한 번 가져올 때마다 5개씩 가져왔어요.
칩이 가져온 딸기는 모두 몇 개인가요?

식: 5×6=30
정답: 30개

❹ 캐시는 딸기를 3번 가져왔어요.
한 번 가져올 때마다 5개씩 가져왔어요.
캐시가 가져온 딸기는 모두 몇 개인가요?

식: 5×3=15
정답: 15개

❺ 칩은 옥수수를 7번 가져왔어요. 한 번 가져올 때마다 2개씩 가져왔어요.
그중에서 5개를 잃어 버렸다면 칩에게 남은 옥수수는 모두 몇 개인가요?

식: 2×7−5=9
정답: 9개

42

★실력을 키워요!

11. 계산해 보세요.

3×2= 6	3×5= 15	4×10= 40
2×3= 6	5×3= 15	10×4= 40
7×2= 14	9×5= 45	10×9= 90
2×7= 14	5×9= 45	9×10= 90

12. 계산한 후 정답에 해당하는 알파벳을 찾아 써 보세요.

7 ×5=35	L	1 ×2=2	H
5 ×5=25	A	4 ×2=8	I
3 ×2=6	K	5× 3 =15	K
10 ×8=80	E	1× 10 =10	E

한 번 더 연습해요!

1. 캐시는 딸기를 7번 가져왔어요.
한 번 가져올 때마다 5개씩 가져왔어요.
캐시가 가져온 딸기는 모두 몇 개인가요?

식: 5×7=35
정답: 35개

2. 계산해 보세요.

4×2= 8
2×4= 8
8×2= 16
2×8= 16
6×5= 30
5×6= 30
5×2= 10

43

44-45쪽

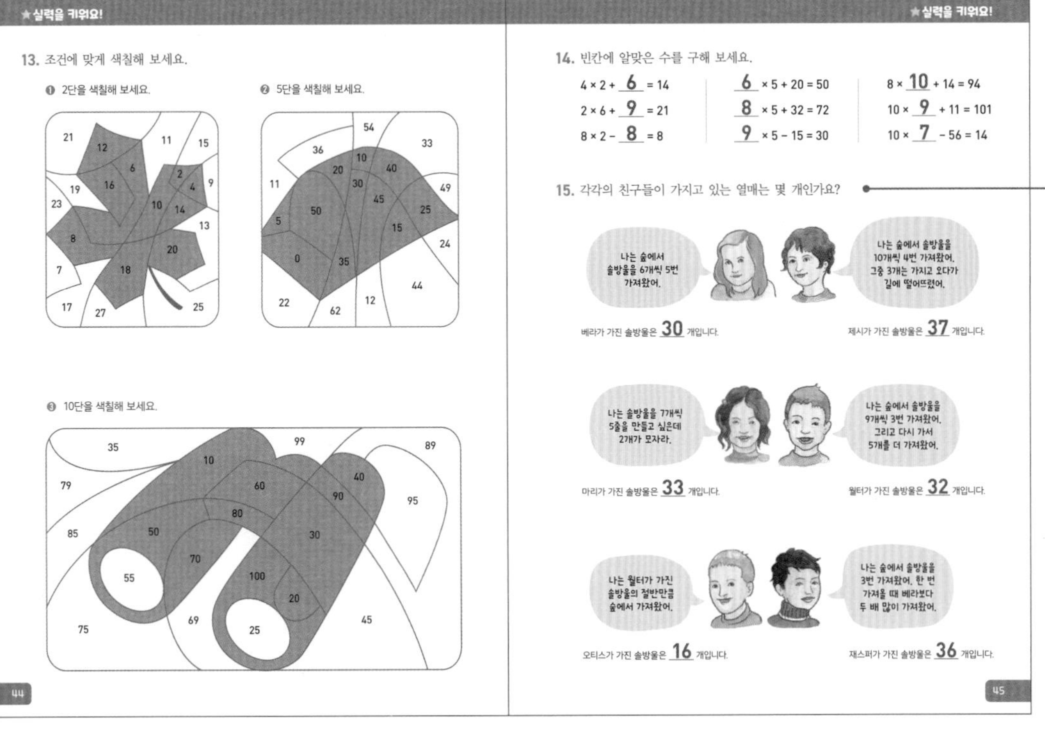

★실력을 키워요!

13. 조건에 맞게 색칠해 보세요.

❶ 2단을 색칠해 보세요.

❷ 5단을 색칠해 보세요.

❸ 10단을 색칠해 보세요.

44

★실력을 키워요!

14. 빈칸에 알맞은 수를 구해 보세요.

4×2+ 6 =14	6 ×5+20=50	8× 10 +14=94
2×6+ 9 =21	8 ×5+32=72	10× 9 +11=101
8×2− 8 =8	9 ×5−15=30	10× 7 −56=14

15. 각각의 친구들이 가지고 있는 열매는 몇 개인가요?

나는 숲에서 솔방울을 6개씩 5번 가져왔어.
나는 숲에서 솔방울을 10개씩 4번 가져왔어. 그중 3개는 가지고 오다가 길에 떨어뜨렸어.

베라가 가진 솔방울은 30 개입니다.
제시가 가진 솔방울은 37 개입니다.

나는 솔방울을 7개씩 5줄을 만들고 싶은데 2개가 모자라.
나는 숲에서 솔방울을 9개씩 3번 가져왔어. 그리고 다시 가서 5개를 더 가져왔어.

마리가 가진 솔방울은 33 개입니다.
월터가 가진 솔방울은 32 개입니다.

나는 월터가 가진 솔방울의 절반만큼 숲에서 가져왔어.
나는 숲에서 솔방울을 3번 가져왔어. 한 번 가져올 때 베라보다 두 배 많이 가져왔어.

오티스가 가진 솔방울은 16 개입니다.
재스퍼가 가진 솔방울은 36 개입니다.

45

베라 6×5=30	**제시** 10×4−3=37
마리 7×5−2=33	**월터** 9×3+5=32
오티스 월터의 솔방울은 32개, 32의 반은 16개	**재스퍼** 베라가 한 번 갈 때마다 가져온 솔방울 개수는 6개, 6의 2배는 12이므로 12×3=36

46-47쪽

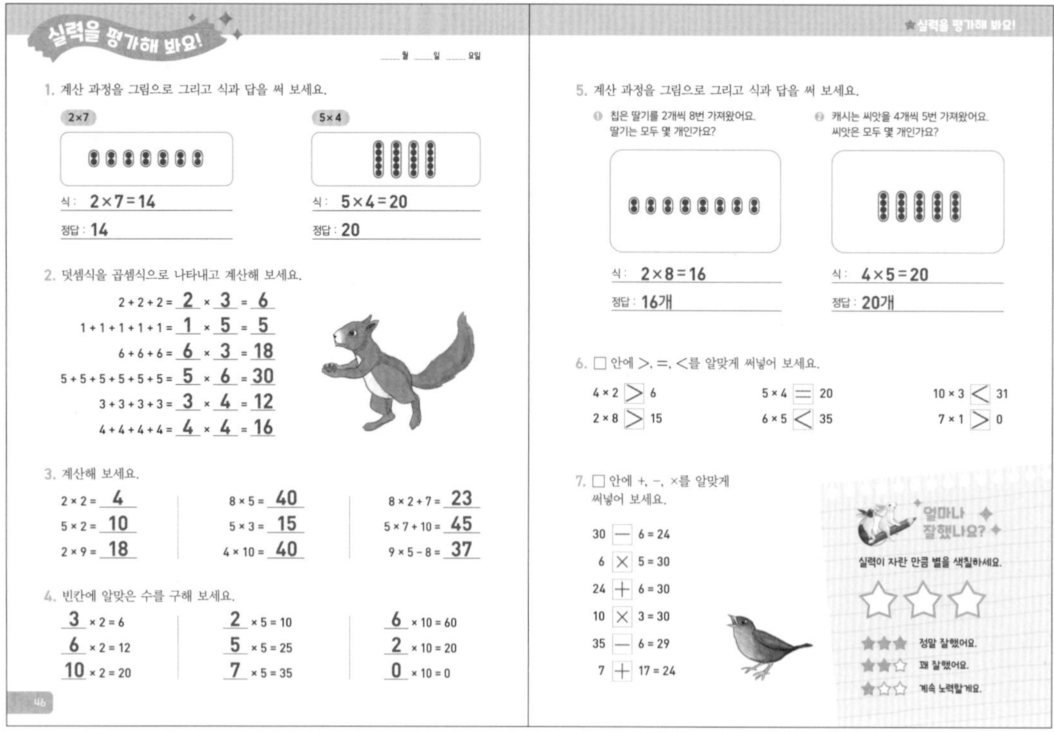

실력을 평가해 봐요!

___월 ___일 ___요일

1. 계산 과정을 그림으로 그리고 식과 답을 써 보세요.

2×7

식: 2×7=14

정답: 14

5×4

식: 5×4=20

정답: 20

2. 덧셈식을 곱셈식으로 나타내고 계산해 보세요.

2+2+2= 2 × 3 = 6

1+1+1+1+1= 1 × 5 = 5

6+6+6= 6 × 3 = 18

5+5+5+5+5+5= 5 × 6 = 30

3+3+3+3= 3 × 4 = 12

4+4+4+4= 4 × 4 = 16

3. 계산해 보세요.

2×2= 4

5×2= 10

2×9= 18

8×5= 40

5×3= 15

4×10= 40

8×2+7= 23

5×7+10= 45

9×5−8= 37

4. 빈칸에 알맞은 수를 구해 보세요.

3 ×2=6

6 ×2=12

10 ×2=20

2 ×5=10

5 ×5=25

7 ×5=35

6 ×10=60

2 ×10=20

0 ×10=0

46

실력을 평가해 봐요!

5. 계산 과정을 그림으로 그리고 식과 답을 써 보세요.

❶ 칩은 딸기를 2개씩 8번 가져왔어요. 딸기는 모두 몇 개인가요?

식: 2×8=16

정답: 16개

❷ 캐시는 씨앗을 4개씩 5번 가져왔어요. 씨앗은 모두 몇 개인가요?

식: 4×5=20

정답: 20개

6. □ 안에 >, =, <를 알맞게 써넣어 보세요.

4×2 > 6

2×8 > 15

5×4 = 20

6×5 < 35

10×3 < 31

7×1 > 0

7. □ 안에 +, −, ×를 알맞게 써넣어 보세요.

30 − 6=24

6 × 5=30

24 + 6=30

10 × 3=30

35 − 6=29

7 + 17=24

얼마나 잘했나요?

실력이 자란 만큼 별을 색칠하세요.

★★★ 정말 잘했어요.

★★☆ 꽤 잘했어요.

★☆☆ 계속 노력할게요.

48-49쪽

단원 평가

1 규칙에 따라 빈칸에 알맞은 수를 써넣어 보세요.

0	2	4	6	8	10	12	14	16	18	20
50	45	40	35	30	25	20	15	10	5	0

2

1	2	3	4	5	6	7	8	9	10
11	12	13	14	15	16	17	18	19	20
21	22	23	24	25	26	27	28	29	30
31	32	33	34	35	36	37	38	39	40
41	42	43	44	45	46	47	48	49	50
51	52	53	54	55	56	57	58	59	60
61	62	63	64	65	66	67	68	69	70
71	72	73	74	75	76	77	78	79	80
81	82	83	84	85	86	87	88	89	90
91	92	93	94	95	96	97	98	99	100

- 위 표에서 2씩 뛰어 세기 한 수에 ○표 해 보세요.
- 위 표에서 5씩 뛰어 세기 한 수에 X표 해 보세요.
- 위 표에서 10씩 뛰어 세기 한 수에 ■표 해 보세요.

3 계산해 보세요.

5×7= 35

2×5= 10

2×3= 6

2×8= 16

5×6= 30

5×9= 45

48

4 그림이 들어간 식을 보고 그림의 값을 구해 보세요.

+ + = 12 → = 4 ❶

+ + + = 40 → = 10 ❷

+ + + + = 45 → = 9 ❸

+ + + + = 55 → = 11 ❹

5 ★★★ 4개의 외투와 3개의 바지로 입을 수 있는 옷차림이 모두 몇 가지인지 구해 보세요.

정답: 12 가지

49쪽 4번

❶ ×3=12, = 4

❷ ×4=40, = 10

❸ ×5=45, = 9

❹ ×5=55, = 11

외투 1개당 바지 3가지를 입을 수 있으므로 4×3=12. 12가지 방법으로 입을 수 있어요.

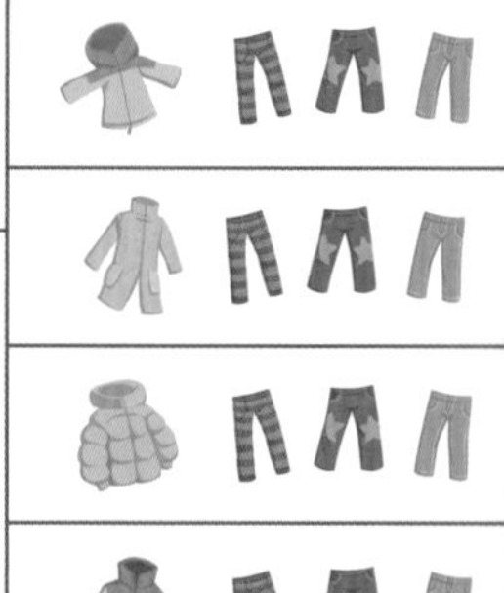

50-51쪽

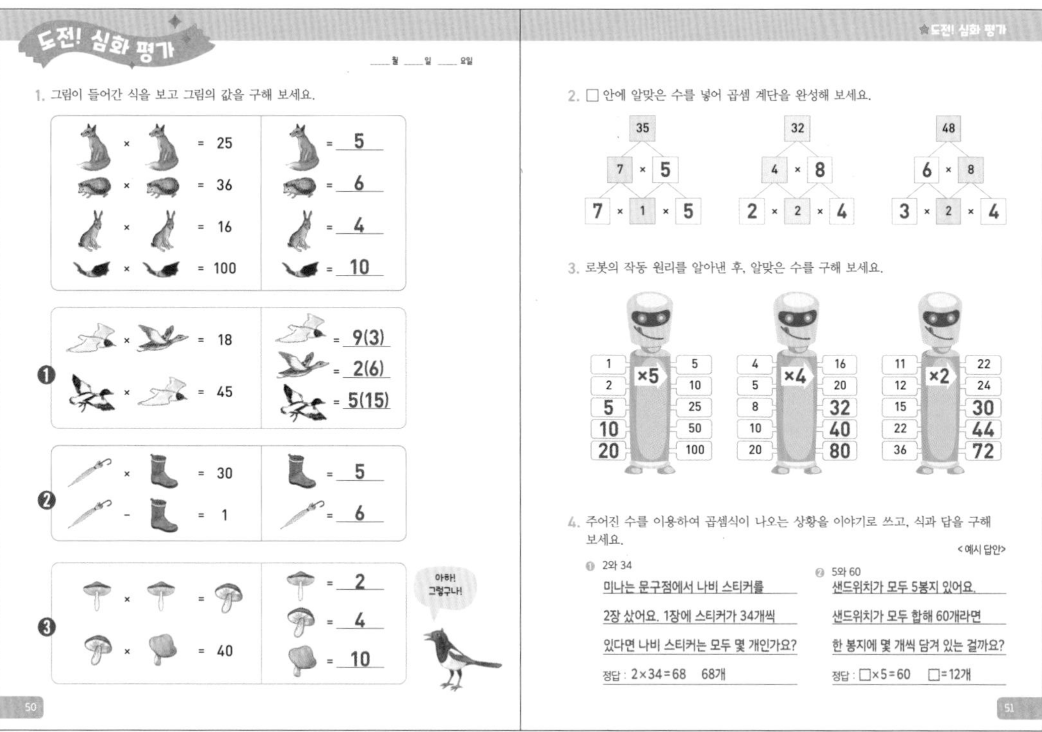

도전! 심화 평가

___월 ___일 ___요일

1. 그림이 들어간 식을 보고 그림의 값을 구해 보세요.

× = 25 / = 5
× = 36 / = 6
× = 16 / = 4
× = 100 / = 10

❶ × = 18, × = 45 / = 9(3), = 2(6), = 5(15)

❷ × = 30, - = 1 / = 5, = 6

❸ × = , × = 40 / = 2, = 4, = 10

2. □ 안에 알맞은 수를 넣어 곱셈 계단을 완성해 보세요.

35: 7 × 5, 7 × 1 × 5
32: 4 × 8, 2 × 2 × 4
48: 6 × 8, 3 × 2 × 4

3. 로봇의 작동 원리를 알아낸 후, 알맞은 수를 구해 보세요.

×5		×4		×2	
1	5	4	16	11	22
2	10	5	20	12	24
5	25	8	32	15	30
10	50	10	40	22	44
20	100	20	80	36	72

4. 주어진 수를 이용하여 곱셈식이 나오는 상황을 이야기로 쓰고, 식과 답을 구해 보세요.

<예시 답안>

❶ 2와 34
미나는 문구점에서 나비 스티커를 2장 샀어요. 1장에 스티커가 34개씩 있다면 나비 스티커는 모두 몇 개인가요?
정답 : 2×34=68 68개

❷ 5와 60
샌드위치가 모두 5봉지 있어요. 샌드위치가 모두 합해 60개라면 한 봉지에 몇 개씩 담겨 있는 걸까요?
정답 : □×5=60 □=12개

MEMO

❶ 어떤 수의 곱이 18과 45가 나오는 수는 2가지의 답이 있어요.

• 2×9=18(9×2=18)의 경우

=2라면 곱해서 45가 안 나오므로 =9가 되고 =2가 됨.

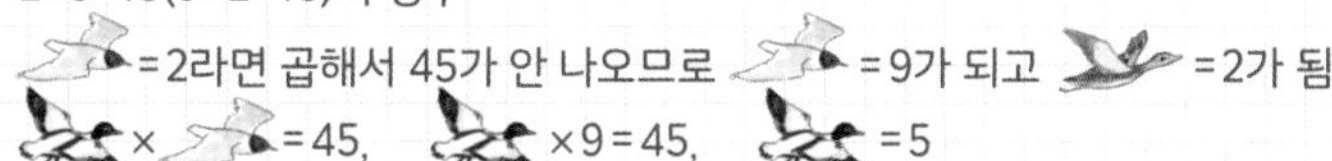

• 3×6=18(6×3=18)의 경우

=6이라면 곱해서 45가 안 나오므로 =3, =6이 됨.

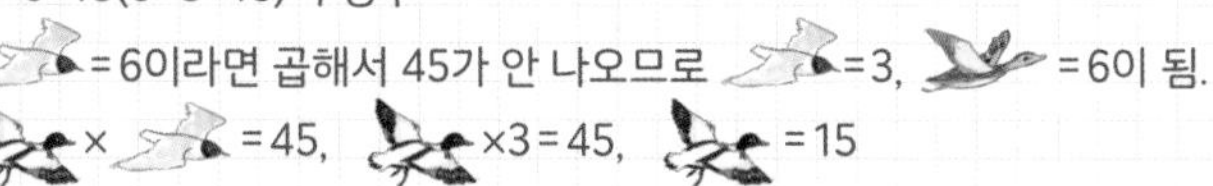

❷ 다른 수를 곱해 30이 나오는 경우는 1×30(30×1), 5×6(6×5), 3×10(10×3), 2×15(15×2)가 있어요.
이 가운데 뺄셈의 차가 1인 수는 6×5임.

❸ 곱해서 40이 나오는 수는 8×5(5×8), 4×10(10×4), 2×20(20×2), 1×40(40×1)이 있어요.
이 가운데 같은 수를 두 번 곱해서 나올 수 있는 수는 4(2×2)이므로,

=2를 대입하면 2×2=4이므로 =4

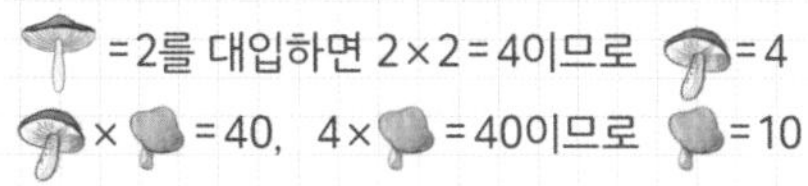

52-53쪽

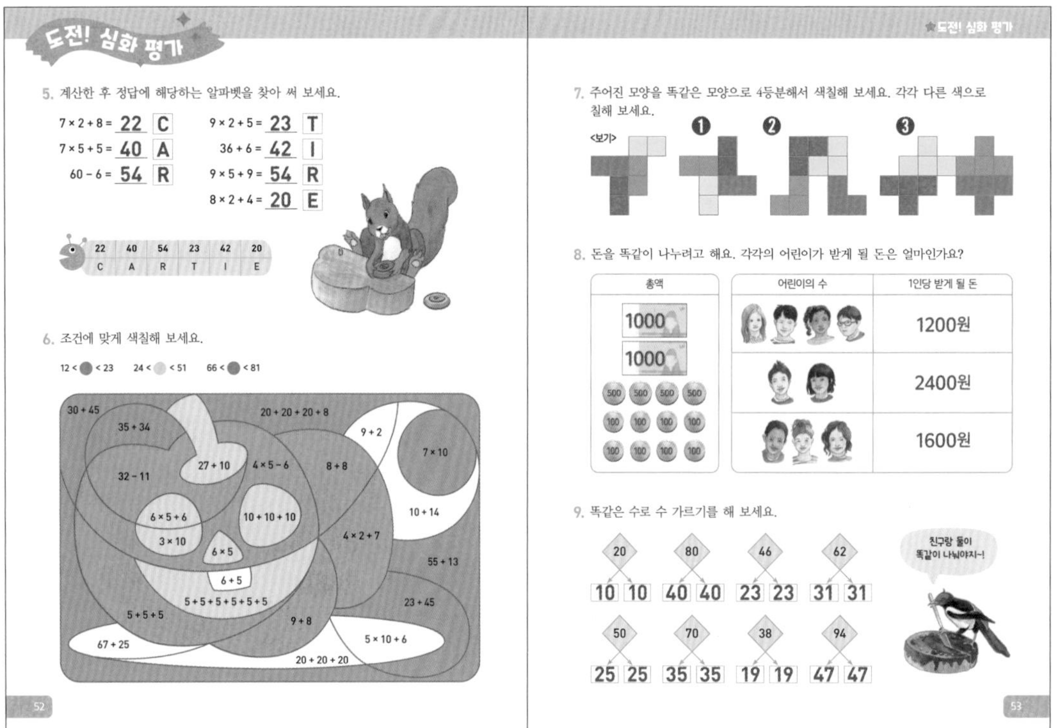

부모님 가이드 | 53쪽 7번

전체 칸의 수가 몇 개인지 세어 본 그 답을 4로 나누면 한 부분의 개수가 나와요. 그 개수만큼 같은 모양이 되도록 나누어 보세요.

① 총 8칸. 2칸씩 같은 색으로 칠해요.
② 총 12칸. 3칸씩 같은 색으로 칠해요.
③ 총 16칸. 4칸씩 같은 색으로 칠해요.

53쪽 8번

돈의 합	어린이 수	한 명당 나누어 가지게 되는 돈=□
1000원×2=2000원, 500원×4=2000원, 100원×8=800원 2000원+2000원+800원=4800원	4	4×□=4800원, □=1200원
	2	2×□=4800원, □=2400원
	3	3×□=4800원, □=1600원

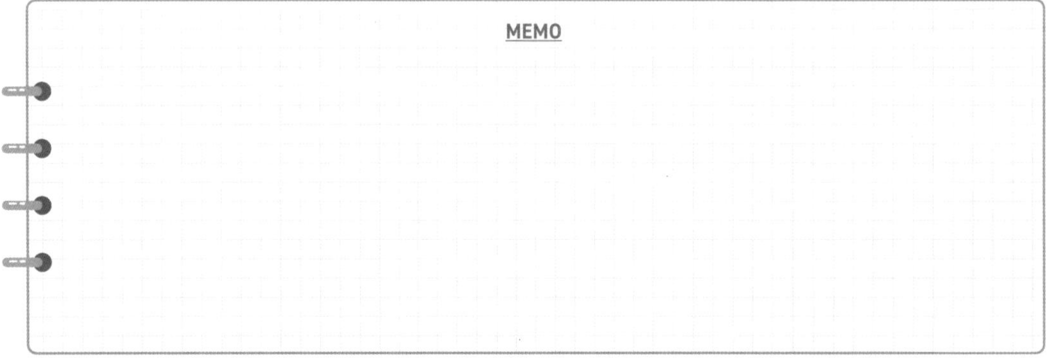

54-55쪽

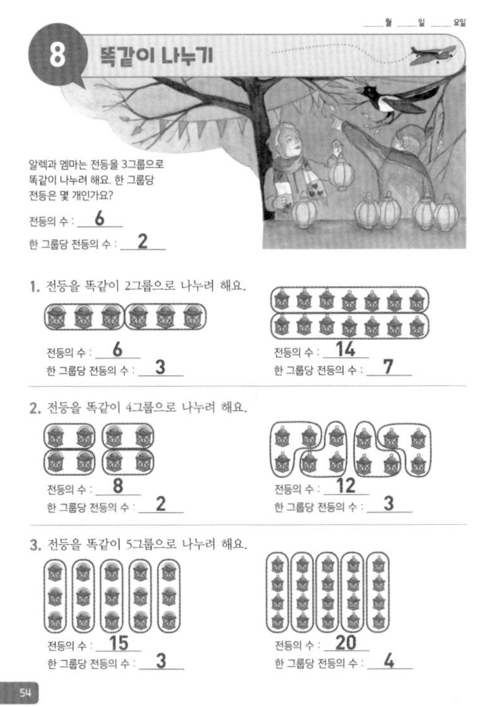

월 일 요일

8 똑같이 나누기

알렉과 엠마는 전등을 3그룹으로 똑같이 나누려 해요. 한 그룹당 전등은 몇 개인가요?

전등의 수 : 6
한 그룹당 전등의 수 : 2

1. 전등을 똑같이 2그룹으로 나누려 해요.

전등의 수 : 6
한 그룹당 전등의 수 : 3

전등의 수 : 14
한 그룹당 전등의 수 : 7

2. 전등을 똑같이 4그룹으로 나누려 해요.

전등의 수 : 8
한 그룹당 전등의 수 : 2

전등의 수 : 12
한 그룹당 전등의 수 : 3

3. 전등을 똑같이 5그룹으로 나누려 해요.

전등의 수 : 15
한 그룹당 전등의 수 : 3

전등의 수 : 20
한 그룹당 전등의 수 : 4

54

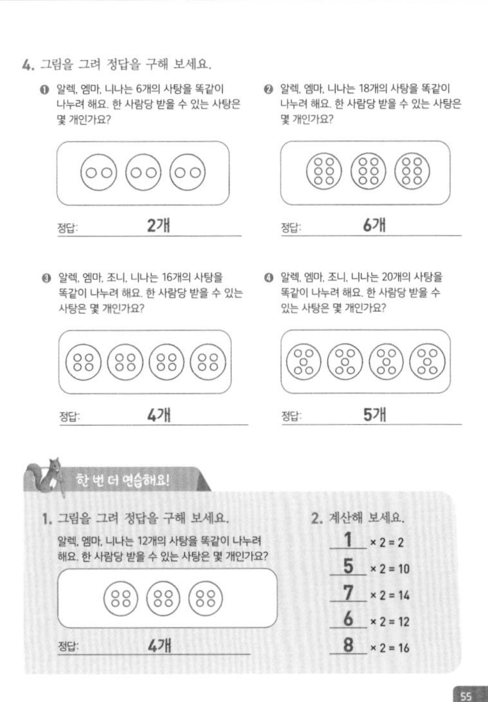

4. 그림을 그려 정답을 구해 보세요.

❶ 알렉, 엠마, 니나는 6개의 사탕을 똑같이 나누려 해요. 한 사람당 받을 수 있는 사탕은 몇 개인가요?

정답: 2개

❷ 알렉, 엠마, 니나는 18개의 사탕을 똑같이 나누려 해요. 한 사람당 받을 수 있는 사탕은 몇 개인가요?

정답: 6개

❸ 알렉, 엠마, 조니, 니나는 16개의 사탕을 똑같이 나누려 해요. 한 사람당 받을 수 있는 사탕은 몇 개인가요?

정답: 4개

❹ 알렉, 엠마, 조니, 니나는 20개의 사탕을 똑같이 나누려 해요. 한 사람당 받을 수 있는 사탕은 몇 개인가요?

정답: 5개

한 번 더 연습해요!

1. 그림을 그려 정답을 구해 보세요.

알렉, 엠마, 니나는 12개의 사탕을 똑같이 나누려 해요. 한 사람당 받을 수 있는 사탕은 몇 개인가요?

정답: 4개

2. 계산해 보세요.

1 × 2 = 2
5 × 2 = 10
7 × 2 = 14
6 × 2 = 12
8 × 2 = 16

55

부모님 가이드 | 54쪽

그림을 보며 아이에게 질문해 보세요.

- 그림에서 전등이 몇 개 보이니? **6개**
- 전등을 몇 그룹으로 나누었니? **3그룹**
- 그룹당 몇 개의 전등이 있니? **2개**
- 이걸 곱셈식으로 나타내 보렴. **2×3=6**

56-57쪽

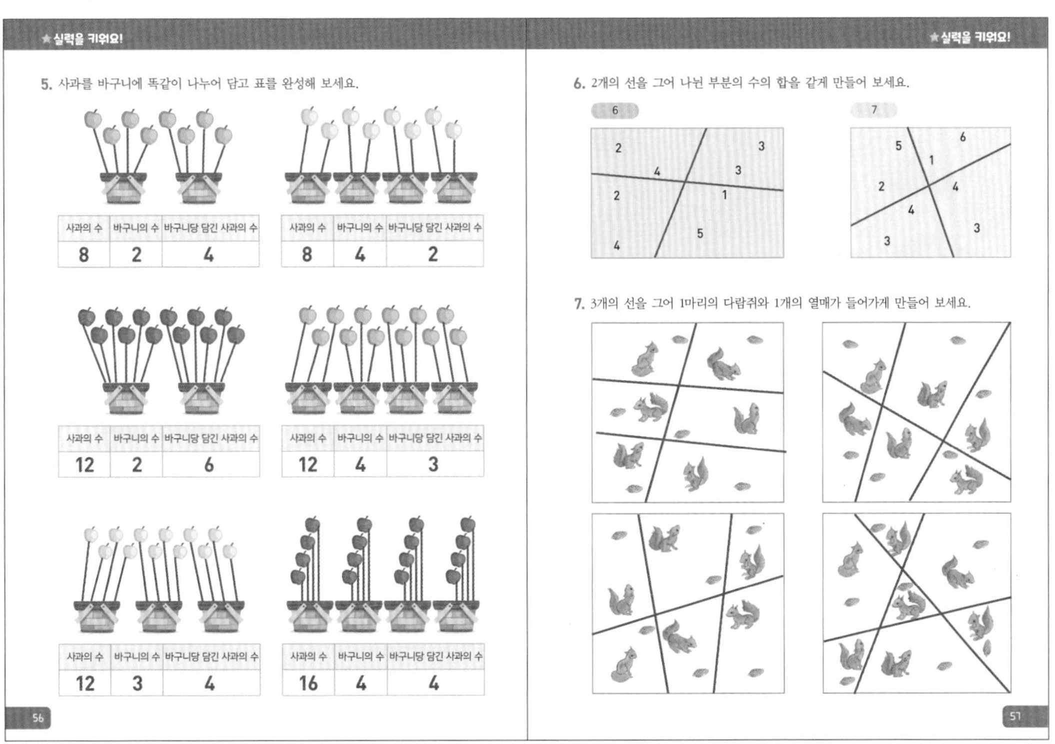

★실력을 키워요!

5. 사과를 바구니에 똑같이 나누어 담고 표를 완성해 보세요.

사과의 수	바구니의 수	바구니당 담긴 사과의 수
8	2	4

사과의 수	바구니의 수	바구니당 담긴 사과의 수
8	4	2

사과의 수	바구니의 수	바구니당 담긴 사과의 수
12	2	6

사과의 수	바구니의 수	바구니당 담긴 사과의 수
12	4	3

사과의 수	바구니의 수	바구니당 담긴 사과의 수
12	3	4

사과의 수	바구니의 수	바구니당 담긴 사과의 수
16	4	4

56

★실력을 키워요!

6. 2개의 선을 그어 나뉜 부분의 수의 합을 같게 만들어 보세요.

6

7

7. 3개의 선을 그어 1마리의 다람쥐와 1개의 열매가 들어가게 만들어 보세요.

57

정답

58-59쪽

9 몫

전체 어린이의 수	그룹당 어린이의 수	그룹의 수
12	3	4

1. 어린이의 수를 그룹으로 나누어 표를 완성해 보세요.

전체 어린이의 수	그룹당 어린이의 수	그룹의 수
12	2	6

전체 어린이의 수	그룹당 어린이의 수	그룹의 수
15	3	5

전체 어린이의 수	그룹당 어린이의 수	그룹의 수
15	5	3

2. 설명을 읽고 문제를 풀어 보세요.

❶ 공이 16개 있어요. 가방 하나에 공을 4개씩 담을 수 있다면 가방이 몇 개 필요한가요?
정답 : 4개

❷ 공이 16개 있어요. 가방 하나에 공을 8개씩 담을 수 있다면 가방이 몇 개 필요한가요?
정답 : 2개

❸ 공이 16개 있어요. 가방 하나에 공을 2개씩 담을 수 있다면 가방이 몇 개 필요한가요?
정답 : 8개

한 번 더 연습해요!

1. 그림을 이용해서 문제를 풀어 보세요.

❶ 초가 20개 있어요. 탁자에 초를 4개씩 올려 둔다면 탁자가 몇 개 필요한가요?
정답 : 5개

❷ 초가 20개 있어요. 탁자에 초를 2개씩 올려 둔다면 탁자가 몇 개 필요한가요?
정답 : 10개

2. 계산해 보세요.

6 × 5 = 30
3 × 2 = 6
0 × 2 = 0
1 × 5 = 5
4 × 2 = 8
3 × 5 = 15
7 × 5 = 35

58 59

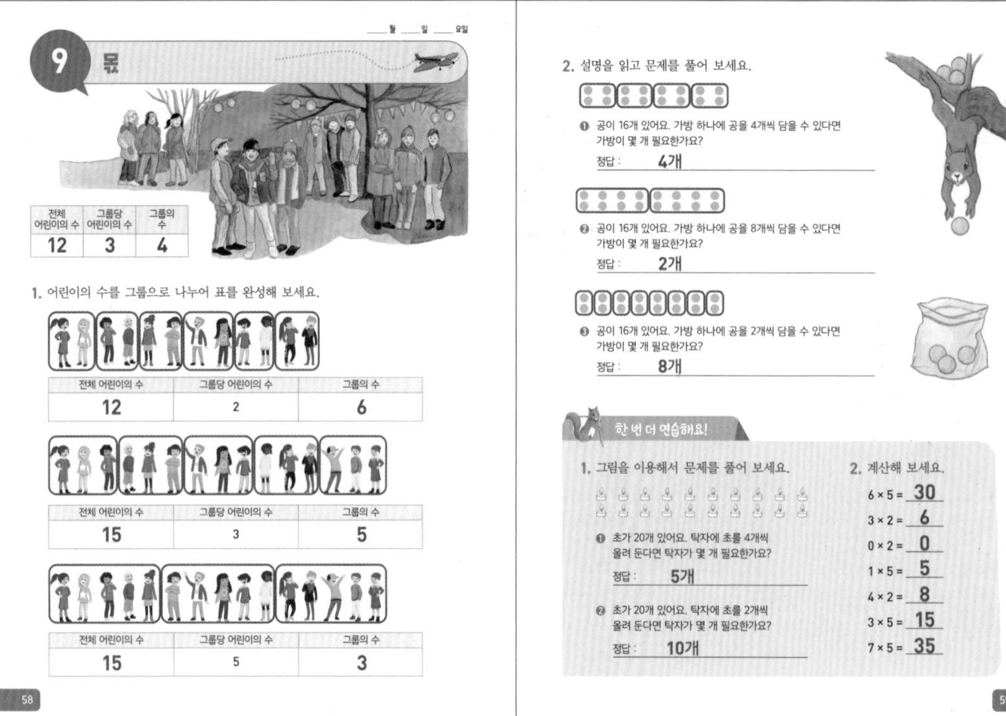

부모님 가이드 | 58쪽

그림을 보며 아이에게 질문해 보세요.
- 그림 속 삼각 깃발은 몇 개이니? 10개
- 그림 속 전등은 몇 개이니? 6개
- 그림 속 아이들은 전부 몇 명이니? 12명
- 한 그룹당 몇 명의 아이들이 있니? 3명
- 한 그룹당 한 개의 손전등을 준다면 몇 개의 손전등이 필요하니? 4개

60-61쪽

★실력을 키워요!

3. 설명을 읽고 문제를 풀어 보세요.

차 1대당 타이어가 4개씩 필요해요. 타이어 개수를 확인하고 몇 대의 차를 만들 수 있는지 알아보세요.

타이어의 수 8 개
만들 수 있는 차는 2 대입니다.

타이어의 수 16 개
만들 수 있는 차는 4 대입니다.

타이어의 수 24 개
만들 수 있는 차는 6 대입니다.

타이어의 수 32 개
만들 수 있는 차는 8 대입니다.

4. 조건에 맞게 색칠해 보세요.

❶ 2단을 색칠해 보세요.
❷ 5단을 색칠해 보세요.

5. 주어진 쿠폰으로 물건을 몇 개 살 수 있나요?

12쿠폰: 4 개, 3 개, 6 개, 1 개
18쿠폰: 9 개, 6 개, 2 개, 3 개
24쿠폰: 6 개, 3 개, 4 개, 8 개

놀이 수학

블록 나누기

인원 : 2명 준비물 : 블록 30개

놀이 방법

1. 탁자 위에 블록 30개를 올려놓으세요.
2. 가위바위보를 해서 이긴 사람이 블록을 가져오고 싶은 만큼 가져오세요.
3. 다음 사람이 남은 블록을 가지고 아래 예시처럼 그룹당 블록의 수를 원하는 수로 정해 블록을 나눈 뒤, 표를 완성하세요.
4. 순서를 바꿔 같은 방법으로 놀이를 이어 가세요.

	블록의 수	그룹당 블록의 수	그룹의 수	남은 수
예시	11	2	5	1
1회				
2회				
3회				
4회				

60 61

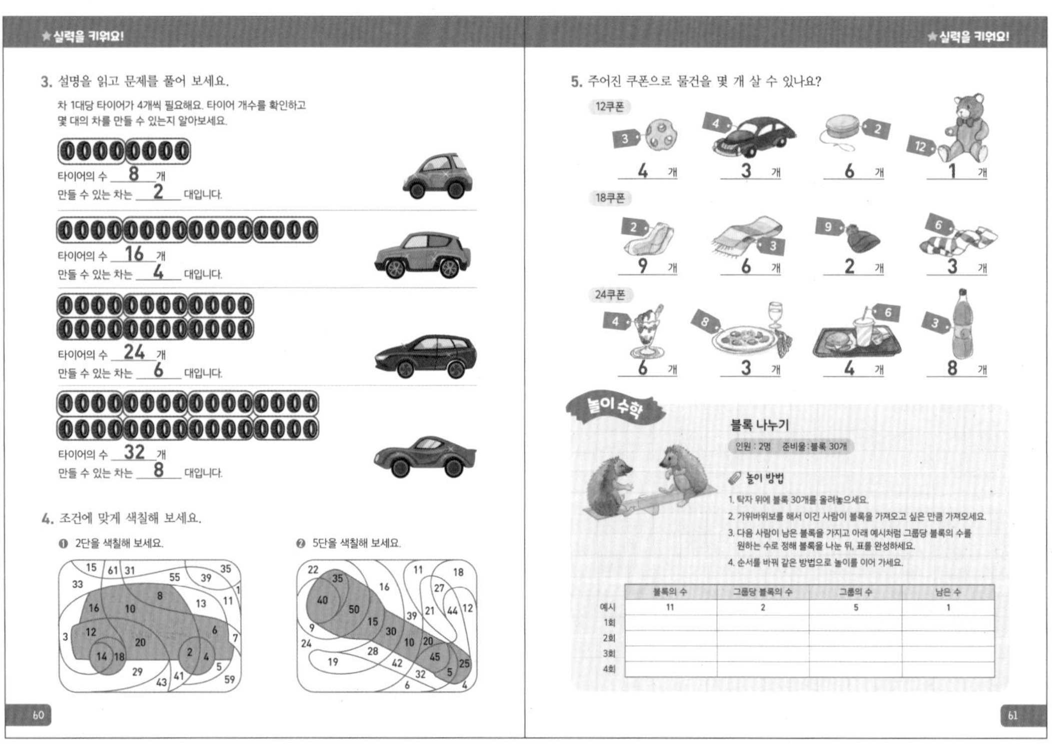

62-63쪽

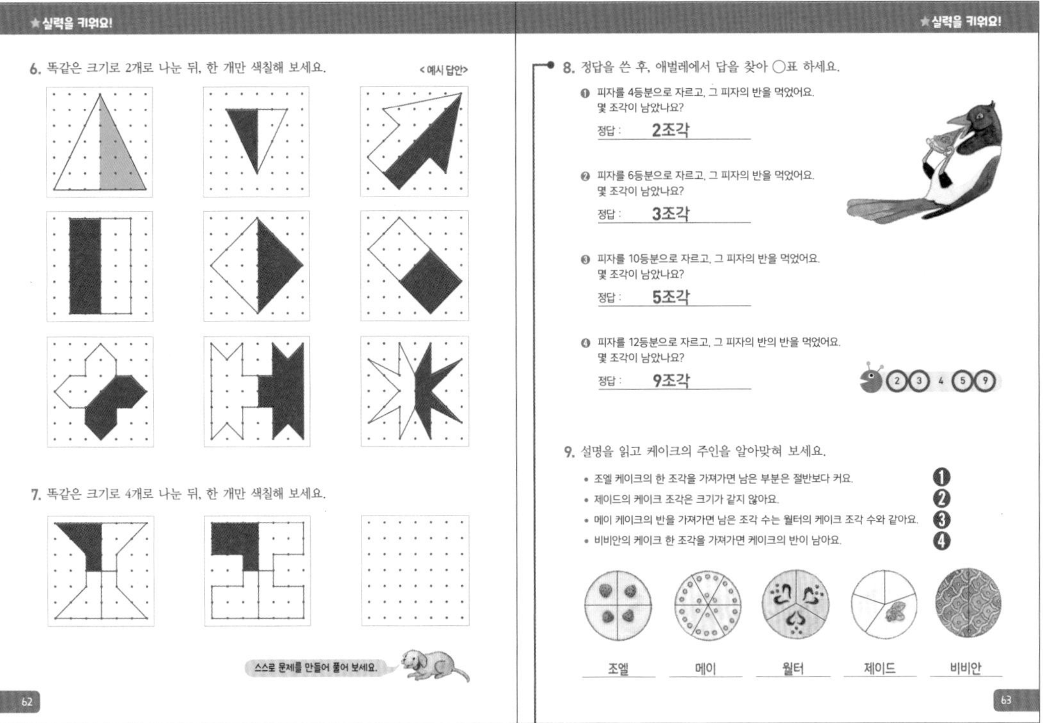

- 4의 반은 2
- 6의 반은 3
- 10의 반은 5
- 12의 반은 6, 6의 반은 3이므로 반의 반은 3조각임. 12-3=9

63쪽 9번

❹ 비비안의 케이크 한 조각을 가져가면 케이크 반이 남으니 비비안의 케이크는 

❷ 제이드의 케이크 조각은 크기가 같지 않으므로 제이드의 케이크는

❸ 남은 케이크 중 반을 가져갈 수 있는 조각은 4, 6조각 케이크임. 4의 반은 2조각, 6의 반은 3조각 중에서 4의 반인 2조각은 비비안 케이크의 2조각과 같으므로 조건에 안 맞음. 그러므로, 메이의 케이크는

월터의 케이크는

❶ 조엘 케이크의 한 조각을 가져가면 남은 부분은 반보다 크니까 조엘의 케이크는

64-65쪽

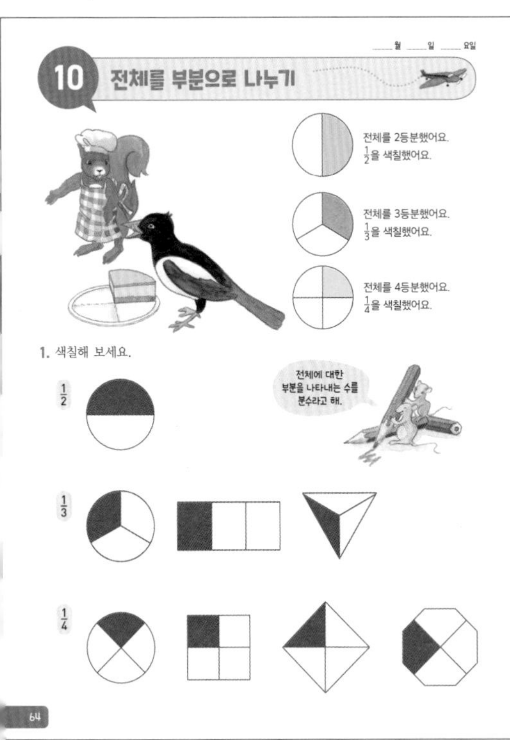

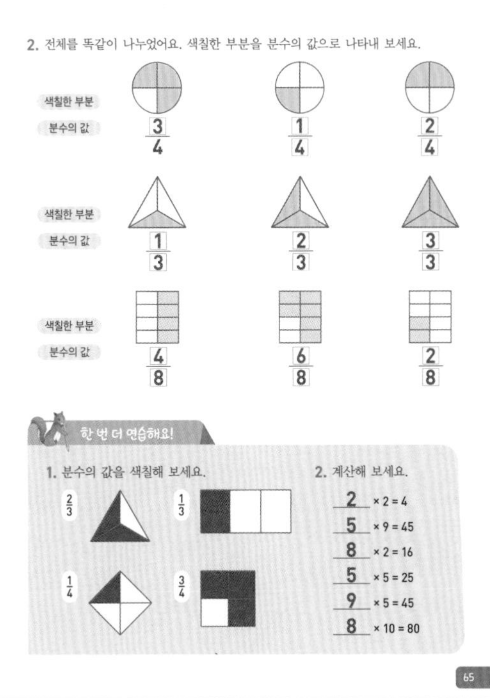

부모님 가이드 | 64쪽

그림을 보며 아이에게 질문해 보세요.

- 그림에서 제일 위에 있는 원은 몇 개로 나누었니? **2개**
- 나뉜 부분의 크기를 비교해 보렴. **똑같아요.**
- 얼마나 많은 부분이 색칠되었니? **절반이요.**
- 중간 원은 몇 개로 나누었니? **3개**
- 나뉜 부분은 크기를 비교해 보렴. **똑같아요.**
- 얼마나 많은 부분이 색칠되었니? **$\frac{1}{3}$이요.**
- 제일 아래 있는 원은 몇 개로 나누었니? **4개**
- 나뉜 부분의 크기를 비교해 보렴. **똑같아요.**
- 얼마나 많은 부분이 색칠되었니? **$\frac{1}{4}$이요.**

66-67쪽

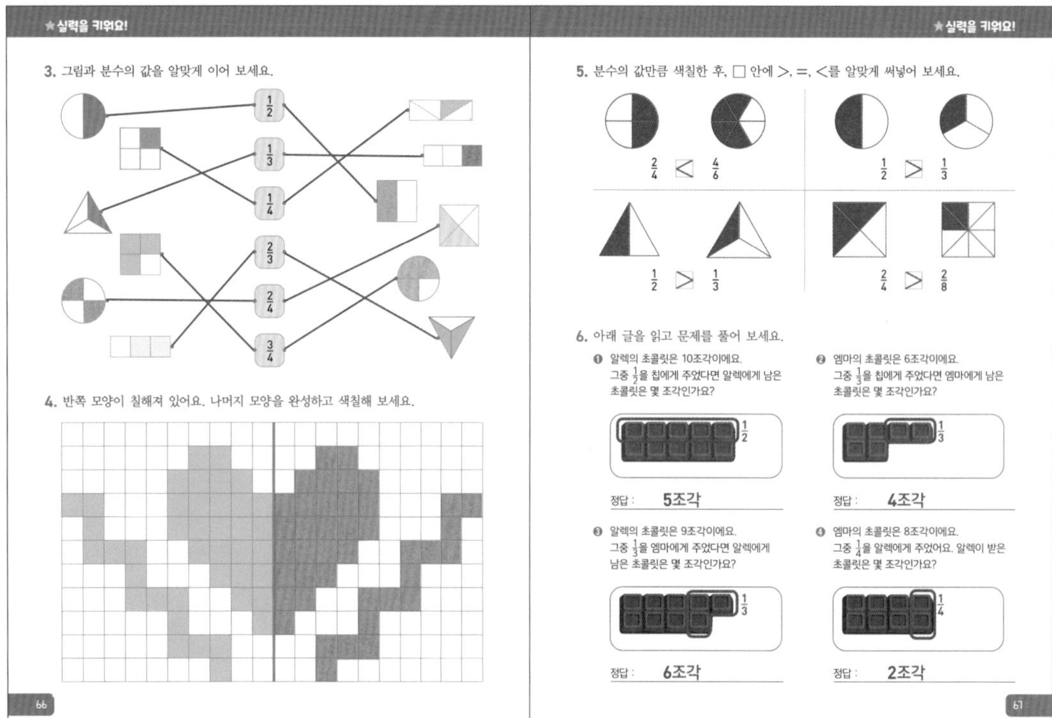

68-69쪽

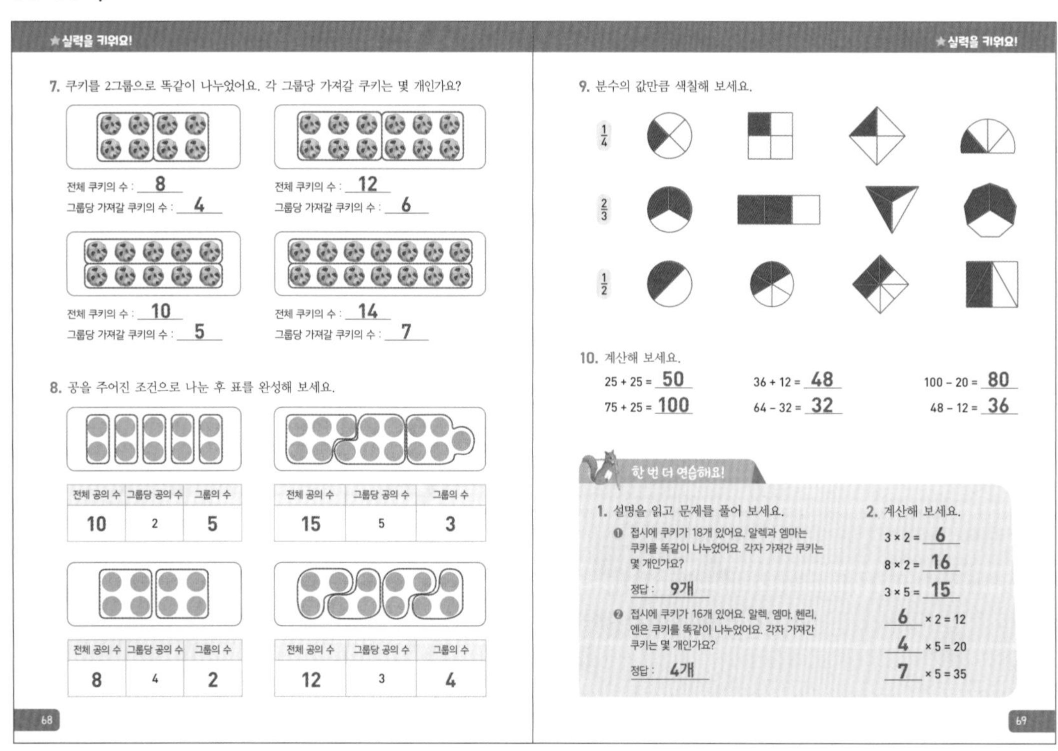

70-71쪽

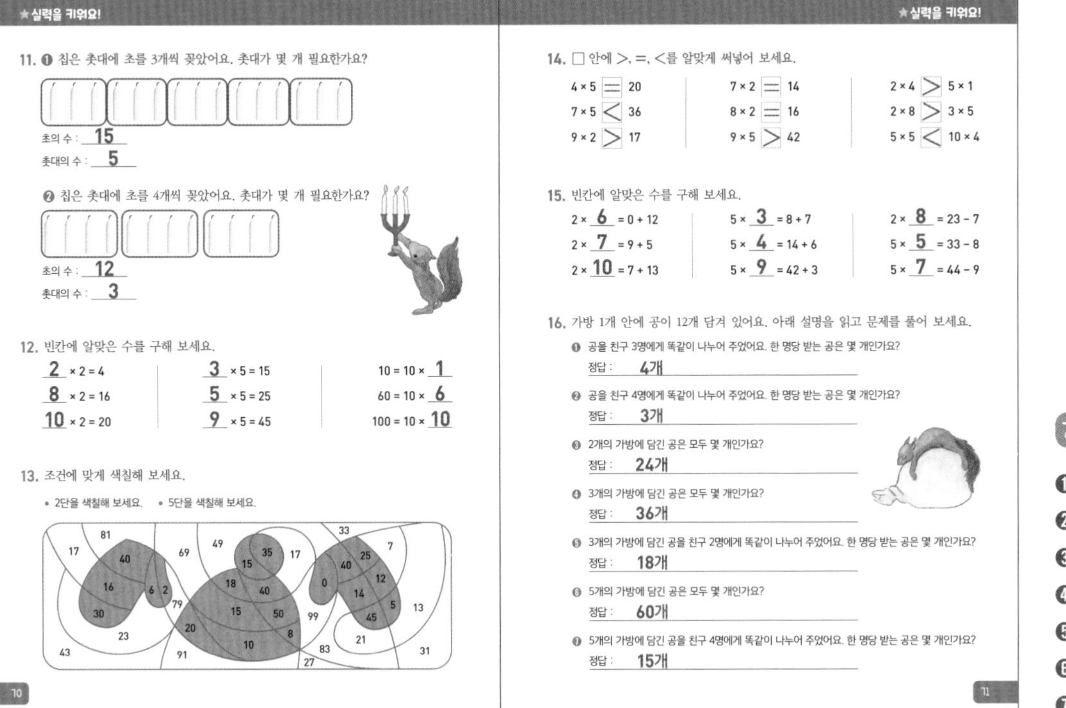

71쪽 16번

❶ 3×□=12, □=4
❷ 4×□=12, □=3
❸ 12×2=24
❹ 12×3=36
❺ 3×12=36, 36을 2등분하면 18
❻ 12×5=60
❼ 12×5=60, 60을 4등분하면 15

72-73쪽

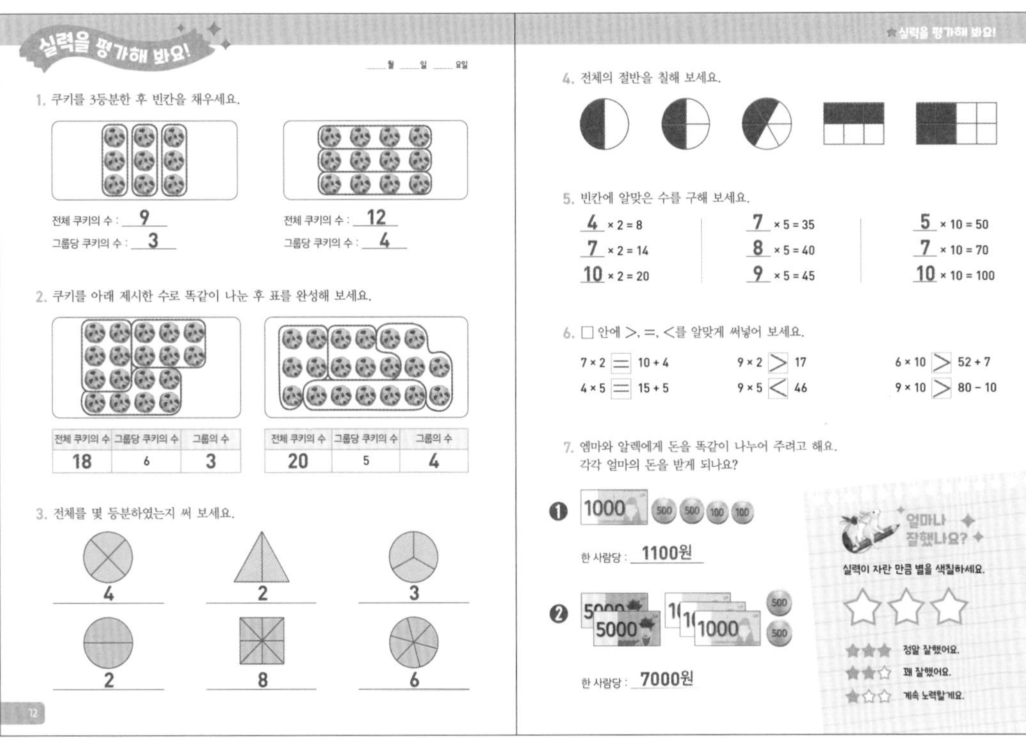

73쪽 7번

❶ 1000원+2×500원+2×100원
=1000원+1000원+200원
=2200원
한 사람당 : 1100원

❷ 2×5000원+3×1000원+2×500원
=10000원+3000원+1000원
=14000원
한 사람당 : 7000원

74-75쪽

75쪽 4번

❹ 조니는 파란 접시를 들고 있으므로, 왼쪽에서 두 번째 아이는 조니예요.
❶ 미나는 조니와 베라 사이에 있으므로, 세 번째는 미나이며, 네 번째는 베라예요.
❸ 베라와 메이는 같은 색의 접시를 들고 있으므로, 첫 번째는 메이예요.
❷ 로라는 베라 옆에 있으므로, 마지막 아이는 로라예요.

빨간색 공은 파란색 공의 2배이고, 공은 모두 9개이므로 빨간색 공 6개, 파란색 공 3개가 돼요.

76-77쪽

지갑에 있는 쿠폰 - 2×5+2×2+1=10+4+1=15쿠폰
①15의 3배는 45, 3×□=45, □=15
②15의 4배는 60, 4×□=60, □=15

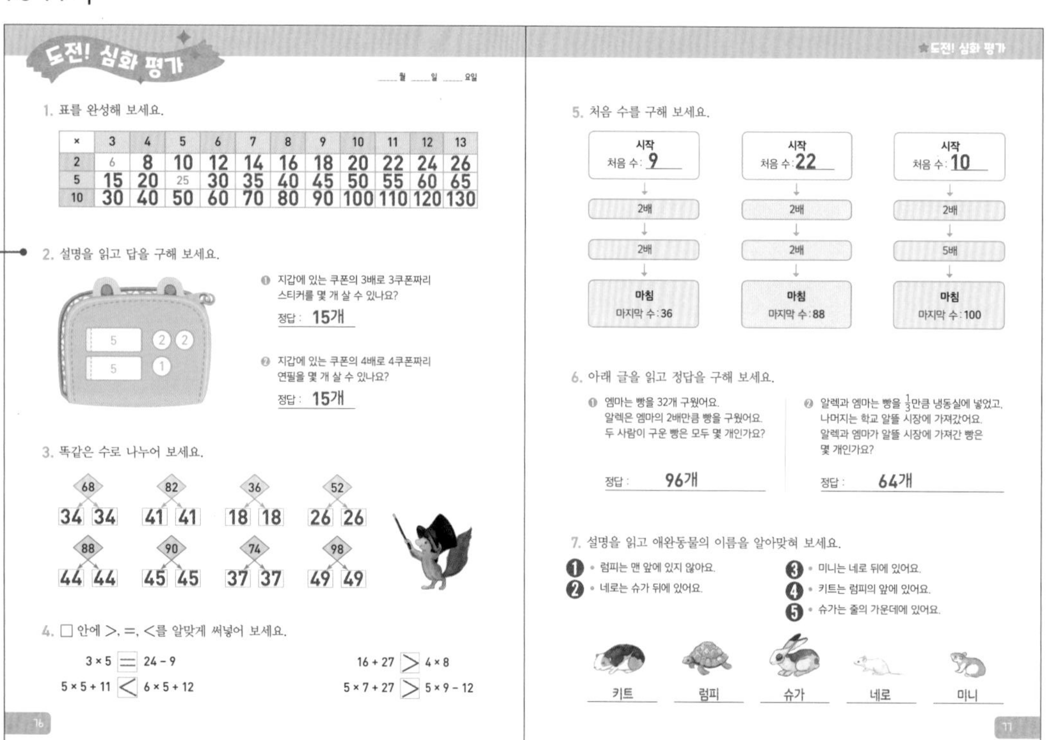

77쪽 6번

① 알렉이 구운 빵의 개수
32×2=64(개)
알렉과 엠마가 구운 빵의 합은 64+32=96(개)
② 냉동실에 넣은 빵의 개수
96의 $\frac{1}{3}$이므로,
96을 90과 6으로 나눠서
90의 $\frac{1}{3}$+6의 $\frac{1}{3}$
=30+2=32(개)
알뜰 시장에 가져간 빵의 개수는 96-32=64(개)

77쪽 7번

❺ 슈가는 줄의 가운데에 있어요.

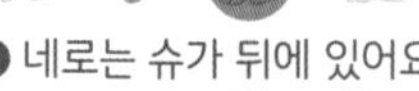

❷ 네로는 슈가 뒤에 있어요.

❸ 미니는 네로 뒤에 있어요.

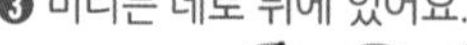

❶ 럼피는 맨 앞에 있지 않아요.

❹ 키트는 럼피의 앞에 있어요.

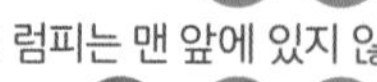

78-79쪽

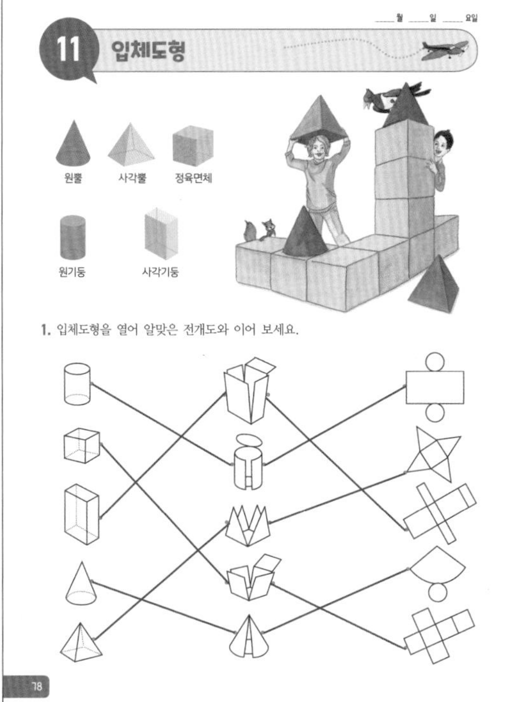

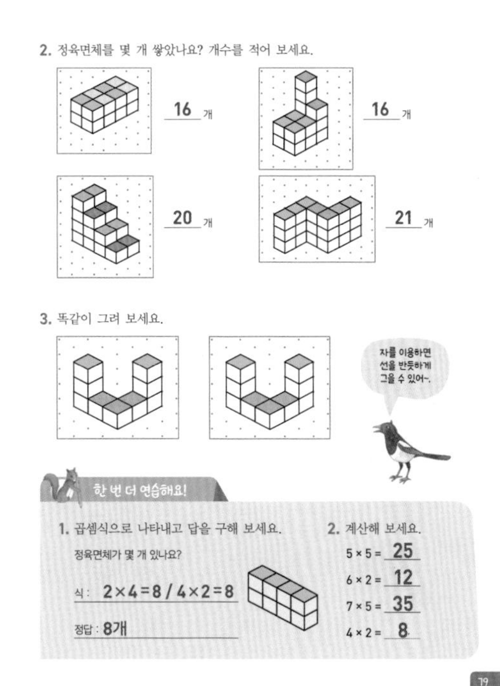

부모님 가이드 | 78쪽

그림을 보며 아이에게 질문해 보세요.

- 남자아이가 숨어 있는 노랑 정육면체에서 위로 세워져 있는 건 몇 개니? **3개**
- 아래 깔려 있는 노랑 정육면체는 몇 개니? **6개**
- 새가 앉아 있는 도형 이름은 뭐니? **원뿔**
- 여자아이 머리 위에 있는 도형 이름은 뭐니? **사각뿔**

78쪽 1번

입체도형을 펼친 모양을 전개도라고 해요. 전개도는 2차원이고 전개도를 모아 붙이면 3차원인 입체도형이 됩니다.

80-81쪽

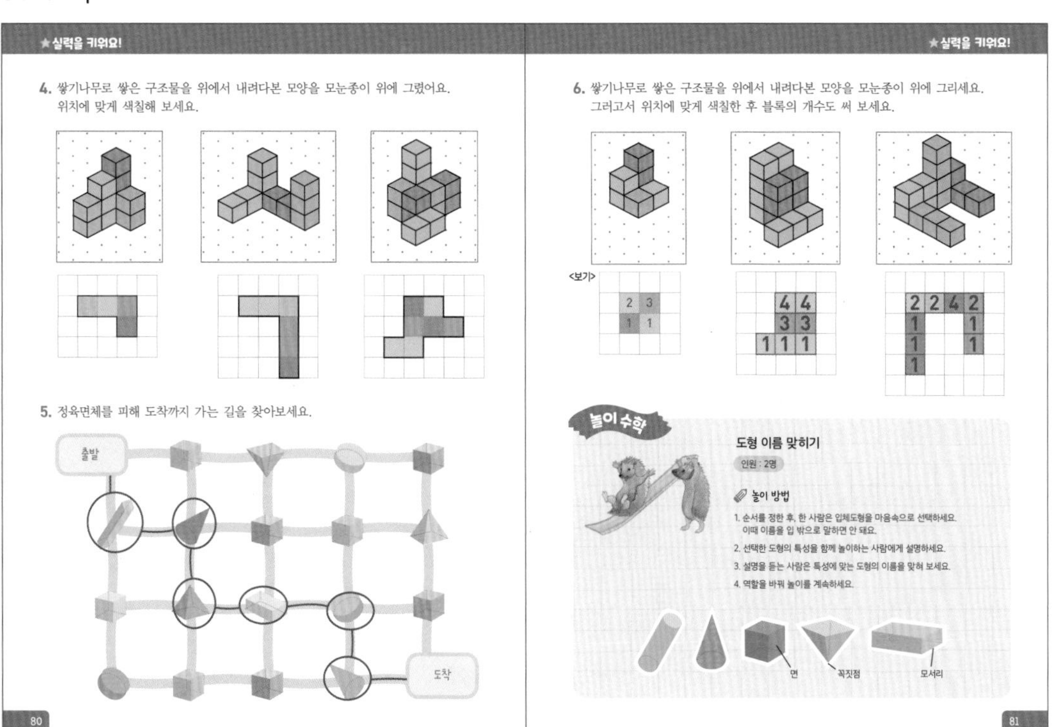

80쪽 5번

크기가 같은 정사각형 6개로 둘러싸인 도형을 정육면체라고 해요.

82-83쪽

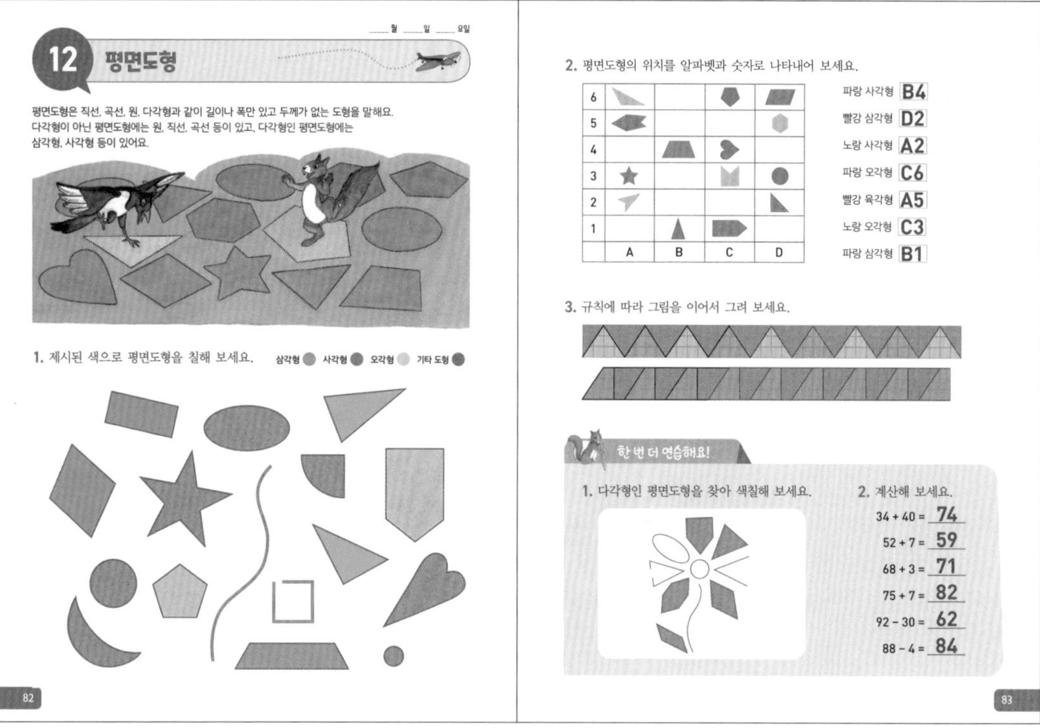

____월 ____일 ____요일

12 평면도형

평면도형은 직선, 곡선, 원, 다각형과 같이 길이나 폭만 있고 두께가 없는 도형을 말해요.
다각형이 아닌 평면도형에는 원, 직선, 곡선 등이 있고, 다각형인 평면도형에는
삼각형, 사각형 등이 있어요.

1. 제시된 색으로 평면도형을 칠해 보세요. 삼각형 사각형 오각형 기타 도형

2. 평면도형의 위치를 알파벳과 숫자로 나타내어 보세요.

파랑 사각형 B4
빨강 삼각형 D2
노랑 사각형 A2
파랑 오각형 C6
빨강 육각형 A5
노랑 오각형 C3
파랑 삼각형 B1

3. 규칙에 따라 그림을 이어서 그려 보세요.

한 번 더 연습해요!

1. 다각형인 평면도형을 찾아 색칠해 보세요.

2. 계산해 보세요.

34 + 40 = 74
52 + 7 = 59
68 + 3 = 71
75 + 7 = 82
92 − 30 = 62
88 − 4 = 84

82 83

부모님 가이드 | 82쪽

그림을 보며 아이에게 질문해 보세요.

- 새가 딛고 있는 도형 이름은 뭐니? **삼각형**
- 다람쥐가 딛고 있는 도형 이름은 뭐니? **오각형**
- 별과 사각형 사이에는 어떤 도형이 있니? **삼각형**
- 하트와 별 사이에는 어떤 도형이 있니? **사각형**

82쪽 1번

평면도형은 직선, 곡선, 원, 다각형과 같이 길이나 폭만 있고 두께가 없는 도형을 말해요. 그래서 평면도형은 둘레의 길이나 넓이는 구할 수 있지만 두께가 없으므로 부피는 구할 수 없어요. 평면도형은 다각형이 아닌 평면도형과 다각형인 평면도형으로 분류할 수 있어요. 다각형이 아닌 평면도형에는 원, 직선, 곡선 등이 있고, 다각형인 평면도형에는 삼각형, 사각형 등이 있어요.

83쪽 2번

위치를 표시할 때는 가로인 A, B, C, D 알파벳을 먼저 쓴 후, 세로에 있는 수를 써요. B4는 가로 B에서 수 4와 만나는 위치에 있는 도형이지요.

84-85쪽

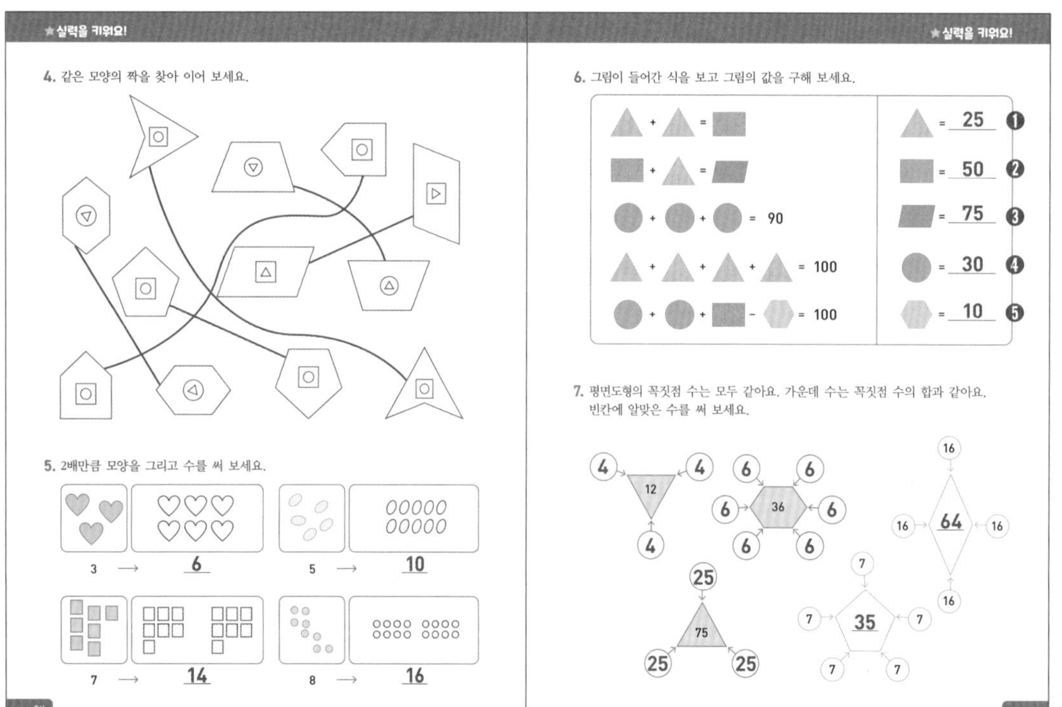

★실력을 키워요!

4. 같은 모양의 짝을 찾아 이어 보세요.

5. 2배만큼 모양을 그리고 수를 써 보세요.

3 → 6
5 → 10
7 → 14
8 → 16

6. 그림이 들어간 식을 보고 그림의 값을 구해 보세요.

▲ + ▲ = ■
■ + ▲ = ▰
● + ● + ● = 90
▲ + ▲ + ▲ + ▲ = 100
● + ● + ■ − ⬢ = 100

❶ ▲ = 25
❷ ■ = 50
❸ ▰ = 75
❹ ● = 30
❺ ⬢ = 10

7. 평면도형의 꼭짓점 수는 모두 같아요. 가운데 수는 꼭짓점 수의 합과 같아요. 빈칸에 알맞은 수를 써 보세요.

4, 4, 4 → 12
6, 6, 6, 6, 6, 6 → 36
16, 16, 16, 16 → 64
25, 25, 25 → 75
7, 7, 7, 7, 7 → 35

84 85

85쪽 6번

❶ ▲ + ▲ + ▲ + ▲ = 100
100을 4등분하면 25, ▲ = 25

❷ ▲ + ▲ = ■, 25 + 25 = 50,
■ = 50

❸ ■ + ▲ = ▰, 50 + 25 = 75,
▰ = 75

❹ ● + ● + ● = 90
90을 3등분하면 30, ● = 30

❺ ● + ● + ■ − ⬢ = 100
30 + 30 + 50 − ⬢ = 100,
110 − ⬢ = 100, ⬢ = 10

86-87쪽

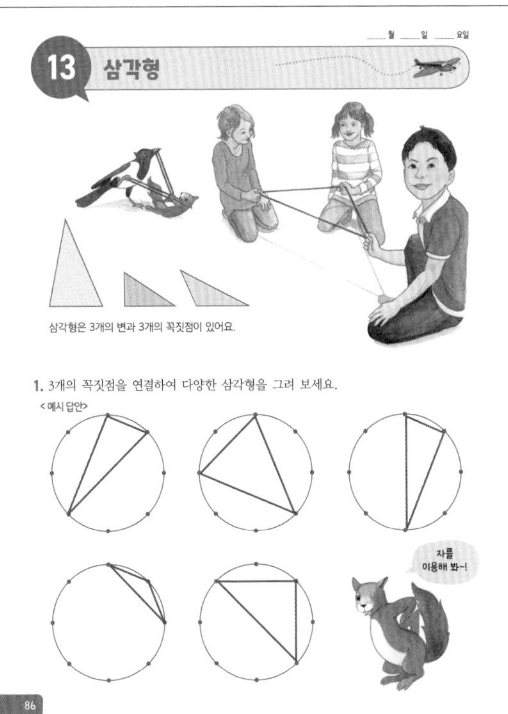

13 삼각형
삼각형은 3개의 변과 3개의 꼭짓점이 있어요.
1. 3개의 꼭짓점을 연결하여 다양한 삼각형을 그려 보세요.
자를 이용해 봐~!

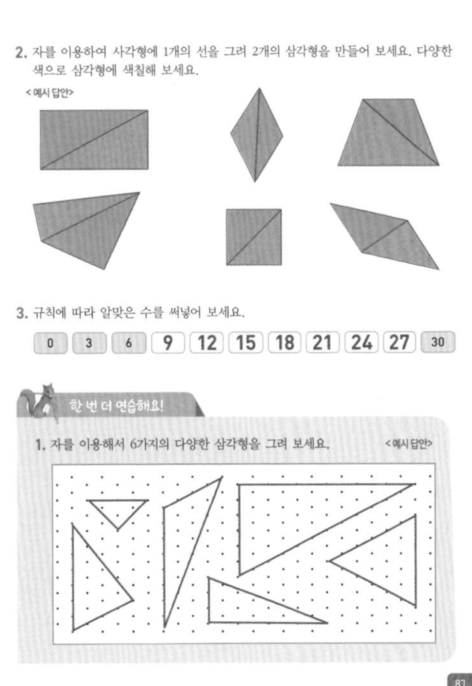

2. 자를 이용하여 사각형에 1개의 선을 그려 2개의 삼각형을 만들어 보세요. 다양한 색으로 삼각형에 색칠해 보세요.
3. 규칙에 따라 알맞은 수를 써넣어 보세요.
0 3 6 9 12 15 18 21 24 27 30
한 번 더 연습해요!
1. 자를 이용해서 6가지의 다양한 삼각형을 그려 보세요.

부모님 가이드 | 86쪽

그림을 보며 아이에게 질문해 보세요.

- 아이들이 집게손가락을 걸어서 고무줄로 삼각형을 만들었어. 손가락이 몇 개 필요하니? **3개**
- 삼각형의 꼭짓점이 몇 개니? **3개**
- 삼각형의 변은 몇 개니? **3개**

86쪽 1번

어떤 삼각형을 그렸나요? 3개의 꼭짓점을 연결하여 크거나 작게, 길쭉하거나 납작한 모양으로 다양하게 그려 보세요.

88-89쪽

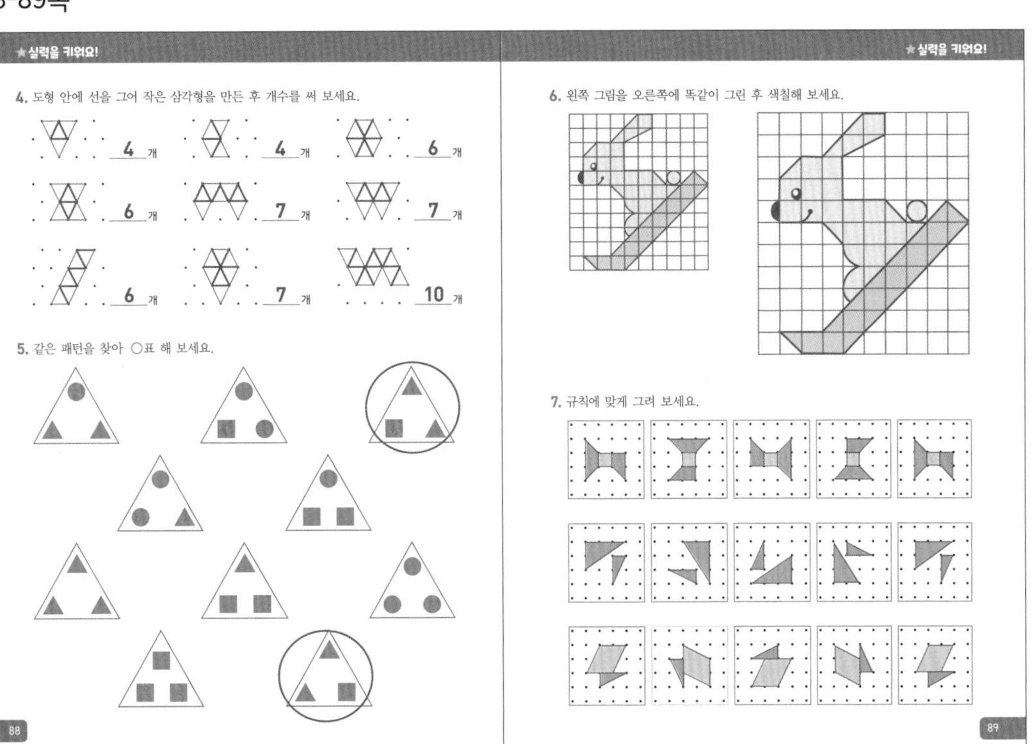

실력을 키워요!
4. 도형 안에 선을 그어 작은 삼각형을 만든 후 개수를 써 보세요.
4 개 4 개 6 개
6 개 7 개 7 개
6 개 7 개 10 개
5. 같은 패턴을 찾아 ○표 해 보세요.
6. 왼쪽 그림을 오른쪽에 똑같이 그린 후 색칠해 보세요.
7. 규칙에 맞게 그려 보세요.

90-91쪽

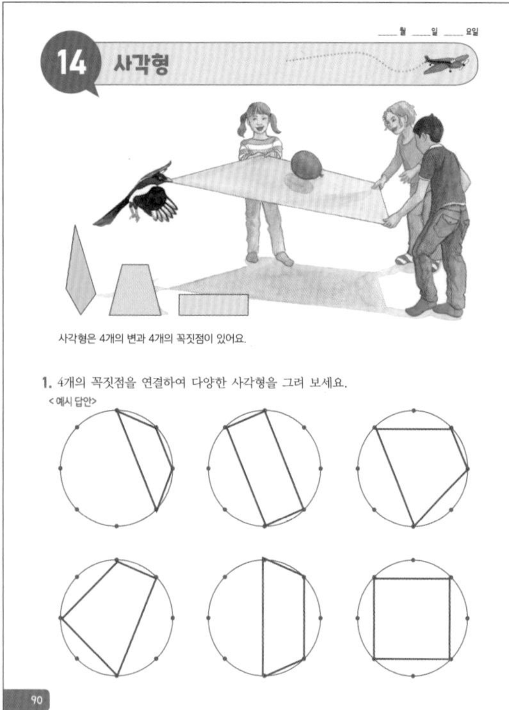

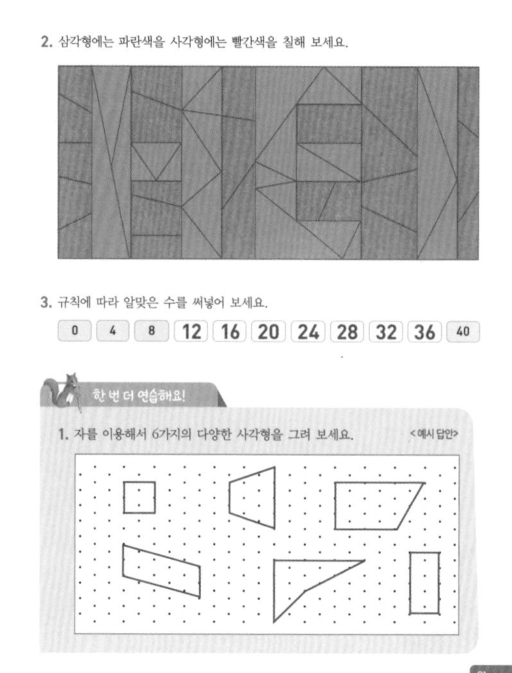

부모님 가이드 | 90쪽

그림을 보며 아이에게 질문해 보세요.
- 커다란 천의 귀퉁이를 몇 명이 잡고 있니? **아이 셋과 새 한 마리, 총 넷이요.**
- 사각형의 꼭짓점이 몇 개니? **4개**
- 사각형의 변은 몇 개니? **4개**

92-93쪽

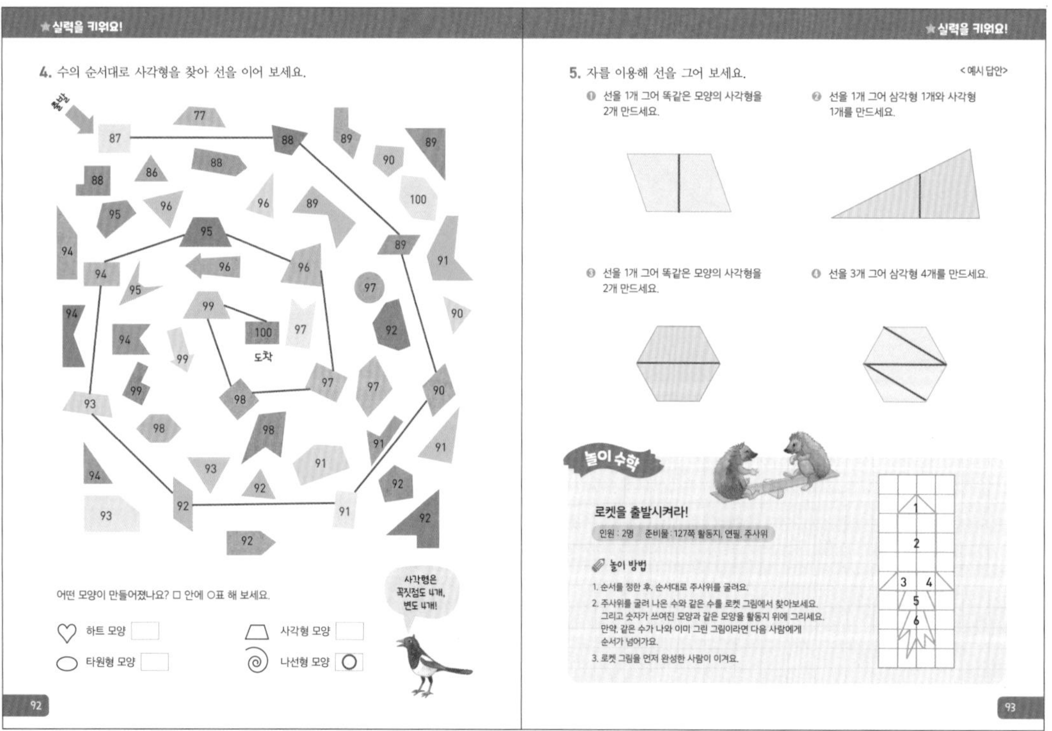

94-95쪽

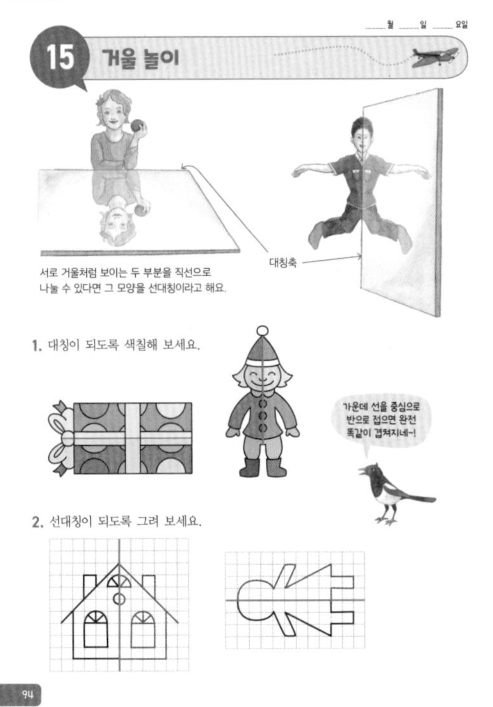

15 거울 놀이

___월 ___일 ___요일

서로 거울처럼 보이는 두 부분을 직선으로 나눌 수 있다면 그 모양을 선대칭이라고 해요.

대칭축

1. 대칭이 되도록 색칠해 보세요.

가운데 선을 중심으로 반으로 접으면 완전 똑같이 겹쳐지네~!

2. 선대칭이 되도록 그려 보세요.

94

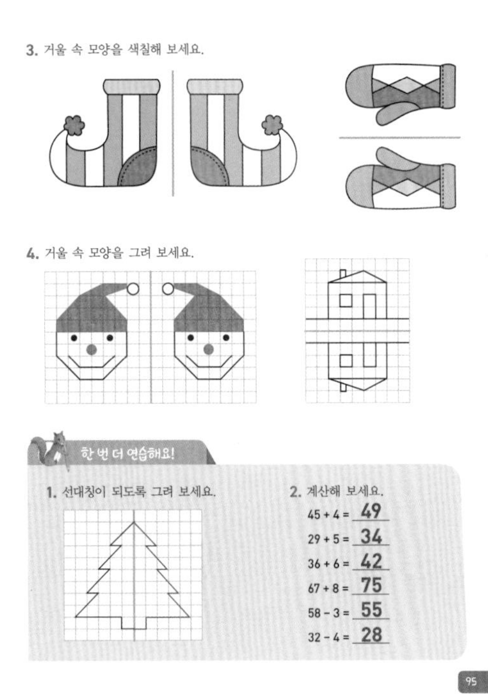

3. 거울 속 모양을 색칠해 보세요.

4. 거울 속 모양을 그려 보세요.

한 번 더 연습해요!

1. 선대칭이 되도록 그려 보세요.

2. 계산해 보세요.

45 + 4 = 49
29 + 5 = 34
36 + 6 = 42
67 + 8 = 75
58 − 3 = 55
32 − 4 = 28

95

부모님 가이드 | 94쪽

그림을 보며 아이에게 질문해 보세요.

- 여자아이 손에 공이 몇 개 있니? **1개**
- 거울 속에는 공이 몇 개 있니? **1개**
- 거울 밖과 안에서 볼 수 있는 공은 모두 몇 개니? **2개**
- 남자아이는 어떻게 두 다리가 모두 떠 있을 수 있는 거니? **사실 거울 뒤에 한 쪽 다리를 딛고 서 있고, 다른 한 다리만 든 건데, 거울에 비추니까 허공에 뜬 것처럼 보이는 거예요.**
- 그렇다면 남자아이 옷에 주머니도 1개 달린 건데 거울에 비춰서 2개로 보이는 거니? **그건 모르겠어요. 거울에 비춰서 2개로 보이는 건데, 거울 뒤에 실제 옷에는 주머니가 없을지, 아니면 여러 개가 달려 있을지 모르지요.**

96-97쪽

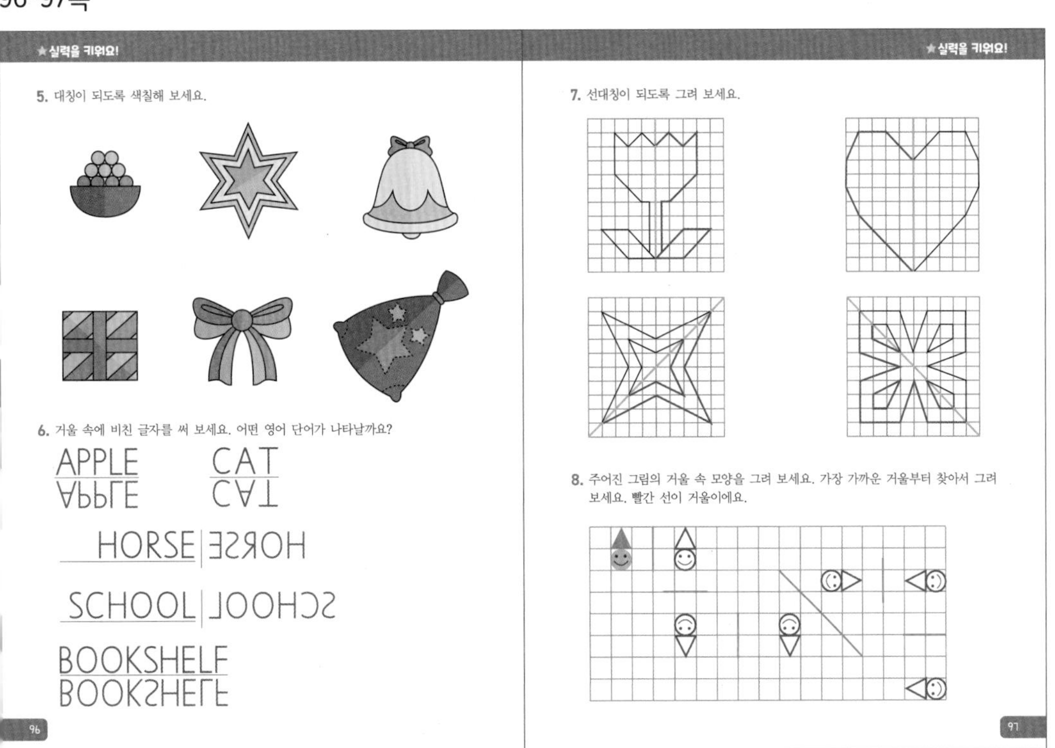

★실력을 키워요!

5. 대칭이 되도록 색칠해 보세요.

6. 거울 속에 비친 글자를 써 보세요. 어떤 영어 단어가 나타날까요?

APPLE
CAT
HORSE
SCHOOL
BOOKSHELF

96

★실력을 키워요!

7. 선대칭이 되도록 그려 보세요.

8. 주어진 그림의 거울 속 모양을 그려 보세요. 가장 가까운 거울부터 찾아서 그려 보세요. 빨간 선이 거울이에요.

97

98-99쪽

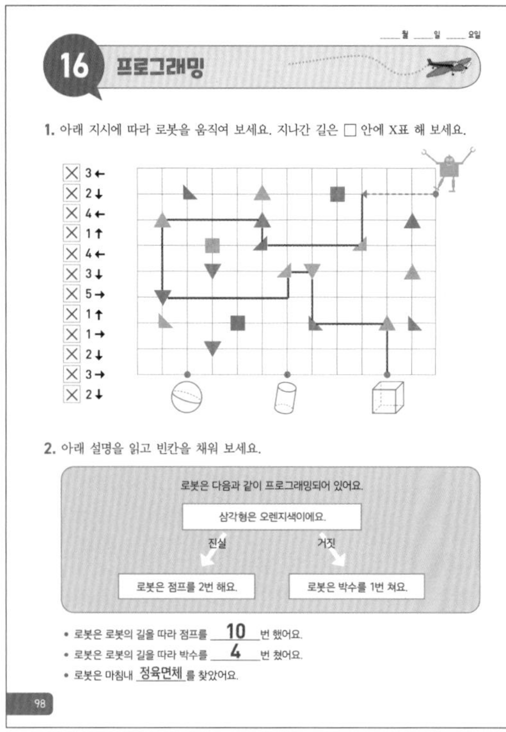

____월 ____일 ____요일

16 프로그래밍

1. 아래 지시에 따라 로봇을 움직여 보세요. 지나간 길은 □ 안에 X표 해 보세요.

☒ 3← ☒ 2↓ ☒ 4← ☒ 1↑ ☒ 4← ☒ 3↓ ☒ 5→ ☒ 1↑ ☒ 1→ ☒ 2↓ ☒ 3→ ☒ 2↓

2. 아래 설명을 읽고 빈칸을 채워 보세요.

로봇은 다음과 같이 프로그래밍되어 있어요.

삼각형은 오렌지색이에요.

진실 → 로봇은 점프를 2번 해요.

거짓 → 로봇은 박수를 1번 쳐요.

- 로봇은 로봇의 길을 따라 점프를 10 번 했어요.
- 로봇은 로봇의 길을 따라 박수를 4 번 쳤어요.
- 로봇은 마침내 정육면체 를 찾았어요.

98

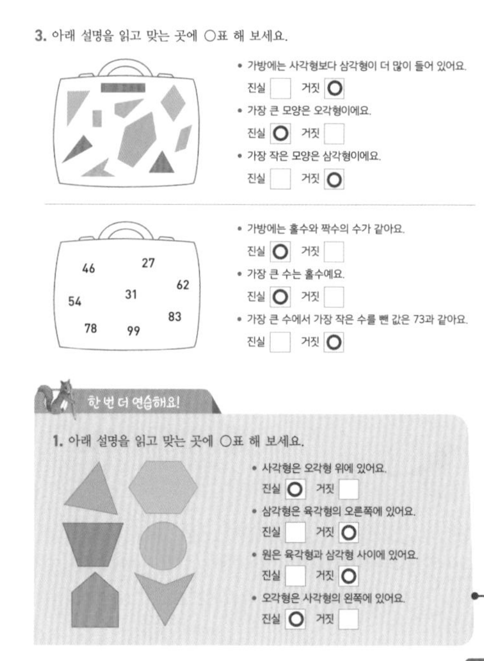

3. 아래 설명을 읽고 맞는 곳에 ○표 해 보세요.

- 가방에는 사각형보다 삼각형이 더 많이 들어 있어요. 진실 거짓 ○
- 가장 큰 모양은 오각형이에요. 진실 ○ 거짓
- 가장 작은 모양은 삼각형이에요. 진실 거짓 ○

46 27 62 54 31 83 78 99

- 가방에는 홀수와 짝수의 수가 같아요. 진실 ○ 거짓
- 가장 큰 수는 홀수예요. 진실 ○ 거짓
- 가장 큰 수에서 가장 작은 수를 뺀 값은 73과 같아요. 진실 거짓 ○

한 번 더 연습해요!

1. 아래 설명을 읽고 맞는 곳에 ○표 해 보세요.

- 사각형은 오각형 위에 있어요. 진실 ○ 거짓
- 삼각형은 육각형의 오른쪽에 있어요. 진실 거짓 ○
- 원은 육각형과 삼각형 사이에 있어요. 진실 거짓 ○
- 오각형은 사각형의 왼쪽에 있어요. 진실 ○ 거짓

99

98쪽 2번

- 오렌지색 삼각형을 5개 지나감. 1개당 2번 점프하므로, 2×5=10(번)
- 오렌지색 삼각형이 아닌 삼각형을 4개 지나감. 1개당 1번 박수를 치므로 4번 박수를 침.

99쪽 3번

- 사각형이 6개, 삼각형이 3개 들어 있으므로, 사각형이 더 많이 들어 있어요.
- 가장 작은 모양은 사각형이에요.
- 홀수는 27, 31, 83, 99이며, 짝수는 46, 54, 62, 78이에요.
- 가장 큰 수는 99, 가장 작은 수는 27이므로 99-27=72

- 삼각형은 육각형의 왼쪽에 있어요.
- 원은 육각형과 사각형 사이에 있어요.

100-101쪽

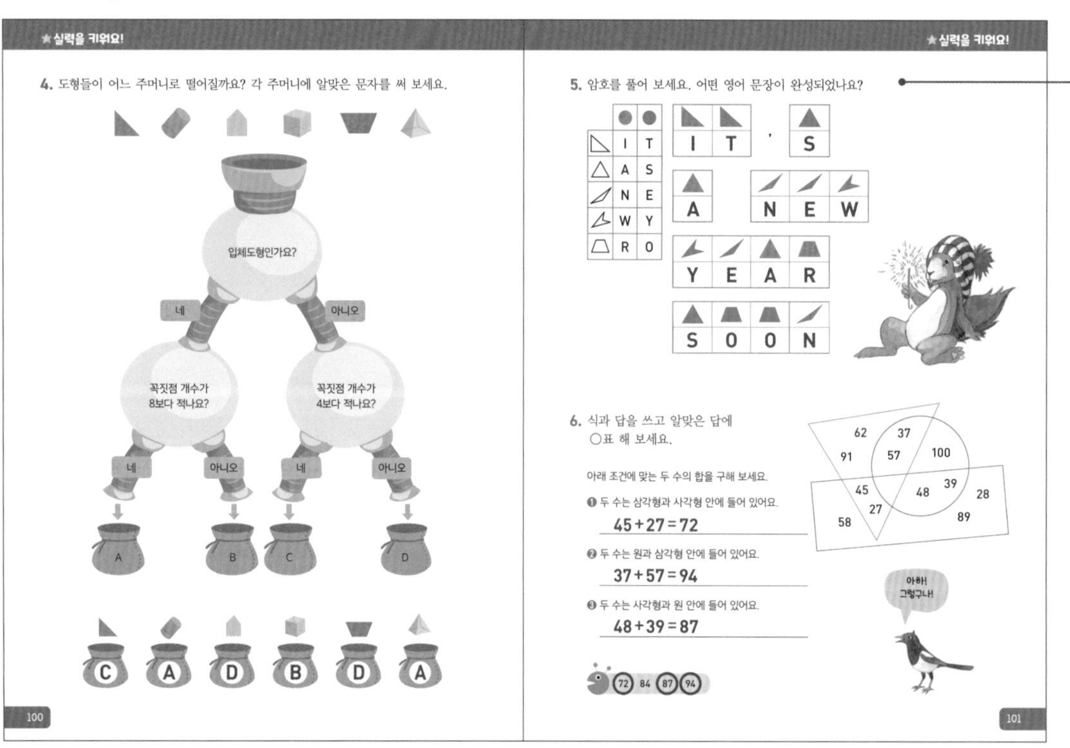

★실력을 키워요!

4. 도형들이 어느 주머니로 떨어질까요? 각 주머니에 알맞은 문자를 써 보세요.

입체도형인가요? 네 / 아니오

꼭짓점 개수가 8보다 적나요? 네 / 아니오

꼭짓점 개수가 4보다 적나요? 네 / 아니오

A B C D

C A D B D A

100

★실력을 키워요!

5. 암호를 풀어 보세요. 어떤 영어 문장이 완성되었나요?

I T , S / A / N E W / Y E A R / S O O N

6. 식과 답을 쓰고 알맞은 답에 ○표 해 보세요.

아래 조건에 맞는 두 수의 합을 구해 보세요.

❶ 두 수는 삼각형과 사각형 안에 들어 있어요.
45 + 27 = 72

❷ 두 수는 원과 삼각형 안에 들어 있어요.
37 + 57 = 94

❸ 두 수는 사각형과 원 안에 들어 있어요.
48 + 39 = 87

72 84 87 94

아하! 그렇구나!

101

IT'S A NEW YEAR SOON.(곧 새해가 될 거야.)

100쪽 4번

입체도형			
꼭짓점 개수	없음.	8	5
평면도형			
꼭짓점 개수	3	5	4

102-103쪽

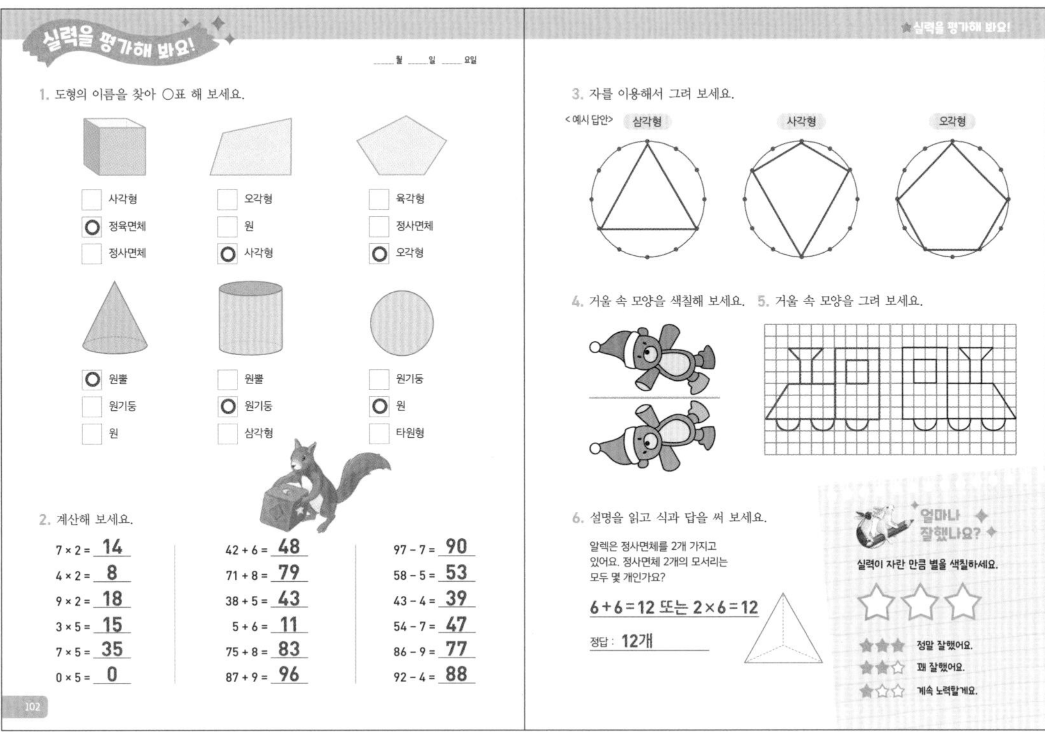

실력을 평가해 봐요!

___월 ___일 ___요일

1. 도형의 이름을 찾아 ○표 해 보세요.

사각형	오각형	육각형
○ 정육면체	원	정사면체
정사면체	○ 사각형	○ 오각형
○ 원뿔	원뿔	원기둥
원기둥	○ 원기둥	○ 원
원	삼각형	타원형

2. 계산해 보세요.

7 × 2 = 14	42 + 6 = 48	97 − 7 = 90
4 × 2 = 8	71 + 8 = 79	58 − 5 = 53
9 × 2 = 18	38 + 5 = 43	43 − 4 = 39
3 × 5 = 15	5 + 6 = 11	54 − 7 = 47
7 × 5 = 35	75 + 8 = 83	86 − 9 = 77
0 × 5 = 0	87 + 9 = 96	92 − 4 = 88

102

실력을 평가해 봐요!

3. 자를 이용해서 그려 보세요.

<예시 답안> 삼각형 사각형 오각형

4. 거울 속 모양을 색칠해 보세요.

5. 거울 속 모양을 그려 보세요.

6. 설명을 읽고 식과 답을 써 보세요.

알렉은 정사면체를 2개 가지고 있어요. 정사면체 2개의 모서리는 모두 몇 개인가요?

6 + 6 = 12 또는 2 × 6 = 12

정답 : 12개

얼마나 잘했나요?

실력이 자란 만큼 별을 색칠하세요.

★★★ 정말 잘했어요.
★★☆ 꽤 잘했어요.
★☆☆ 계속 노력할게요.

104-105쪽

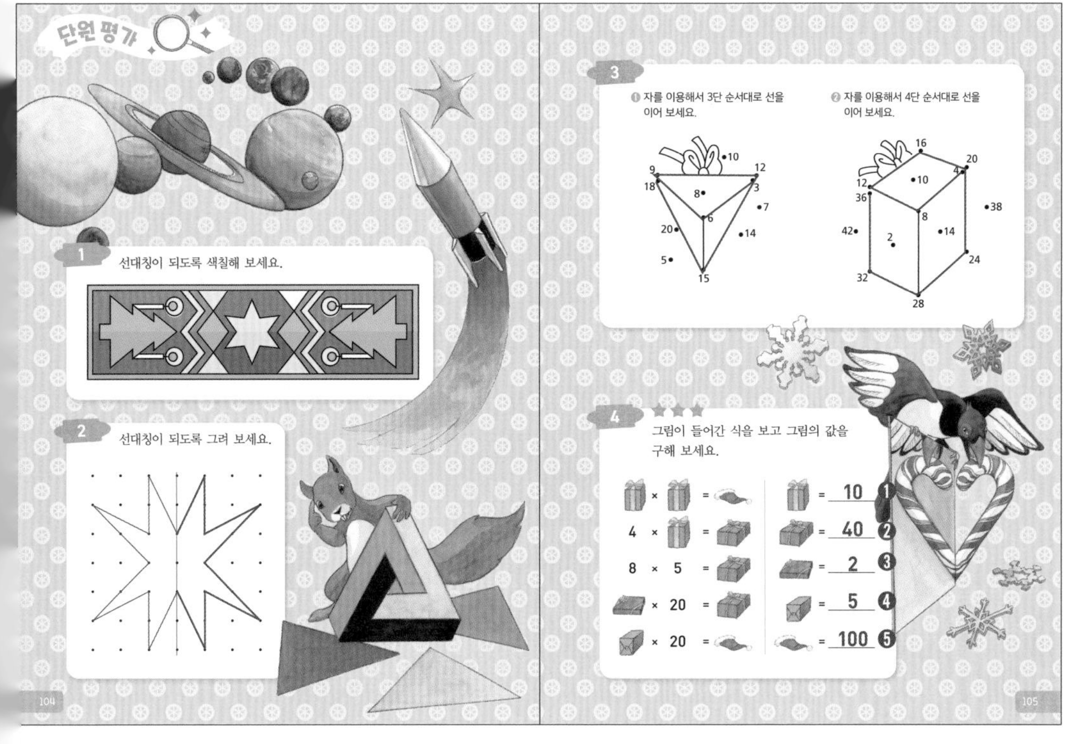

단원 평가

1 선대칭이 되도록 색칠해 보세요.

2 선대칭이 되도록 그려 보세요.

104

3

❶ 자를 이용해서 3단 순서대로 선을 이어 보세요.

❷ 자를 이용해서 4단 순서대로 선을 이어 보세요.

4 그림이 들어간 식을 보고 그림의 값을 구해 보세요.

× =	= 10 ❶
4 × =	= 40 ❷
8 × 5 =	= 2 ❸
× 20 =	= 5 ❹
× 20 =	= 100 ❺

105

105쪽 4번

❷ 8×5= , 8×5=40, =40

❶ 4× =
4× =40, =10

❸ ×20=
×20=40, =2

❺ × =
10×10=100, =100

❹ ×20=
×20=100, =5

106-107쪽

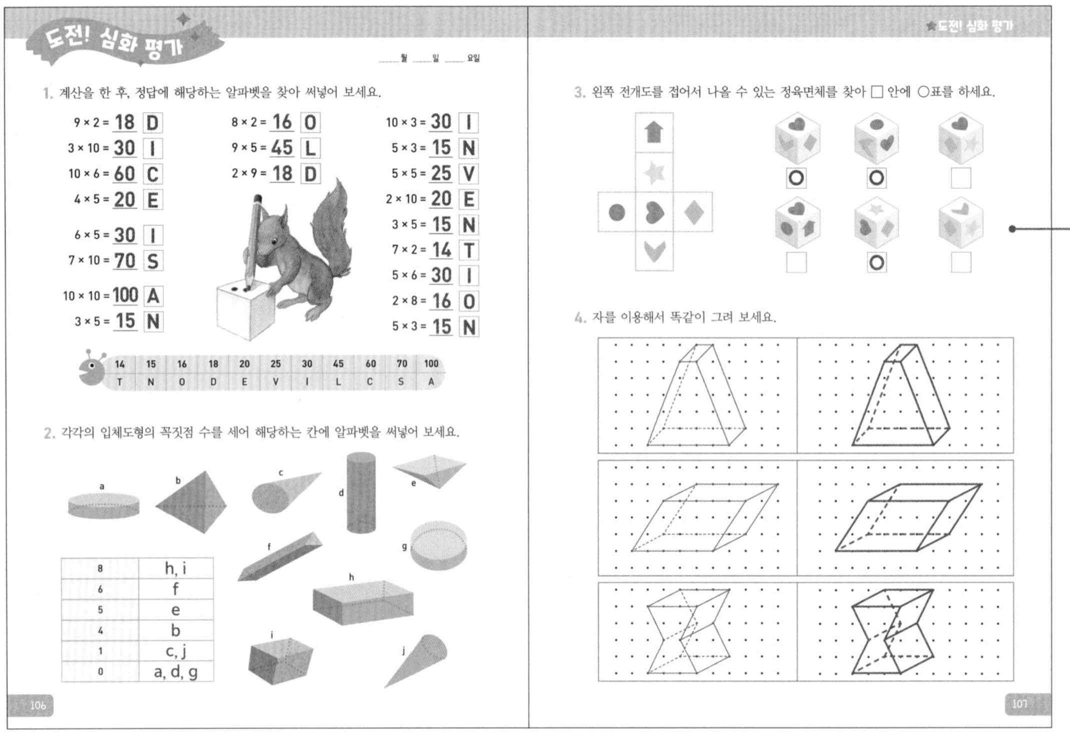
도전! 심화 평가

___월 ___일 ___요일

1. 계산을 한 후, 정답에 해당하는 알파벳을 찾아 써넣어 보세요.

9 × 2 = 18 D	8 × 2 = 16 O	10 × 3 = 30 I
3 × 10 = 30 I	9 × 5 = 45 L	5 × 3 = 15 N
10 × 6 = 60 C	2 × 9 = 18 D	5 × 5 = 25 V
4 × 5 = 20 E		2 × 10 = 20 E
6 × 5 = 30 I		3 × 5 = 15 N
7 × 10 = 70 S		7 × 2 = 14 T
10 × 10 = 100 A		5 × 6 = 30 I
3 × 5 = 15 N		2 × 8 = 16 O
		5 × 3 = 15 N

14	15	16	18	20	25	30	45	60	70	100
T	N	O	D	E	V	I	L	C	S	A

2. 각각의 입체도형의 꼭짓점 수를 세어 해당하는 칸에 알파벳을 써넣어 보세요.

8	h, i
6	f
5	e
4	b
1	c, j
0	a, d, g

106

도전! 심화 평가

3. 왼쪽 전개도를 접어서 나올 수 있는 정육면체를 찾아 □ 안에 ○표를 하세요.

4. 자를 이용해서 똑같이 그려 보세요.

107

106쪽 1번

DICE IS AN OLD INVENTION.(주사위는 오래된 발명품이다.)

실제 종이를 이용해서 그림을 그리고 접어서 확인하면 더 재미있어요. 한 꼭짓점에 모이는 모양을 잘 관찰하세요. 모양 대신 숫자로 나타내면 확인하기 더 쉬워요.

108-109쪽

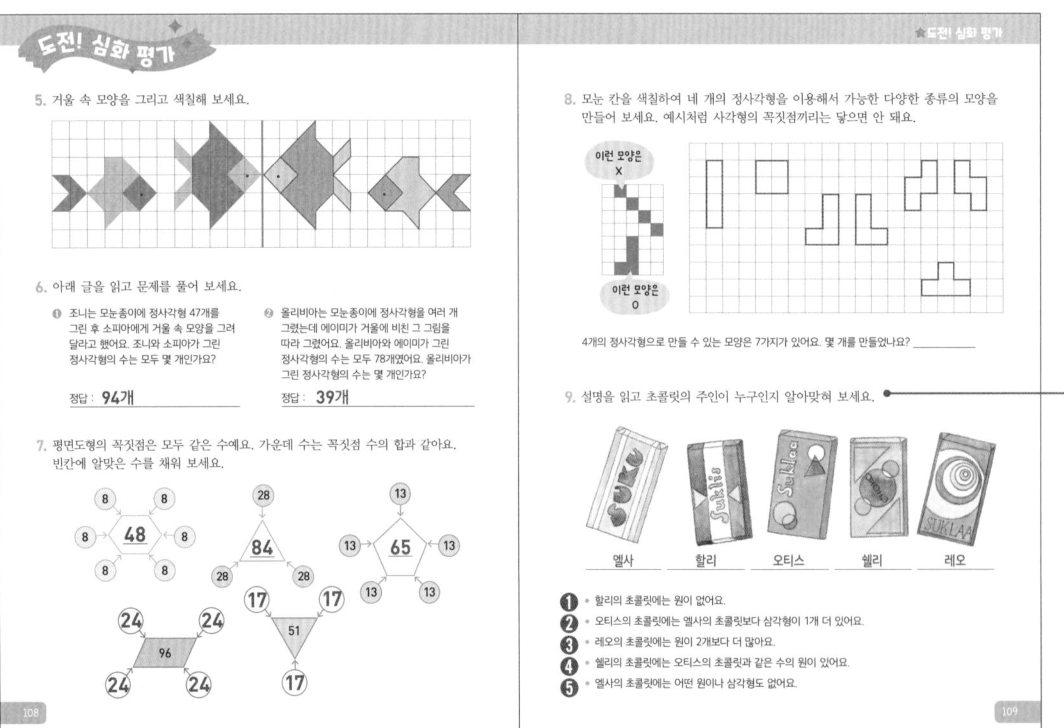
도전! 심화 평가

5. 거울 속 모양을 그리고 색칠해 보세요.

6. 아래 글을 읽고 문제를 풀어 보세요.

① 조니는 모눈종이에 정사각형 47개를 그린 후 소피아에게 거울 속 모양을 그려 달라고 했어요. 조니와 소피아가 그린 정사각형의 수는 모두 몇 개인가요?

정답: 94개

② 올리비아는 모눈종이에 정사각형을 여러 개 그렸는데 에이미가 거울에 비친 그 그림을 따라 그렸어요. 올리비아와 에이미가 그린 정사각형의 수는 모두 78개였어요. 올리비아가 그린 정사각형의 수는 몇 개인가요?

정답: 39개

7. 평면도형의 꼭짓점은 모두 같은 수예요. 가운데 수는 꼭짓점 수의 합과 같아요. 빈칸에 알맞은 수를 채워 보세요.

108

도전! 심화 평가

8. 모눈 칸을 색칠하여 네 개의 정사각형을 이용해서 가능한 다양한 종류의 모양을 만들어 보세요. 예시처럼 사각형의 꼭짓점끼리는 닿으면 안 돼요.

4개의 정사각형으로 만들 수 있는 모양은 7가지가 있어요. 몇 개를 만들었나요? ______

9. 설명을 읽고 초콜릿의 주인이 누구인지 알아맞혀 보세요.

엘사 할리 오티스 쉘리 레오

❶ • 할리의 초콜릿에는 원이 없어요.
❷ • 오티스의 초콜릿에는 엘사의 초콜릿보다 삼각형이 1개 더 있어요.
❸ • 레오의 초콜릿에는 원이 2개보다 더 많아요.
❹ • 쉘리의 초콜릿에는 오티스의 초콜릿과 같은 수의 원이 있어요.
❺ • 엘사의 초콜릿에는 어떤 원이나 삼각형도 없어요.

109

109쪽 9번

❺ 엘사의 초콜릿에는 어떤 원이나 삼각형도 없어요.

❷ 오티스의 초콜릿에는 엘사의 초콜릿보다 삼각형이 1개 더 있어요.

❹ 쉘리의 초콜릿에는 오티스의 초콜릿과 같은 수의 원이 있어요.

❸ 레오의 초콜릿에는 원이 2개보다 더 많아요.

❶ 할리의 초콜릿에는 원이 없어요.

110-111쪽

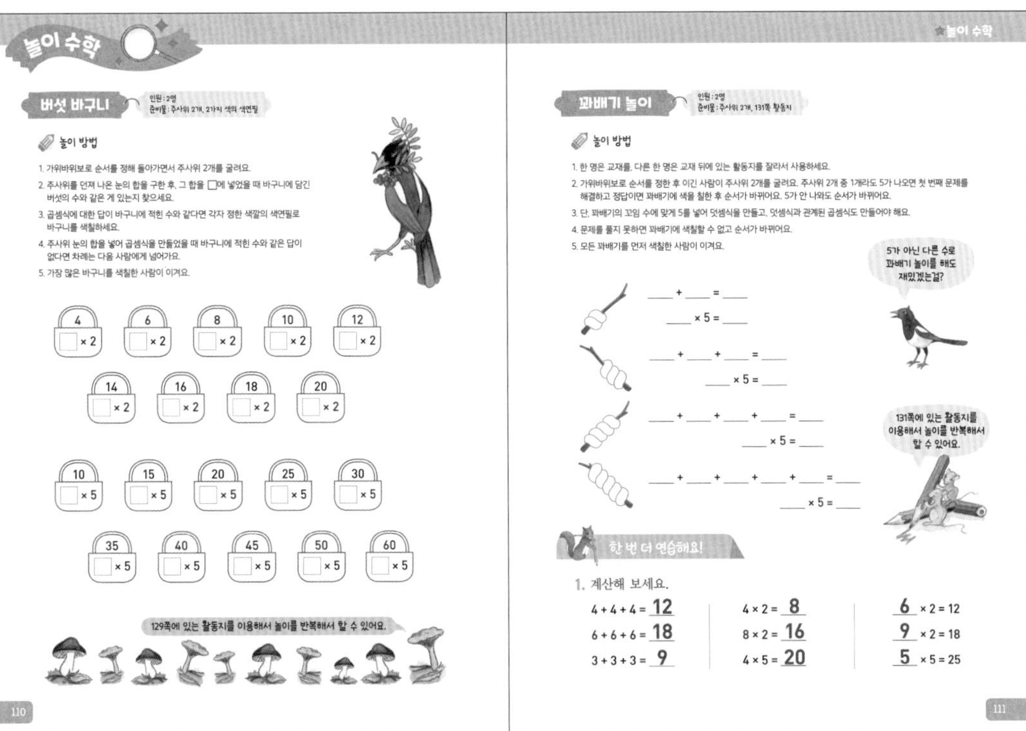

놓이 수학

버섯 바구니

인원 : 2명
준비물 : 주사위 2개, 2가지 색의 색연필

놀이 방법

1. 가위바위보로 순서를 정해 돌아가면서 주사위 2개를 굴려요.
2. 주사위를 던져 나온 눈의 합을 구한 후, 그 합을 □에 넣었을 때 바구니에 담긴 버섯의 수와 같은 게 있는지 찾으세요.
3. 곱셈식에 대한 답이 바구니에 적힌 수와 같다면 각자 정한 색깔의 색연필로 바구니를 색칠하세요.
4. 주사위 눈의 합을 넣어 곱셈식을 만들었을 때 바구니에 적힌 수와 같은 답이 없다면 차례는 다음 사람에게 넘어가요.
5. 가장 많은 바구니를 색칠한 사람이 이겨요.

4: □ × 2 / 6: □ × 2 / 8: □ × 2 / 10: □ × 2 / 12: □ × 2
14: □ × 2 / 16: □ × 2 / 18: □ × 2 / 20: □ × 2

10: □ × 5 / 15: □ × 5 / 20: □ × 5 / 25: □ × 5 / 30: □ × 5
35: □ × 5 / 40: □ × 5 / 45: □ × 5 / 50: □ × 5 / 60: □ × 5

129쪽에 있는 활동지를 이용해서 놀이를 반복해서 할 수 있어요.

110

놀이 수학

꽈배기 놀이

인원 : 2명
준비물 : 주사위 2개, 131쪽 활동지

놀이 방법

1. 한 명은 교재를, 다른 한 명은 교재 뒤에 있는 활동지를 잘라서 사용하세요.
2. 가위바위보로 순서를 정한 후 이긴 사람이 주사위 2개를 굴려요. 주사위 2개 중 1개라도 5가 나오면 첫 번째 문제를 해결하고 정답이면 꽈배기에 색을 칠한 후 순서가 바뀌어요. 5가 안 나와도 순서가 바뀌어요.
3. 단, 꽈배기의 꼬임 수에 맞게 5를 넣어 덧셈식을 만들고, 덧셈식과 관계된 곱셈식도 만들어야 해요.
4. 문제를 풀지 못하면 꽈배기에 색칠할 수 없고 순서가 바뀌어요.
5. 모든 꽈배기를 먼저 색칠한 사람이 이겨요.

___ + ___ = ___
___ × 5 = ___

___ + ___ + ___ = ___
___ × 5 = ___

___ + ___ + ___ + ___ = ___
___ × 5 = ___

___ + ___ + ___ + ___ + ___ = ___
___ × 5 = ___

5가 아닌 다른 수로 꽈배기 놀이를 해도 재있겠는걸?

131쪽에 있는 활동지를 이용해서 놀이를 반복해서 할 수 있어요.

한 번 더 연습해요!

1. 계산해 보세요.

4 + 4 + 4 = 12　　4 × 2 = 8　　6 × 2 = 12
6 + 6 + 6 = 18　　8 × 2 = 16　　9 × 2 = 18
3 + 3 + 3 = 9　　4 × 5 = 20　　5 × 5 = 25

111

112-113쪽

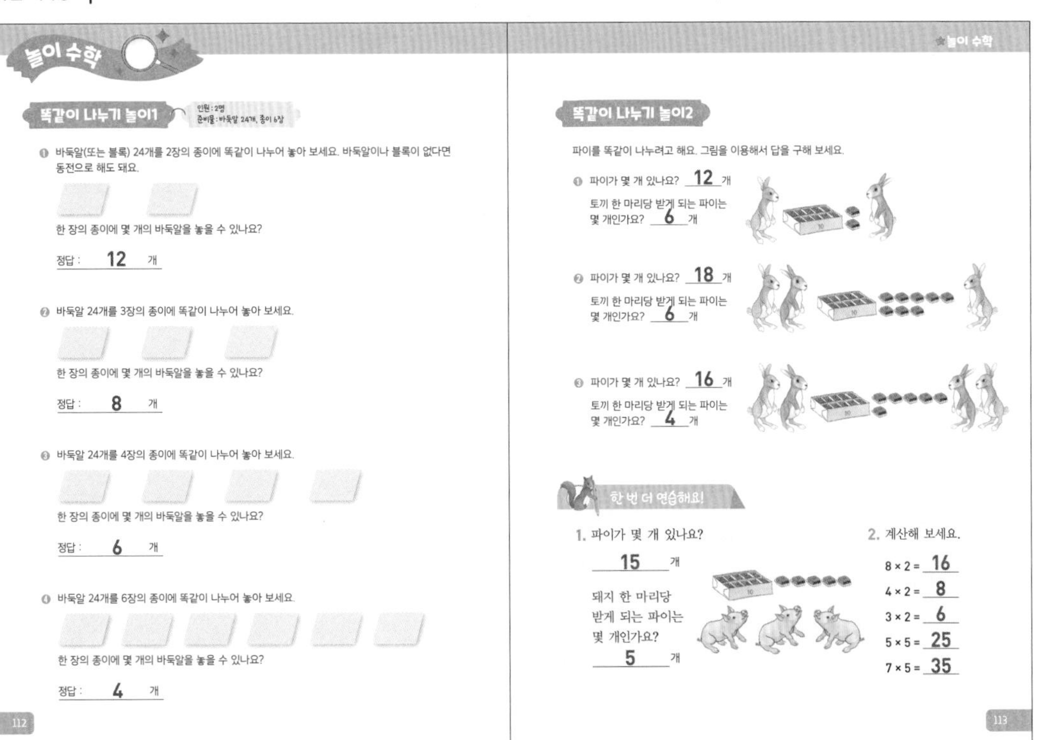

놀이 수학

똑같이 나누기 놀이1

인원 : 2명
준비물 : 바둑알 24개, 종이 6장

① 바둑알(또는 블록) 24개를 2장의 종이에 똑같이 나누어 놓아 보세요. 바둑알이나 블록이 없다면 동전으로 해도 돼요.

한 장의 종이에 몇 개의 바둑알을 놓을 수 있나요?

정답 : 12 개

② 바둑알 24개를 3장의 종이에 똑같이 나누어 놓아 보세요.

한 장의 종이에 몇 개의 바둑알을 놓을 수 있나요?

정답 : 8 개

③ 바둑알 24개를 4장의 종이에 똑같이 나누어 놓아 보세요.

한 장의 종이에 몇 개의 바둑알을 놓을 수 있나요?

정답 : 6 개

④ 바둑알 24개를 6장의 종이에 똑같이 나누어 놓아 보세요.

한 장의 종이에 몇 개의 바둑알을 놓을 수 있나요?

정답 : 4 개

112

놀이 수학

똑같이 나누기 놀이2

파이를 똑같이 나누려고 해요. 그림을 이용해서 답을 구해 보세요.

① 파이가 몇 개 있나요? 12 개
토끼 한 마리당 받게 되는 파이는 몇 개인가요? 6 개

② 파이가 몇 개 있나요? 18 개
토끼 한 마리당 받게 되는 파이는 몇 개인가요? 6 개

③ 파이가 몇 개 있나요? 16 개
토끼 한 마리당 받게 되는 파이는 몇 개인가요? 4 개

한 번 더 연습해요!

1. 파이가 몇 개 있나요?
15 개
돼지 한 마리당 받게 되는 파이는 몇 개인가요?
5 개

2. 계산해 보세요.
8 × 2 = 16
4 × 2 = 8
3 × 2 = 6
5 × 5 = 25
7 × 5 = 35

113

114-115쪽

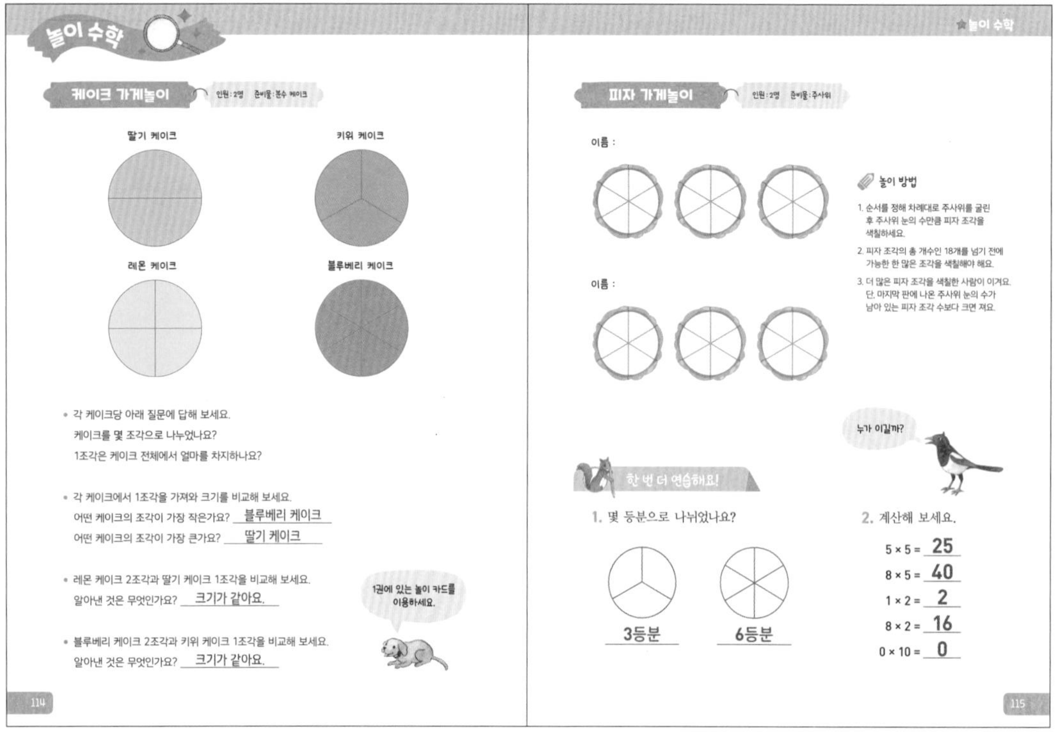

114쪽

- 케이크를 몇 조각으로 나누었나요?
  딸기 케이크 2조각, 키위 케이크 3조각, 레몬 케이크 4조각, 블루베리 케이크 6조각
- 한 조각은 케이크 전체에서 얼마를 차지하나요?
  딸기 케이크 $\frac{1}{2}$, 키위 케이크 $\frac{1}{3}$, 레몬 케이크 $\frac{1}{4}$, 블루베리 케이크 $\frac{1}{6}$

116-117쪽

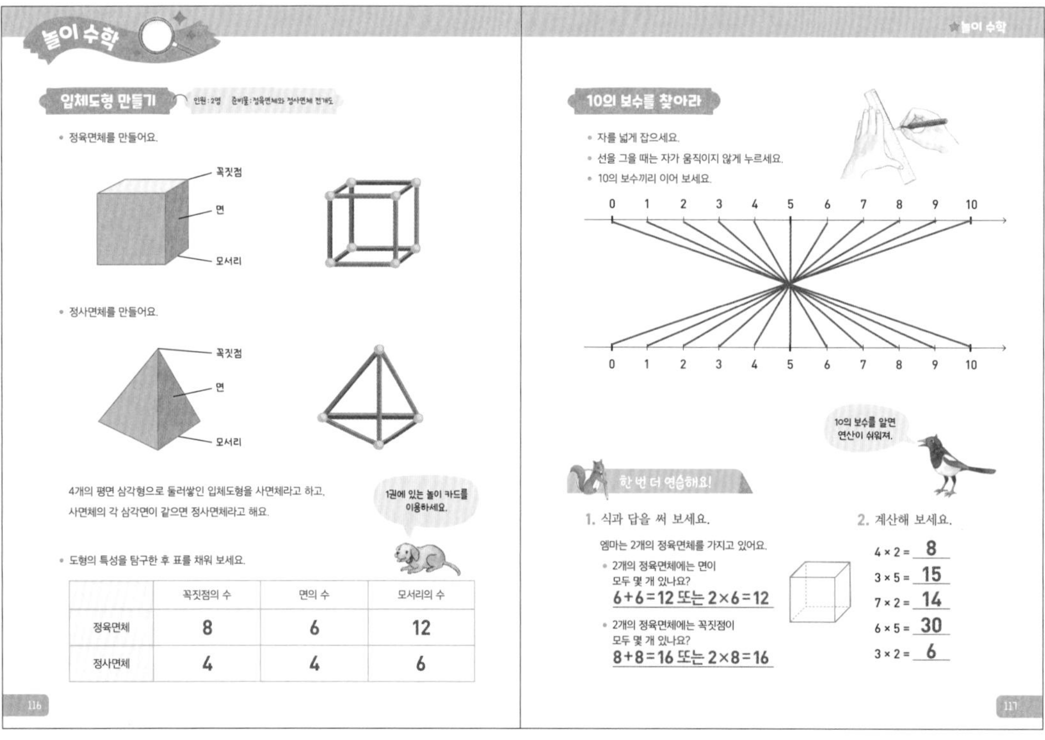

118-119쪽

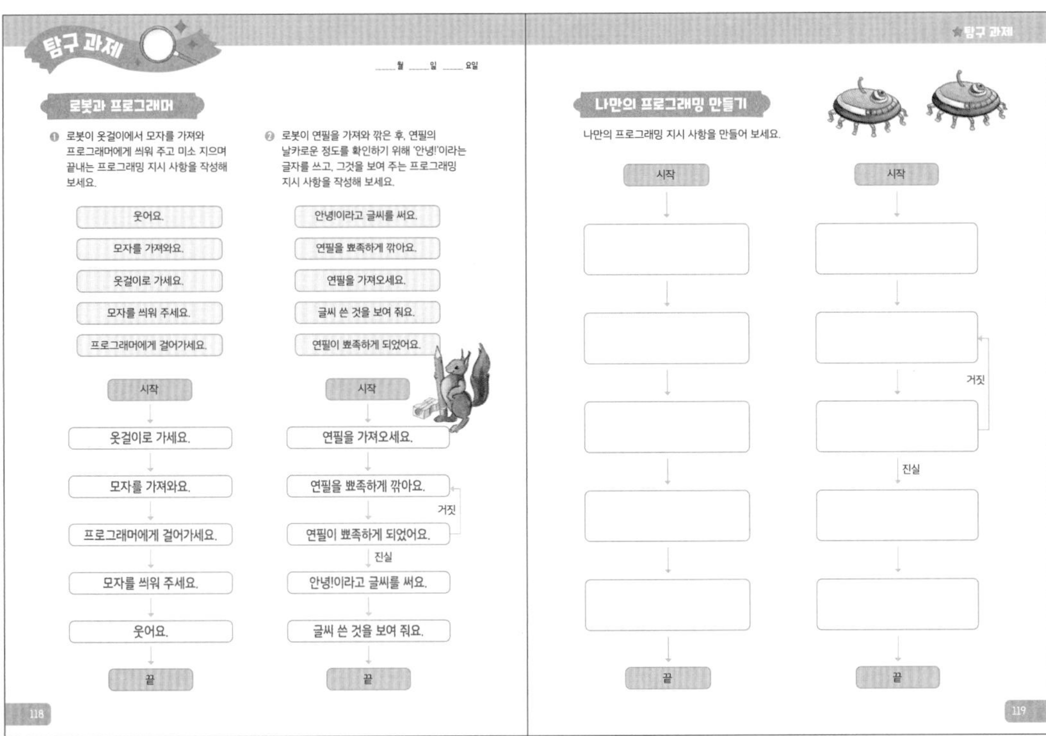

탐구 과제

____월 ____일 ____요일

로봇과 프로그래머

❶ 로봇이 옷걸이에서 모자를 가져와 프로그래머에게 씌워 주고 미소 지으며 끝내는 프로그래밍 지시 사항을 작성해 보세요.

- 웃어요.
- 모자를 가져와요.
- 옷걸이로 가세요.
- 모자를 씌워 주세요.
- 프로그래머에게 걸어가세요.

시작 → 옷걸이로 가세요. → 모자를 가져와요. → 프로그래머에게 걸어가세요. → 모자를 씌워 주세요. → 웃어요. → 끝

❷ 로봇이 연필을 가져와 깎은 후, 연필의 날카로운 정도를 확인하기 위해 '안녕!'이라는 글자를 쓰고, 그것을 보여 주는 프로그래밍 지시 사항을 작성해 보세요.

- 안녕!이라고 글씨를 써요.
- 연필을 뾰족하게 깎아요.
- 연필을 가져오세요.
- 글씨 쓴 것을 보여 줘요.
- 연필이 뾰족하게 되었어요.

시작 → 연필을 가져오세요. → 연필을 뾰족하게 깎아요. → 연필이 뾰족하게 되었어요. (거짓: 연필을 뾰족하게 깎아요.로 돌아감) → 진실 → 안녕!이라고 글씨를 써요. → 글씨 쓴 것을 보여 줘요. → 끝

118

탐구 과제

나만의 프로그래밍 만들기

나만의 프로그래밍 지시 사항을 만들어 보세요.

시작 → □ → □ → □ → □ → □ → 끝

시작 → □ → □ → □ (거짓) → 진실 → □ → □ → 끝

119

120-121쪽

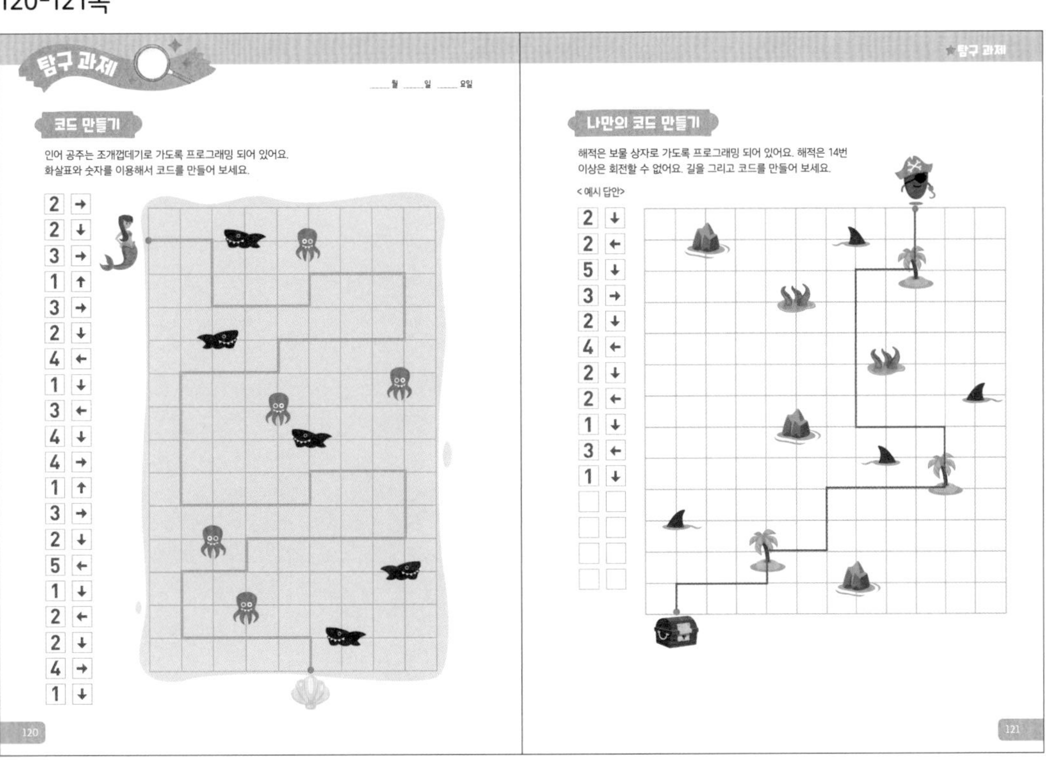

탐구 과제

____월 ____일 ____요일

코드 만들기

인어 공주는 조개껍데기로 가도록 프로그래밍 되어 있어요.
화살표와 숫자를 이용해서 코드를 만들어 보세요.

2	→
2	↓
3	→
1	↑
3	→
2	↓
4	←
1	↓
3	←
4	↓
4	→
1	↑
3	→
2	↓
5	←
1	↓
2	←
2	↓
4	→
1	↓

120

탐구 과제

나만의 코드 만들기

해적은 보물 상자로 가도록 프로그래밍 되어 있어요. 해적은 14번 이상은 회전할 수 없어요. 길을 그리고 코드를 만들어 보세요.

<예시 답안>

2	↓
2	←
5	↓
3	→
2	↓
4	←
2	↓
2	←
1	↓
3	←
1	↓

121

122-123쪽

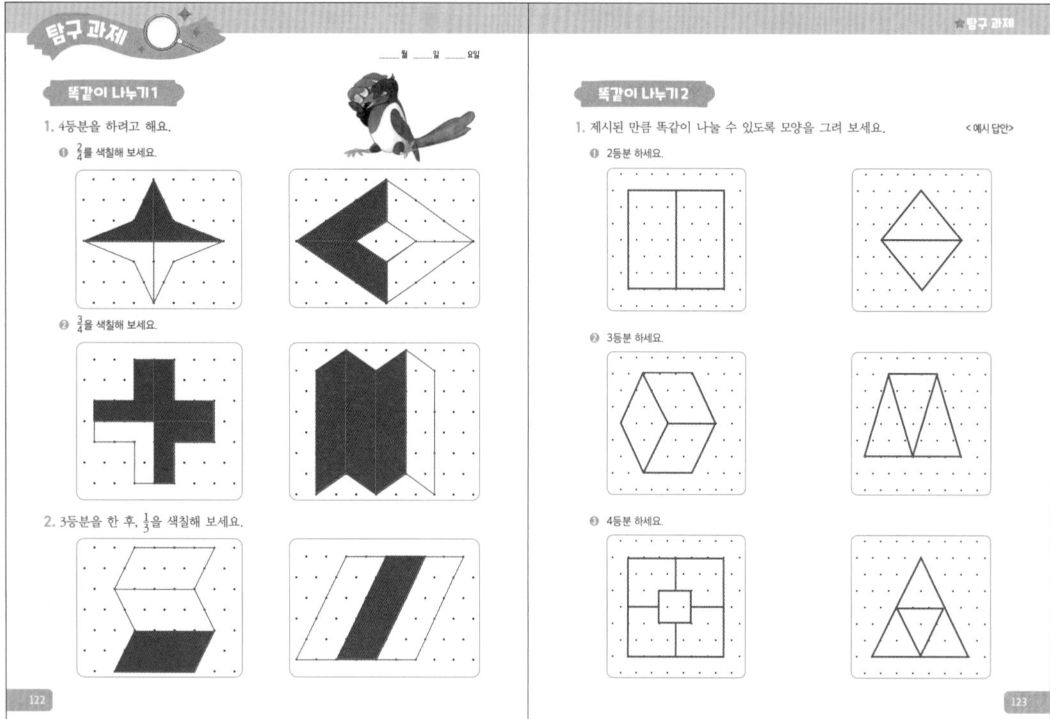

탐구 과제

___월 ___일 ___요일

똑같이 나누기1

1. 4등분을 하려고 해요.

① $\frac{2}{4}$를 색칠해 보세요.

② $\frac{3}{4}$을 색칠해 보세요.

2. 3등분을 한 후, $\frac{1}{3}$을 색칠해 보세요.

122

★탐구 과제

똑같이 나누기2

1. 제시된 만큼 똑같이 나눌 수 있도록 모양을 그려 보세요. <예시 답안>

① 2등분 하세요.

② 3등분 하세요.

③ 4등분 하세요.

123

124-125쪽

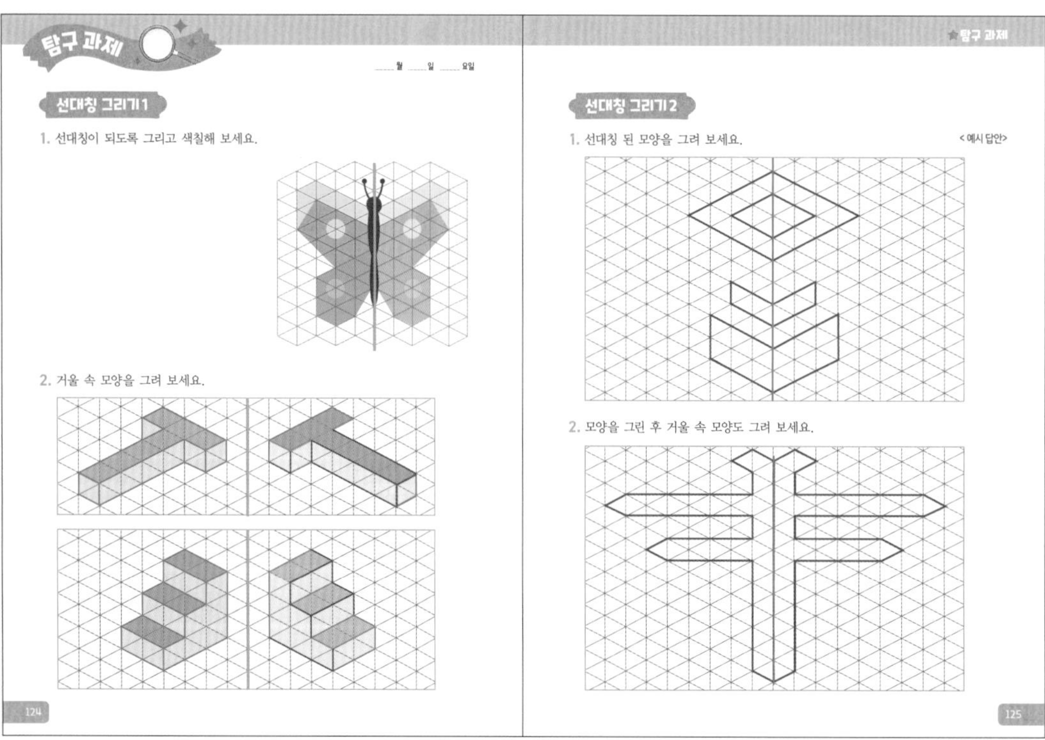

탐구 과제

___월 ___일 ___요일

선대칭 그리기1

1. 선대칭이 되도록 그리고 색칠해 보세요.

2. 거울 속 모양을 그려 보세요.

124

★탐구 과제

선대칭 그리기2

1. 선대칭 된 모양을 그려 보세요. <예시 답안>

2. 모양을 그린 후 거울 속 모양도 그려 보세요.

125

유아와 초등 저학년 아이를 둔 학부모님께

안녕하세요? 저는 주로 유아와 초등 저학년 학부모님을 위한, 수학책 해설가 쑥샘 정유숙입니다. '유튜브 쑥샘TV'와 '데카르트 수학책방'에서 학부모님들과 소통하고 있어요.
1, 2학년 수학 너무 쉽죠? 그 쉬운 수학에서 놓치면 후회할 것들에 대해 말씀드리려고 해요. 한마디로 말하면 1, 2학년 수학은 '수 감각'의 바탕을 다지는 게 목표예요. '수 감각'은 수를 셀 줄 알고, 크기를 비교하고, 수들 사이의 관계를 아는 것을 말해요. 그걸 눈, 손, 귀, 입과 같은 감각으로 받아들이고 표현하면서 자연스럽게 아이들 몸에 '수'가 인식되는 것이지요. 아이들은 손으로 만지고 눈으로 봐야 알거든요. '수 감각'은 본격적인 수학을 배우기 전에 아이들이 반드시 갖춰야 할 능력이에요.

이런 '수 감각'을 키우기 위해서는 이 시기에 교과 수학과 사고력 수학을 병행해서 학습해야 해요. 교과 수학에서는 크게 두 가지를 다뤄요. 수 세기와 수의 크기 비교를 위한 수학적인 표현 방법들(>, =, <)과 연산의 원리를 수학적으로 나타내는 법(2+3=5, 10-8=2)을 배우죠. 이런 걸 수학기호라고 부르는데 아이들은 이 기호를 만질 수가 없잖아요? 그러니까 처음부터 이런 기호를 만나면 불편하고 수학이 싫어지는 거예요. 한 번만 학습해서는 모르니 복습이 필요하고, 그래서 학습지나 연산 문제집을 풀게 돼요. 교과서는 많은 내용을 담아야 해서 아이들이 충분히 연습할 수 있는 양을 다 담지 못하거든요.

이런 문제를 해결하려고 사교육 시장에 등장한 게 사고력 수학이에요. 정확히 보자면 활동 수학

또는 교구 수학이라고 부를 수 있어요. 아이들에게 교구를 가지고 끼워 보고, 떼어 보고, 그려 보는 시행착오를 경험하게 해 주는데 그러는 중에 교사는 아이들이 생각할 수 있는 질문을 던지고, 아이들은 대답하면서 사고력이 생기는 거죠.
더불어 시행착오를 통해서 순서가 중요하며, 규칙이 있다는 것도 알게 돼요. 기호는 잘 몰라도 수들 사이의 관계에 대한 이미지는 갖게 되죠. '9' 하면 머릿속에 저절로 '블록 아홉 개'가 떠오르는 경험이 쌓이면서 수와 친해져요. 수학을 놀이로 생각하니 복습에 대한 거부감도 없고요.

이렇듯 1, 2학년 수학에서는 교과 수학과 사고력 수학, 이 두 가지를 잘 병행하는 게 중요해요. 교과 수학만 하면 수 감각이 떨어지고, 사고력 수학만 하면 수학 기호가 훨씬 많아지는 3, 4학년 수학을 따라가기 어려운 딜레마에 빠지게 돼요.
그럼 어떻게 해야 할까요? 평소에 이 두 가지를 하나의 교재로 학습하는 게 좋아요. 아이들 몸에 수학 기호를 배게 하려면 오랜 시간이 필요하니 적어도 7세부터는 수학에 노출을 시켜 줘야 하는데, 이때 핀란드 수학 교과서의 도움을 받으세요.

이 책은 각 권이 크게 10~12개의 주제로 이루어져 있어요. 한 주제마다 단계별 진도를 나가는 교과 수학과 교구 없이 머리를 쓰게 하는 사고력 수학이 함께 담겨 있어요. 또한 놀이 수학도 있어요. 하기도 쉽고 번거롭지 않으니 꼭 해 보시길 추천해요. 놀이는 자연스러운 반복을 유도하니까요.
교과·사고력·놀이 수학, 이 세 가지 구성을 책의 순서에 따라 골고루 하시면 돼요. 부모님도 아이도 수학 실력이 야금야금 느는 걸 느끼게 될 거예요.

교과 수학과 사고력 수학, 두 마리 토끼를 다 잡길 응원할게요!

쑥샘 정유숙 드림

(수학책 해설가, 유튜브 쑥샘TV 운영, 데카르트 수학책방 공동 대표)